REFORMS
IN NEED

Exploring the Roads for Marketization Reform of the Chinese Capital Market

变革与突破

——中国资本市场发展研究（下册）

杨桦 周军◎等著

中国财政经济出版社

编委会成员

主　编： 杨　桦　周　军

副主编： 马春华　常德鹏

成　员：（按姓氏笔画顺序排序）

王霞丽　邓圣君　田浚韬　石　妍　朱倩颖

刘玮婷　张志海　张　菁　吴颖萌　李大林

邹　祥　胡吉祥　姚　键　赵冬华　赵京卓

姜恺妮　黄泠然　程　玺　蔺汇溪　蔡素梅

下册前言

激发活力，促进可持续发展

我国资本市场虽然已具备了一定的规模，但在市场的活力、成熟度、稳定性上，仍和国际上发达资本市场存在着一定的差距。党的十八届三中全会对于发展资本市场提出了“要健全多层次资本市场体系，扩大金融业对内对外开放，发展普惠金融”等要求。资本市场的监管部门根据十八届三中全会精神，明确指出未来资本市场的改革要坚持市场化、法治化和国际化的方向。2013 年底的新股发行体制改革是中国资本市场改革的又一次大胆尝试，是以市场化为主体改革新观念下的大胆变革。在新的改革形势下，如何维持我国资本市场的稳定，增强国际竞争力和吸引力，促进中国资本市场健康稳定的可持续发展，是整个资本市场十分关注的问题。

机构投资者作为资本市场参与主体的核心力量，发挥着市场风向标、稳定器等重要作用。规范和发展机构投资者已经成为我国发展资本市场的一项长期策略。然而，与国际发达资本市场相比，我国机构投资者所占的市场比例仍相对较低，不利于市场的稳定发展。其次，在资本市场的国际竞争中，我国也缺乏与自身规模相匹配的市场化宣传推介机构，缺乏国际话语权，应对国际化的步伐相对缓慢。再次，资本市场的人才瓶颈，特别是监管机构的人才流失问题，又在很大程度上制约了我国资本市场的稳定可持续发展。

针对这几方面的问题，本书通过大量资料的收集，广泛参考了国内外相关经验，结合2013年底的新股发行体制改革，分析了机构投资者对于我国资本市场平稳健康发展的积极意义，提出了发展机构投资者的措施，探讨了对于建立市场化资本市场宣传推介机构的政策建议，并对以市场化培育和发展资本市场人才队伍的模式进行了大胆的规划，以期多方位推动中国资本市场的稳定可持续发展。

目录 Contents

第四篇
进一步推动机构投资者参与中国资本市场发展

第五篇
助力中国资本市场开放发展——探索资本市场宣传推介新模式

第六篇
探索中国资本市场人才发展新模式

第四篇
进一步推动机构投资者参与中国资本市场发展

第二十章

进一步推动机构投资者参与中国资本市场发展引言

机构投资者的崛起是全球金融体系近 30 年以来最重大的变化之一，其对发达国家的资本市场稳定、资源配置效率和市场环境均产生了较为积极的影响，机构投资者主导资本市场已经成为一种发展趋势。资本市场强大与否很大程度上决定了一国综合竞争力大小，而机构投资者的规范、强大对于资本市场至为关键。宏观上，机构投资者能够提高资本市场的广度和深度，提高资本市场资源配置的效率，促进金融体系的竞争，提高银行部门效率；微观上，机构投资者能够推动公司整体质量的改善。因此，机构投资者作为资本市场的重要参与者，在改善投资主体结构，稳定市场，活跃交易，推进公司治理乃至促进金融体系竞争与效率等方面都起到举足轻重的作用。

机构投资者以其具有的证券投资优势，长期受到投资市场的青睐。我国证券市场从 20 世纪 90 年代初建立至今只有二十几年的时间，市场发展迅速，并已达到一定的规模，市场中的机构投资者数量不断扩大，投资规模不断增加，机构投资者对市场的影响度与日俱增，对我国证券市场持续健康的发展具有深刻的意义。

在证券市场国际化、全球一体化的趋势下，如何推动机构投资者积极进入我国证券市场，让其具备的各项优势，助力我国证券市场的发展，成为近年来各部门关注的课题。此外，规范发展机构投资者已经成为我国发展资本市场的一项长期策略。

2012 年 9 月由中国人民银行、中国银监会、中国证监会、中国保监会、国家外管局共同编制，并获得国务院批准的《金融业发展和改革“十二五”规划》中指出，在多层次金融市场体系建设方面，要着力完善股票市场，探索建立国际板市场，并继续深化新股发行体制改革，加强机构投资者队伍建设，积极扩大金融衍生品市场参与主体。在2013年提交全国“两会”的一份提案中，民建中央建议，壮大资本市场机构投资者队伍，机构投资者持股市值占比应达到60%~70%。

近年来，中国证监会一直都把大力发展机构投资者当作一项重点工作。2013年2月份，中国证监会明确表示，2013年还要超常规地发展机构投资者，除了要发展公募基金以外，也要发展私募基金。除社保基金之外，企业年金、地方政府养老金以及公积金，都可以进入资本市场。除了场内市场，还要完善多层次的资本市场，特别是场外市场，同时大力发展境外投资者。

2013年7月，国务院发布《国务院办公厅关于金融支持经济结构调整和转型升级的指导意见》（以下简称“金十条”），其中由中国证监会牵头落实“加快发展多层次资本市场”的工作。按照该指导方向，中国证监会现已提出了进一步优化主板、中小企业板、创业板市场等一系列制度安排。

这一系列的动作，无疑成为加快推动长期资金入市，壮大机构投资者力量的有力措施。在此背景下，探讨如何推动证券市场的主要参与者——机构投资者入市，对我国资本市场的长足发展具有十分重要的意义。本篇将通过对海内外机构投资者的发展历程、适用的法律法规及机构投资者的市场主体特征的整理和深入的分析，探讨机构投资者的发展趋势和最新发展动向。从这些丰富的经验中，围绕机构投资者的行为和其对证券市场所产生各种影响，论述对其推动发展的必要性，探讨对其行为的发展策略。

第二十一章

进一步推动机构投资者参与中国资本市场发展导论

第一节　机构投资者的概念

一、意义和目的

（一）意义

近30年来，全球金融市场的一个突出表现就是机构投资者的迅速发展。机构投资者的发展促进了金融市场由传统商业银行为主导向机构为主导的转变，拓展了金融市场的功能，提高了金融市场的效率和国家竞争力，也促进了经济的持续发展。面对全球资本市场的国际竞争，金融功能深化的内在要求，人口老龄化所带来的养老保障需求，推动发展机构投资者日益成为发展中国家和新兴市场日益迫切的问题。

然而，以美国为代表的发达国家的机构投资者的历程，并不是一帆风顺。美国用了近40年的时间来完善法律制度，再用了近30年的时间来通过养老保障制度的改革来促进机构投资者的发展。20世纪80年代后，拉美国家也纷纷加入到机构投资者发展的行列，以仿效美国养老保障制度改革的方法来促进推动机构投资者的发展，但并不是十分顺利。

我国资本市场起步发展比较晚，与成熟市场国家相比，存在着较大的差异。与其他新兴市场也有所不同，我国将来更为严重的人口老龄化和处于“婴儿期”的社会保障制度，对资本市场的发展提出了更为迫切的要求。而作为资本市场中核心力量——机构投资者，其发展现状也不令人满意。在这样背景下，分析国内外机构投资者的发展，借鉴国际上调动机构投资者发挥出相应积极作用的经验，为推动我国机构投资者的发展构建可实际运作的系统体系，具有重要的现实意义。

（二）目的

1. 培育市场中的长期机构投资者

近10多年来，我国资本市场一直致力于培育机构投资者并已见成效，机构投资者队伍从无到有，现已初具规模。但从现实来看，机构投资者群体虽众，但成长为市场中长期投资者的却并不多，机构投资者持股换仓频率是国外成熟市场的好几倍，甚至不低于散户投资者，这种机构投资者的行为并没有发挥出所期望的证券市场“稳定器”的作用。而从境外成熟市场看，成功的机构投资者都有一套挑选企业家、挑选企业和行业的标准，有明确的投资策略，同时始终把持有人利益放在首位，不受短期利益的诱惑，始终是资本市场的中坚力量，也是长期投资理念的最重要的践行者。这样的机构投资者才是我们的资本市场所迫切需要的。

2. 扩大专业机构投资者规模

大力发展专业机构投资者，是促进包括股市在内的我国资本市场稳定发展的重要路径。近几年来，美欧日等发达国家尽管经历了国际金融危机冲击，但资本市场波动幅度反倒小于新兴市场国家，一个主要原因是机构投资者发挥了支撑市场稳定的关键作用。其中，专业机构投资者具有专业化投资知识，投资理念成熟，注重长期投资和价值投资，在改善资本市场投资者结构、提高市场效率、减少市场波动以及实现资产保值增值等方面，发挥出积极的作用。而我国的数据显示，截至2012年底，各类专业机构投资者所持A股流通市值占比17.40%，不仅远低于美国的50.6%，也显著低于南非、韩国、巴西、罗马尼亚、波兰等经济体43%的平均水平，自然人投资者持股占比25.33%。这样的低比率让机构投资者的功能在我国的资本市场上无法有效发挥出来。因此，如何扩大机构投资者入市的规模，促进其参与市场活动，是本篇重点思考的问题。

3. 为市场引进更多的机构投资者，丰富我国机构投资者主体

近年来，全球金融市场动荡频频，机构投资者的发展问题已成为当前中外资本市场共同关心的重大问题和迫切需要解决的现实问题。在西方发达国家成熟的股市中，大量的机构投资者如退休养老金、保险基金、银行信托基金和投

资基金等拥有长期稳定的资金来源，还有相当数量的公益基金和捐赠基金，持有股票资产占股票总市值的50%以上。而我国机构投资者发展不均衡，保险资金在2004年才允许进入资本市场，规模较小。养老体系改革还有待深入，尚未成为中国机构投资者的力量之一。因此，需要用专业机构和各种推动方法大力培育机构投资者的队伍，从而积极推动长期资金投资我国证券市场。

二、机构投资者的定义和分类

（一）对机构投资者的定义

由于各国机构投资者成熟程度的不一样，市场中的投资主体也不相同，导致各国机构投资者所包含的范围也不同。就目前来说各国对于机构投资者的界定没有统一的标准。

一般情况下，“机构投资者”对应的是“个人投资者”的概念。按照1998年出版的《金融和投资词典》[①]，机构投资者是与“业主投资者”[②]相对应的一个概念，即机构投资者是“从事大规模投资的机构”。而根据经济合作发展组织（OECD，简称经合组织）的定义，机构投资者是“使用个人或其他非金融机构的储蓄在金融市场进行投资的金融机构”，包括养老基金、保险基金和投资公司等[③]。

关于机构投资者的定义，有几种方法，一种是描述性的定义，一种是列举性的定义。

1. 描述性定义

最广义的机构投资者定义，是对应于个人投资者的，指从众多顾客手中积聚资金，然后将资金投入包括有价证券在内的资产中进行投资经营活动的专业投资者《证券投资词典》（1993）。这一定义将工商企业和金融中介结构都囊括进来了。目前，国内管理层和绝大多数的研究者都使用这样的定义。而实务上，目前在中国证券市场上投资的除了个人投资者之外，还包括国有和非国有企业、海外机构、各事业单位等，这些都是广义的机构投资者。美国人戴维斯（Davis）和斯泰尔（Steil）（2001）给出了机构投资者的一般性描述：机构投资者可以定义为一种特殊的金融机构，代表小投资者的利益，将他们的储蓄集

---

① 金融和投资词典. 1998年版。

② 业主投资者是指用自己的资金从事证券交易的人。

③ Institutional Investors in the New Financial Landscapr. P. 69，OECD Publications，1999.

中在一起管理，为了特定目标，在可接受的风险范围和规定的时间内，追求投资收益的最大化。戴维斯和斯泰尔（2001）的定义将机构投资者限定在金融机构这一层次，以追求利益最大化为目标，而不是以控股权和支配权为目的。就目前情况来，该定义比较符合当前国际上资本市场的现状。国内学者杨朝军（2005）认为，机构投资者是指用自有资金或者从分散的公众手中筹集的资金专门进行有价证券投资活动的法人机构，包括公共和私人养老基金、人寿和其他保险公司、共同基金、信托基金、对冲基金以及进行投资交易的商业银行、投资银行和证券公司等组织。除了广义的定义外，还有狭义的机构投资者定义，仅包括专门投资于证券业并积极管理证券投资组合的金融中介结构[①]。

2. 列举性定义

一般从机构投资者的具体类型出发对其进行界定[②]。美国学者布莱尔（Blair）（1995）认为，机构投资者包括银行和储蓄机构、保险公司、共同基金、养老基金、投资公司、私人信托机构和捐赠的基金组织等。OECD 对机构投资者的统计所包括的类型主要就是非银行金融机构。美国的《布莱克法律词典》将机构投资者定义为大的投资者，例如共同基金、养老基金、保险公司以及用他人的钱进行投资的机构等。

综上所述，在证券市场上，凡是出资购买股票、债券等有价证券的个人或机构，统称为证券投资者。其中，机构投资者是指用自有资金或者从分散的公众手中筹集的资金专门进行有价证券投资活动的法人机构。所以，在西方国家，以有价证券投资收益为其重要收入来源的证券公司、投资公司、保险公司、各种福利基金、养老基金及金融财团等，一般称为机构投资者。最典型的机构投资者是专门从事有价证券投资的共同基金。在中国，机构投资者目前主要是具有证券自营业务资格的证券经营机构，符合国家有关政策法规的投资管理基金等。但不论是哪种定义的机构投资者，它区别于个人投资者的主要特点[③]是：（1）机构投资者所管理的资金是通过不同方式聚集起来的，资金所有权与管理权是分离的；（2）拥有的资金量大；（3）由专家进行专职投资管理和运作。以上概念随着国际金融市场的发展，以及金融混业经营趋势的逐步形成，非银行金融机构和银行金融机构的分界逐渐模糊，机构投资者包括的范围

---

① 新帕尔格雷夫货币与金融词典. 1991 年版。

② OECD, 1997 年；Brancato，2000 年；Blair，1995 年；姚兴涛，2000 年。

③ 申屹. 新兴证券市场开放与外国机构投资者监督. 中国财政经济出版社 2005 年版。

将不断扩大。

（二）机构投资者的分类

1. 机构投资者根据投资风格与方式的不同，可以分为共同基金（证券投资基金）和对冲基金

（1）共同基金（Mutual Fund）。共同基金是一种利益共享、风险共担的集合投资方式，即通过发行基金单位，集中投资者的资金，从事股票、债券、外汇、货币等投资，以获得投资收益和资本增值。在我国，通常意义指证券投资基金。国际证监会组织（IOSCO）在总结各国基金的共性后，将证券投资基金通称为“集合投资计划”（Collective Investment Scheme）。证券投资基金是间接投资工具，投资者通过购买基金参与证券投资，并成为基金份额的持有人。证券投资基金的主要特点有：集合理财，专业管理；组合投资，分散风险；利益共享，风险共担；独立托管，资产安全；买卖方便，易于变现；监管严格，信息透明。

证券投资基金的分类有不同的标准：

①从基金的运作来看，根据基金份额是否可增加或者减少，可分为开放式基金和封闭式基金。

②根据组织形态的不同，证券投资基金分为公司型基金和契约型基金。

③根据投资对象的不同，基金可分为股票基金、债券基金、货币市场基金、混合基金等。

④按照投资理念和风格的不同，基金可分为主动型基金和被动型基金等。

⑤按照基金的资金来源和用途的不同，可将基金分为在岸基金和离岸基金。

⑥基金新品种。近年来，市场上又出现了新的品种，如伞形基金、基金中的基金、保本基金、交易所交易基金（ETF）和上市开放式基金（LOF）等。

（2）对冲基金（Hedge Fund）。对冲基金也称避险基金或套利基金，顾名思义是采用对冲交易手段的基金。对冲交易的方法和工具很多如卖空、互换交易、现货与期货的对冲、基础证券与衍生证券的对冲等。对冲基金通过对冲的方式避免或降低风险，但结果往往事与愿违。由于潜在风险较大，因此对冲基金被界定为私募基金的一种，而不是公募的共同基金。具全球对冲基金报告中披露，截至2013年第1季度，对冲基金数量（已披露，部分统计）达到6 282家，管理资产规模达到1.2万亿美元，其中，美元基金1.08万亿美元。

2. 根据资金用途与归属的不同，可以分为养老基金、保险基金等

（1）养老基金（Pension Fund）。养老基金是一种用于支付退休收入的基金，是社会保障基金的一部分。通过发行基金股份或受益凭证，募集社会上的养老保险资金，委托专业基金管理机构用于产业投资、证券投资或其他项目的投资，以实现保值增值的目的（见图 21－1）。由于养老基金是一项相对凝滞的资产，雇员在退休前一般不能支取，也不能做借贷的抵押品，因而养老基金被认为是偏好收益性的投资性较强的稳健型机构投资者。以美国为例，经过数十年的发展，大量的养老金计划投资于股票、债券、房地产等领域，养老金、共同基金和保险基金已经成为美国资本市场上的三大主要机构投资者。并且，一半以上的养老金方案都投资于共同基金。投资共同基金的养老基金计划主要有两个：一个是雇主发起的确定养老金缴费方案；另一个是个人退休账户。

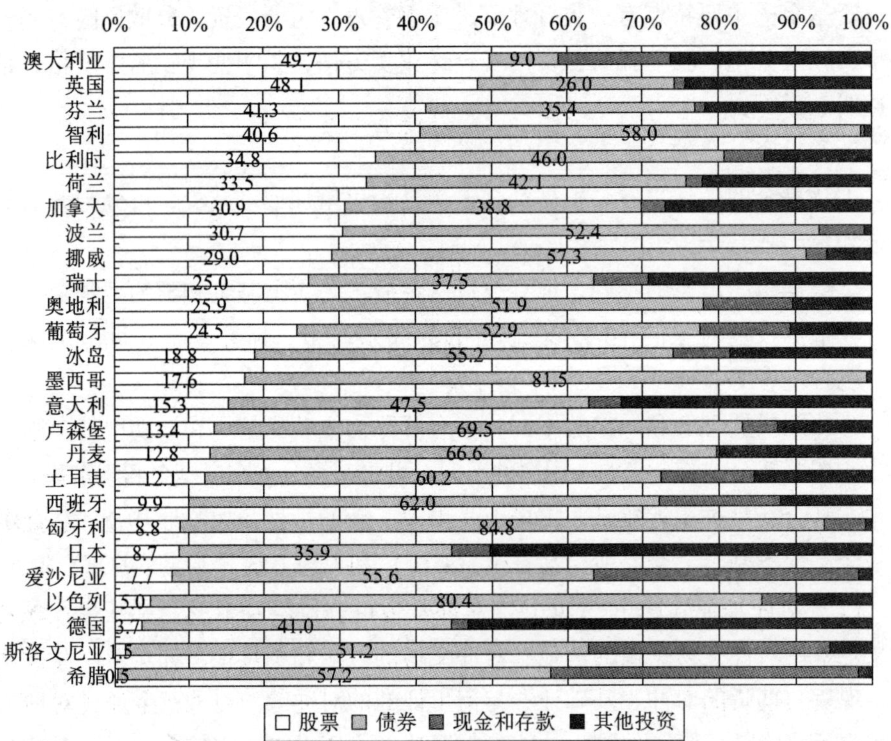

图 21－1 2011 年 OECD 国家养老基金的资产配置比例①

① 资料来源：OECD 网站。

（2）保险基金（Insurance Fund）。保险基金是指专门从事风险经营的保险机构，根据法律或合同规定，以收取保险费的办法建立的、专门用于保险事故所致经济损失的补偿或人身伤亡的给付的一项专用基金。广义上的保险基金是指整个社会的后备基金体系。从狭义上来讲，保险基金是指由保险机构集中起来的后备基金。保险基金是一种特殊的金融中介机构。通过资源整合的方式可以帮助将百姓手中存款或银行短期存款转为可集中使用的长期投资，进而为大规模基础设施项目提供长期资金来源，使得整个金融体系得以加强。并且，保险公司是政府债券的主要购买者之一，能够帮助政府有效进行筹资，以开展相关的经济活动，进而协助强化整个金融体系。一般有四种形式：

①集中的国家财政后备基金。该基金是国家预算中设置的一种货币资金，专门用于应付意外支出和国民经济计划中的特殊需要，如特大自然灾害的救济、外敌入侵、国民经济计划的失误等。

②专业保险组织的保险基金。由保险公司和其他保险组织通过收取保险费的办法来筹集保险基金，用于补偿保险单位和个人遭受灾害事故的损失或到期给付保险金。

③社会保障基金。社会保障作为国家的一项社会政策，旨在为公民提供一系列基本生活保障。公民在年老、患病、失业、灾难和丧失劳动能力等情况下，有从国家和社会获得物质帮助的权利。社会保障一般包括社会保险、社会福利和社会救济。

④自保基金。由经济单位自己筹集保险基金，以自行补偿灾害事故损失。

3. 根据筹集资金的方式不同，可以分为公募资金和私募基金

（1）公募基金（Public Fund）。公募基金是向社会公众，即普通投资者公开募集的资金。与之对应的私募基金（Private Fund）是私下或直接向特定群体募集的资金。公募基金受政府主管部门监管，在法律的严格监管下，有着信息披露、利润分配及运行限制等行业规范。在美国通常是指共同基金和退休金基金等。我国证券市场上的开放式基金和封闭式基金都属于公募基金。

（2）私募基金（Private Fund）。私募基金是私下或直接向特定群体募集的资金。起源于美国，20 世纪末，有不少富有的私人银行家通过律师、会计师的介绍和安排，将资金投资于风险较大的石油、钢铁、铁路等新兴产业。这类投资完全是由投资者个人决策，没有专门的机构进行组织是私募股权基金的雏形。经过 50 多年的发展，国际私募股权投资基金成为仅次于银行贷款和 IPO

的重要融资手段。

著名的私募基金包括巴菲特管理的伯克夏投资基金、索罗斯管理的量子基金等。私募基金的投资者不能随时加入也不能随意退出基金，考虑到经济周期和投资的长远性，基金的存续期一般以5~10年为限。私募基金没有向外界公布投资对象或者投资收益的义务，可跨市场投资股票，并且对每家企业的投资量不像共同基金受5%的限制。基金管理人员按所管理的基金量收取固定比例的管理费，数年后，当客户收回本金并赚取了一定比例的收益后，他们按事先约定的比例得到分成收益。在制度上给基金管理人提供足够的激励。正是基于私募基金具有的自愿承担风险、具有较强的杠杆作用和不受“管制”的特性，私募基金能够产生剧烈的市场变化，从而引发其他机构的类似行为。

第二节 机构投资者界定

一、机构投资者类型

（一）从全球市场来看，人寿保险公司与养老基金、共同基金共同组成三大主力机构投资者

世界主要资本市场机构投资者类型见表21－1。

表21－1　世界主要资本市场机构投资者类型

国家或地区	机构投资者的类型
美国	养老基金、人寿保险公司、共同基金、其他各种形式的基金、各种投资公司、私人信托机构和捐赠的基金组织等
韩国	银行、证券公司、信托投资公司、保险公司、其他金融机构、企业法人、政府或社会团体
英国	包括养老基金、保险公司、单位信托、其他金融机构等
澳大利亚	养老基金、人寿或其他保险公司、银行和其他中介、各级政府、私人非金融公司等
日本	金融机构（银行、投资信托、养老基金、人寿保险、非人寿保险、其他金融机构、公司企业、证券公司等

续表

国家或地区	机构投资者的类型
中国台湾	称为机构投资人，包括国内外银行、保险公司、基金公司、证券商、政府投资机构、政府基金、共同基金、单位信托、投资信托、信托业、学术或慈善机构等，其证券市场上机构投资者主要为投资信托基金、自营券商和外资法人

（二）从我国证券市场来看，机构投资者分为一般法人和专业机构投资者

首先，从我国证券市场的投资者持股市值来看，截至2013年10月15日，中国A股市场总市值22.91万亿元①。其中，各类专业机构投资者所持A股流通市值占比17.40%；自然人投资者持股占比25.33%；企业等一般机构持股占比57.28%。从上述数据可以看出，当前我国证券市场的机构投资者中大多数是企业法人，是产业资本，也是最大种类的股东。还有一类是专业机构投资者，就是靠投资为生的机构，在中国证券投资基金就是最大的专业机构投资者，还有社保基金、QFII（合格境外机构投资者）、企业年金、养老金等，这些投资于资本市场、靠这个来做主业的机构，就叫专业机构投资者。

从交易结构看。持股比例为57.28%的一般法人，它们对交易量的贡献只有2%。而专业机构投资者持股比例为17.4%，对交易量的贡献为12%。此外，持股比例为25.33%的自然人投资者，对交易量的贡献有86%。排除自然人投资者，持有六成以上的一般法人基本上是不参与交易的。因为它们都是产业资本，不是靠买卖股权来谋生的，不参与价格的形成。但资本市场是一个资源配置市场，资源配置靠价格信号，产业资本不参与价格竞争，它们只是股票市场价格的被动接受者。但是产业资本的收购、兼并、融资，都是根据二级市场价格来的。中国证监会有一系列规定，比如收购兼并资产的定价都需参考市场价格，发行股票、上市公司再融资都是参考某一时期二级市场价格的均价来确定。因此，不参与交易的一般法人，虽然是机构投资者，但不是机构投资者的主体，也不是本篇中讨论的对象。

从上述对机构投资者的一系列界定中也可得出一个结论，即机构投资者的本质属性是金融中介。在现阶段的基金公司、保险公司、证券公司以及市场中

---

① 资料来源：世界银行网站。

缺失的养老金等专业机构构成了我国机构投资者的主体，它们是资本市场的参与者，也是本篇中探讨发展和引导的对象。

二、机构投资者的特点

（一）投资管理专业化

机构投资者一般具有较为雄厚的资金实力，在投资决策运作、信息搜集分析、上市公司研究、投资理财方式等方面都配备有专门部门，由证券投资专家进行管理。1997 年以来，国内的主要证券经营机构，都先后成立了自己的证券研究所。个人投资者由于资金有限而高度分散，同时绝大部分都是小户投资者，缺乏足够时间去搜集信息、分析行情、判断走势，也缺少足够的资料数据去分析上市公司经营情况。因此，从理论上讲，机构投资者的投资行为相对理性化，投资规模相对较大，投资周期相对较长，从而有利于证券市场的健康稳定发展。

（二）投资结构组合化

证券市场是一个风险较高的市场，机构投资者入市资金越多，承受的风险就越大。为了尽可能降低风险，机构投资者在投资过程中会进行合理投资组合。机构投资者庞大的资金、专业化的管理和多方位的市场研究，也为建立有效的投资组合提供了可能。个人投资者由于自身的条件所限，难以进行投资组合，相对来说，承担的风险也较高。

（三）投资行为规范化

机构投资者是一个具有独立法人地位的经济实体，投资行为受到多方面的监管。相对来说，也就较为规范。一方面，为了保证证券交易的“公开、公平、公正”原则，维护金融市场的稳定，保障资金安全，各国均制定了一系列的法律、法规来规范和监督机构投资者的投资行为。另一方面，投资机构本身通过自律管理，从各个方面规范自己的投资行为，保护客户的利益，维护自己在社会上的信誉。

三、机构投资者对证券市场稳定产生的作用

证券市场的成熟主要表现在人和机制两个方面，而证券市场的机制（包

括市场结构、监管体系和市场运作）和股市参与人员（交易所的组织者、结算公司、投资者、上市公司、中介机构以及社会公众）行为的成熟都与证券市场的稳定密切相关，我国证券市场的发展还处于发展的初级阶段，证券市场的稳定发展尤为重要。从世界各国的经验中看，机构投资者的特性决定了它参与市场的积极行为，促进了其赖以生存的资本市场的制度和环境的发展。其投资特点影响到进入市场的资金从短期资金向长期资金进化的过程。因此，培育机构投资者就是促进证券市场发展的重要方式。其对证券市场的稳定作用体现在以下三个方面：

第一，在资本市场中的专业投资机构，所具备的资金规模、技术及信息优势，能够做出相对理性决策。他们凭借技术优势可以在证券市场中发掘出那些价值被低估、业绩优良的优质公司，同时购买这些公司的股票并长期持有，这样机构投资者没有像散户那样频繁的短期行为进而有利于市场的稳定。

第二，机构投资者是投资中介，它的经济理性决定了其目标指向是股东或基金持有者利益最大化。唯其如此，才能吸引更多的投资者进入，扩大资金实力以通过规模经济效应来提高收益水平。故此，机构投资者必然会紧随经济和市场形势变化来调整其投资的方向、规模和结构。

第三，从中国股市来看，机构投资者进入市场以后，上海证券市场和深圳证券市场的波动性都有降低趋势。在几个重要政策中，例如保险资金通过机构投资者间接入市和封闭式基金的成立对证券市场的稳定作用最为明显。在稳定市场方面的数据中，深圳证券市场上，机构投资者的进入最高降低了近 13 个百分点的波动性；上海证券市场上，机构投资者的进入最高降低了 6 个百分点的市场波动。虽然两个市场存在波动强度与差距，但这个过程中机构投资者发挥出稳定市场的功能，符合对机构投资者的预期。也能说明机构投资者发展的过程中，每次的推进都对市场起到了明显的稳定作用。

因此，我们得出积极培育机构投资者能够有效地稳定市场的结论。

第三节　研究推动机构投资者的主要内容

综上所述，大力发展机构投资者对建设中国证券市场具有特殊的意义。发展得当，促进其充分的发挥出稳定市场的能力，从而促进证券市场的成熟。但由于机构投资者具备的逐利特性，也往往会在证券市场中导致危机的产生。

对此，本篇的内容将明确三个方面：一是要充分认识机构投资者的作用；二是要坚定信心，加快发展机构投资者；三是在重视发展国内机构投资者的同时，也应高度关注和重视外国机构投资者在我国的现状，在引进资金、引进技术与管理，加强竞争合作方面所起到的积极作用。

在推动、协助机构投资者进入证券市场时需做好以下工作：首先，要继续推动、支持和服务养老金、社保基金、企业年金和保险机构的资金进入证券市场。其次，要改革现有基金投资管理模式，在保值增值的前提下，鼓励社保基金、保险公司等机构投资者增加对资本市场的投资比重，扩大基金的投资范围，拓宽投资渠道。第三，要吸引境外养老金、慈善基金、主权基金等长期资金进一步投资境内市场，扩大 QFII 和人民币合格境外机构投资者（RQFII）的规模和额度，进而推动专业机构投资者在证券市场中的投资行为，使他们更多趋向于在二级市场上进行长期投资和价值投资。

第二十二章

海外机构投资者的发展历程

第一节 海外机构投资者早期成长情况

现代意义上最早的机构投资者是18世纪出现于英国的基金。它在18世纪末、19世纪初的产业革命的推动下出现。当时，产业革命的成功，使英国的生产力水平迅速提高，工商业发展很快，其殖民地和海外贸易遍及全球，大量的资金为追逐高额利润而纷纷涌向其他国家。但另一个现实的问题是，大多数投资者对外国的情况了解甚少，而且缺乏国际投资的专业知识。在这种情况下，一种众人集资、委托专人进行投资管理的想法出现，并得到当时英国政府的极大支持。1868年，英国政府出面组建了海外和殖民地政府信托组织，公开向社会发售受益凭证，开始分散投资于海外殖民地公司债。其当时投资的地区遍布北美洲、东南亚和中东等地区和意大利、葡萄牙、西班牙等国家，并且其投资活动逐渐得到社会公众的认可。

经历了100多年的发展，世界金融市场上机构投资者的数量和规模逐渐增大。特别是20世纪70年代以后，现代金融业的创新发展，催生了品种繁多、明目各异的机构投资者，形成了一个庞大的产业。1868年在英国诞生的世界上第一只共同基金——海外和殖民地政府信托基金，专项投资于英国政府为开发海外殖民地而发行的公债，是世界上最早的非银行机构投资者。1924年3月，美国波士顿成立马萨诸塞投资者信托基金，相当于美国最早的共同基金。

所以说，美国和英国式机构投资者发展历史比较长的两个国家，其资本市场的发展也更为成熟。而机构投资者在全球的发展历史也主要体现在这两个国家。

第二节　海外机构投资者发展现状

发展到现阶段，国际证券市场发展成相互联系、快速发展的状态，各国证券市场发生了一系列深刻而重要的变化。国际证券市场现阶段表现见图 22－1。

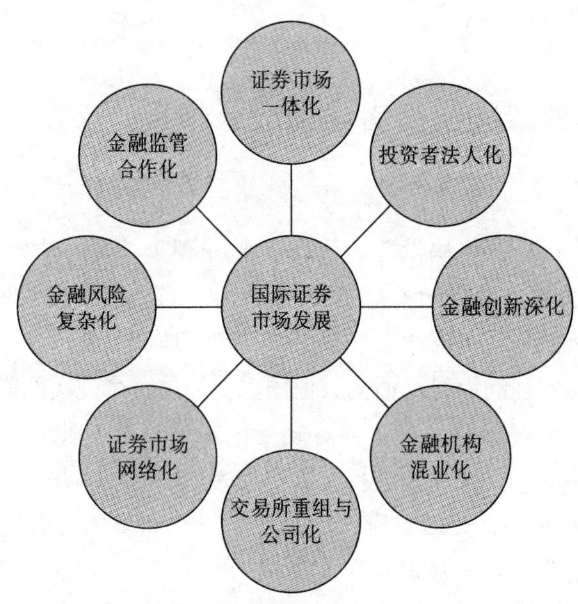

图 22－1　国际证券市场现阶段表现

进入 21 世纪以后，国际金融机构之间充分混业化，大规模的并购和跨国并购形成了一些大型的跨国金融控股集团。金融创新产品层出不穷。证券市场由于网络连通显得更加没有边界，各国证券交易所也频频合作。世界金融市场无形中渐渐融和，金融风险频繁发作，风险产生的原因更加复杂，促使国际金融监管加强相互合作。而作为市场中重要参与者的机构投资者，在进入 21 世纪以后，愈发快速成长。

一、全球共同基金的增长最为显著

截至 2012 年底，全球共同基金资产为 26. 84 万亿美元（见图 22－2）。其规模从2007年至今翻了一倍，已超越商业银行业而成为金融市场的主要支柱之一。

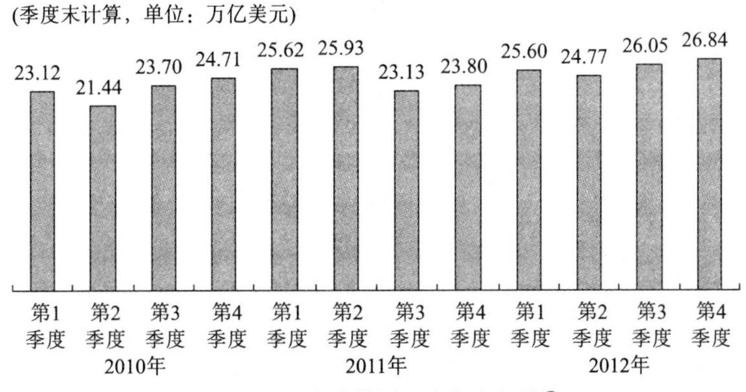

图22－2　全球共同基金资产规模①

2007～2012年全球共同基金按基金类别的资产净值见表22－1。

表22－1　全球共同基金按基金类别的资产净值统计表②

（2007～2012年）

单位：10亿美元

项目	2007年	2008年	2009年	2010年	2011年	2012年
股票基金	12 341	6 432	8 864	10 478	9 494	10 712
债券基金	4 289	3 399	4 565	5 425	5 833	7 027
货币市场基金	4 940	5 786	5 317	4 995	4 695	4 793
平衡/混合基金	2 726	1 828	2 404	2 783	2 741	3 127
其他基金	884	676	840	1 029	1 034	1 178
合　计	26 131	18 920	22 946	24 710	23 797	26 837

分类型来看，2012年底全球共同基金资产中股票方向基金占比较大，其中40%为股票基金，26%为债券基金，12%为混合基金，18%为货币市场基金（见图22－3）。全球共同基金73 243只产品中，38%为股票基金，23%为混合基金，18%为债券基金，4%为货币市场基金。全球共同基金资产按基金型统计见图22－4。

① 中国基金业协会整理发布的2012年第4季度全球共同基金发展情况。

② 资料来源：世界各国（地区）投资基金协会；欧洲基金和资产管理协会提供除俄罗斯以外所有欧洲国家数据。

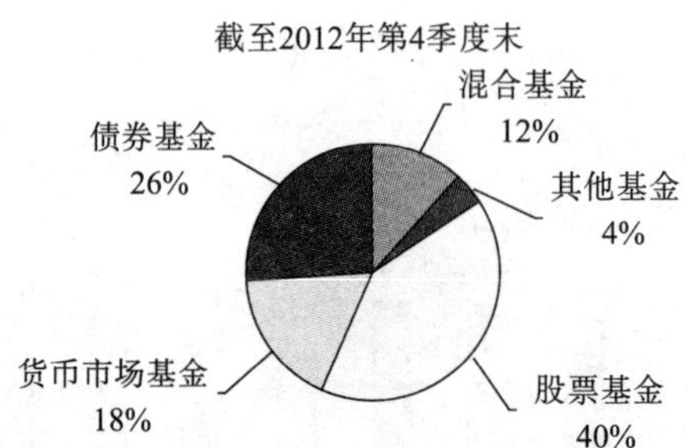

图22－3 全球共同基金资产按基金类型分布

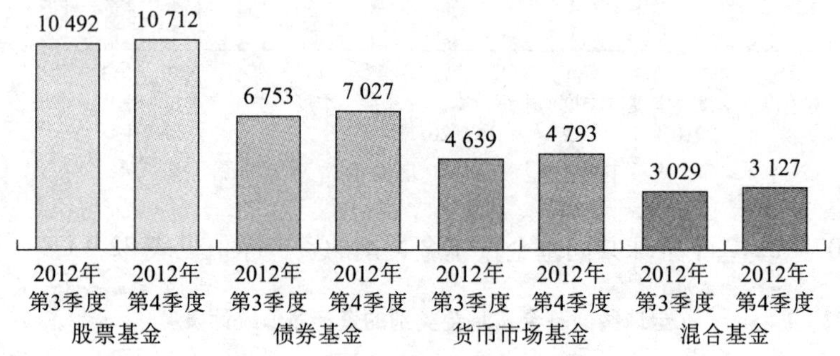

图22－4 全球共同基金资产按基金类型统计

按照区域划分，全球共同基金资产的56%在美洲，31%在欧洲，13%在非洲和亚太地区（见图22－5）。亚太地区中，中国共同基金资产净值自2008年以来至2012年底，一直位居亚太区规模第三，仅次于澳大利亚和日本。

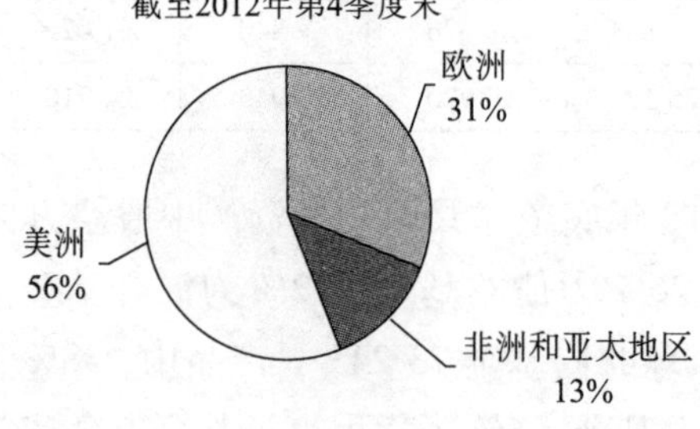

图22－5 全球共同基金资产按地区分布

截至2012年第4季度末，全球共同基金共有73 243只。按照基金类型，38%为股票基金，23%为混合基金，18%为债券基金，4%为货币市场基金（见图22－6）。

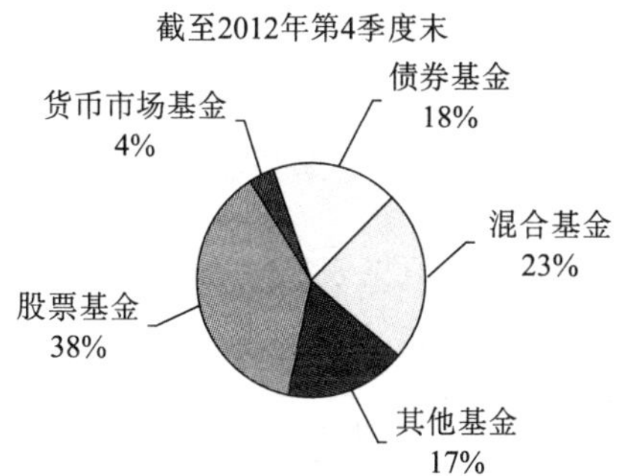

图 22－6　全球共同基金数目按基金类型统计

二、养老基金投入到证券市场中的比率在逐渐增加

在国际上，养老金逐渐投资资本市场，实现保值增值已成为一种普遍的做法。共同基金迅猛的发展中，作为其主要构成部分的养老金对其发展起到巨大推动作用。

就全球数据来看，养老金养老基金投入到共同基金中的比率在逐渐增加。2012 年，全球最大 300 家养老基金的总资产增长了近 10%（2011 年增幅为 2% 左右），达到 14 万亿美元（2011 年为 12.7 万亿美元），创造了新的纪录。其中，中国全国社保基金以 1 774.86 亿美元管理资产首次跻身前十位。2008～2012 年，澳大利亚基金持有的资产增长最快，达到 13%，中国台湾基金紧随其后为 11%。从单个地区情况看，亚太地区实现了 7% 的复合增长率，为 5 年来最高水平，欧洲为 6%，拉美和非洲地区虽然起点较低，但两地合并后的同期增长率也达到了 11% 左右。

美国的养老基金的增长速度较快，基金规模全球第一。而英国的养老基金的份额比保险公司和投资信托的份额均大。拉美国家机构投资者持有的资产只占世界上所有机构投资者拥有资产的很小一部分。10 个最大的拉美国家的机构资产有 3 000 亿美元，却有几乎一半的资产由养老基金持有（1 360 亿美元），共同基金持有 1 480 亿美元，保险公司持有 350 亿美元。在拉美国家中，巴西机构投资者持有的总资产占整个拉美国家的 60% 以上，其中，养老基金占了近 50%，保险公司占近 30%，共同基金超过了 80%。在拉美国家中智利具有最发达的养老基金和保险行业，机构总资产占 GDP 的比重为 57%。

三、机构投资者规模的增长和实力的不断增强

我们通过分析机构投资者的代表——共同基金的数据来看，机构投资者综

合能力体现在以下几个方面：

（一）机构投资者规模逐年大幅度增长的势态

各国或地区共同基金资产净值见表22－2。

表22－2　各国（地区）共同基金资产净值（2008～2012年）①　单位：百万美元

国家（地区）	2008年	2009年	2010年	2011年	2012年
全球	18 920 057	22 945 623	24 710 398	23 796 672	26 837 407
美洲	10 581 988	12 578 593	13 598 071	13 530 122	15 139 998
阿根廷	3 867	4 470	5 179	6 808	9 185
巴西	479 321	783 970	980 448	1 008 928	1 070 998
加拿大	416 031	565 156	636 947	753 606	856 504
智利	17 587	34 227	38 243	33 425	37 900
哥斯达黎加	1 098	1 309	1 470	1 266	1 484
墨西哥	60 435	70 659	98 094	92 743	112 201
特立尼达和多巴哥		5 832	5 812	5 989	6 505
美国	9 603 649	11 112 970	11 831 878	11 627 357	13 045 221
欧洲	6 231 116	7 545 535	7 903 389	7 220 298	8 230 061
奥地利	93 269	99 628	94 670	81 038	89 125
比利时	105 057	106 721	96 288	81 505	81 651
保加利亚	226	256	302	291	324
捷克	5 260	5 436	5 508	4 445	5 001
丹麦	65 182	83 024	89 800	84 891	103 506
芬兰	48 750	66 131	71 210	62 193	73 985
法国	1 591 082	1 805 641	1 617 176	1 382 068	1 473 085
德国	237 986	317 543	333 713	293 011	327 640
希腊	12 189	12 434	8 627	5 213	6 011
匈牙利	9 188	11 052	11 532	7 193	8 570
爱尔兰	720 486	860 515	1 014 104	1 061 051	1 276 601
意大利	263 588	279 474	234 313	180 754	181 720
列支敦士登	20 489	30 329	35 387	32 606	31 951

① 资料来源：中国证券业协会．全球共同基金按基金类别的资产净值统计表。

续表

国家（地区）	2008 年	2009 年	2010 年	2011 年	2012 年
卢森堡	1 860 763	2 293 973	2 512 874	2 277 465	2 641 964
马耳他				2 132	3 033
荷兰	77 379	95 512	85 924	69 156	76 145
挪威	41 157	71 170	84 505	79 999	98 723
波兰	17 782	23 025	25 595	18 463	25 883
葡萄牙	13 572	15 808	11 004	7 321	7 509
罗马尼亚	326	1 134	1 713	2 388	2 613
俄罗斯	2 026	3 182	3 917	3 072	
斯洛伐克	3 841	4 222	4 349	3 191	2 952
斯洛文尼亚	2 067	2 610	2 663	2 279	2 370
西班牙	270 983	269 611	216 915	195 220	191 284
瑞典	113 331	170 277	205 449	179 707	205 733
瑞士	135 052	168 260	261 893	273 061	310 686
土耳其	15 404	19 426	19 545	14 048	16 478
英国	504 681	729 141	854 413	816 537	985 517
亚太地区	2 037 536	2 715 234	3 067 323	2 921 276	3 322 198
澳大利亚	841 133	1 198 838	1 455 850	1 440 128	1 667 128
中国	276 303	381 207	364 985	339 037	437 449
印度	62 805	130 284	111 421	87 519	114 489
日本	575 327	660 666	785 504	745 383	738 488
韩国	221 992	264 573	266 495	226 716	267 582
新西兰	10 612	17 657	19 562	23 709	31 145
巴基斯坦	1 985	2 224	2 290	2 984	3 159
菲律宾	1 263	1 488	2 184	2 363	3 566
中国台湾	46 116	58 297	59 032	53 437	59 192
非洲	69 417	106 261	141 615	124 976	145 150
南非	69 417	106 261	141 615	124 976	145 150

通过上表的数据对比可见，中国基金仅占全球约 1.5% 的份额。根据国际货币基金组织（IMF）统计，中国投资占 GDP 比重近 50%。两项比较可发现，中国基金投资规模与我国经济规模的不相称，表明未来发展潜力巨大。

（二）从世界上最大的资产管理公司统计排名来看，机构投资者的实力更加强大

依据资产管理规模及发展特点，选取了截至2012年6月30日的数据。其中美国的贝莱德（Blackrock）以3.56万亿美元的资产管理规模位居全球第一（见表22－3）。

表22－3 前20大资产管理公司资产管理规模①

Rank②	Asset Management Company	Country	Assetsunder management (US $ bn)
1	Blackrock Inc.	US	$3 560
2	UBS	Switzerland	$2 280
3	Allianz Group	Germany	$2 213
4	Vanguard Group Inc.	US	$2 080
5	State Street Global Advisors (SSGA)	US	$1 908
6	PIMCO (Pacific Investment Management Company)	US	$1 820
7	Fidelity Investments	US	$1 576
8	AXA Group	France	$1 393
9	J. P. Morgan Asset Management	US	$1 347
10	Credit Suisse	Switzerland	$1 279
11	BNY Mellon Asset Management	US	$1 299
12	HSBC	UK	$1 230
13	Deutsche Bank	Germany	$1 227
14	BNP Paribas	France	$1 106
15	Capital Research & Management Company	US	$1 071
16	Prudential Financial	US	$961.00
17	Amundi	France	$880.00
18	Goldman Sachs Group	US	$836.00
19	Wellington Management Company, LLP	US	$719.80
20	Natixis Global Asset Management	France	$710.9

从国际市场上最成功的这些公司来看，他们采取非常明确的差异化竞争策略，比如：贝莱德强于风险管理方案，PIMCO是债券基金的第一名，State

① 资料来源：Banks around the World。

② Source：Banks around the World，http：//www.relbanks.com/.

Street 竞争力在于后台营运，J. P. Morgan Chase 是投行业务，Goldman Sachs 是实力最雄厚的投资银行之一，这几家公司都有着独特的一面，各自在某些领域做到足够好，面对渠道拥有强大的议价能力。

第三节 发展机构投资者的机制

世界各国发展机构投资者的目的是看中他们在投资上的专业性和长期性。期望机构投资者的理性投资，不断增强市场的稳定性。

在机构投资者发展的过程中，每次的政策推进都对市场起到了明显的稳定作用。机构投资者的发展壮大很大程度上决定了资本市场能否健康发展，而其发展是多方面因素共同决定的，因此，即使在美国这样的成熟资本市场，其发展也需要个过程。

发达国家通常按照以下方式，发展机构投资者。

（一）税收优惠

政府通过各种税收优惠等措施，营造出有利于机构投资者的宏观环境，提高投资意愿与信心。

我们看到在初始阶段，政府通过建立完善的经济法律规章，创造出规范机构投资者者行为，并有利于鼓励投资的政策法律环境。其次，政府通过各种税收优惠等措施鼓励机构投资者的发展。当发展到一定的程度后，有通过政府引导和行业自律，让机构投资者在市场上合法、合理地寻找自己的利润空间。政府灵活运用财政和金融政策工具，保持宏观经济的基本稳定，提高民间投资者信心。在经济景气时期，发达国家一般实行比较稳健的财政支出政策，以平衡的财政政策为目标，避免过度赤字对民间投资产生挤出效应。在经济景气度下滑时期，积极的财政政策和扩张性的货币政策并用，采取财政上扩大支出与减税的政策措施，货币政策上实施降低利率水平等刺激融资和投资的措施，以维持和刺激经济景气，维护证券投资的意愿与信心。

（二）放松管制

放松管制、自由充分的竞争环境，在发展机构投资者中产生了重要作用。

让市场需求成为机构投资者的主要动力。发达国家（地区）的证券市场，由于其在发展之初就是一个较为开放的市场，一般不实行对外国人投资的事前许可制度，对外国人在本国市场投资的限制也较小，如美国、英国、法国、德国、日本、新加坡和中国香港对外国人投资本国（地区）市场，除对某些特定产品比例设有上限外，无其他特别的申请程序。外资可以自由在该国的证券交易商处开户，在该证券市场自由交易。而在新兴市场国家中，目前除阿根廷、捷克、希腊、匈牙利、巴基斯坦、波兰在原则上认定为对外资是百分百开放的市场外，其他大部分新兴市场对外国投资者都有或多或少的限制，多采用渐进式开放策略。而与之相联系的外国投资者监管制度，经历从严格到逐渐放宽的发展历程。

主要新兴市场国家（地区）证券市场开放政策见表 22－4。

表 22－4　主要新兴市场国家（地区）证券市场开放政策

国家（地区）	建立国家（地区）基金的时间	允许外国投资者直接投资的时间	全面开放的时间
巴西	1987 年 9 月	1991 年 5 月准许外国投资者直接投资，在本金和资本利得、有关税率方面也全面放宽	1991 年 5 月
智利		1987 年开始部分开放证券市场	1995 年 1 月
阿根廷		20 世纪 70 年代就开放证券市场，但 1982 年后，有所停滞。1989 年后大幅度地开放市场	1991 年 1 月
墨西哥		1989 年开始之初，对外国投资者的限制就较少	1991 年 1 月
韩国	1981 年 11 月	1992 年 11 月，实行 QFII 制度	1998 年 1 月
中国台湾	1983 年 10 月	1990 年 12 月实行合格外国机构投资者制度，后逐渐放宽各项限制	2003 年 10 月
印度	1986 年 7 月	1933 年放宽了外国直接投资限制	目前对外资限制还比较多
马来西亚	1987 年 5 月	对外资直接投资的限制相对较少，但亚洲风暴后到 1999 年之间，又重新加强了监管	1999 年 2 月
菲律宾		1984 年底～1987 年底，设置特别种类股票；1989 年允许外国投资者通过国内基金投资于本国证券。1991 年 11 月，基本对外开放	1994 年 1 月
泰国	1985 年 5 月	1975 年 4 月，泰国裁判交易所从成立起就对外开放，但对外资的持股比例有限制	1990 年 1 月

大多数国家（地区）逐步取消了本金和资本利得汇出时间和金额限制，但对外国机构投资者违规行为的处罚方面，有加强的趋势。

（三）监管向审慎化转变

国际上对机构投资者的监管重心逐渐由结构化向审慎化转变。在防范系统性风险和加强投资者保护两大目标中加强监管约束。

第四节　各国机构投资者概况

从世界各国证券市场的发展来看，即有以美国、英国、德国为代表的发达成熟市场，也有以智利等拉丁美洲为代表的新兴市场，这些国家虽然在不同的法律法规、监管体系、经济及文化背景下建立各自的证券市场，却不约而同地在经济高速发展中对资本的需求快速增长情况下，积极地发展本国各类型机构投资者，鼓励他们成为本国证券市场中的重要参与者。甚至美国、英国、德国还促进机构投资者向海外证券市场拓展，并取得了醒目的成绩，从而，推动着世界证券市场的格局的变迁。特别是近几年来，在国际金融危机的冲击中，美欧国家资本市场波动小于新兴市场国家，一个主要的原因就是机构投资者发挥着稳定市场的关键作用。

一、美国

美国的交易市场繁荣而兴旺，具备了发达市场所有特点。通过引导型监管方式，为每个市场参与主体带来自由宽松的外围环境，双方良好的互动积极地促进机构投资者发展。如果把美国资本市场看成是一个资本地层，其地质图谱可以这样描绘：最底层为养老基金，投资存续时间最长；第二层是保险基金，持股时间相对稍短；第三层就是共同基金，很大一部分养老金直接投资于共同基金，使得本来由短期资金汇聚的共同基金变成了长期资金；第四层是其他资金。而在这个资本地层上是发达的交易市场。

（一）发展历程

美国机构投资者经历了上百年的发展历史，形成了相对成熟的、经过实践验证的并且制度化的一些理论和实践。根据各时期的发展速度、监管制度和行为特征，戴维斯（Davis）（2002 年）将美国机构投资者的发展分为四个阶段：

1. 第一阶段：引入阶段（19 世纪末到 20 世纪初）

19 世纪末期，美国投资市场混乱无序。英国政府出面组成的海外投资公司成为美国市场上的第一批机构投资者，尔后这种投资方式被各国仿效。这些外来的投资公司或者投资基金，为了保证经营的盈利性与安全性，主要是投资于公债为主的海外证券业务。此时，美国投资市场上尚无自己的机构投资者。

2. 第二阶段：萌芽阶段（20 世纪初到 20 世纪 30 年代）

由于产业资本发展饱和而出现剩余，投资者纷纷开始为剩余资本寻找出路，这时金融投资就更为复杂化，需要专业研究，以及较长时间的学习、实践与探索，显然个人无法做到这些。1892 年美国老摩根财团凭借其雄厚的经济实力大肆投资兼并工业企业，它标志着以银行等金融机构为主的机构投资者的新时代已经到来。以商业银行和大型工业企业为主的机构投资者发展迅速。1921 年美国成立了第一家美国国际证券信托基金。1924 年马塞诸塞州成立了第一家开放式基金，原始资产只有 50 000 美元。在这一阶段，机构投资者在“学习和模仿”中发展，但由于机构投资者数量少、规模小，投资对象与领域狭窄，加上金融立法不健全，机构投资者的影响力难以左右市场，以至于经济大萧条来临时大部分破产、倒闭。

3. 第三阶段：新兴阶段（20 世纪 30 年代到 20 世纪 70 年代）

美国机构投资者在 20 世纪 30 年代逐渐兴起。这一阶段，多种类型的机构投资者已经出现，他们在市场上选择以求长期稳定的投资策略，进入了稳定运营期。值得一提的是，美国政府也适时颁布了一系列的法律法规，如 1933 年的《证券法》，1934 年的《证券交易法》，1940 年的《投资公司法》和《投资顾问法》等。随着各项法律法规的颁布，美国机构投资者进入了一个有序发展的时期。在 20 世纪 60 年代以前，机构投资者比例不超过 13%。20 世纪 70 年代末出现大规模金融并购，并购使金融机构实现业务品种多样化，业务范围不断扩大，致使银行信用活动遍及各个领域。商业银行的并购行为推动了各种其他机构投资者的加速发展。在这一阶段的机构投资者主要是以投资股票证券为特征。中小投资者纷纷将自己的资金投入到各机构投资者手中，这些机构投资者将分散的资金汇集到一起，投资相关企业成为股东，由此实现大小投资者利益共享。不过，此时的机构投资者有一个明显的缺陷，即为了吸引更多的中小投资者，主要采取短线经营策略。对公司经营业绩不满时大多采取在股市上抛售的行为，放弃了对企业的控制权。

4. 第四阶段：高速发展阶段（20 世纪 70 年代至今）

20 世纪 70 年代，机构投资者进入高速发展阶段。在 20 世纪 70 年代初，美国联邦储备当局发布《联邦现代化法案》，促进了保险、信托、投资公司（银行）、基金等非银行金融机构的发展。20 世纪 70 年代后，美国机构投资在股市上的控股比例不断上升。20 世纪 80 年代中期达到 34%，20 世纪 90 年代末达到 48%，截至 2012 年末达到 50.6%。其中，美国养老金加速入市主导了长期投资者的发展。1974 年美国实行养老法案，使得养老基金对长期固定收益证券的需求大大增加。美国养老金进入股票市场始于 1951 年，当年养老金持股占美国股票资产比重仅为 0.2%，而到 1985 年达到 28%，年均增加 0.82 个百分点。1985 年以后，美国养老金进入股票市场步入相对成熟的阶段，养老金直接持有股票资产占美国股票资产的比重虽然有所回落，但考虑到养老金间接持有的股票资产，总体相对稳定。2011 年美国养老金直接和间接持有股票资产占美国股票资产比重为 22.9%，继续保持美国股票市场第一大长期投资者地位。其中，养老金间接持有股票资产的比例由 1992 年的 11.5% 上升到 2000 年的近 30%，并在其后的近 12 年间一直保持 30% 的稳定水平。人寿保险公司成为证券市场的重要机构投资者。

这一阶段，投资人向机构投资者的转化速度加快，专业化程度和资金规模也增长迅速，造就了美国证券市场共同基金成为典型的“机构市”。根据 2012 年的统计，全球共同基金管理资产规模 26.8 万亿美元，其中，美国投资公司管理资产规模 14.7 万亿美元，拥有 1 236 多只共同基金，其管理资产规模 13 万亿美元，美国的共同基金规模占全球半数，共同基金成为美国市场上主要的金融投资工具、最大的机构投资者，美国近半数的家庭投资共同基金，与私人养老金共同构成了美国资本市场最坚实有力的两大类机构投资者。

（二）推动机构投资者的法律法规

1929 年以前，美国机构投资者在资本市场上兴风作浪，联手操纵股价，一定程度上阻碍了美国资本市场的发展，同时其自身也没有获得发展。1929 年的股市崩盘和随后的经济危机，让美国认识到资本市场要发挥作用，不是没有条件的，其中最基本条件就是通过强制筹资者进行充分、真实和完整的披露，使投资者克服信息的不对称性，在充分知情的情况下做出理性的投资选择，从而使稀缺的社会资源得到优化配置。美国证券法存在的基本理念和核心任务也在于此。围绕如何加强对包括机构投资者在内的整个金融行业监管，美国制定了一系列美国联邦证券法：1933 年《证券法》、1934 年《证券交易法》、1935 年《公共事业控股公司法》、1939 年《信托契约法》、1940 年《投资公司法》、1940 年《投资顾问法》、1970 年《证券投资者保护法》、2002 年《公众公司会计改革与投资者保护法》及 2002 年《萨班斯—奥克斯利法案》等。此外，美国联邦各级法院的判例和美国证券交易委员会（SEC，简称美国证监会）制定的规则也构成美国联邦证券法律体系的重要组成部分。

1. 1933 年的《银行法》（即《格拉斯—斯蒂尔法》）

该法直接规定了商业银行和投资银行分业经营的原则。对商业银行从事证券投资的证券种类、投资额度、信用业务范围进行了限定（如自有资金投资证券的量不能超过自由资本和盈余总额的 10% 等），禁止挪用一般客户存款进行证券投资等。

2. 1934 年的《证券交易法》

该法建立了美国证券市场监管的框架。在机构投资者方面，规定了共同基金的经纪人包括承销商和其他销售人员必须接受美国证监会的监管，并且受制于国家证券经销商协会（NSAD）。

3. 1940 年的《投资公司法》和《投资顾问法》

该两部法是监管机构投资者行为的重要法律，尤其是对投资公司和投资顾问的基本构架和运营要求做出了规定。例如，规定投资公司总资产的 75% 以上用于证券投资，且对于一家股票的投资资金不能超过总资产的 5%，持股不能集中（否则接受三重征税）等；对共同基金的投资行为进行了规范，要求其分散投资等；建立了投资顾问的行为规范等。

4. 1956 年的《银行持股公司法》

该法对银行的投资行为进行了规范，例如禁止银行从事工商业活动，对其持股和投资额进行了规定。

5. 2002 年的《萨班斯—奥克斯利法案》

2002 年针对安然公司等一系列财务丑闻，美国迅速出台《萨班斯—奥克斯利法案》，以增强公司责任为主旨，着重明确公司管理层在信息披露正确性方面的刑事责任并提高外部审计的独立性。该法案对美国《1933 年证券法》、

《1934 年证券交易法》做出大幅修订，在公司治理、会计职业监管、证券市场监管等方面做出了许多新的规定。

还有许多其他重要的法律法规（如美国保险公司就受各州的法律管辖等）。这些旨在限制机构投资者在1929 年前具有的无限自由度的法律体系，构成了美国机构投资者的长远发展基础。

（三）交易市场概况

美国有五个全国性的股票交易市场。公司无论大小，在投资银行的支持下，均有上市融资的机会。美国没有货币管制，美元进出美国自由，政策鼓励外国公司参与投资行为，美国成为世界金融之都。数量巨大、规模各异的基金、机构和个人投资者根据各自的要求和目的在不同的股市寻找不同的投资目标，为美国股市提供了世界上最庞大的资金基础，从而使美国股市的交投十分活跃，融资及并购活动频繁。

美国拥有全球最完备的证券市场分层体系，为各国进行相应的制度设计提供了最有价值的经验借鉴。在美国，证券市场分层在金融工具风险特征、交易组织形式、地理空间三个维度上同时展开，形成了由四个层次构成的一个“金字塔”型的多层次证券市场体系。

第一个层次：纽约证券交易所（NYSE）、NASDAQ 市场是“金字塔”的最上端。纽约证券交易所是蓝筹股市场，NASDAQ 市场面向成长型企业。

第二个层次：公开报价系统。公开报价系统包括信息公告栏市场（OTCBB）和粉单市场（Pink Sheet）。

第三个层次：地方性柜台交易市场。大致 10 000 余家小型公司的股票仅在各州发行，并且通过当地的经纪人进行柜台交易。据了解，这些公司都是根据美国《证券法》条例中的发行注册豁免条款发行的股份，这些股份都是州内的小额发行公司股份。

第四个层次：私募股票交易市场。全美证券商协会还运营了一个 Portal 系统。该系统为私募证券提供交易平台，参与交易的是有资格的机构投资者。机构投资者和经纪商可通过终端和 Portal 系统相连，进行私募股票的交易。据了解，该市场是根据美国证券交易委员会 R144A 规则建立的一个专门市场，是专门为合格机构投资者交易私募股份的专门市场。美国证券市场主流证券交易市场的补充，填补了低端融资市场的空缺，使美国的证券市场形成了一条完整的融资链，丰富了美国证券市场的结构。

如此多层次的投资市场，让各种类型的投资者找到所需要的投资对象。

（四）机构投资者类型和投资结构

美国的机构投资者主要包括养老金、互助基金、保险公司等。在20世纪90年代初期，美国的机构投资者就已经达到13 000多家。规模名列前25家的公司中，平均每家公司要有500余家机构投资者持股，机构投资者的持股比例也达到50%以上。但是，不同类型的机构投资者之间也存在着很大的差别（见图22－7）。

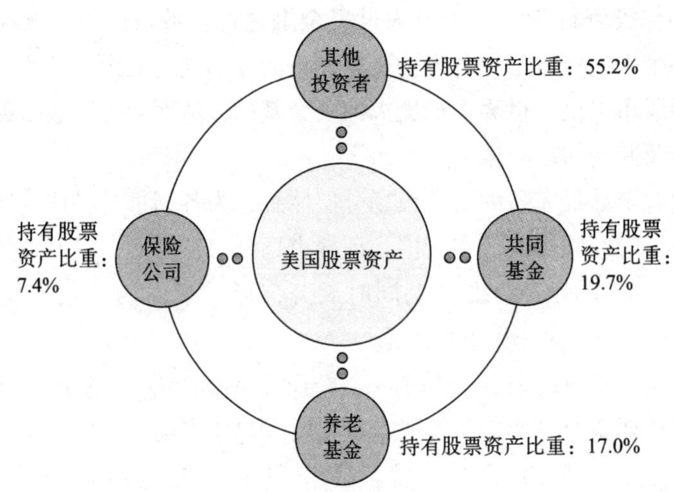

图22－7 美国股票市场上投资者结构

1. 养老金

美国现行的养老金体系由三大支柱组成。政府强制执行的社会保障计划面向全社会提供基本的退休生活保障，覆盖全国96%的就业人口，是这个多层次体系基石，即美国养老体系的第一支柱。由政府雇主或者企业雇主出资，带有福利的养老金计划构成了养老保障体系的第二支柱，前者为公共部门养老金计划，是指联邦、州和地方政府为其雇员提供的各种养老金计划，后者为企业雇主养老金计划。401（K）计划就是第二支柱中企业雇主养老金的重要组成部分。第三支柱主要是个人自行管理的个人退休账户（IRA），是一种由联邦政府通过提供税收优惠而发起、个人自愿参与的补充养老金计划；个人储蓄及商业养老保险。一般而言，企业雇主养老金计划和以个人退休账户为主要代表的第三支柱统称为私人养老金体系。

美国养老保障体系结构①见图 22－8。

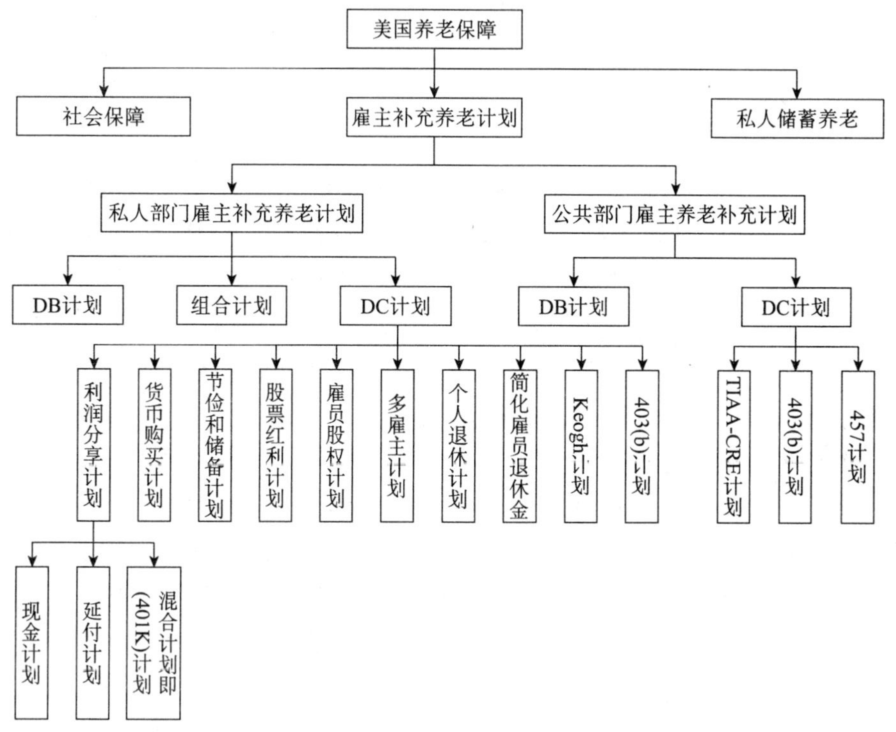

图 22－8 美国养老保障体系

目前，美国是世界上养老金储备规模最大的国家，截至 2012 年末，它只有 3 亿多人口，养老金资产总额却达到 19.5 万亿美元，其中，私人养老金储备超过 18 万亿美元。占美国家庭金融资产总额的 36%，成为美国最大的一种机构投资者。

（1）私人养老基金。私人养老基金的快速发展得益于优惠的税率以及美国股票市场的成长，各类私人养老金几乎覆盖了美国国内所有雇员。基金创造的收入是免税的，基金的参加人和受益人仅当从基金收到款项时才交税，建立私人养老基金的目的是为员工提供薪酬和退休保障。私人养老基金是由美国劳

① 资料来源：刘云龙．养老金、甲天下。

工部依照1974年通过的《雇员退休收入保障法案》进行监管。

私人养老基金分为私人既定收益计划和私人既定贡献计划。既定收益养老基金计划是所有私人养老计划中最大的组成部分。既定收益中，雇主有责任向退休者支付一定水平的退休金，为此，雇主应该在一个信托基金中建立一个基金项目赚取收入并以此来支付未来的退休金。该计划一般投资于金融证券。私人既定贡献计划由雇主、雇员双方所贡献出来的这部分本金存放在下述三种基金组织中的任何一种形式：

①由专业信托基金会管理，如教师保险和年金协会——大学退休财产基金（TLAA，CREE）。其为众多的公立教师和大学教授们管理退休金，80%的资产投资于美国股票（其中80%的股票是与Russell3000R挂钩），20%投资于外国股票，积极管理的80%美国股票大约有1 300亿美元。TIAA与CREE都不雇用外部的短期资本经营者，因其成本极低，收取0.09%的投资管理金。TIAA－CREE始终在投资方式上以保守的姿态出现，它实际上经营的资产仅是其总资产的30%，而保持其总资产的2/3作为指数化投资。作为一家“指数化”投资的基金，它以市场上现有的证券交易指数目录为准，在指数证券中分别持有相同比例的份额，买进和卖出只是在其总业务量上进行边际调整。因此，当不存在管理成本时，该基金将总是与标准普尔股票指数样本公司保持一致的业绩。

②由私立基金会管理，如401（K）计划。员工可任选一种进行投资，投资收益完全归属员工401（K）账户，投资风险也由员工自己承担。员工退休后能够领取多少养老金既取决于缴费额的高低，也取决于投资收益的状况。当员工退休时，其401（K）账户资金可以选择一次性领取、分期领取和转为存款等方式使用。401（K）计划的大部分资金投向股票资产。

③由投资公司管理。截至2012年末，美国投资公司管理的资产达14.7万亿美元，共同基金管理1.1万亿美元各类年金以及4.4万亿美元家庭账户应税资产。

（2）公共养老基金计划（Public Pension Plans）。公共养老基金也是美国20世纪90年代迅速增长的基金，2011年美国公共养老金总资产2.609万亿美元，同期美国国内股票总市值为17.858万亿美元。相当于美国全部上市公司股票的14.6%。美国公共养老金基金进行的投资中有近一半为股票投资，平均分配率为43.35%。对美国政府债券的投资紧随其后，平均达到24.59%。

而对国际股票市场的投资中位数分配率为12.64%。

公共养老基金通常是既定收益类型，建立的目的是为州、市、县的雇员提供退休保障。公共养老基金不受《雇员退休收入保障法案》的管制，受各州有关法令的指引。作为既定收益计划，如果计划的资金不足，州和其他地方政府有责任通过税收来补上这部分赤字。美国著名的公共养老基金加利福尼亚公共员工退休系统、加州教师退休系统、威斯康星州投资委员会（SWIB）及纽约市退休系统（NYCRS）。

（3）共同基金（Mutual Funds）。共同基金作为个人投资者的一种普通投资工具，可以使投资更为分散化并提高流动性。美国的共同投资基金受联邦法律的严密监控，例如1940年《投资公司法》[①] 对共同基金所持有的一家公司股权比例进行限制，并不断地要求其分散化投资。如果共同基金持有一家公司的股权大于5%，则证券交易委员会（SEC）就会进一步限制其活动。SEC禁止基金的管理者联合其他基金对公司进行控制，税法对没有分散化投资的基金惩罚性地征收两倍的税。由于上述原因，共同基金很少控制和影响所投资公司的活动。

美国共同基金的规模占全球半数，成为美国市场上主要的金融投资工具以及最大的机构投资者，近半数的家庭投资共同基金（见表22－5）。

表22－5　　　　美国共同基金投资状况（2012年）

全球共同基金管理资产规模	26.8万亿美元
美国投资公司管理资产规模	14.7万亿美元
共同基金	13.0万亿美元
ETF	1.3万亿美元
封闭基金	2 650亿美元
单位投资信托（UIT）	720亿美元
美国投资公司的数量	
共同基金	8 752只
ETF	239只
封闭基金	602只
单位投资信托（UITs）	8 752只

① The Investment Company Act of 1940.

续表

美国投资公司占各类资产的份额	
美国公司股票	28%
美国市政证券	28%
商票	42%
美国政府证券	12%
美国家庭拥有的共同基金	
投资共同基金的家庭数量	5 380 万户
投资共同基金的个人数量	9 240 万人
投资共同基金的家庭比重	44.4%
家庭投资于共同基金的资产中位数	10 万美元
投资共同基金的数量的中位数	4 只

从以上数据可见，美国投资者信任基金，家庭的金融资产投入到投资公司中的比重一直在增长，2012 年美国家庭金融资产的 23% 由投资公司持有，而投资公司包括了共同基金、ETF、封闭基金、单位投资信托 4 类集合投资工具。美国家庭对于直接持有股票的需求一直在下降，而更倾向于通过注册的投资公司间接持有股票。2012 年，家庭投入投资公司的资金增加了 4 820 亿美元，而直接投入股票的资金减少了 2 990 亿美元，直接投入债券的资金减少了 510 亿美元。

共同基金在管理养老金方面有着显赫的成绩。其管理着 46% 的 IRA 养老金，又有 56.9% 的 DC 计划养老金和 45.7% 的 IRA 养老金投资于共同基金，美国政府对养老金税收减免和递延政策造就了共同基金与养老金之间的关系高度融合。

（4）保险公司（Insurance Company）。保险公司在美国历史上是金融工具的主要持有者，目前其拥有的资产约 2.5 万亿美元。但是，它们逐步地受到各州法律关于持有一家公司大股份的限制。例如，纽约法律严禁保险公司在权益上的投资超过其资产的 20%，对一家公司的投资不得超过其资产的 2%。因此保险公司一般也不被认为是积极的机构投资者。

（5）银行信托（Bank Trusts）。受《格拉斯—斯蒂尔法》的管制，美国银行持有一家公司的股权不能超过该公司资产的 5%。银行信托公司或部门可以管理私人信托基金，但由于指导信托投资的共同法中的谨慎人（“Prudent

Man" Rule）原则，银行管理的信托基金不能拥有一家公司10%以上的股权。银行也必须把其投资活动与借贷活动严格地分离，即俗称中国墙（Chinese Walls），银行信托一般不被认为是积极的机构投资者。

（6）福利和捐助基金（Foundations and Endowments）。在美国，福利和捐助基金属于非营利性组织，其来自于利息、分红、资本利得、租金和矿区土地使用费的收入均拥有税收豁免特权，其他收入则可能需要缴纳税金。这种基金的投资策略被投资目标约束着，通常需要有一个较高的长期收益，以满足为机构提供长期稳定捐赠的需要。原则上，捐赠基金的投资期是无限的，因为保持购买力的永久性稳定是它的一项重要目标。然而，每年的支出也需要考虑短期投资的需要，因为捐赠基金需要运用每年的市值来决定支出，并且捐赠资本的撤回也有特定的时间周期。所以，这种基金因为谨慎地投资原则，投资私募股权、房地产和自然资源等，通常也不被认为是积极的机构投资者。

（五）美国机构投资者发展案例研究

案例一：美国401（K）计划

首先介绍在美国资本市场中发展显著的401（K）计划。它独特的机制设计、管理原则和运作模式，在国际养老保险制度中独树一帜，对全球养老保险制度改革产生着巨大的影响力。

1. 美国401（K）计划简介

401（K）计划取名自20世纪70年代末美国《国内税收法》第401条第（K）项，也称为"现金或递延安排"（CODA）计划。401（K）条款适用于私人企业及部分非营利组织，其目的是鼓励企业雇员增加长期养老储蓄资金，主要优势在于税收优惠政策，不仅雇主缴费能获得税前扣除，雇员缴费也在个人所得税的税前扣除，只有当个人账户资金被取现或退休领取时，雇员才缴费税款。因此，401（K）对雇员来说具有税收递延的效果。

401（K）条款规定，企业为员工设立专门的401（K）个人账户，员工每月从工资中拿出不超过一定限额的资金存入该账户。企业可配合缴费（可缴可不缴），但是一般情况下，大部分企业会按照一定的比例在该账户存入相应的资金。计入员工个人退休账户的资金，员工在退休前，一般不得领取，这笔款可用作投资。企业向员工提供至少3种以上不同的证券投资组合，员工可任选一种进行投资，投资收益完全归属员工401（K）账户，投资风险也由员工自己承担。员工退休后能够领取多少养老金既取决于缴费额的高低，也取决于投资收益的状况。当员工退休时，其401（K）账户资金可以选择一次性领取、分期领取和转为存款等方式使用。

美国《国内税收法》及相关配套法律法规对401（K）计划的发起、缴费、投资和领取等各环节都制定了明确规定，形成了一套完备的运行管理和监管体系。401（K）计划的基本内容包括以下几点：参加条件、非歧视原则、允许贷款、困难取款等特殊用途、不得提前提款、便携性和转移性及领取规定。

（1）401（K）计划的类型。当前，美国401（k）计划存在四种类型，分别为：传统型401（K）计划、安全港401（K）计划、简单401（K）计划、罗斯401（K）计划。每个计划均在缴费的权限、比例有差别。

（2）401（K）计划完全市场化的运作模式。401（K）计划主要受到美国劳工部和国内收入署的监管，主要监管法规为1974年《雇员退休收入保障法案》（ERISA）和《国内税收法》（IRC）。ERISA法案是为了保护私营退休金计划参与成员利益而设计的，规定了参与计划的资格、权益归属、基金管理、为DB型企业年金计划提供担保。根据ERISA法案，合格年金计划必须通过年金合同或者信托方式来实现。企业可设立退休金管理理事会或选择专业金融机构作为受托人来管理退休金计划。IRC法案对雇主缴费和雇员缴费的上限做出明确规定，针对提前取款、借款、困难取款、不取款等行为制定了详细的惩罚性措施。美国的养老金管理模式，除了强调“受托人责任”和“谨慎人原则”外，法律和监管机构对企业年金的投资管理并没有太多的约束。目前，企业雇主普遍把投资决策权交给雇员个人，以避免承担过多的“受托人责任”。具体而言，401（K）计划的管理流程有以下几个步骤：

第一步，企业确立计划方案与目标。企业作为401（K）计划发起人，通过对企业雇员状况统计、投资结构等问题的调查分析，或通过咨询外部专业机构，确定计划方案框架。

第二步，设立“受托人”。企业可以委派个人、集体组织或委员会作为受托人，全权负责401（K）计划的组织实施，使其运作完全符合计划参与者的利益。美国劳工部负责监督受托人履行责任的情况，以确保退休金计划经营上的稳健性和退休金给付上的安全性。

第三步，选择管理方式和管理机构。退休金管理方式分为“混合式”退休金安排和“分离式”退休金安排。雇主可以选择不同的退休金管理方式。一般大型的401（K）计划经营者可以提供“混合式”退休金安排，集养老计划设计管理、账户管理、资产托管以及投资管理等主要服务于一身，提供一站式的服务，总体费用水平相对较低。因为美国退休金市场专业分工非常细致，雇主（受托人）也可以选择不同的专业机构提供“分离式”服务，但各项服务都需要单独收费，费用相对较高。

美国私人养老金市场非常发达，专业分工特别细致，除了产品提供商以外，各个专业领域配套服务机构众多，如提供计划投资咨询、计划行政管理以及审计等服务，不同机构在各自的专业领域降低服务成本，确立各自的比较优势。服务商主要有托管人、行政管理和账户管理人、投资管理人、第三方管理者、员工教育、咨询公司、投资顾问、律师、会计师等。

第四步，制定投资菜单。受托人通过对市场上的投资工具、雇员风险偏好等因素进行分析，并根据专业投资机构的建议，挑选出至少3种以上的证券投资组合供雇员选择。证券投资组合产品提供者有基金公司、保险公司、证券公司和商业银行，主要提供的产品有共同基金、集合投资基金、可变年金/固定年金、保证收入合同、雇主股票和自选经纪账户等。

第五步，沟通交流与信息披露。在整个计划运行过程中，受托人还负有与计划参与者沟通交流的义务，以及准备各种书面材料、召开成员大会、接受咨询等职责，并负责编制定期报告和披露信息，每年还要向美国劳工部上报养老计划的财务报告等。

2. 401（K）计划现状

截至2011年，美国401（K）养老金计划整整走过了30年，其发展历程并非一路坦途。当1981年401（K）成立之初，即使当时最乐观的预言家也没能预测到它最终会成长为美国私人养老体系的中坚力量。401（K）计划契合企业养老金发展的方向，这种内生的驱动力不断冲破法律的束缚和阻碍，最终在美国养老金体系中迅速崛起、后来居上。早期，美国一系列法律法规严重限制了401（K）计划发起人和参与者的缴费行为。直到2000年，美国立法机构和监管部门才开始放松这些阻碍措施，转向鼓励和刺激401（K）计划的增长。DC型养老计划和个人退休账户构成了美国私人养老体系的两大支柱，而401（K）计划又构成了企业DC型养老金计划的绝对主体。自401（K）计划诞生后，美国国会不断修正旧条款、补充新规定（见表22－6）。

表 22－6　　401（K）计划缴费限额的历史变化①

1974 年 ERISA 法案	雇主和雇员总缴费年度限额：25 000 美元或雇员总报酬 25% 的较小值，限额与通胀指数挂钩。1982 年名义限额增长至 45 475 美元/每年
1982 年 TEFRA 法案	年度限额缩减至 30 000 美元，取消盯住通胀指数
1986 年 TRA 法案	维持年度总限额 30 000 美元至 2000 年，单独对雇员缴费制定限额初始值 7 000 美元，与通胀指数挂钩
2001 年 EGTRRA 法案	2002 年总限额为 40 000 美元，盯住通胀指数；提高工资 25% 的限额至 100%；雇员税前缴费限额由 2002 年的 11 000 美元每年增加 1 000 美元，直到 2006 年的 15 000 美元固定，此后与通胀挂钩
2006 年 PPA 法案	将 EGTRRA 法案的限额规定永久化

一系列的改革后，401（K）计划的覆盖率和参与率不断提高。401（K）计划框架设计的创新与完善也是促进其自身发展的重要动力。401（K）计划的企业发起人和为计划提供服务的金融机构通过对计划参与者需求的深入分析，以及不断吸收行为金融学的研究成果，不断完善 401（K）计划的框架设计，在组织架构、缴费、投资选择等方面最大限度地满足参与者需求。实践表明，雇主匹配缴款和提供贷款条款能大幅提高雇员的计划参与率。同时，增加并不过度复杂的投资组合选择，设定“自动注册”机制等措施也显著了提高雇员的参与率。

3. 401（K）计划与资本市场发展的良性互动

美国 401（K）计划的成功的背后有一个成熟的资本市场作支撑。资本市场提供了丰富的可选投资工具，同时配套的法律法规体系和监管体系非常健全，以及美国发达的信托文化，都为养老金的长期投资提供了适宜的市场环境。与此同时，401（K）计划的大发展也促使美国资本市场不断走向成熟。它们之间的良性互动体现在：

（1）资本市场的长期投资价值不仅直接推动 401（K）计划资产规模的持续扩张，还间接起到普及投资者教育、提高养老金计划参与率的作用。资本市场不断创新以满足 401（K）计划参与者多元化的投资需求。

（2）401（K）计划成就了华尔街金融帝国。截至 2012 年末，美国投资公司管理的资产达 14.7 万亿美元，共同基金管理着 1.1 万亿美元各类年金以及

① 资料来源：美国投资公司协会。

4.4万亿美元家庭账户应税资产。401（K）计划的大部分资金最终投向股票资产。401（K）计划资产中近60%的比例最终投向股票，投资渠道为股票基金、公司股票和平衡基金中的股票资产。401（K）计划参与者的资产配置结构较为稳定。在过去的10年中，美国股市经历了2001年的互联网泡沫危机和2008年的金融危机，除了股票市值波动对401（K）的资产结构有一定的影响外，计划参与者并没有大规模地改变资产配置结构。

（3）以401（K）为代表的养老基金已成为了美国资本市场稳定的基石。

案例二：美国机构投资者——贝莱德（Blackrock）

美国机构投资者有着超乎寻常的规模，且由规模经济衍生出的“降低交易成本”和“分散投资风险”方法，非常适用于我国发展机构投资者。通过详细介绍这类在国际市场中占主导地位的机构投资者的发展历程、业务范围以及投资结构。希望对我国机构投资者的专业发展提供一些有益的启示。

当前，美国的贝莱德（Blackrock）以3.56万亿美元位居全球最大的资产管理公司。作为市场主流的机构投资者，他们的交易风格对整个美股走势影响颇深。

1. 简介

贝莱德集团（Blackrock, Inc.），又称黑岩集团，不同于全球最大私募股权基金之一的黑石集团（The Blackstone Group）。贝莱德集团是全球规模最大的资产管理机构，2012贝莱德集团资产管规模全球第一，管理将近35 600亿美元资产，超过德国的GDP。集团总部位于美国纽约，通过其遍布美国、欧洲与亚洲的办事处为客户提供服务。美国基金管理公司Blackrock Inc.（BLK）2008年2月在北京设立了代表处，Blackrock也已经申请成为中国主权财富基金中国投资有限责任公司的境外投资管理人。持有中国银行旗下基金管理子公司中银基金管理有限公司16.5%的股权。

贝莱德的发展大致分成初创阶段、多元化阶段及全球资产配置阶段。伴随着贝莱德资产管理规模的不断扩大，其业务从单一的固定收益，发展到固定收益、股权投资、基金、咨询及全面立体的资产管理解决方案提供专家，为全球超过100各个国家的政府、机构投资者和高净资个人提供服务。贝莱德资产管理规模及大事见图22－9。

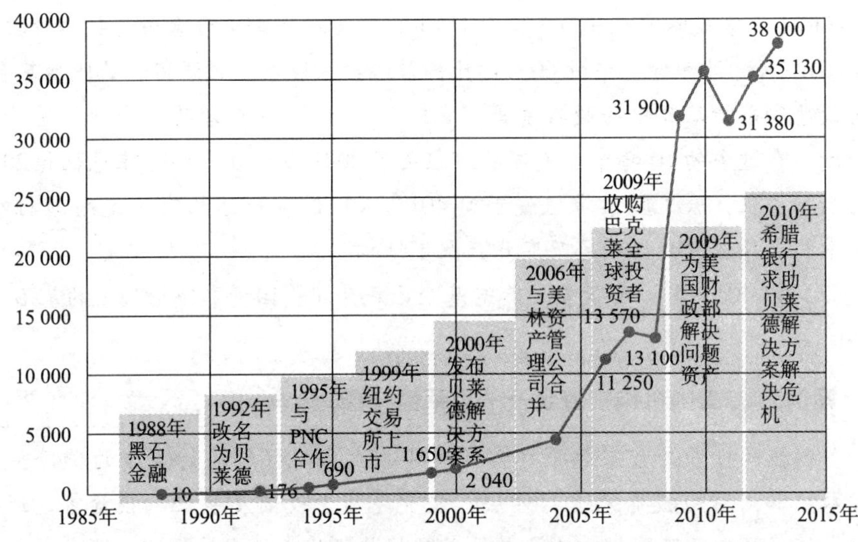

图 22-9　贝莱德公司资产管理规模及大事年表①

2. 发展历程

（1）初创阶段：1988～1994 年②

1988 年，贝莱德的前身——黑石金融管理公司（Blackstone Financial Management）成立，当时的贝莱德作为黑石集团的子公司（Blockstone）而创设。8 个创始人怀揣着创造更好的资产管理的信念，决心把客户利益和需求放在首位，致力于打造清晰的基于事实、基于数据的投资理念，投身于理解和管理风险的实践中。创始之初，公司聚焦在固定收益上，并发展出一系列关于封闭式基金、信托及定额缴纳养老金办法等重要的创新产品。其中，Blackstone Term Trust 信托集结了 10 亿美元资金，成功地找到了稳定增长的投资路径，1992 年，脱离黑石集团，公司开始正式采用贝莱德（Blackrock），年底时托管资产规模达到 170 亿美元，1994 年达 530 亿美元。贝莱德在初创时期经历了高速发展。

（2）多元化时代：1995～2000 年

贝莱德在 1995 年成为银行控股公司——PNC 的子公司，不久后推出了包括权股权基金在内的开放式共同基金。与 PNC 的联盟给贝莱德提供了接触其大型分销网络的通道，通过与 PNC 专注在股权和其他投资方面的附属机构的

① 资料来源：BlackRock，http：//www. blackrock. com/。

② 以下各个发展阶段参见贝莱德官方网站：http：//www. blackrock. com。

联盟和兼并，贝莱德开启了其多元化步伐。在多元过程中，贝莱德发展出“一体化贝莱德”理念（One Blackrock）的核心理念。当多数公司以自主交易单元作为框架式，贝莱德坚持一个的协作平台，统一管理固定收益、股权和其他业务，将客户中心的商业模式落实到位，利用整个公司的资源和产品为客户谋求更大利益。1999 年，公司在员工部分持股的情况下在纽约证券交易所上市，并在 2000 年成立“贝莱德解决方案系统”，为客户提供签名咨询以及设立风险管理单元。1999 年底公司资产管理规模增至 1 650 亿美元，到 2004 年底增加至 3 420 亿美元。随着多元的步伐，贝莱德大大拓了主营业务，增加了股权投资另类投资等新渠道，推出了一系列资产管理的新产品等，从单一的资产管理机构，发展成为系统化的解决方案提供者，实践了清晰的基于事实、基于数据的投资理念。

（3）全球资产配置：2005 年至今

到 2005 年，贝莱德形成了固定收益、股权投资和咨询的三大强势业务，又经过一系列的兼并充足，贝莱德的实力大大增强。2006 年，其中最重要的是在 2005 年收购了道富研究与管理公司。紧接着，2006 年与美林资产管理公司合并，两年间资产管理规模从 300 多亿美元增至 1.1 万亿美元，一举确立了贝莱德在行业第一阵营的位置。2009 年贝莱德收购了其最大的竞争对手——巴克莱全球投资者，通过安硕（iShare）拓展了控制主动基金、指数基金和交易所交易基金的能力。在此期间内，贝莱德成为多元资产（Multi - Assets）解决方案的先锋者，通过整合为客户提供各种服务的团队，并将资产配置与众多跨越资产种类的产品提供方案结合起来，公司迅速成长为行业巨头。利用其早先的重要工作——贝莱德解决方案系统，贝莱德通过金融市场咨询公司（FMA）帮助全球的政府、金融机构以及其他公共和私人资本市场的参与者更好地理解投资和掌控风险。时至今日，贝莱德称为全球抢先的资产管理者，为世界上的公司、养老金、基金和公开机构，及各界人士提供服务。

3. 贝莱德业务

贝莱德为全球 100 多个国家的机构投资者、零售商及高净资个人提供服务，在全球 27 个国家开设的分支机构，致力于为何物提供高效专业的服务。管理的资产组合可能投资于当地、区域性或者其他资本市场，根据当地的监管、税制、运营环境、流动性及客户要求提供结构化的产品和服务。产品方面，截至 2012 年 12 月 30 日，针对个体投资者，贝莱德共有 200 余支开放基金、80 多支封闭式基金，600 多种 ETF（交易所买卖基金）及繁多的另类投资产品。针对机构投资产主要包括固定收益类、股权投资、货币投资、另类投资等。完整的产品见下图，涵盖主动型固定收益基金、主动型股票基金、安硕（iShare）固定收益型 ETF、固定收益型指数基金等。

贝莱德提供的风险管理服务和其他咨询服务体现着贝莱德的核心价值。服务主要分三块：

（1）贝莱德解决方案——Blackrock Solutions（BRS）。贝莱德解决方案是企业的核心分析系统，投资和服务也首先在系统上发展发布，BRS 团队利用全球影响力、风险分析能力及市场洞见向顾客提供专业公正的建议和意见。并提供阿拉丁（Aladdin）一个整合的投资管理技术平台。

（2）咨询。金融市场咨询公司（FMA）主要向政府和私人机构提供无偏定制化的意见，提供管理、估值复杂资产组合的指导，帮助发展行动策略处理不良资产，曾为美国财政部、英国财政部，希腊银行等提供服务。

（3）投资管理技术。阿拉丁（Aladdin）的核心是“阿拉丁企业投资系统”（Aladdin Enterprise Investment System）。该系统搜集了全球海量的公开和非公开信息，一个由数学、计算机、经济学、会计学、工程科学、金融学等专家组成的团队通过数千台电脑监控全球的信息，并根据这些信息为客户提供风险管理和战略咨询等服务。当佛罗里达州财政官员向贝莱德求助时，其评估小组在数天内完成了资产状况分析，在一个月内就帮助佛罗里达州政府制定了不良资产处置方案。此役使贝莱德一举战胜诸多知名机构，得到美联储和美国财政部的青睐。

4. 投资结构

贝莱德将全球投资分为三个地区：美洲地区（Americas），欧洲、中东和非洲（EMEA），亚太地区（ASIA - P）。贝莱德管理的资产主要来自机构投资者（三个地区分别为 59%、81%、87%），其次是个体投资者和安硕。具体分布见图 22 - 10。

在贝莱德的投资中，有长期、短期投资及咨询团队托管的投资，80% 以上的资产是长期投资，包括 40% 的股票、35.5% 的固定收益、多元资产投资、另类投资，短期投资以现金管理为主，占总资产管理规模的 11.5%，还有一些少量的咨询托管的资产，年均不超过托管规模的 5%，并且比例仍在不断地缩小。2008 ~ 2012 年，长期投资年均超过 3 万亿美元，并且仍处于不断增长

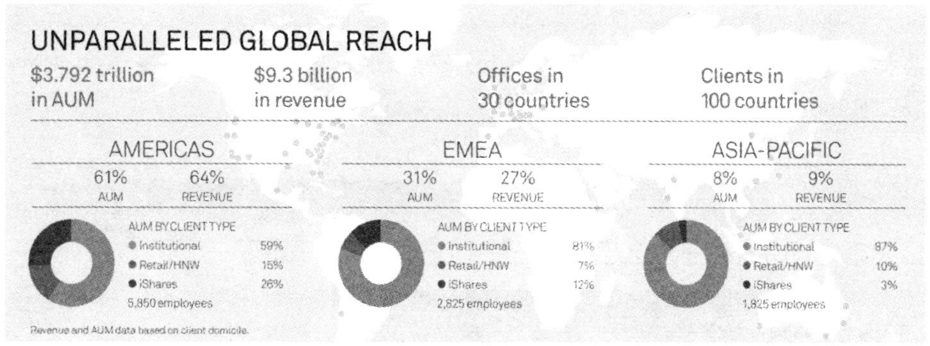

图 22－10 贝莱德投资结构①

的局势，占总管理资产的80%以上，2009年收购巴克莱后，长期投资的比率在不断上升，2012年长期投资已经达到91.8%（见图22－11）。

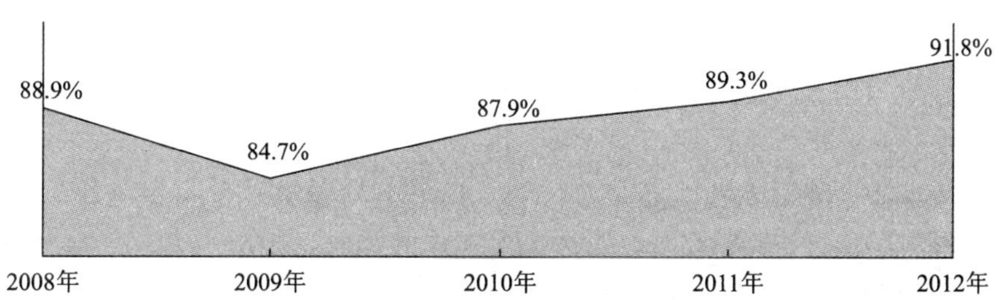

图 22－11 贝莱德长期投资比率

长期投资中股票的份额最大，占总资产管理规模的40%，其次是固定收益，占33.5%、多元资产投资，占比5.7%、咨询托管的资产占比4.9%、另类投资占比3.3%。短期投资主要以现金为主，现金的投资规模近年来不断缩小（见表22－7）。

表 22－7 贝莱德资产管理规模占比（2008～2012年）

投资内容	资产管理规模占比
股票 Equity	39.9%
固定收益 Fixed Income	33.5%
多元资产投资 Multi－Asset Class	5.7%
另类投资 Alternatives	3.3%
现金管理 Cash Management	11.5%
咨询托管 Advisory	4.9%

① 资料来源：Annual Report of Blackrock，2012。

长期投资中以股票投资的比例最高，在股票市场上有三种形式，主动型股票投资（Active）、安硕的ETF（iShare）以及非ETF的指数型股票基金（Non-ETF Index Equity）三种形式（见图22-12）。

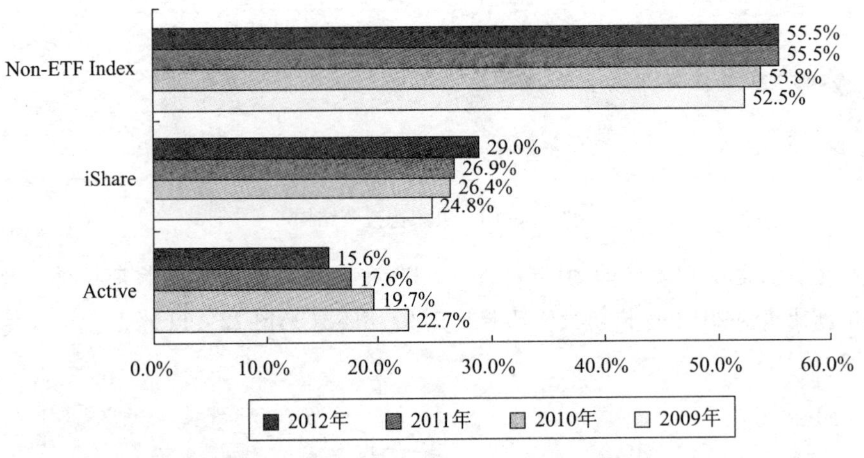

图22-12 贝莱德长期投资占比（2008~2012年）

2009年之前没有非ETF的指数基金方面的投资，2009年随着对巴克莱的收购，非ETF的指数基金成为主要的股票投资形式，占股票总资产的50%以上，iShare安硕基金的投资比例小幅增加，从占股票管理资产的24.8%稳步增加到29%，主动性股票投资比例由22.7%下降到15.6%。

贝莱德股票投资的规模（2008~2012年）见表22-8。

表22-8　　贝莱德股票投资的规模（2008~2012年）①　　金额单位：百万美元

股票	2008年	2009年	2010年	2011年	2012年
主动型股票投资	152 216	348 574	334 532	275 156	287 215
安硕的ETF		381 399	448 160	419 651	534 648
非ETF的指数型股票基金	51 076	806 082	911 775	865 299	1 023 638
合计	203 292	1 536 055	1 694 467	1 560 106	1 845 501

长期投资中占据第二位的是固定收益，2008~2012年，年均固定收益投资占总管理资产的33.5%，固定收益以三种方式投资于主动型固定收益产品

① 资料来源：黑石公司2012年度报告。

(Active)、ETF 基金（iShare）以及非 ETF 的固定收益型指数基金（Non－ETF Fixed Income Index），其中主动型固定收益产品的规模最大，占整个固定收益基金的 50% 左右。

贝莱德长期投资规模（2008～2012 年）见表 22－9。

表 22－9　　贝莱德长期投资规模（2008～2012 年）　　金额单位：百万美元

固定收益	2008 年	2009 年	2010 年	2011 年	2012 年
主动型固定收益产品	477 492	595 580	592 303	614 804	656 331
ETF 基金		102 490	123 091	153 802	192 852
非 ETF 的固定收益指数基金	3 873	357 557	425 930	479 116	410 139
合计	481 365	1 055 627	1 141 324	1 247 722	1 259 322

（六）美国机构投资者进入资本市场的总结

美国主要长期总金融资产规模见图 22－13。

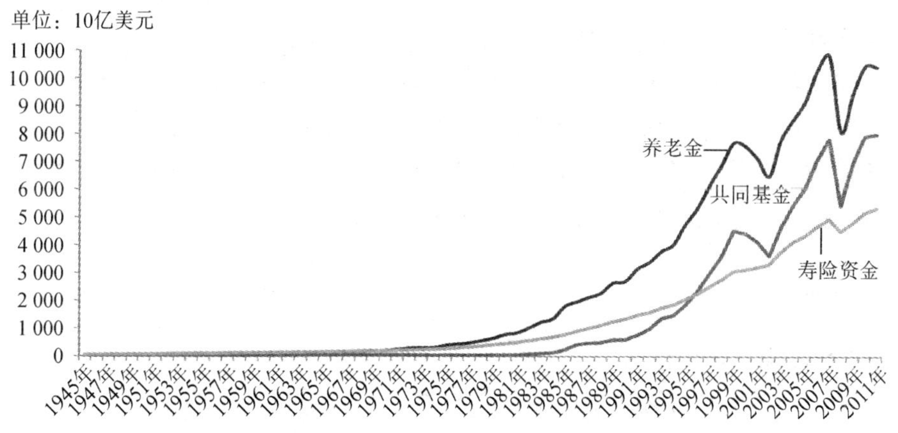

图 22－13　美国主要长期资金总金融资产规模

从发展历程来看，1940 年颁布的《投资公司法》和《投资顾问法》这两项法律，极大地推进了机构投资者的发展。当时的美国基金总资产仅 4.48 亿美元，远远小于现在我国 A 股市场机构投资者的规模，而现在其基金规模超过 10 万亿美元。可见，正是因为有了明确可执行的规范，才促进了美国机构投资者的发展。

其次，美国市场在金融危机后表现突出，现在的股票市场已经完全收复了金融危机后的跌幅。投资市场复苏和新资金注入共同促成机构投资者投资者对于长期投资基金（股票基金、债券基金、混合基金）的需求增加，资金从短期投资的货币基金中，持续地流入到了长期投资的基金中，完成了短期资金到长期资金的沉淀。

松散式监管中的美国资本市场，进入壁垒较低，造就了一个充分竞争，适者生存的市场，机构投资者在这样的筛选中进出资本市场，促使整个资本市场达到基本的平衡。

现代美国金融制度的形成经历了“混业经营—分业经营—混业经营”的历史演变过程。在混业经营状态下，通过一个金融控股公司对商业银行、证券公司和保险公司进行业务渗透并对它们有决策权，下属各类金融机构则在法律上保持相对独立。这些机构主宰着资本市场，市场又迫使他们用实力说话，于是，投资手段和投资技术愈发丰富，金融市场在他们不断的技术创新中获得发展。交易策略多样化、交易手段丰富和程序化、交易速度快速化这些优点获得个体投资者的青睐。促使大量个体投资者的资金持续流入提供专业理财服务的机构投资者手中，促进美国机构投资者规模持续的增长。

美国养老金加速入市主导了长期投资者的发展，并且作为美国机构投资者的重要力量——养老基金、互惠基金和保险基金奉承长期投资理念，是市场中起决定作用的稳定因素。它们有意愿进入资本市场除了完成其保值增值的需求以外，政府给予的税收优惠是最大的推手。

二、德国

（一）交易市场概况

德国证券交易所有多层次的上市标准，它可根据企业的生命周期选择初级、一般、高级三种不同透明度的标准上市，以符合不同市场的需求。与此同时，公司上市时还可选择：高级市场、初级市场、一般市场、公开市场四个信息披露和监管层次不同的上市板块。因此，各类机构投资者可以根据自己的要求和目的在不同的板块上寻找自己的投资目标。

（二）机构投资者类型及投资结构

德国机构投资者以保险公司、投资基金和养老金为主体。与美英等国相比，德国老百姓在家庭理财中很少购买上市公司股票，市场中是大量的机构投资者。

综其原因，由于德国实行“全能银行制”，银行既可以经营存贷款业务，又可以经营证券业务。这使企业感到在证券市场上直接筹资不如从银行贷款简单易行。同时，银行也希望通过贷款来直接控制企业，而不鼓励企业参与证券市场。除少数巨型企业外，中小企业实际上是德国经济的骨干，占全国企业总数的99%，就业占全部就业人口的70%以上。但这些企业主要是家族企业，考虑到上市透明度限制和收购威胁等，这些企业大都拒绝公开上市。德国政府和证券交易所也曾试图吸引普通老百姓参与股票投资。在1996年到2000年，在联邦政府私有化改革的推动下，德国掀起了一场前所未有的炒股热。从1996年到2000年，号称“全民股票”的德国电信股票每股股价上涨了7倍多，达到相当于每股104.90欧元的水平。然而，好景不长，从2000年开始全球高科技股大面积滑坡，在随后不到两年的时间里，德国电信的股价又从高位下跌到每股8.14欧元，其间法兰克福DAX指数从8 136点跌至2 188点。至此，全民炒股的热潮以惨败告终。股市的暴涨暴跌令许多德国人对股票交易“退避三舍”，也让德国人普遍认为投资股市是基金公司、银行或其他金融机构的业务，从而个人投资者选择通过购买债券、基金、保险等做间接投资。在国内股民投资并不活跃的形势下，德国证券机构大力推行国际化战略，如法兰克福股市实行现货、期货和结算一体化运作，吸引了全球大多数机构投资者参与。顺其自然的产生“机构市”。

而2000~2002年资本市场危机给银行业带来了巨大损失，迫使全能银行逐渐淡出对公司的直接参与，放弃它们在公司监事会中的席位，尽量减少股东与债权人之间的利益冲突，增强银行竞争力和减少外围业务。全能银行角色的嬗变松动了德国银行主导的股权结构，使投资基金等机构投资者的持股比例明显提升。

1. 保险公司

与美国不同，德国拥有强大的银行体系，商业银行在信贷市场和资本市场上处于主导地位，其金融体系的整体特征表现稳健平和。稳健的金融体系为保险公司提供了稳定的投资环境，但市场收益率并不突出。与其监管体系与金融环境相适应，德国保险公司的资金运用结构也体现了稳健性特征。总体上，保险资金投资于抵押贷款和银行存款的比重要高于英国、美国等国家，而投资于股票资本市场比例稍低。德国保险公司投资在股票上的资金平均只有3%，债券占比约60%左右，其次为贷款有22%的占比。德国的保险投资收益十分稳定，其市场收益率变动幅度在保险市场发达的国家中相对较低。近年来，随着德国金融体系结构的变化，尤其是欧盟共同市场发展的内在需要，德国保险公司在逐渐增加对股票等高回报率的金融工具的投资，以增加投资收益，提高自身竞争力。2010 年，德国保险公司对共同基金的投资占到了总投资的21.6%。通过对共同基金的投资，保险公司间接达到了国际投资的目标；对贷款公司投资占总投资比重高达30.1%，对附属企业和关联企业的直接投资占总投资的17%。

2. 养老金

德国的养老制度已有120多年的历史，是世界上最早建立养老保险制度的国家，养老制度比较完善。为减轻德国政府的财政负担，德国养老金在形式和类型上实行“双轨制”。目前，德国养老金有两种形式：法定养老金和个人养老金。其中，法定养老金缴费水平为总工资的19.5%，由雇主和雇员平摊承担。个人养老金则是通过个人人寿保险支付的一种福利制度。

德国养老保险基金受投资公司法管辖，由联邦银行进行监管，主要投资于债券（75%）、房地产（13%）、股票（9%）和储蓄（3%）。根据《投资公司法》规定，养老保险基金投资于股票比例为21%至75%，具体比例由各养老金计划灵活掌握；投资于房地产、流动资金和套期保值性金融衍生工具的上限分别为30%、49%和30%。

此外，德国养老金投资选择比较注重社会效益，不仅与其他经济体的养老金一样奉行相对谨慎的策略，还会将包括基础设施建设及房地产业的实体资产作为其投资目标首选。据德国最大公共养老基金 BVK 发布的数据，目前该机构投资于德国房地产业的资金占比高达12%，投资于基础设施建设领域的资金占比则有2%，而其针对实体资产的全部投资则几乎是上述两项之和的两倍。

（三）德国机构投资者发展案例研究

德国安联集团（Allianz Group）是欧洲最大的保险公司，在法兰克福、伦敦、巴黎、苏黎世和纽约五大国际证券交易所上市。现已发展成为全球第六大跨国资产管理集团。因为安联管理的资金庞大，而且涉及面极广，所以它在为投资者选购股票的时候，流程非常严谨，第一位考虑的就是稳健。对投资的谨慎体现在安联公司派出的调研人员长期驻扎在上市公司，对其生产、销售等环节进行实地调研。从大量的访问中得出调查研究报告，并以此对该公司的财政报告和成长性做出判断，进而反证该公司是否具有投资价值。整理用于旗下基金在做投资决策时的参考、辅助和佐证。这种选股方式被称之为“草根研究”，对于传统被动式金融研究是一个特别好的互补，而且，通常其市场的动向报告要比华尔街财务报表早三至六个月。经过10多年的发展，作为安联集团的独特手段，对投资收益贡献良多。

1. 简介

德国安联集团（Allianz Group）作为世界领先的保险和金融服务供应商，业务涉及全球，提供涵盖各类保险、资产投资管理、银行业务等各项领域，是混业经营的典型代表。

安联集团于1890年在德国柏林成立，2012年位居世界500强第28位。以22 800亿美元资产管理规模位列全球第三位，仅次于美国的贝莱德（Blackrock）和瑞士联合银行（UBS）。集团核心是保险业务，跨国业务是其特征表现在，集团70%的保费收入来自于德国以外地区。同时，通过并购等一系列手段，跻身于世界五大资产管理集团。旗下拥有太平洋投资管理（PIMCO）、德盛安联等著名投资公司，纳入管理的资产总额（包括集团自有资产及第三方资产）已超过20 000亿欧元。其中，PIMCO（Pacific Investment Management Company）作为独立运行的子公司，资产管理规模已达18 200亿美元，已成为全球第六大资产管理公司[①]。

2. 发展历程[②]

1890年威廉·芬克（Wilhelm Finck）和卡尔·蒂米（Carl Thieme）两位德国人在柏林市共同创立了安联联合保险公司（Allianz Versicherungs - AG），当时的业务主要以货运保险为主。

第一次世界大战结束后，安联开始发展人寿保险业务，1922年在与几家大型寿险公司谈判失败后，安联仅用10天的时间就成立了自己的寿险子公司——安联人寿保险银行公司，并且5年后即成为欧洲第一大寿险公司。随着20世纪50~70年代联邦德国经济的迅猛增长，安联保险集团也在此期间实现了飞速的发展，巩固了自己德国第一大保险公司的地位。

---

① 资料来源：Banks around the World，www. relbanks. com/rankings。

② 发展历程部分参考：www. allianz. com。

1998 年初，安联集团以 45 亿欧元成功收购了法国第三大损险和意外伤害保险及第八大人寿保险公司—— AGF 保险集团 57. 6% 的股份，由此成为其控股股东。2006 年以 59 亿欧元的价格收购了意大利 RAS 公司剩余的 44. 5% 股份。在欧美地区的成熟市场当中，形成了德国、意大利、法国、美国四大主体市场，其在意大利的年保费收入达 140 亿欧元。在亚太地区几乎所有的重要国家和地区设有分支机构。

2008 年全球金融危机，造成安联集团的总收入比 2007 年下降 5%，但是很快在 2009 年，已经超越危机前最高水平，并且持续的增长，至 2012 年，总收入已经达到 1 064 亿欧元（见图 22 - 14）。

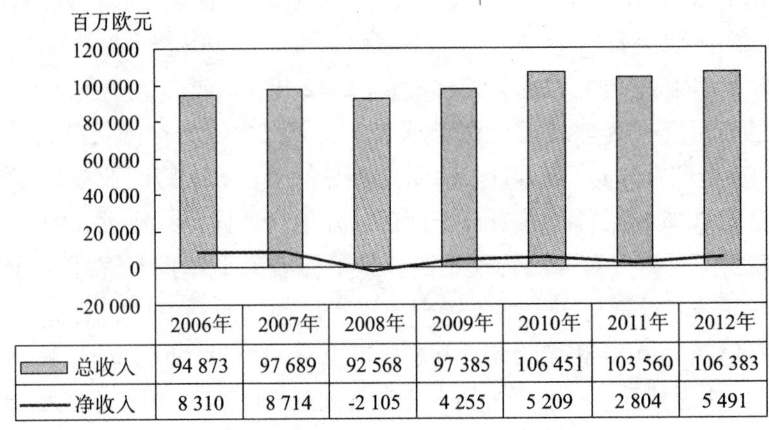

	2006年	2007年	2008年	2009年	2010年	2011年	2012年
总收入	94 873	97 689	92 568	97 385	106 451	103 560	106 383
净收入	8 310	8 714	-2 105	4 255	5 209	2 804	5 491

图 22 - 14 安联集团收入情况

资料来源：Allianz Group Annual Report of 2012。

3. 业务状况①

安联集团将其业务分成六大块：私人保险、企业保险、资产管理全球线服务帮助和救援服务及基于可持续项目的服务。其中，资产管理类下设固定收益产品、股权和大宗商品、多元资产及确定回报的产品，通过不同的交易策略、为投资者提供一系列固定收益和权益类理财产品。

4. 投资结构

安联的资产管理业务在 2012 年超过 2 万亿美元，实现营业利润 30. 14 亿欧元，同比增长 33. 6%。在管理的第三方资产除了来自德国本土占比 7. 7%

① 业务范围部分参考：www. allianz. com。

外，其余的 64.6% 来自美国，15.3% 来自于欧洲其他国家，亚太地区占 10.4%。

安联集团的资产管理的投资组合主要分配在固定收益类产品（即债务类工具）在投资组合中占最大的份额约占总资产管理规模的 90%，股票的规模约占 9%。其余的投资于房地产和现金等。

安联的自由资产以保险部门、非银行资产及公司其他资产为主，2012 年规模达 5 070 亿欧元，固定收益类 4 608 亿欧元占据整个投资组合规模的 91%，股票类或权益类投资以 296 亿欧元，占据 6%，房地产类以 97 亿美元，占据 6%，现金及其他资产约占 2%，资产比例基本保持稳定，浮动不超过 2%。

固定收益类的投资主要是政府债券（Government Bonds），占固定资产类投资的 38%，占总资产管理规模的 34.3%。其次是资产担保证券，占固定资产投资的 23%。公司债券占固定资产投资的 22%。银行债券占 8%[①]。

三、英国

（一）发展情况

英国的发展历史上有过两次金融改革，将市场中的机构投资者逐渐推上重要的舞台。

1986 年，英国推行欧洲最广泛的国有化计划，实行严厉的政府管制。同一时期的纽约市场却是当时最自由的市场，新的金融产品的开发、销售也多集中在纽约。因此，资金不断从伦敦流向了纽约，伦敦城的金融业务开始萧条。于是，1986 年 10 月 27 日，英国发动了一场规模宏大的金融改革。改革的核心内容是金融服务业自由化。其中，取消非交易所成员持有交易所成员股票的限制和废除各项金融投资管制这两项，让所有的金融机构都可以参加证券交易所的活动中来，促使英国的商业银行纷纷收购和兼并证券经纪商，逐渐涌现出一批超级金融机构，业务领域涵盖了银行、证券、保险、信托等各个方面，成为与德国相类似的全能金融集团。银行开始转变成投资银行，保险公司参与理财项目等等。混业经营让证券市场中的机构投资者规模不断的膨胀，国外机构投资者涌入英国，英国的机构投资者也大举进军海外市场，整个行业呈现一片繁荣的景象。

---

① Allianz Group Annual Report of 2012.

1988 年，英国的国际贸易与信贷银行几乎破产。1995 年，英国的老字号巴林银行因新加坡分行管理制度上的漏洞发生重大投资损失而陷入破产边缘，后被荷兰银行以 1 美元的价格收购。这两个事件让英国认识到由中央银行监管银行的金融活动的弊病。政府推动的以统一金融监管为特征的金融整合。造就了英国金融监管制度的“单一集中”模式。2011 年 6 月，英国政府正式发布《金融监管新方法：改革蓝图》白皮书，对英国金融监管体制进行全面改革。新成立的金融政策委员会专门负责宏观审慎监管，而金融服务局原有的微观监管职能则将分别由新成立的审慎监管局（PRA）和金融行为监管局（FCA）承担。FCA 的战略目标是保护和增强对英国金融系统的信心，在制定时有三项操作目标，即消费者保护目标（确保消费者受到适当程度的保护）、健全性目标（保护和增强英国金融体系的健全）以及效率与选择目标（促进市场上的效率和选择）。此外，在与其战略目标和操作目标相容的限度内，FCA 在履行职能时还必须致力于促进市场竞争。FCA 负责对一般投资公司、投资交易所（证券交易所）、银行、保险公司、其他金融机构（如保险经纪公司、基金管理公司等）某些投资公司（即具有审慎重要性的金融机构）进行审慎和行为监管。成为英国金融市场中机构投资者的重要管理部门。

（二）交易市场概况

英国资本市场体系也是分为三个层次：一是主板市场，指有 200 多年历史的伦敦证券交易所。属于英国全国性的集中市场，是吸收欧洲资金的主要渠道。二是全国性的二板市场 AIM（Alternative Investment Market）。AIM 是由伦敦交易所主办，是伦敦证交所的一部分，属于正式的市场。其运行相对独立，是为英国及海外初创的、高成长性公司提供的一个全国性市场。三是全国性的三板市场 OFEX（Off - Exchange）。由伦敦证券交易所承担做市商职能的 JP Jenkins 公司创办，属于非正式市场，主要是为中小型高成长企业进行股权融资服务。

（三）机构投资者类型及投资结构

英国的机构投资者主要包括养老基金、保险公司、单位信托、其他金融机构（包括信托投资公司）等。机构投资者已经成为上市公司最大的股东，持股占上市公司总股份的 80%，证券市场已经从高度分散的个人持股演化为绝对集中的机构化持股。据2008年数据显示，养老基金和保险公司分列股票市场境内投资者前两位，持股市值占总市值的比例分别为12.8%和13.4%。[①] 养老金制度和资本市场的有效结合，通过私人养老金介入股市获得较好的收益后；在解决人口老龄化带来的养老保险压力方面走在发达国家的前列，英国人口老龄化风险在资本市场上也得到了有效化解。因此，在我国有一种观点支持养老金制度借鉴英国经验。

1. 养老基金

英国养老金制度的第一支柱是国家基础养老金，这部分资金不介入股市。而自2012年10月起，所有年收入在7 475英镑以上、年龄在22岁到法定退休年龄之间、没有参加任何职业养老计划的雇员都将“自动加入”职业养老金计划，雇主按照雇员工资的3%缴纳，雇员本人按照4%缴纳，政府以税收让利的形式计入1%，合计8%的缴费注入雇员的个人账户，组成强制性养老金的第二支柱。英国个人养老金连同商业保险在内的第三支柱，都大比例地介入资本市场。

在英国的资本市场上，养老基金持有较高比例的长期资产，主要包括公司股票、公司债券、公共债券和不动产等资产类别。另外，养老基金还是超长期国债（30年和50年国债）和通胀指数挂钩国债的最主要需求者。投资股市的养老金力求稳健。投资青睐构成伦敦股市《金融时报》100种股票指数的公司，例如英国几乎每一只养老金基金都持有英国石油公司的股份。

英国养老金基金可以不受投资类型的限制，只要是对受益人有利的投资，只需一项书面声明，说明指导其做出投资决策的原则，即可以付诸投资行动。正是因为这样，近年来一部分英国养老金基金开始逐步增加“另类资产”的配置比重，如中小盘股票、不动产、私募股权、风险投资基金、新兴市场和量化投资等另类资产的投资比例。2009年底，“另类资产”占养老金资产的比例高达15%。同时，伴随着养老金另类投资的增加，其投资收益的波动性随之加大，进而又推动了养老金对各种衍生产品等风险规避工具的需求。

2. 保险公司

英国的保险监管部门对保险资金的运用基本上没做任何限制，保险资金投资范围是非常广泛的，债券（包括政府债券、金融债券和企业债券）、股票、

① 资料来源：2012陆家嘴论坛新闻发布会。

共同基金、房地产、海外投资、风险创业投资等都是保险资金可运用的领域。由于英国证券市场以股票为主，英国的保险资金投资相应的也以股票投资为主，英国的保险公司投资股市的比重一直在50%左右，债券投资占20%左右。自欧盟框架指导原则于1994年实行后，保险资金的运用有了更大的自由空间，金融衍生品，如期货、期权等都不受法律限制。目前，英国保险公司几乎介入了金融市场所有的投资品种，既包括金融资产又包括实物资产，既包括金融市场工具又包括货币市场工具，既包括证券类资产又包括非证券类资产，既包括公开发行的证券也包括私募证券，从而形成了一个多样化的投资组合。

四、智利

（一）交易市场概况

作为新兴市场中金融改革较为成功的代表，智利的金融体系由国家银行和政府开发金融机构、私人商业银行、私人养老金管理公司及其他金融机构组成。20世纪90年代以来，智利金融市场进入稳定发展和改革深化期，允许境外投资基金进入，引入证券托管制度，为机构投资者提供更多的投资工具。智利全国设有两个证券交易所，一个是圣地亚哥交易所，另一个是瓦尔帕莱索证券交易所。

（二）机构投资者类型及投资结构

智利具有发达的养老基金和保险行业。目前，各养老金管理公司均为上市公司，占国内股票市场份额的30%左右，资产规模巨大，在资本市场的地位远超过保险资金和共同基金。此外，养老基金还是国内定期存款、银行债券、政府债券和可抵押债券的最大投资者，是公司债券的第二大投资者（仅次于保险公司），并且经过20多年的发展，不仅摆脱了亏空，而且养老保险私营化、资本化管理也给养老保险基金带来了丰厚的投资回报，从而提高了养老金的替代率，减轻了政府财政压力，降低了个人的缴费率，取得了不俗的成绩。养老基金作为本国资本市场中最大的机构投资者发挥着至关重要的作用。在良好的资本市场和宏观环境下养老金得以长足发展，另一方面，养老金的进入又促进了本国资本市场的成熟，两者之间形成了良好的相互作用。在其影响下，全世界20多个国家参考它的方式在改革着社会保障养老制度和养老基金投资资本市场的方法。

1. 养老金制度

智利是最早建立社保制度的国家之一，从 20 世纪 50 年代开始，由于财政收支失衡、收入分配不公及低效的管理体制等原因，致使其陷入泥潭。20 世纪 70 年代实行开放的自由市场经济政策，以私有化为基本特征的养老金模式开始。1980 年，智利建立了以个人资本化为基础、由私人营利机构管理、以国内劳动者为对象的新养老金制度。专门成立单一目标经营的养老金管理公司（Pension Fund Managers，简称 AFPs），负责账户管理和基金投资运营的私营机构，养老基金独立于公司自身净资产，账户养老资产由托管银行保管，这样即使 AFPs 破产也不会影响到账户资产的安全性。成立养老基金监管局（Superintendencey of Pension Fund Administrators，简称 SAFP），负责对 AFPs 的组建评估、验资鉴定、执行监管，并且由政府对最低养老金进行担保。

（1）实行个人账户积累模式，是建立在个人账户基础上的强制性缴费。职工在税前按照工资的 10% 缴费不断补充个人账户，同时进行投资运营，缴费资金和投资收益逐月积累，企业没有为职工缴费的义务，退休时，职工必须从保险公司购买年金或者其他的递延支付产品。

（2）由营利性私营机构管理，国家授权民营的养老基金管理机构（AFPs）负责管理和运营。政府对个人账户积累不足的退休职工实行最低担保制度，规定了 AFPs 的最低投资回报率和最低资本总量，就是要求其维持一定数量的投保人和相对应的资本金（最低限额约为 12 万美元）。

此外，管理当局要求每家 AFPs 建立储备金，并将储备金和养老金一起进行投资。强制要求各 AFPs 在获得高于行业平均投资回报时，超出的部分做为“利润储备金”存储，在回报下降时，该资金用于弥补投资回报率与最低回报率标准之间的差额。投保人向管理公司缴纳约为工资 3% 的管理费用，其中管理公司用约占工资 0.7% 的部分为投保人向保险公司购买伤残保险，其余部分在弥补营运成本后即为管理公司的利润。如果某家 AFP 的投资收益率低于行业平均水平，该公司必须用收益储备金和投资准备金来补偿个人账户的损失；如果该公司不能补偿委托人的损失，可能被依法清算。受益人可以重新选择 AFPs，并转移个人账户。对于工作了 20 年以上的职工，国家承诺一个最低的养老金支付水平，如果不能达到，由国家支付 AFPs 实际投资资产和政府最低担保之间的差额。个人自由选择 AFPs，并在他们之间转换，每年最多可以转换 4 次。

由于计划参与者可以选择和转换 AFPs，所以 AFPs 的市场竞争激烈，为养老金投资带来可观的收益。

（3）政府对管理公司进行严格监管，SAFP 管理各 AFPs 的运营状况，同时政府规定了养老基金投资的限额，即用于购买政府债券的上限是 45%，企业债券和股票的上限是 40%。此外，SAFP 还会同银行与非银行金融机构总监署、证监委等机构设立风险鉴定委员（RRC），由其按月发布各种金融工具的风险评级，只允许养老金基金购买风险等级低的金融商品。

2. 智利养老基金投资资本市场的方法

1981～2002 年：单一投资组合阶段。在 20 世纪 80 年代初期，智利养老基金只能投资于国债和中央银行票据。发展到 1985 年，允许投资于本国股市和企业债。到 20 世纪 90 年代中期，股票投资大幅增长，达到组合的 30%。本世纪初期，政府又允许养老基金进行海外投资后，海外投资比例达到 11%，几乎全部投资于共同基金。

2002 年至今：多投资组合阶段。养老基金按照股票和债券的不同比例提供五种投资组合。参保人员可以根据自己的风险偏好和收益需求进行选择。不同年龄的参保者可选的基金类型见表 22－10。

表 22－10　　根据参加者年龄的可选择基金类型①

基金类型	低于 55 岁的男性 低于 50 岁的女性	56 岁以上的男性 51 岁以上的女性	退休人员
“最高风险的” A 型基金	适用	不适用	不适用
“有风险的” B 型基金	适用	适用	不适用
“中等的” C 型基金	适用	适用	适用
“保守的” D 型基金	适用	适用	适用
“最保守的” E 型基金	适用	适用	适用

经过一系列的改革，智利养老保障体系的覆盖程度从 1980 年的 60% 提高到现在的 100%，专业运作的个人账户投资收益受到保护，分享了经济改革成果的同时，养老金投资成为推动国民经济发展的重要力量。

3. 养老金对智利资本市场发展的推动作用

① Pension Superintendency。

（1）对金融法市场立法的推进。智利资本市场重要的法规修订主要发生在1980～1995年期间，涉及有关证券市场、私营养老金、保险业以及投资基金等方面的立法改革，截至1999年，涉及养老金投资的立法修改有25项。由此可见，作为主要的机构投资者，养老金促进了整个资本市场的立法发展。

（2）加强证券市场监管。政府为保障养老基金投资的安全性，1986年出台的《银行法》对银行业机构交易等方面提出了严格的要求，以提高养老金投资银行信贷产品的安全性。1994年《资本市场法》的内容中专门制定了防止基金投资利益冲突（内部交易）的监管规则，为养老基金等机构投资者提供进一步保护和投资条件。

（3）提高对证券交易技术水平。在养老金进入资本市场前，对技术服务有较高的要求如风险评估、托管、经纪服务等。智利在这个方面做得非常突出，从20世纪80年代中期开始就实施风险评估制度，到20世纪90年代，风险评估扩展到所有金融部门的投资产品，为市场的稳定起到了很大的作用。

（4）对于发展中智利而言，养老金各项改革对资本市场的发展起到关键性的影响作用。20世纪80年代初，智利的资本市场规模还较小，整个金融行业以银行为主，金融监管薄弱，缺乏金融投资工具。从1981年开始，积累制养老基金为资本市场提供了长期稳定的资金来源。

第五节　各国发展机构投资者的经验总结

发达国家的经验表明，机构投资者培育与资本市场发展之间存在着双向互动的关系。

资本市场的发展会促进共同基金、养老金等机构投资者的发展，而共同基金、养老金等机构投资者的成长会进一步刺激资本市场的进步，并对资本市场的结构、流动性及稳定性起到积极推动作用，从而为资本市场服务实体经济打下坚实基础。海外机构投资者的发展和壮大虽然是以市场为主导，但仍有很多值得借鉴的地方。

一、市场需求是机构投资者发展的主要动力

在全球机构投资者的快速发展中，养老基金成为最显著的机构投资者并为

证券市场带来稳定的长期资金，它的每一步改革推动了对以共同基金为主的机构投资者的市场需求。对于资本市场处于起步或发展期的国家而言，养老基金的进入势必可以成为促进资本市场发展的重要力量，甚至是决定性的影响因素之一。并且，养老金的自身需求也要通过投资来完成保值增值的任务，从而降低国家和个人的负担。由此不难看出，机构投资者发展的动力要来源于市场投资者的需要，是一种市场的自发行为，在合适的制度中爆发。

二、机构投资者是在建立和完善金融体系中发展起来

在发展机构投资者的方式上，发达国家往往通过着力于建立和完善公平竞争的市场化的金融生态环境，来促进构投资者的发展，而不是采取具体干预的方式来促进某一类投资者的发展。无论是美国还是英国，建立和完善金融体系的目标是完善金融体系的功能，提高金融体系的效率，使其更好地为本国大多数人的利益服务。因此，为达到以上目标，这些国家在完善金融体系时，着力于整个生态系统及其内部生态演化的公平规则和制度的建设，很少对系统中具体的成员进行干涉，而是让它们在公平的规则和市场机制下自由公平地竞争。美国 1929 ~ 1950 年对机构投资者的一系列立法，日本和英国在“金融大爆炸”后的立法，英美等国家建立适合机构投资者发展的各种交易制度和风险规避的金融工具等都是完善金融生态环境的举措。

三、加强对基金经理的监管并提高市场信息透明度

发达国家对基金经理的监管有日益强化的趋势。发达国家对基金管理人或资产管理人的监管都比较严格，美国的基金经理必须在美国证监会的监管之下，必须在美国证监会注册，回答一系列问题。而且有逐渐加强的趋势。此前，约有6 000 家对冲基金在不受任何监管的条件下进行投资，而且投资范围也不受任何限制。不久前，美国证监会初步通过了对冲基金的监管建议，将迫使对冲基金顾问必须在美国证监会登记注册，同时基金顾问将被要求回答类似于共同基金使用的标准问题，并向美国证监会提供他们的一些基本信息。

四、发展机构投资者的同时推动长期资金入市是关键

养老金在各国证券市场中作为长期资金最首要的来源，其强大的资金规模，追求在安全中取得高额投资回报的理念及对政府和个人的影响力，决定其

不能取代的成为市场中最重要的机构投资者。

五、放松管制，让市场在公平的规则体系下自由发展

由于制度包含了软约束，各国在吸取美国等发达国家的经验中，往往是针对性结合本国的国情。机构投资者的制度是一系列具体制度安排的集合。它通过一系列的规则来界定各类机构投资者的投资选择自由度，规范他们之间的竞争关系。美国等发达国家在20世纪70年代以来的放松管制、立法和各种制度建设为机构投资者的发展奠定了长期健康发展的基础，释放了机构投资者发展的能量，促进了机构投资者业务范围的拓展和业务创新，促进了机构投资者的规模扩张和跨国投资，在增强竞争的过程中促进了机构投资者的整合等。各国在完善发展机构投资者的制度过程中，都注重积极学习、引进他国的先进制度。然而，由于制度的非正式约束和实施机制在各国之间有所差异和制度的路径依赖性，再加上不同制度功能的趋同性，各国按照制度变迁的成本和收益比较原则，都针对性保留和新设置一些具有本国特色的制度安排。国外机构投资者的产生本质上是金融创新的产物，而且其发展也进一步推动了金融创新的发展，两者形成了一种良性互动的关系。

六、鼓励市场进行各种创新

如果没有市场创新的自由，机构投资者就不可能创造出各种投资产品和分散风险的投资技术，也不可能进行各种形式的服务创新。允许卖空以及各种金融衍生工具的使用，使机构投资者资产配置、风险分散的能力大大加强，也增强了对个人投资者的吸引力。

七、国际上对机构投资者的监管重心逐渐从结构化向审慎化转变

在放松监管的同时，强化审慎监管。在机构投资者的监管中，对投资基金的监管主要在于信息披露和自我监督；对养老基金的监管主要在于保护养老基金持有人的利益；对人寿保险公司的监管还包括对投资范围和投资组合的限制，以控制其破产风险。许多OECD国家对养老基金和人寿保险公司的投资范围都有限制，在向单一股票或债券的投资上限通常为基金总额的10%，但在一些国家这一上限可能略高到15%。其目的在于限制养老基金计划持有人与计划管理人之间的利益冲突。美国、英国、日本、澳大利亚、新西兰等发达国

家一般对投资组合不进行定性的监管，基本上是实行审慎性监管。

一些国家对养老基金的投资范围限制见表22－11。

表22－11　　一些国家对养老基金的投资范围限制①

投资规定＼国家	美国	德国	英国
最低资产分散化规定	有投资分散化的一般性要求	对于单一发售方的投资不得超过5%，国债、存银行和抵押债券是例外，其上限为30%	有相关的投资分散化和适当化规定
自我投资/避免利益冲突规定	对于待遇确定型保险计划，其投资上限为10%	允许，上限为2%	投资于创建该养老计划的公司不得超过5%
其他定量化规定	无	资产投资上限为25%。上市公司股票为30%；非上市公司股票为10%；债券为50%；购买投资基金的上限为30%；抵押和其他形式的贷款为50%；存银行50%	无量化指标
防止所有权过分集中规定	无	无	无
外货匹配规定	没有明确规定	80%	无
海外投资规定	无	欧盟国家股票为30%；欧盟国家资产为25%；非欧盟国家股票6%；非欧盟国家债券5%	无

① 资料来源：根据OECD资料整理。

第二十三章

我国机构投资者发展历程和推动机制

第一节　我国机构投资者的发展历程及现状

一、发展历程

我国的机构投资者萌芽于20世纪90年代，经过20多年的发展，机构投资者主体不断丰富，规模逐渐扩大。其发展历程大体分为以下三个阶段：

第一阶段，萌芽阶段（1990～1997年）。这个时期的机构投资者以证券公司为主，虽然市场上也有一些基金，但并不是真正意义上的证券投资基金，其规模较小，投资偏于保守，很多是以实业投资为主，证券投资部分比例小。这些“老基金”在1996年后逐渐处于边缘地带。

第二阶段，市场调整和机构更替阶段（1998～2005年）。1998年3月23日第一批证券投资基金启动，4月7日基金金泰和基金开元分别在上海证券交易所和深圳证券交易所上市。成为首批上市的证券投资基金。随着市场的发展，一些不规范的证券公司、信托公司被市场淘汰。主管部门在这期间出台了一系列鼓励机构投资者发展的政策和措施。2002年12月，合格境外机构投资者制度（Qualified Foreign Institutional Investors，简称QFII）引入中国资本市场；2004年年初，国务院发布了《关于推进资本市场改革开放和稳定发展的若干意见》，明确要求大力发展机构投资者；2004年10月，经国务院批准，中国保险监督管理委员会、中国证券监督管理委员会联合发布并实施《保险机构投资者股票投资管理暂行办法》，标志着我国保险资金首次获准直接投资股票市场。

第三阶段，快速发展阶段（2006 年至今）。这个阶段是我国机构投资者的快速发展时期，初步形成了以证券投资基金为主，证券公司、信托公司、保险公司、合格境外机构投资者、社保基金、企业年金等其他机构投资者相结合的多元化格局。随着我国机构投资者数量的不断扩大、投资规模的增加以及整体质量的提高，证券市场投资主体的机构化日益明显。

二、持股现状

从投资者持有上市公司股份的情况，可将我国机构投资者划分成三种类型：专业机构投资者、法人机构投资者及个人投资者。截至 2012 年末，我国证券市场流通市值为 193 110.41 亿元[①]。其中，专业机构投资者持有上市公司 A 股流通市值比例最小，占比 17.4%；个人投资者居中，占比 25%。法人机构投资者（多数为是企业法人）持有市值比例最高，占比 57.6%，他们大部分是产业资本，是最大种类的股东（见图 23－1）。

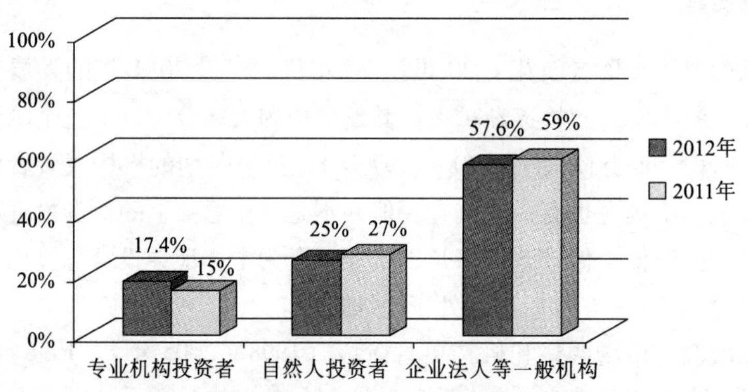

图 23－1 国内专业机构投资者所持 A 股流通市值占比

从交易结构看，持股比例将近 60% 的一般法人，它们对交易量的贡献只有 2%。根据此数据，持有六成以上的一般法人基本上是不参与交易的。因为他们都是产业资本，不是靠买卖股权来谋生的，不参与价格的形成。资本市场是一个资源配置市场，资源配置靠价格信号，产业资本不参与价格竞争，他们只是股票市场价格的被动接受者。根据规定，产业资本的收购、兼并、融资都需根据二级市场价格来定。比如收购兼并资产的定价需参考市场价格，发行股

① 资料来源：世界银行网站。

票、上市公司再融资也以某一时期二级市场价格的均价来确定。所以，法人机构投资者不在专业机构投资者定义之中，也不是本篇中讨论的对象。这里明确本篇中讨论的对象是专业机构投资者（以下简称机构投资者），是以投资为主业的机构，如证券投资基金、社保基金、QFII（合格境外机构投资者）、企业年金、养老金等。

中国股市中的个人投资者持有27%的市值，但是交易量的比重达到85%（见图23－2）。个人投资者成为中国股市价格形成的主要参与者，也造就了现阶段中国证券市场的一大特点——中国股票市场的换手率全球第一。虽然说个人投资者在历史上对资本市场发展做出了非常重大的贡献，但是到了今天，由非专业的个人投资者决定股票价格的形成，高频率的换手率造成股市上下的宽频波动，只能说明中国的资本市场需要更多的专业机构投资者。

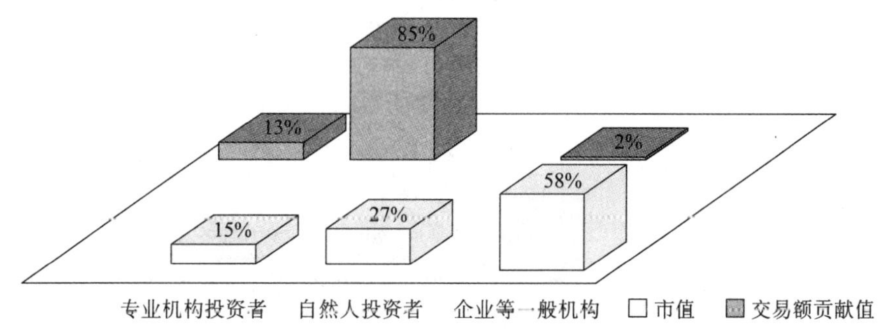

图23－2　国内A股投资者所持市值与交易贡献值

市场已经意识到亟须改变这种以“散户”为主的交易结构，参照国际上专业机构投资者持股的比例上升到30%，我们证券市场才会相应平稳和理性。如果不改变，资本市场的资源配置会发生很多错配，市场的发展仍然缓慢不前。

三、类型及特点

A股市场成立初期最主要的机构投资者就是券商，直到1997年11月国务院颁布《证券投资基金管理暂行办法》，为证券投资基金的规范发展奠定了法律基础。据1997年末数据可见当时的状况，上海证券交易所股票账户开户总数为1 713万户，其中99.7%为个人投资者，机构投资者开户数不足0.3%，深圳证券交易所的情况也大体相当。此后的相当长时间，我国内地证券市场机构投资者的比重都低于个人投资者部分。多年来尤其是近10年，为促进我国证券市场的快速成长和发展，管理层将大力培育行为规范的机构投资者作为加强证券市场建设的重要内容。在发展机构投资者的战略指导下，中国证券市场的机构投资者队伍有了显著增长，形成了包括基金、社保基金、券商、保险资金、QFII、企业年金等在内的多元化、专业化机构投资者共同发展的格局。

中国机构投资者基本情况见表23－1。

表23－1 中国机构投资者基本情况表

机构名称	入市时间	概况
证券投资基金	1998年	截至2013年8月底，我国境内共有基金管理公司85家，管理资产合计38 134.32亿元，其中管理的公募基金规模27 742.41亿元，非公募资产规模10 391.91亿元
证券公司	1987年	截至2013年6月30日，114家证券公司总资产为1.87万亿元，净资产为7 172.46亿元，净资本为5 009.14亿元，托管证券市值13.24万亿元，受托管理资金本金总额3.42万亿元
社保基金	2003年	2013年第2季度社保基金合计持仓10.23亿股，持股市值达125.4亿元
保险公司	1999年	中国保监会数据，2013年8月底保险资金余额达到72 706亿元
QFII	2002年	中国证监会发布的QFII名录显示，截至2013年8月底，有213家境外机构获得QFII资格，批准投资额度1 500亿元
企业年金基金	2004年	人社部数据显示，截至2013年第1季度，建立企业年金的企业已达57 485家，参加职工1 933.53万人，积累基金45 113.75亿元
财务公司	2000年	截至2012年12月，财务公司数量达到157家
信托公司	2001年	信托业协会数据显示，截至2013年第2季度末，信托全行业67家信托公司管理的信托资产规模为9.45万亿元，同比增长70.72%。2012年底信托行业的资产余额已经超过了保险业，成为我国第二大金融业态
私募基金		截至2013年3月，在已经公布了年报的上市公司中，共有173家上市公司出现私募的身影，其中80家公司是首次吸引私募入驻
其他法人机构	1999年	三类企业即非金融的国有企业、国有控股公司和上市公司

第二节 十类机构投资者发展现状

一、证券投资基金

截至 2012 年底，基金管理公司管理资产 3.62 万亿元，较上年增加 21.92%；其管理的社保基金、企业年金、专户理财资产分别增加 22.5%、28.9% 和 55.3%。是我国当前资本市场中最大的机构投资者。作为资本市场上最为重要的专业机构投资者，基金业近年来取得了令人瞩目的成就，建立了以《证券投资基金法》为核心、以部门规章和规范性文件为补充的比较完备的基金监管法规体系，行业创新取得了比较好的突破，整体竞争力显著提高，对外开放取得了重大的进展，风险管理能力明显增强，初步建立起职责清晰、分工明确、协调有序、反应快速的基金监管体系，监管的有效性大大提高。

（一）中国证券投资基金的发展历程

中国基金的发展同证券市场几乎是同时起步。中国基金业的开端是 1991 年武汉证券投资基金的基金——中国第一家封闭式基金的设立，并以 1997 年 10 月《证券投资基金管理暂行办法》颁布实施为标志，分为两个主要阶段。

1. 第一阶段：1997 年 10 月前投资基金的发展状况

1991 年 10 月，在中国证券市场刚刚起步时，“武汉证券投资基金”和“深圳南山风险投资基金”分别由中国人民银行武汉分行和深圳南山风险区政府批准成立，成为第一批投资基金。此后仅于 1992 年就有 37 家投资基金经各级人民银行或其他机构批准发行。其中“淄博乡镇企业基金”经中国人民银行总行批准，于 1993 年 8 月在上海证券交易所挂牌交易，是第一只上市交易的投资基金。1993 年初，建业、金龙、宝鼎三只教育基金经中国人民银行总行批准在上海发行，共募集资金 3 亿元，并于当年底在上海证券交易所上市交易。截至 1997 年 10 月，全国共有投资基金 72 只，募集资金 66 亿元。其特点表现为：

第一，组织形式单一。72 只基金全部为封闭式，并且除了淄博乡镇企业投资基金、天骥基金和蓝天基金为公司型基金外，其他基金均为契约型。

第二，规模小。单只基金规模最大的是天骥基金，为5.8亿元，最小的为武汉基金第一期，仅为1 000万元。平均规模为8 000万元，总规模仅为66亿元。

第三，投资范围宽泛，资产质量不高。绝大多数投资基金的资产由证券、房地产和融资构成，其中房地产占据相当大的比重，流动性较低。1997年末的统计调查结果显示，其投资范围大体为：货币资金14.2%、股票投资31%、债券投资3.5%、房地产等实业投资28.2%、其他投资占23.1%。

第四，基金发起人范围广泛。投资基金的发起人包括银行、信托投资公司、证券公司、保险公司、财政和企业等，其中由信托投资公司发起的占51%，证券公司发起的占20%。

第五，收益水平相差悬殊。1997年，收益水平最高的天骥基金，其收益率达到67%，而最低的龙江基金收益率只有2.4%。

2. 第二阶段：1997年10月之后中国证券投资基金的发展

《证券投资基金管理暂行办法》在1997年10月的出台，标志着中国证券投资基金进入规范发展阶段。该暂行办法对证券投资基金的设立、募集与交易，基金托管人、基金管理人和基金持有人的权利和义务，投资运作与管理等都做出了明确的规范。1998年3月，金泰、开元证券投资基金的设立，标志着规范的证券投资基金开始成为中国基金业的主导方向。2001年华安创新投资基金作为第一只开放式基金，成为中国基金业发展的又一个阶段性标志。与此同时，对原有投资基金清理、改制和扩募的工作也在不断进行之中，其中部分达到规范化的要求，重新挂牌为新的证券投资基金。

（二）基金规模及特点

我国基金规模统计（2012年）见表23－2。

表23－2 我国基金规模统计表（2012年）

基金类型	基金数（只）	基金期末总份额（亿份）	基金资产净值（亿元）
股票型	550	14 038.85	11 948.54
混合型	214	6 460.27	5 611.79
债券型	206	2 629.06	2 751.40
货币型	52	5 361.27	5 360.82
QDII	66	855.79	612.31
短期理财债券型	22	621.73	621.62
全市场	1 110	29 966.97	26 906.48

一直以来，证券市场的收益机会要远大于收益率相对固定的债券品种，在证券市场中获取高额收益的主动选择，使我国基金的投资风格较为激进，选择股票型的投资组合为主。而在证券市场中获取收益的市场行为，使基金长期参与在我国证券市场，并带动了新资金的流入。它所投资方向越来越深地影响着我国证券市场、投资者结构、公司治理结构、理财市场发展并推动了居民储蓄向证券市场投资的转化。在获得社会保障资金的青睐下，运作管理部分资金，已获得一定的认可。正因如此，证券投资基金对市场中机构性资金有着一定的吸引力。

截至 2012 年 12 月 31 日，全行业已开展业务的 72 家基金管理公司[①]管理资产规模合计 36 225. 52 亿元。其中，管理的非公开募集资产（社保基金、企业年金和特定客户资产）规模 7 564. 52 亿元，占全行业管理资产规模的 20. 88%；公募基金（封闭式基金和开放式基金）产品 1 173 只，规模 28 661 亿元，占全行业管理资产规模的 79. 12%。其中，封闭式基金 68 只，净值规模 1 412. 99 亿元，占全行业管理资产规模的 3. 90%；股票型基金 534 只，净值规模 11 475. 28 亿元，占全行业管理资产规模的 31. 68%；混合型基金 218 只，净值规模 5 646. 17 亿元，占全行业管理资产规模的 15. 59%；债券型基金 225 只，净值规模 3 779. 70 亿元，占全行业管理资产规模的 10. 43%；货币市场基金 61 只，净值规模 5 717. 28 亿元，占全行业管理资产规模的 15. 78%；QDII 基金 67 只，净值规模 629. 58 亿元，占全行业管理资产规模的 1. 74%。2012 年，全行业管理资产规模较 2011 年增长 30. 53%，其中非公开募集资产规模增长 28. 79%，公募基金规模增长 30. 99%。

2012 年基金管理公司资产管理规模见表 23 – 3。

表 23 – 3　　2012 年基金管理公司资产管理规模统计表

（截至 2012 年 12 月 30 日）

单位：亿元

序号	公司名称	资产管理规模
1	国泰基金管理有限公司	729. 44
2	南方基金管理有限公司	2 285. 54
3	华夏基金管理有限公司	2 966. 15
4	华安基金管理有限公司	1 002. 37

① 资料来源：中国证券投资基金业管理协会。

续表

序号	公司名称	资产管理规模
5	博时基金管理有限公司	2 245.41
6	鹏华基金管理有限公司	1 317.60
7	长盛基金管理有限公司	595.93
8	嘉实基金管理有限公司	2 871.36
9	大成基金管理有限公司	1 048.72
10	富国基金管理有限公司	1 000.57
11	易方达基金管理有限公司	2 468.93
12	宝盈基金管理有限公司	115.41
13	融通基金管理有限公司	512.39
14	银华基金管理有限公司	903.45
15	长城基金管理有限公司	329.22
16	银河基金管理有限公司	223.53
17	泰达宏利基金管理有限公司	263.83
18	国投瑞银基金管理有限公司	378.34
19	万家基金管理有限公司	251.55
20	金鹰基金管理有限公司	110.48
21	招商基金管理有限公司	847.38
22	华宝兴业基金管理有限公司	384.38
23	摩根斯坦利华鑫基金管理有限公司	139.79
24	国联安基金管理有限公司	174.67
25	海富通基金管理有限公司	646.41
26	长信基金管理有限责任公司	222.71
27	泰信基金管理有限公司	76.94
28	天治基金管理有限公司	42.35
29	景顺长城基金管理有限公司	406.26
30	广发基金管理有限公司	1 267.47
31	兴业全球基金管理有限公司	380.79
32	诺安基金管理有限公司	477.23
33	申万菱信基金管理有限公司	164.84
34	中海基金管理有限公司	152.18
35	光大保德信基金管理有限公司	262.51
36	华富基金管理有限公司	75.21
37	上投摩根基金管理有限公司	613.38

续表

序号	公司名称	资产管理规模
38	东方基金管理有限责任公司	102.76
39	中银基金管理有限公司	1 459.95
40	东吴基金管理有限公司	113.41
41	国海富兰克林基金管理有限公司	174.63
42	天弘基金管理有限公司	117.04
43	华泰柏瑞基金管理有限公司	391.27
44	新华基金管理有限公司	117.70
45	汇添富基金管理有限公司	781.46
46	工银瑞信基金管理有限公司	1 545.64
47	交银施罗德基金管理有限公司	595.18
48	信诚基金管理有限公司	247.70
49	建信基金管理有限责任公司	1 021.31
50	华商基金管理有限公司	240.39
51	汇丰晋信基金管理有限公司	72.64
52	益民基金管理有限公司	40.57
53	中邮创业基金管理有限公司	264.14
54	信达澳银基金管理有限公司	57.23
55	诺德基金管理有限公司	38.93
56	中欧基金管理有限公司	90.21
57	金元惠理基金管理有限公司	11.95
58	浦银安盛基金管理有限公司	110.97
59	农银汇理基金管理有限公司	191.25
60	民生加银基金管理有限公司	214.85
61	纽银梅隆西部基金管理有限公司	21.08
62	浙商基金管理有限公司	48.23
63	平安大华基金管理有限公司	58.44
64	富安达基金管理有限公司	7.36
65	财通基金管理有限公司	28.72
66	方正富邦基金管理有限公司	13.18
67	长安基金管理有限公司	1.85
68	国金通用基金管理有限公司	1.13
69	安信基金管理有限责任公司	24.83
70	德邦基金管理有限公司	2.62
71	华宸未来基金管理有限公司	0.00
72	红塔红土基金管理有限公司	40.89
73	英大基金管理有限公司	21.30

（三）基金投资者基本情况

截至2012年底，基金账户总数22 717.42万户，较2011年末上升了1 080.87万户；其中有效账户数为7 635.71万户，较2011年底下降了337.91万户，降幅4.23%（见图23-3）。2008年以来，基金有效账户数保持了相对稳定，但较行业历史高峰期略有下降，主要是有效账户数中的个人投资者有效账户数波动，引起有效账户总数波动，机构投资者有效账户数持续增长。

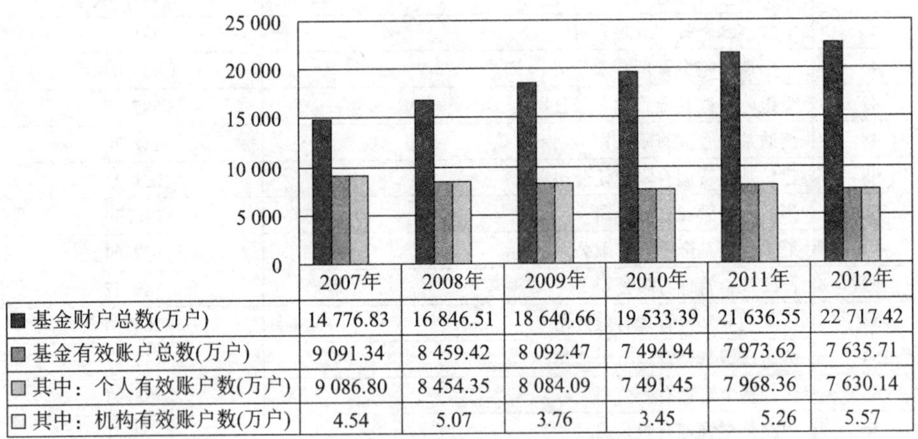

	2007年	2008年	2009年	2010年	2011年	2012年
■基金财户总数(万户)	14 776.83	16 846.51	18 640.66	19 533.39	21 636.55	22 717.42
■基金有效账户总数(万户)	9 091.34	8 459.42	8 092.47	7 494.94	7 973.62	7 635.71
■其中：个人有效账户数(万户)	9 086.80	8 454.35	8 084.09	7 491.45	7 968.36	7 630.14
□其中：机构有效账户数(万户)	4.54	5.07	3.76	3.45	5.26	5.57

图23-3 开放式证券投资基金投资者有效账户情况①

二、证券公司

证券公司是我国最早的机构投资者，是证券中介服务商，在我国证券市场一直扮演着重要角色。中国证券业的发展历程在短短的20多年的时间里，伴随着证券市场的不断扩大，中国的证券业迅速发展，证券公司的数量和规模不断扩大，质量和效益不断改进。由1987年9月中国第一家专业性证券公司——深圳经济特区证券公司正式成立开始，至2012年，共成立114家证券公司，总资产为1.72万亿元，净资产为6 943.46亿元，净资本为4 970.99亿元，客户交易结算资金余额6 002.71亿元，托管证券市值13.76万亿元，受托管理资金本金总额1.89万亿元。

资产管理业务规模增加是证券行业发展最显著的特征之一。截至2012年

① 资料来源：中国证券投资基金业协会。

底，全行业受托管理资金额总计 18 934.3 亿元，较 2011 年末增长 571.74%。其中，定向资产管理业务规模增长最为显著，增长了 11.9 倍；专项产品次之，增长了 2.37 倍；而最能体现证券公司资产配置和管理能力的集合理财产品则增长了 36.57%，略高于 2011 年的 33.95%。

三、全国社会保障基金

我国养老金是在改革开放后，顺应市场经济的发展的需要逐步建立起来的。

（一）我国养老金制度概况

我国养老金制度按照国际上通行的多支柱理念建立起来，第一支柱是国家基本养老保险，采用现收现付制；第二支柱职业年金计划采取完全积累制；还有第三支柱个人储蓄性养老保险。而全国社会保障基金是社会保障的重要财力储备。

（二）养老金构成及现状①

1. 国家基本养老保险

国家基本养老保险是我国养老体系的核心部分，它是将社会统筹与个人账户相结合的基本养老保险制度，是国家为了保障退休职工的基本生活，由企业和职工缴费形成，统一政策规定强制实施。

截至 2011 年底，全国参保人数合计 6.22 亿人，基金总收入 16 895 亿元。其中，征缴收入 13 956 亿元；各级财政补贴 2 272 亿元；年末累计结存 19 497 亿元。企业职工养老保险已覆盖全国所有县，新型农村社会养老保险金覆盖我国 81.5% 的县，城镇居民社会养老保险覆盖 75.3% 的县。

社会统筹部分实行现收现付制，这种模式将在职劳动者部分收入转移给退休者，并由地方政府混账管理。但是各地经济发展状况不一致，历史欠债处理制度造成的期初差异等综合原因，造成个人账户基金往往成为空账，而且规模不断扩大，形成我们所说的“养老金缺口”。从 2011 年的数据来看有 18 个省实现正结余，14 个省为负结余，负结余累计金额 767 亿元，结余数最大的广

① 资料来源：中国养老金发展报告（2012）。

东省累计结余3 108亿元，但同期个人账户记账额4 100多亿元，缺口达1 000多亿元。此外，根据人保部社保部、世界银行及原国家体改办对养老金隐形债务进行的测算，大约在2万亿至6.7万亿之间。养老金个人账户缺口达1.7万亿元。养老金由于其统筹的格局，缺口部分长期靠地方财政补贴弥补，财政能力较弱的地区，收不抵支成为常态。

现阶段，不同种类的养老基金管理运作方式也不同，企业职工养老保险、新型农村社会养老保险、城镇居民社会养老保险按照当前规定，都进入财政专户，只能购买国债或者按照同期银行存款计息。然而，2001年至2011年，CPI指数有9年大于同期活期银行存款利率，有6年大于1年期定期存款利率，而且近年来差距持续扩大。总体看来，2001年至2010年间，上述养老保险基金平均年收益率不足2%，而同期平均通货膨胀率为2.14%，养老金保值、增值难以实现。

2012年3月，广东委托全国社保基金理事会投资运营养老金1 000亿元，约占该省累计结余20%。全国社保基金理事会不直接参与社保基金的投资管理，而是通过选择并委托投资管理人、托管人，同时对投资运作和托管情况进行检查的方式，尝试养老金投资新途径。规定基金境内投资范围包括：银行存款、债券、信托投资、资产证券化产品、股票、证券投资基金、股权投资和产业投资基金等。这种方法即通过第三方资产管理机构和托管机构实现资金的市场化运作，引导部分资金入市，这种模式俗称为“广东模式”。广东模式运作的情况在今年5月28日，广东省十二届人大常委会第二次会议上公布，2012年实现年化收益率6.72%，而此前广东社会保险基金只能存银行和购买国债，收益率在3.5%左右，两相比较，高低可见，“广东模式”取得了较为满意的收益。依据《2012年全国社会保障基金理事会基金年度报告》，仅投资于股票的股利收入为9.38亿，占交易类资产收益的1/3以上，现这种成功的养老金发展模式，已经受到各省市极大的关注，推动了各省市委托投资方式铺开的积极性，为养老金入市带来较好的局面。

2. 企业年金基金

企业年金基金是指在政府强制实施的国家养老金制度之外，企业及其职工在国家政策的指导下，在依法参加基本养老保险的基础上，根据自身经济实力自愿建立的，旨在为本企业职工提供一定程度退休收入保障的补充性养老金制度，成为我国养老保障制度中的第二支柱。自2004年正式步入市场化运作以来，发展较快，但规模较小，到 2013 年第 1 季度仅有 5 114 亿元，其中的 4 906亿元交由基金管理公司等专业机构管理。在国家养老保险存在着严重的资金缺口和支付压力。此外，单一支柱的养老保障制度存在着责任过度集中和制度单一化的弊端，导致养老保障政策的制定和调整的难度加大，不利于实现社会公平。企业年金的建立助其克服上述弊端，使养老金制度既有统一性和普遍性，又有灵活性和适应性。这样，就降低了国家制定和调整养老保障政策的难度，有利于养老保障制度的深化。

3. 个人储蓄性养老保险

个人储蓄性养劳保险是我国多层次养老保险体系的一个组成部分，由职工自愿参加、自愿选择经办机构的一种补充保险形式。社会保险主管部门制定具体办法，职工个人根据自己的工资收入情况，按规定缴纳个人储蓄性养老保险费，缴入当地社会保险机构在有关银行开设的养老保险个人账户，为提倡和鼓励职工个人参加储蓄性养老保险，按照不低于或高于同期城乡居民储蓄存款利率计息，所得利息记入个人账户，本息一并归职工个人所有。职工达到法定退休年龄经批准退休后，凭个人账户将储蓄性养老保险金一次总付或分次支付给本人。实行职工个人储蓄性养老保险可以扩大养老保险经费来源和渠道从而减轻国家和企业的负担，增强职工的自我保障意识和参与社会保险的主动性。现阶段各地虽然出台了一些政策，但都没有具体实施的方案，导致大多数人并不了解该保险，完全属于个人意愿购买，因此，政府给予一定的优惠政策才能吸引个人主动的选择。

4. 全国社会保障基金

全国社会保障基金（简称社保基金），成立于 2000 年。它是由全国社会保障基金理事会（简称社保理事会）负责管理的由国有股减持划入资金及股权资产、中央财政拨入资金、经国务院批准以其他方式筹集的资金及其投资收益形成的由中央政府集中的社会保障基金（NSSF）。

全国社会保障基金是国务院直属的部级事业单位，《全国社会保障基金投资管理暂行办法》（2001 年财政部、劳动和社会保障部令第 12 号）规定了全国社会保障基金理事会的职责。社保理事会负责如下事项：（1）负责管理 NSSF 资产；（2）制定社保基金的投资策略并组织实施；（3）选择社保基金的投资管理人、托管人并对其进行绩效评估；（4）编制定期财务报表，起草会计报告；（5）定期向社会公布社保基金的资产、收益、现金流等财务状况；（6）

根据财政部、人力资源和社会保障部共同下达的指令进行资金配置；（7）执行国务院分配的其他任务。

社保理事会组织架构见图 23－4。

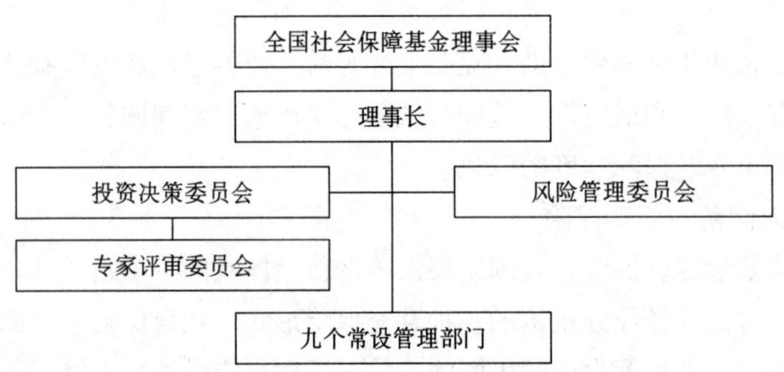

图 23－4 社保理事会组织架构

全国社会保障基金的资金来源于中央政府的预算拨款。其他来源包括福彩公益金及投资收益等。中国的国有企业必须在其进行公开发行时将其 IPO（首次公开募股）筹资额的 10% 用于充实 NSSF。这项政策最初既适用于在国内公开上市也适用于在海外公开上市的国有股，但 2002 年 6 月对在国内上市的公司暂时停止执行。从 2009 年 6 月开始，一项新规定要求，对于在 2005 年结构改革（股权分置改革）之后出售股份或将来计划出售股份的国有企业而言，均须将相当于首次公开发行股份数的 10% 的国有股转由社保基金会持有，这一措施适用于在国内证券交易所上市的 131 家国有控股企业。

社保理事会于 2005 年就获得向工商企业投资的权利，投资规模不超过总资产的 20%。2008 年 4 月，经国务院批准，财政部、人力资源部和社会保障部同意可投资经发改委批准的产业基金和在发改委备案的市场化股权投资基金，总体投资比例不超过全国社保基金总资产的 10%。至今《全国社会保障基金投资管理暂行办法》第二十五条规定，社保基金投资的范围限于银行存款、买卖国债和其他具有良好流动性的金融工具，包括上市流通的证券投资基金、股票、信用等级在投资级以上的企业债、金融债等有价证券。此外按规定，全国社保基金的 20% 可投资于境外市场，《全国社会保障基金境外投资管理暂行规定》第十五条全国社保基金境外投资限于下列投资品种或者工具：

（1）银行存款。所称银行是指境外中资银行和国际公认评级机构最近 3 年对其长期信用评级在 A 级或者相当于 A 级以上的外国银行。

（2）外国政府债券、国际金融组织债券、外国机构债券和外国公司债券。所称债券是指国际公认评级机构对其评级在 BBB 级或者相当于 BBB 级以上的债券。

（3）中国政府或者企业在境外发行的债券。

（4）银行票据、大额可转让存单等货币市场产品。所称货币市场产品是指国际公认评级机构对其评级在 AAA 级或者相当于 AAA 级的货币市场产品。

（5）股票。它是指在境外证券交易所上市的股票。

（6）基金。它是指证券市场公开发行的基金，基金投资范围需符合本条关于其他投资品种或者工具的规定。

（7）掉期、远期等衍生金融工具。它是指金融市场上流通的衍生金融工具。全国社保基金投资衍生金融工具仅限于风险管理需要，严禁用于投机或放大交易。

（8）财政部会同劳动保障部批准的其他投资品种或工具。

根据全国社会保障基金理事会公布的数据显示，到 2012 年底，社保基金理事会管理的资产总额达到 11 082.75 亿元，实现投资收益 645.36 亿元，投资收益率为 7%，其中已实现收益率 4.38%。按照其投资收益占比来看，固定收益占 50.66%，股票资产占 32.39%，实业投资占 16.31%，现金及等价物占 0.64%。

2003～2012 年全国社保基金历年规模和收益率见表 23－4。

表 23－4　　全国社保基金历年规模和收益率表①

年 份	2003	2004	2005	2006	2007	2008	2009	2010	2011	2012
基金规模（亿元）	1 325	1 711	2 010	2 827	5 161	5 130	7 766	8 566	8 698	11 082
投资收益率（%）	2.71	3.32	3.12	9.3	43.19	－6.79	16.12	4.23	5.58	7
通货膨胀率（%）	1.2	3.9	1.8	1.5	4.8	5.9	－0.7	3.3	5.4	2.6

四、保险公司

始于 1980 年的保险资金投资，经历了较长的自由无序探索阶段，1999 年 10 月，中国保监会颁布《保险公司投资证券投资基金暂行管理办法》，允许保

① 资料来源：中国社保基金理事会年度报告（2001～2011 年）。

险资金可以通过投资证券投资基金间接入市，入市资金最高比例为上年末保险公司总资产的5%。之后这一比例逐渐放开。保险资金作为机构投资者直接入市，成为资本市场稳定的资金来源。中国保监会数据显示，详细分为人寿保险公司、年金保险公司（养老保险公司）、健康保险公司、财产保险公司、汽车保险公司、农业保险公司、信用保险公司、再保险公司、保险控股公司、资产管理公司及集团公司。2012 年全国保险资金运用余额为6. 85 万亿元，在23 个省市投资基础设施 3 240 亿元，2012 年保险资金的投资收益率为 3. 39%。

2001 ~2011 年保险资金资产规模与增长率见图 23 -5。

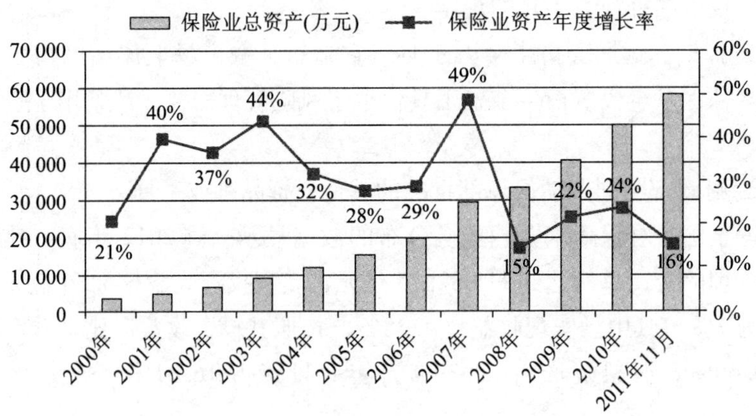

图 23 -5 保险资金历年资产规模与增长率（2001 ~2011 年）①

保险业的转型发展经历了两个主要阶段：一是从传统保险到现代保险的转变，二是从非金融到金融的转变。保险资产管理采用的专业技术与其他资产管理并无本质差别。

2004 ~2012 年保险投资收益率见表 23 -5。

表 23 -5　　保险历年投资收益率

年份	2004	2005	2006	2007	2008	2009	2010	2011	2012
收益率(%)	2.9	3.6	5.82	12.2	1.91	6.41	4.84	3.57	3.39

保险资产管理的特殊性源于保险负债的特殊性。保险资金负债的性质、成本既不同于银行，也不同于信托、基金或证券。负债的特殊性决定了保险监管

① 资料来源：中国保险年鉴。

政策的差异性和资产配置的独特性。为更加有效地、全面地管理风险、覆盖成本，保险公司开发了资产负债管理模型（ALM），协调投资策略和产品设计、定价之间的关系，这是保险公司投资的重要理论依据。

与其他机构投资者相比，保险投资关注资金的安全性和流动性，投资风格更加稳健。一方面，保险业绝大部分资金都来自于保费计提的准备金，是带有给付与赔偿义务的有成本资金，对于大部分保险产品而言，投资风险基本由保险公司承担。另一方面，保险公司还面临着监管政策的硬约束，包括资产配置的比例限制、公允价值计价的会计准则、以风险为基础的偿付能力监管体系等，这与其他机构投资者面临的情况有很大不同。这些约束条件的设定，体现了保险公司强化投资风险管控背后的监管意图。尽管 2012 年的保险收益率高于同期全国社保基金、企业年金等投资收益，但仍低于同期 CPI 指数（5.4%）。

保险公司也没有成为我国股票市场中的主要机构投资者。

五、QFII（合格境外机构投资者）

QFII 即“合格境外机构投资者”。QFII 制度是指允许经核准的合格境外机构投资者，在一定规定和限制下汇入一定额度的外汇资金，并转换为当地货币，通过严格监管的专门账户投资当地证券市场，其资本利得、股息等经审核后可转为外汇汇出的一种市场开放模式。

2002 年 11 月 5 日，我国《合格境外机构投资者境内证券投资管理暂行办法》正式出台。2003 年 5 月以来，先后已有瑞士银行、野村证券、摩根斯坦利、花旗环球、高盛公司、德意志银行、汇丰银行、ING 银行、摩根大通银行、瑞士信贷第一波士顿等 10 家境外机构投资者获批 QFII 资格。自瑞士银行 7 月 9 日率先试水 A 股以来，QFII 与国内投资基金一样，主打“价值投资”牌，备受市场关注。截至 2013 年 1 月 31 日，我国共批准了来自 27 个不同国家或地区的 QFII213 家。根据《合格境外机构投资者境内证券投资管理办法》，QFII 包括资产管理机构、保险公司、证券公司、商业银行、养老基金、慈善基金会、捐赠基金、信托公司、政府投资管理公司等。

从机构的国家分布看，我国 QFII 机构主要来自两个区域：美国、英国、加拿大、法国等欧美国家以及中国香港、日本、韩国、中国台湾等亚太地区的地区或国家。在中国香港的 QFII 总计 30 家，占比达到 13%，占比第 3 位。

2011以来，QFII审核数目快速增加，仅2012年新审批通过72家，QFII数量增长50%，截至2013年8月30日，共有229家机构投资者获得QFII资格。投资额度也从最初的40亿美元，增加到1 500亿美元。

从最新审批情况看来，审批额度集中程度较高，在全部QFII机构中，额度排名前10、前20、30的机构总额度分别占全部额度的55.9%、63.7%、69.8%。从地区来看，来自中国香港的机构获批额度最多，超过40%；来自美国、德国等欧洲国家获批额度也较多。从机构类型来看，前30的机构主要集中于基金公司、证券公司、资产管理机构、银行，而养老基金、慈善基金会、捐赠基金、信托公司、政府投资管理公司获批额度较少。

QDII即“合格境内机构投资者”。所谓合格境内机构投资者（Qualified Domestic Institutional Investor）是在一国境内设立，经该国有关部门批准从事境外证券市场的股票、债券等有价证券业务的证券投资基金。与QFII一样，它也是在货币没有实现完全自由兑换、资本项目尚未开放的情况下，有限度地允许境内投资者投资境外证券市场的一项过渡性的制度安排。

2006年4月，被市场称作“QDII开闸”的中国人民银行“五号公告”发布，开放资本账户的三点重大新政策出台：

第一，允许符合条件的银行集合境内机构和个人的人民币资金，在一定额度内购汇投资于境外固定收益类产品。

第二，允许符合条件的基金管理公司等证券经营机构，在一定额度内集合境内机构和个人自有外汇，用于在境外进行的包含股票在内的组合证券投资。

第三，允许符合条件的保险机构购汇投资于境外固定收益类产品及货币市场工具，购汇额按保险机构总资产的一定比例控制。

QFII与QDII制度的引入都是针对我们资本市场的现状而施行的。资本项目的开放是双向的，有流入就有流出。中国曾经长期外汇短缺，所以向来是先鼓励流入，然后才是有序流出。先放开QFII有其必然性。现在，中国已经告别了外汇短缺的时代，所以管理层根据形势的变化，均衡管理资本的流入和流出。在国际收支证券项下建立资金双向有序流动的机制，利用推进QFII制度，来鼓励更多境外资金投资国内证券市场的同时，拓宽境内资金投资渠道，并允许部分国内资金投资国际证券市场，引导部分资金有序、合法流出。

2000~2012年跨境证券投资净额见图23-6。

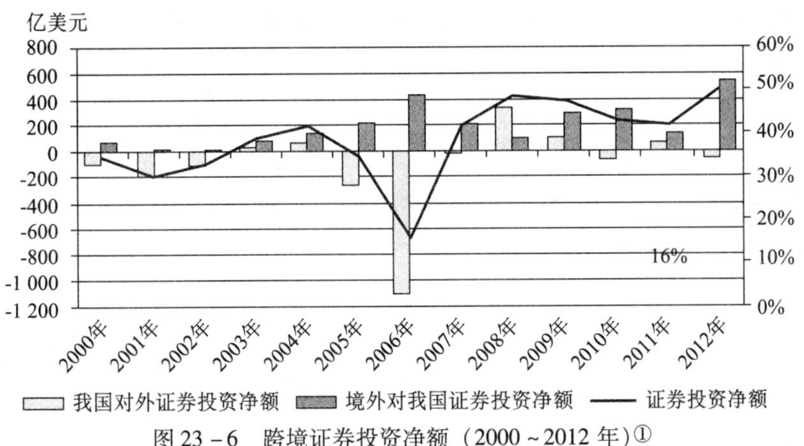

图 23－6 跨境证券投资净额（2000～2012 年）①

注：我国对外证券投资正值表示净回流，负值表示净流出；境外对我国证券投资正值表示净流入，负值表示净流出。

六、企业年金基金

企业年金不仅是劳动者退休生活保障的重要补充形式，也是企业调动职工积极性，吸引高素质人才，稳定职工队伍，增强企业竞争力和凝聚力的重要手段。随着养老金改革的提速，年金市场蓬勃发展可期。目前，企业年金积累规模仅占 GDP 的 0.9%，与美国 401K 计划 20% 左右的渗透率相比，未来提升空间巨大。

截至 2012 年底，拥有企业年金投资管理资格的共有 21 家机构。其中，基金公司有 12 家，管理的资产约占总资产的 42%。同时，保险机构也成为其专业化运营的重要力量，共有 7 家保险机构具备企业年金投资管理资格，包括长江养老、平安养老和太平养老、国寿养老 4 家专业养老险公司，以及华泰资产、泰康资产和人保资产 3 家资产管理公司。相关数据显示，截至 2013 年第 1 季度，企业年金积累基金高达 5 113.75 亿元，且年均增速达 30% 以上（见表 23－6）。2007～2012 年，企业年金累计年均投资收益率达到 8.35%，远高于 2.44% 的年化通货膨胀率。

① 资料来源：国家外汇管理局。

表 23-6　　2013 年第 1 季度全国企业年金基本情况一览表

项目	数值
1. 总体情况	
建立企业（个）	57 485
参加职工（万人）	1 933.53
积累基金（亿元）	5 113.75
2. 建立计划情况	
建立计划数（个）	1 254
单一计划	1 178
法人受托	951
理事会	227
集合计划	48
其他计划	28
3. 投资管理情况	
实际运作金额（亿元）	4 905.67
建立组合数（个）	2 284
当期投资收益（亿元）	75.19
当期加权平均收益率（%）	1.66
4. 待遇领取情况	
当期领取人数（万人）	17.11
一次性领取	9.73
分期领取	7.38
当期领取金额（亿元）	44.03
一次性领取	37.32
分期领取	6.71

表 23-7　　2013 年第 1 季度全国企业年金基金投资收益率情况表①

计划类型	组合类型	样本组合数（个）	样本期末资产金额（亿元）	当期加权平均收益率（%）
单一计划	固定收益类	369	437.85	1.44
	含权益类	1 618	3 658.19	1.69
	合计	1 987	4 096.04	1.66

① 资料来源：中国养老金发展报告（2012）。

续表

计划类型	组合类型	样本组合数（个）	样本期末资产金额（亿元）	当期加权平均收益率（%）
集合计划	固定收益类	54	239.53	1.82
	含权益类	79	214.98	1.74
	合计	133	454.51	1.78
其他计划	固定收益类	15	58.46	1.15
	含权益类	20	52.86	1.32
	合计	35	111.32	1.23
全部	固定收益类	438	735.84	1.54
	含权益类	1 717	3 926.03	1.68
	合计	2 155	4 661.87	1.66

根据披露的年金信息中获取到保险机构年金投资管理的收益情况。2012年，国寿养老的企业年金投资组合共315个，期末资产规模475.98亿元。其中，收益率在0~2%的5个，2%~4%的29个，4%~6%的133个，6%~8%的137个，大于8%（含）的11个。这些数据能够说明，通过保险机构管理的年金获得了良好稳定的收益。

企业年金这样市场化的运作虽然取得了较合适的收益，但规模较小是其现阶段的缺陷，有步骤地逐步扩大企业年金在我国的覆盖率，才能更好地达到企业年金应发挥补充作用。

七、财务公司

财务公司具有中国特色的金融机构之一，尤其是当前企业集团探索产融结合的背景下，财务公司更成为众多企业争抢的香饽饽。

从中国财务公司协会公布的数据了解到，自1987年我国首家财务公司成立以来，经过近25年的发展，截至2012年末，注册资本达到及超过30亿元的财务公司有16家，而同为非银行金融机构的信托公司，资本金达30亿元以上的只有约4家。在上述16家财务公司中，中石化财务公司注册资本达100亿元，中石油、国电、华能、华电、中国电力、中电投、中移动财务公司注册资本高达50亿元及以上。其中，除了中移动财务公司是在开业之初注册资本便为50亿元之外，其他财务公司都经历过一至两次以上增资，近两年成立的新财务公司注册资本普遍为10亿元左右。

目前财务公司开展的主要业务是企业集团资金的集中管理、代理结算和信贷业务等，利润也主要来源于传统的存贷款业务，约80%的利润来源于传统业务。部分财务公司可开展证券投资业务，根据《企业集团财务公司管理办法》规定，财务公司开展证券投资业务主要包括三方面：一是对金融机构的股权投资；二是有价证券投资；三是中国银行业监督管理委员会批准的其他投资业务，根据管理办法规定，财务公司进行投资的规模上限为净资产规模的70%。

作为企业集团的金融机构，承担着企业资金管理的功能和资本市场投资的职能，这两点让财务公司具备成为资本市场主流投资机构的潜质，并且，各公司也配备了专业投资部门和人员。但从历年的证券市场投资情况来看，财务公司对证券投资业务出现亏损的容忍度极低，开展证券投资业务主要倾向于固定收益类产品和风险较小的业务或投资品种。目前财务公司主要侧重于以一级市场为主的新股申购业务、购买货币基金、信用债、可转换债券、债券型基金及股票型基金等投资产品，而对二级市场的股票直接投资往往非常慎重，极少数财务公司在二级市场试水，试水规模也非常小，充分体现了其作为风险厌恶型投资人的特点。发展至今，面对层出不穷的创新业务，财务公司的投资工作表现出力不从心的状态，从而与证券市场渐行渐远。

八、信托公司

自2009年以来，信托公司全行业管理的信托资产规模，已连续4个年度保持50%以上的同比增长率，其中，2010年首次超过公募基金资产总额，2012年又超过保险业资产总额。

截至2012年，信托业全行业65家信托公司管理的信托资产规模和实现的利润总额再创历史新高，分别达到7.47万亿元和441.4亿元，与2011年底相比，增速分别高达55.30%和47.84%。信托业资产规模已超过保险业资产总额，成为仅次于银行的第二大金融部门。

依据信托业协会数据显示，截至2013年第2季度末，信托全行业67家信托公司管理的信托资产规模为9.45万亿元，同比增长70.72%，前两季度实现利润257.76亿元。

九、私募公司

近年来，随着居民财富的逐渐累积，中高端理财市场的迅速成长以及越来越多来自公募基金、券商、保险公司、民间的投资精英选择进入阳光私募基金业，我国的阳光私募基金行业从2004年起步以来，成长迅速。2007年的大牛市，更是催生了我国的私募基金进入快速发展阶段。目前，阳光私募已成为中高端理财市场的重要投资品种，并逐渐成为流行的投资趋势。2012年和募产品的个数达874只（见图23－7）。国内私募基金规模一般在3 000万至20多亿，预计私募的总规模已超过500亿，总规模虽然还有限，但成长速度惊人。此外，私募在投行研究团队、绝对收益理念、营销方面，都较早几年有了很大变化。而政策的支持，也在逐步提高阳光私募的社会地位。

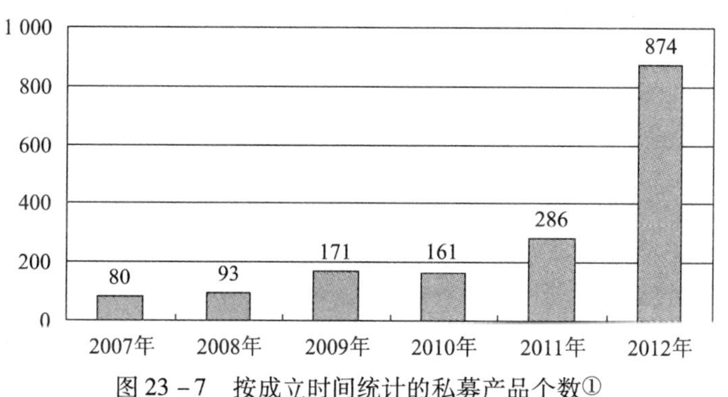

图23－7 按成立时间统计的私募产品个数①

由于我国正处于经济转型期，国家正在大力进行产业结构调整，发展高科技和证券市场，这些领域不仅需要巨额资金而且蕴含着巨大的盈利机会。在证券市场，私募基金的崛起有助于引导、发展机构投资，提高证券市场的效率。而随着我国加入WTO，外资机构开始通过各种方式进入我国证券市场，并逐渐成为我国证券市场一支重要的机构力量。

2011年，中国证监会发布《证券公司直接投资业务监管指引》，券商参与私募股权投资全面开闸，尤其是允许券商直投公司募集基金，极大扩充了券商系PE的投资能力。但同时，监管部门对“保荐＋直投”模式的限制，也给券商直投带来巨大挑战——券商直投公司必须减少对券商投行资源的依赖，而转

① 资料来源：好买基金研究中心。

向专业投资路径，其转型不可避免。目前的私募基金主要由《信托公司管理办法》和《信托公司集合资金信托计划管理办法》规范，但在证券监管体系抑或是政府的产业发展指引中，都鲜有涉及私募基金公司的内容，私募基金的发展总体处于监管缺失的状态。

深圳市政府正式发布了《关于促进股权投资基金业发展的若干规定》，文件中除了股权投资基金外，将私募证券投资基金也纳入了政府支持的范围。2013 年 2 月《私募证券投资基金业务管理暂行办法（征求意见稿）》之后，6 月 1 日开始实行新的《基金法》，符合条件的私募公司允许发行公募产品。8 月 9 日中国证监会宣布，正在起草私募投资基金管理办法。

当前，阳光私募成长迅速，已经成为市场及监管层无法忽视的力量，无论从其对市场的影响力还是从居民巨大的投资需求角度出发，继续忽视其存在，任其自然生长不仅无法保证这个行业健康、良性的发展，甚至对整个证券市场的发展都将不良影响。

十、其他机构投资者

是除上述专业投资机构之外的国有企业、国有资产控股企业、上市公司及民营公司等。

第二十四章

境内外机构投资者与证券市场发展

第一节　境内外机构投资者在证券市场上的发展情况对比

一、政策及监管环境的差异

在发达经济体中，监管机构对机构投资者的态度是先发展，在市场和机构投资者发展的成熟的阶段再给予引导和规范。在引导方式上，发达国家往往通过着力于建立和完善公平竞争的市场化的金融生态环境，来促进机构投资者的发展，而不是采取具体干预方式来促进某一类投资者的发展，力求对参与证券市场的全部投资者在法律法规上给以公平对待。从美国、英国、德国和智利资本市场来看，其机构投资者的性质绝大多数为公司制，其并非隶属于国有，因此其投资机构的生存与发展则主要取决于公司依法进行市场化运作，国家层面的机构投资者有倾向的保护基本没有，其发展环境遵循统一的证券法规，作为管理层面不会因企业性质或资金规模而有所保护或非公平竞争。从美国资本市场百年运作显示，即有“常青树”的伯克希尔·哈撒韦、摩根斯坦利公司等机构的发展，也有雷曼兄弟、MF 全球公司等退市破产。

我国金融市场改革从 20 世纪 70 年代末拉开序幕，金融市场和机构投资者还处在走向成熟的阶段，以股票市场为例，我国长期机构投资者（主要包括养老金、证券投资基金和保险）入市水平与美国 20 世纪 50 年代末期相当。我国现阶段具体情况来看，对机构投资者的创新与发展多来自于政策层面，但相关制度对国有机构明显占优，这样对于其他类型特别是私有机构的发展有失公平。并且，长期以来，我国证券市场的“散户市”特征明显，而已经入市的机构投资者，其种类单一。这样的制度架构、生态环境在一定程度上制约了机构入市的积极性。

从监管环境上，发达经济体多采用混业监管，或者处在逐步向混业监管过渡的阶段，如德国和英国采取混业监管的统一监管，美国正在向混业监管方向迈进。而我国仍处于分业经营和分业监管，监管的法律法规政出多门，重复监管与监管空白时有发生，引导和规范机构投资者的政策缺乏力量和统一的方向。

二、结构性的差异

机构投资者作为“资本市场稳定器”的功能需要机构投资者长期的价值投资行为来实现。相对于成熟的经济体，不管从投资主体、投资行为上还是资本市场的参与情况看，我国的机构投资者未能充分体现出长期的价值投资特点，缺乏专业性的表现。综其原因，市场结构的缺失是导致该状况不能得以改善的重要因素。

和美国市场投资者相比较，两市的结构存在重大差别。国外的主流是机构投资者，以美国、英国为代表的国家是保险资金、共同基金和养老基金等，稳定地持有股市绝大部分股份。美国拥有世界最大的共同基金群体，截至2012年底，美国投资公司管理资产规模达到14.7万亿美元，其中，美国公共基金资产管理规模高达13万亿美元，占美国国内市场股票总市值的88%。美国的共同基金与私人养老金共同构成了美国资本市场最坚实有力的两大类机构投资者。从长期投资比例在总投资规模上看，长期价值投资占绝对优势。如贝莱德长期投资占其总资产管理规模的80%以上，德国安联保险公司、高盛、JP摩根等长期投资占其总资产管理规模的60%以上。相比之下，中国股市则是一个典型的“散户市”。2012年，在整个A股市场，自然人的交易量占85%以上，以个人散户为主的特征凸显。“散户市”存在的主要原因，正是因为专业机构投资者力量匮乏。

而在我国，机构投资者的发展基本上是由政策推动，缺乏相应的生存空间，以致“超常规发展机构投资者”成了“揠苗助长”的产物。首先，国外机构投资者不仅有规模足够大的国内市场供其运作，而且在投资组合理论扩展到国际范围的背景下，可以不断将其他国家市场特别是一些有发展潜力的新兴市场纳入其投资组合，从而可以在相当程度上规避单个国家证券市场的风险。如在英国资产管理业中，对国外投资占其总比例的20%。反观我国的机构投资者，其能够投资的范围基本局限于国内，我国资本市场情形发展的势头即股票市场发展迅速而债券市场发展相对缓慢使其运作空间十分有限。

从投资者机构中对比可见，证券投资基金及养老金均在成熟市场和较成功的新兴市场中担当起重要机构投资者角色，但在我国，未达到同样的作用，证券投资基金及养老金储备规模都很小，二者规模均不及中国股市总市值的1/10。养老保障资金结构、归集方式和管理体制长时间未有改进等原因，造成养老资金尚未成为推动经济转型和结构调整的重要力量。

并且，从资本市场的参与情况看，包括保险公司、共同基金、养老基金和长期投资者的机构投资者长期资金已经成为美国资本市场的中坚力量，他们持有股票资产占美国股票资产比重为44.1%，持有债券类资产占美国债券类资产比重为27.4%。在其他国家，国内个人投资者所持有的股份占比较低，英国和德国，只有16%的市值为国内个人投资者所持有；法国的这一比例仅为8%。反观我国资本市场本身不成熟，持股人结构中一般法人持有58.2%的市值；个人持有26%的市值；专业机构投资者仅持有15.4%的市值。这样比较下来专业机构投资者所持有股份与国际市场低很多，这样的“散户市”造就了我国资本市场波动和发展的缓慢。

三、风险控制的差异

机构投资者是国际市场上长期投资的主力军，十分注重长期投资的风险把控，从风险管理的理念和手段来看，都有很多值得我国借鉴的经验。

国际成熟的机构投资者十分注重风险管理，比如全球最大的资产管理公司贝莱德其创始理念就是通过打造清晰的基于事实、基于数据的投资理念，致力于让客户更好地理解风险和管理风险。而国际托管银行巨头道富集团通过金融、贸易、投资、运营等延展性的服务，达到系统性风险控制。而我国机构投资者投资的利益驱动颇为明显，业绩和收益是强调的重点，风险管理的意识薄弱，缺乏对风险管理的理念及对风险控制体系的顶层设计。

从风险控制的手段来看，国际机构投资者风险管理的手段是从产品和投资的多元化、服务的延展性、研究的深入性扩展到了跨行业跨领域的集成服务。机构投资者通过多元化投资组合，多样的投资标的和理财工具来分散投资风险。高盛、道富、安联、JP 摩根、先锋集团都致力于在提供真正全球化的、具有业务延展性的投资和咨询服务，依据其深入前沿的研究，提供一站式的资产管理方案，从各个方面控制风险。贝莱德在 2000 年建立“贝莱德解决方案系统”，该系统收集全球的经济、金融、产业数据，并汇集了金融、经济、IT 等行业精英设定优化的投资和风险分散模型，为客户提供深入和广泛的业务咨询以及风险管理单元，利用其核心的阿拉丁平台曾帮助美国、英国、希腊政府渡过危机。

相比之下，我国机构投资者投资标的过于单一，主要局限在股票和债券上，机构投资者主要由基金及券商为主，尚不具备提供具有延展性、全方位一站式服务的能力，更谈不上花费大量的人力物力建立数据库和风险管理系统的能力。机构投资者深知自身对风险的掌控能力较弱、控制手段匮乏及投资收益达不到心理预期等现状，让其入市的步伐更加缓慢。

四、养老金等参与资本市场程度的差异

截至 2012 年末，我国专业机构投资者持有上市公司 A 股流通市值占比有 17.4%，其中社保基金、企业年金、保险类投资者合计占比不到 6.5%。机构投资者持有的公募基金净值占比为 25%，其中社保基金、企业年金等占比不到 2%，与美国退休基金持有 40% 的共同基金相比，参与规模甚小。

全世界的养老金投资原则都是力求稳健，但国际养老基金具有更广泛的投资权。例如英国，养老金基金可以不受投资类型的限制，只要是对受益人有利的投资，一项书面声明详述说明其做出投资决策的原则，就可以付诸投资行动。正是因为这样，近年来一部分英国养老金基金的投资涉及领域包括公司股票、公司债券、公共债券、不动产、中小盘股票、私募股权、风险投资基金、新兴市场和量化投资等各类资产，同时，伴随着养老金另类投资的增加，其投资收益的波动性随之加大，进而又推动了养老金对各种衍生产品等风险规避工具的需求。

反观我国养老金、公积金这一类国家社会保障系统资金，因其特殊性，被制度设定长期靠储蓄存款获取收益，该收益部分根本无法起到对其保值的作用，增值更加无从说起。现尝试入市的部分因为金额占比较小，无法起到投资收益的现实要求。

我国的企业年金类似于美国的 401K 计划，该部分资金从一开始就允许进

入证券市场，但全国只有不到10%的银行、保险等金融机构企业参与企业年金投资，造成规模相对较小的现状。对企业年金基金的投资预期以安全稳健和适度增值为主，收益率也并不高。2013 年 4 月 2 日，人社部、中国银监会、中国证监会、中国保监会等部委联合下发《关于扩大企业年金基金投资范围的通知》（简称23 号文）及《关于企业年金养老金产品有关问题的通知》（简称24 号文）。其中，在23 号文的支持下，企业年金可以参与另类投资，包括信托计划、理财产品、股指期货等；24 号文则进一步明确了养老金产品的定位，未来投资者可以通过选择养老金产品来选择投资管理人。在政策的支持下，有望扩大年金对证券市场的参与程度。

第二节 发展机构投资者的可行性探讨

一、政策环境的可行性

从监管角度来看，监管部门已经持续执行加强监管，放松管制的思路，继续推进市场化改革，为机构投资者入市创造良好的外部环境。相关的税收政策各部门正积极协调完善中，如调整股息红利个人所得税政策来推动上市公司分红制度的完善，其对股息红利个人所得税进行适当减免，增强股东的分红意愿，并鼓励长期持有上市公司的股票，减少投机行为，促进培养机构投资者长期投资的理念。

同时，我国已把培育机构投资者当作一项战略任务，主线是推动基金公司向现代资产管理机构转型，配合社保基金、企业年金、保险公司根据自身需要确定组合投资，引导私募基金阳光化、规范化发展。同时，加大适当引进合格境外机构投资者（QFII）的步伐，特别是来自港澳台的机构和使用人民币的产品，重点鼓励交易所交易基金（ETF）[①]。并且，不断提倡地方养老金和银行理财资金进入股市，扩展投资方向，增强避险能力，逐渐成为市场稳定发展的中坚力量。

相关部门发布多项新政，寻求各种途径推动机构投资者发展。支持中介机

---

① 中国证券监督管理委员会．近期投资者关注热点50问（四、五、六）．2012 年6 月21 日。

构（如证券公司、证券服务机构）积极推动、协助更多类型的机构投资者进入资本市场，进行长期投资和价值投资。鼓励中介机构除了继续引导、支持和服务社保基金、企业年金和保险机构进行证券投资外，还加强与商业银行等金融机构的合作，在投资组合中增加相对安全、高回报的理财产品，引导银行理财计划更多面向二级市场进行长期投资和价值投资。通过业务创新，为更多的银行储户进入资本市场提供更好的证券投资管理服务。

现阶段逐渐加大的政策支持和切实有效的监管体系，为我国资本市场夯实基础，为机构投资者的发展给予最大的安全保障。

二、市场环境的可行性

近年来，各类机构投资者持有沪深两市上市公司市值稳步增加，这显示出机构投资者已逐渐将股市作为投资的主要基地。但我国银行业资产比例过高，占全部金融资产的92%；证券基金业向现代资产管理机构转换的步伐缓慢；中国养老金体系呈高度碎片化和分散化的现实问题大量的存在于市场当中。

我国开启市场化改革，从经济环境和市场环境的改善中推动资本市场健康地发展，金融经济改革的红利将为机构投资者打造健康的生存环境，金融行业作为重要的服务业分支，成为中国经济发展强有力的引擎，带动机构投资者生存环境的改善，为机构投资者发展开辟广阔的发展空间。

市场中也正在潜移默化地发生散户向专业投资者的转型。据统计，截至2012年底，我国个人储蓄存款余额达34.7万亿元，人们投资理财的愿望愈加强烈，从而促进个人投资者选择专业机构为其投资服务，将市场中的“散户”转化为专业机构投资者，进入市场，逐渐影响中国资本市场根本性的转变，增强市场的稳定性。

三、养老金和社保基金进入资本市场的诉求

养老金作为国家社会保障制度的核心部分，有其自身的政策目标和诉求，最为重要的目的是“保值”，其次是完成“增值”。西方国家为之配备了比例较大的证券化资产，这部分资产其中股票类占了相对大的比重，并且多年保持较好的收益率。而我国限制在传统投资方式的社保基金现阶段未实现保值，养老金的所有者——普通民众，可能要承受基金收益率低于通胀率造成贬值的损失。在没有得到“保值”的状态下，靠财政填补养老金空账的负担将越来越

沉重。增加养老金增值保值的渠道并完善投资体系，将有力地解决相关问题。

全国社保基金理事会已先行试水地方养老金入市。经过一年的入市操作，取得了显著的成绩。让各级政府认识到入市的养老金操作得当能成为提供财政收入的新渠道，各地区政府对养老金入市的呼声也在不断加强。

综上所述，养老金入市已经成必然趋势。参照国际经验，支持养老金、企业年金、住房公积金、慈善基金等进行市场化运作、专业化管理。鼓励全国社保基金、企业年金、保险公司等机构投资者增加对资本市场的投资比重，推动我国证券市场长足的发展是推动机构投资者入市的重要方向。

第三节 借助市场行为积极推动我国机构投资者入市的必要性

机构投资者是证券市场投资者结构中独特的一个群体，对证券市场的发展和成熟起着至关重要地作用。发达国家成熟市场中的机构投资者借助与市场之间的相互促进和政策的支持，发展成规模巨大、风险控制能力强、积极而主动的证券市场成员，这也是我国证券市场中迫切需要的机构投资者类型。

与国际上的机构投资者相比，当前我国证券市场中的机构投资者队伍长期缺失，市场发展所需要机构投资者承担的稳定器作用未能很好地体现。中国证券市场的融资服务功能，也需要有更多包括机构投资者在内的广大投资者参与进来。管理层为培育壮大机构投资者队伍做着多种尝试，显然道路并不平坦，机构投资者入市结构中仍然缺乏养老金、保险等大型资金的进入。

机构投资者规模偏小，是它愈发显现出脆弱的一面方面，加上机构投资者对入市之后发展中的风险产生的疑虑，仅凭政策的支持也不足以打消，从而造成其入市规模徘徊不前。

机构投资者对风险防控和专业投资顾问需求尚未得到保证，对机构投资者业绩公正与公开的要求也未实现等现状，使其入市意愿也不强烈。

在这样的背景下，采用市场化的手段主动推动机构投资者入市显得十分必要。本书主张发展机构投资者，除了政府政策支持引导外，还要成立专门的市场化发展机构，寻找更贴近需求的核心、能更快速准确地将场内场外机构投资者诉求反映给市场各环节、减少职能部门指导机构投资者专业化进程中的障碍、利用专业手段协助提高其投资管理的水平，让越来越多的机构投资者集中发挥自己独特优势，形成机构投资者和市场互为呼应的良性循环，从而促进证券市场的繁荣。这些市场化的推动手段将能满足机构投资者的以下需求：

一、满足机构投资者风险防控的需求

社保基金、养老基金、公积金和保险基金的内在特性和特殊地位决定了他们在投资的过程中要遵循安全性第一，其次才考虑流动性和盈利性。以社保基金为例，其在市场运作的过程中会面临各种各样的风险，从外部看，可能面临利率变化、通货膨胀、市场波动等风险，在管理者内部则面临着战略风险、执行风险、治理结构风险、法律风险等，这就需要对各种风险进行识别和度量，实现风险控制的标准化、流程化和制度化。发达国家的实践也证明，社保基金的投资风险管理是一个综合的体系，整个运作流程都需要建立严格的风险控制制度，并确保风险控制措施的有效执行。而我国资本市场系统性风险较大，提供的金融产品还比较欠缺、产品结构单一，缺乏有效的避险工具，尚未形成一套完善的风险防控体系，因而不能满足企业年金、社保基金、保险基金以及公积金在资产配置以及优化投资组合中的需求，这也是他们在投资管理过程中遇到的主要障碍。

此外，我国股市换手率的波动非常大，这意味着我国机构投资者所面对的流动性风险不容忽视。当流动性风险发生时，机构投资者需要市场能为他们提供即时性交易服务，以度过流动性危机。养老基金和保险公司注重长期投资，交易频率低，对流动性要求不高；券商、公募基金和私募基金等注重相对短期投资业绩，有较频繁交易的内在要求，对流动性的需求更高。因此，资本市场迫切需要设计出能满足不论是社保基金、保险基金、公积金还是券商、公募基金和私募基金这类机构投资者的避险产品和风险防控体系。

二、满足机构投资者对专业投资顾问的需求

在目前我国的金融机构服务机构中，缺少的一环就是专业投资顾问。在国外，投资顾问和一些专业机构能够为大型的机构投资者提供建议，并利用结构性的分析技术来帮助设计和运作多个投资计划。投资顾问不仅能够为投资者提供有关选择资产组合管理人员的重要建议，而且利用这些投资顾问开发的大量

有关投资管理人员的数据库，能够持续地对这些投资管理者进行评估。投资顾问的引入，能满足社保基金和企业年金、养老金、公积金委托投资的需求，从而推动社保基金和企业年金、养老金、公积金等机构投资者的发展。

三、实现个人投资为主体交易市场向机构投资者为主体交易市场的转化

随着我国资本市场的发展，投资基金的数量越来越多、规模越来越大、品种越来越丰富、投资者的投资需求越来越强烈，对机构投资者的投资业绩进行全面、合理、科学的评价已经成为推动我国机构投资者发展过程一个至关重要的环节。科学的、公开化的业绩评价体系能够对机构投资者形成反馈与监督机制，从而促使其改善投资管理，提高风险控制水平及决策效率，进而完善其投资策略在市场中的适应能力。目前，虽有一些业界评级网站面对机构投资者的投资业绩进行公示，给投资者一定指引，但由于缺乏政府监管部门的权威评定，影响力和公信力不大。推动机构投资者的发展，不仅需要有公正、权威的机构来推动，更需要在评价过程中建立一套完整、科学的体系来充分反映和描述。

将机构投资者的长处展现给相对技术力量薄弱的个人投资者，取得认可后，逐步将市场中的个人投资者转化成专业机构投资者，减少交易频率，加强市场稳定程度，让原本散乱的证券投资市场得以持续的发展。

第四节 推动机构投资者模式的探讨

推动机构投资者入市是一个长期的系统工程，我们建议成立一个服务于中国资本市场机构投资者的市场化公益性机构（如中国机构投资者发展服务中心），来承担发展机构投资者的重任。该机构可负责运营包括中国机构投资者数据库、机构投资者风险控制评价、机构投资者引导基金、机构投资者交流平台四项基本职能（见图 24 - 1）。

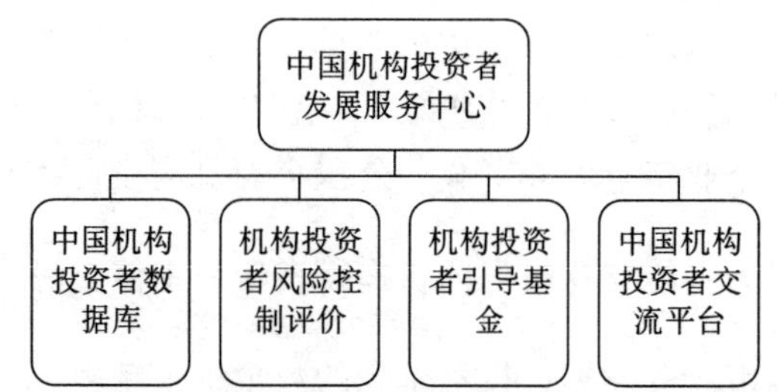

图 24-1 中国机构投资者发展服务中心职能设置图

一、搭建机构投资者服务数据库

通过对国内外的机构投资者各项分析中可见，在越来越庞杂的资本市场投资行为中，投资数据规模和产生速度的更迅速，快速的数据洞悉能力已经成为驱动资本市场的重要手段。因此，首要建设中国机构投资者数据库。其职能见图 24-2，其功能见表 24-1。

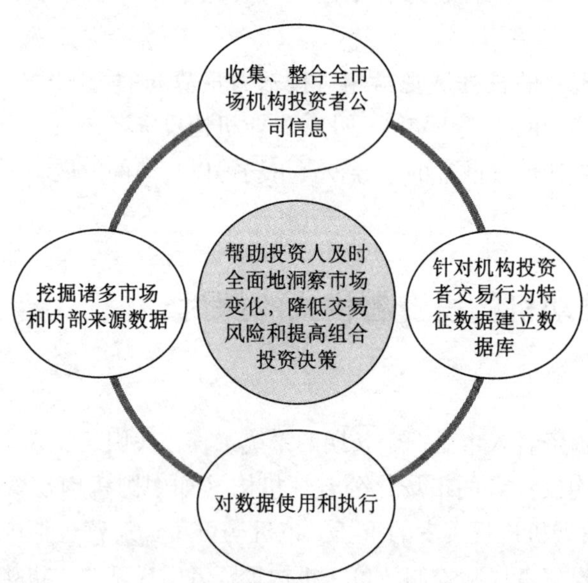

图 24-2 机构投资者服务数据库职能

二、建立机构投资者风险控制评价体系

机构投资者风险控制评价是基于进一步发挥数据库的性能，在深入对市场

表 24-1　　中国机构投资者数据库功能

<table>
<tr><th>功能大类</th><th>详细</th><th>具体内容</th></tr>
<tr><td rowspan="7">数据服务</td><td>股票市场</td><td rowspan="7">重点，但不限于：
1. 机构投资者基本情况数据库
2. 机构投资者交易行为特征数据库
3. 上市公司财务数据库
4. 各市场研究数据库
5. 基金管理人数据库
6. 财务指标分析数据库
7. 市场政策法规数据库
8. 监管信息数据库
9. 中国宏观经济研究数据库</td></tr>
<tr><td>上市公司</td></tr>
<tr><td>基金市场</td></tr>
<tr><td>债券市场</td></tr>
<tr><td>期货市场</td></tr>
<tr><td>宏观经济</td></tr>
<tr><td>其他数据库</td></tr>
<tr><td rowspan="3">研究服务</td><td>市场资讯</td><td rowspan="3">1. 证券信息摘要
2. 公司报告原文
3. 数据回顾、发布
4. 学术会议</td></tr>
<tr><td>证券信息</td></tr>
<tr><td>学术动态</td></tr>
<tr><td>企业服务</td><td colspan="2">1. 分析预测数据库
2. 风险管控数据库</td></tr>
</table>

各数据定量分析和定性分析的基础上构建对机构投资者风险控制水平和有效性进行评价的机制，通过评价、发布等手段，促进机构投资者提高风险管理水平。

例如，社会养老保障基金交给基金管理公司进行管理，需要一个专业机构对基金管理公司的风险控制制度、控制效果进行风险控制评价，提供评价报告，为其资金配置提供决策参考。

三、设立机构投资者引导基金

在这里考虑通过设立机构投资者引导基金，用市场方式不断地将我国机构投资者引入市场。引导基金每年以 30 亿资金规模，以不超过 10% 的比例，配置给社保基金，每次引导期 3 年，3 年后退出，只要求收回本金，每一期退出后循环投资。

对于投资的管理采用 MOM（Manager of Managers）模式。也称管理人的管理人基金，即通过长期跟踪、研究基金经理投资业绩，挑选长期贯彻自身投资理念、投资风格稳定并取得超额回报的基金经理，以委托形式让他们共同负责投资管理一个投资组合。中国机构投资者服务数据库承担甄选、评估、风控的工作。一方面，跟踪全国的基金公司及基金经理情况；另一方面，利用技术手段做好风险控制，优化投资资金配置，将机构投资者通过该基金的形式输入市场。

四、设立中国机构投资者交流平台

通过平台信息对接、网络对接和管理对接等各项的功能，服务中心可以全方位、多渠道开展机构投资者咨询服务、企业辅导和政策帮扶工作，以此构建跨行业合作的长效机制，并通过一整套完善的制度、办法以及有效的组织管理架构，发挥平台的整体功效。通过中国投资者交流平台收集一手的投资信息和数据，将最直接的投资诉求，经专业汇总和分析，可定期向证券监管机构提供研究报告和政策建议，有利于优化资本市场监管，提升监管效率，提振资本市场。积极开拓国际化市场，带领投资者走出去参与全球范围配置资源，加速证券行业世界一流水平接轨。

通过构建我国机构投资者综合服务平台，整合我国机构投资者的信息资料，鼓励机构投资者财务、信誉、条件透明化。聚集证券市场中各专业领域地优质投资人，有针对性地为机构投资者提供服务。聚集金融专家、优秀分析师及研究人员开发更多符合市场需求的产品。初期以推动全国基本养老保险基金、住房公积金进入证券市场为切入点，扩大社保基金、企业年金及保险公司资金入市比例，从而达到优化市场机构投资者结构的作用。积极推动境外养老金、慈善基金、主权基金等长期资金投资我国境内市场。在条件具备时，发展成财富管理机构，通过一系列工作，为中国证券市场培养出一批投资部门设置完整、内控机制健全、专业人才充足、投资理念科学的专业化机构投资者。

发展机构投资者的工作任重而道远，需要立足于我国证券市场的长远发展，运用各种手段管理、协助机构投资者积极参与到证券市场建设中来，激发其稳定市场的功能。本书粗浅提出这种引导模式，期望能助力于我国机构投资者的发展，推动证券市场的完善。

第五篇
助力中国资本市场开放发展
——探索资本市场宣传推介新模式

第二十五章

开展资本市场宣传推介引言

第一节 中国开展资本市场宣传推介的必要性

一、中国资本市场改革发展持续深入

近年来，随着中国经济的高速增长，中国资本市场也随之快速发展，现已成为世界上最大、最活跃的新兴资本市场。截至2013年9月，中国资本市场境内上市公司2 489家（A、B股），市价总值为24.12万亿元。2012年全年股票累计交易金额达31.47万亿元，期货累计交易金额达171.27万亿元，通过资本市场境内外筹资达6 857亿元[①]。世界经济体的发展历史表明，资本市场和实体经济协同发展是一国经济可持续增长的重要动力[②]。培育和大力发展中国资本市场，建立与经济体量相称的资本市场，有助于解决中国经济面临的全球经济滞胀和出口增速下跌、房地产调控力度加大、经济增长速度放缓以及通胀压力持续等问题，促进经济结构调整和产业升级，增加居民财产性收入和抗通胀能力，以消费促进经济平稳较快增长。中国资本市场的不断发展壮大是中国经济可持续增长的助推器这一观点已逐步取得越来越多的共识。

中国资本市场的发展离不开与世界其他国家地区的合作。当今世界正处于大发展、大变革、大调整时期，世界多极化、经济全球化仍在深入发展，国际金融的新格局正在形成，中国资本市场积极参与全球竞争与合作已成必然趋

① 中国证券监督委员会统计数据。

② Levine, R. Financial Development and Economic Growth: Views and Agenda, Journal of Economic Literature, Vol. 35, No. 2. (Jun., 1997), pp. 688 –726.

势。加入 WTO 是中国资本市场对外开放进程中的一个里程碑。2002 年 11 月，QFII 制度引入，这是境外资金第一次直接进入中国 A 股市场。随着资格条件、额度及资金进出锁定期限的放宽，QFII 逐渐成为 A 股市场一只重要力量。2005 年 7 月 21 日，人民币汇率采取有管理的浮动汇率制度，汇率改革吸引了更多的境外投资机构申请投资资格并争取有限的资金额度，以期进入中国市场。2006 年 9 月 13 日，第一只 QDII 外币基金正式向投资人定向募集。除此之外，跨境贸易人民币结算试点决策的出台也推进了中国资本市场的国际化进程。2005 年股权分置改革和 2010 年推出股指期货与融资融券业务等一系列重大变革，意味着中国资本市场迅速发展并不断完善，这是在开放进程中不断尝试、逐渐成熟的重要举措。近年来，国内很多城市都表示要建设金融中心甚至国际金融中心，北京、上海已经基本确立了作为国内金融中心的地位，并为建成国际金融中心打下了良好基础。在经济全球化、国际金融中心多元化的今天，中国已成为全球金融体系不可或缺的一部分。中国的资本市场已经不是一个封闭运行的市场，自金融危机之后，中国的金融分量在国际金融格局中不断加重，中国资本市场的国际化进程也在进一步加快。

二、金融全球化继续推进

2008 年的金融危机重创全球经济，有不少人悲观地认为此次危机会使全球化退潮甚至中止。然而，全球化的趋势是客观现实需要，是经济活动即物质生产到市场交换的一个必然结果，它是不可阻挡的潮流，是不以人的主观意志为转移的。当前，在金融危机的冲击下，全球化进程会暂时受到一定程度的阻碍，但倒退和封闭都不是解决问题的办法，从长远来看，全球化的趋势非但不会放缓，反而还会加快。

2008 年金融危机对世界经济是一个“拐点”，全球经济金融形势面临结构性的调整。发达国家调整重组自身结构，期望在国际竞争中保持领先地位；而发展中国家的地位逐步提升，市场影响力也日益扩大。在日益激烈的国际竞争背景下，金融全球化继续推进。各个国家或地区为了深化其资本市场国际化程度、提升国际竞争力、争夺定价权及话语权而加大了参与国际交流、进一步扩大开放的力度。对外宣传推介成为各个国家和地区提升其资本市场国际竞争力的重要抓手，为此形式各样的资本市场推广发展机构纷纷成立。这些机构定位不同，模式多样，所取得的影响和效果也有较大差别，但从国际经验来看，这些机构所提供的持续有效的资本市场宣传推介工作在提高本国本地区的国际金融影响力、促进本国本地区资本市场健康发展、带动区域整体经济增长、深化金融全球化等方面都具有显著的推动作用。

第二节 探索助力中国资本市场对外开放之路

我国资本市场处于“新兴加转轨”阶段，与成熟资本市场相比具有后发优势，未来发展潜力巨大，这是推进资本市场改革开放的难得机遇期。相关政府部门提出了要进一步加快资本市场改革开放，要坚持市场化、法治化、国际化的改革取向，抓住机遇，迎难而上，积极稳妥地推进改革措施。2012 年初国务院主持的全国金融会议提出了“扩大金融对外开放”的要求。2013 年初举行的全国证券期货监管工作会议也将“继续积极稳妥地推进对外开放”列为资本市场今年的重点工作之一。国务院总理李克强 2013 年 5 月 24 日出访瑞士发表演讲时指出，要稳步推进股票、债券、保险市场对外开放，这为中国资本市场如何助力实现中国梦指明了道路和方向。2013 年 9 月 29 日，作为中国资本市场开放新起点的上海自由贸易实验区正式挂牌。

党中央和国务院一直重视对外宣传工作，注重在宽广的国际视野中考虑经济建设等一系列重大问题，并把对外宣传工作定位为党和国家一项具有全局性、战略性的工作。对于中国资本市场而言，统筹资源，大力开展国际宣传推介业务，有利于提升国际主要市场、大型投资机构对我国资本市场的了解，提升我国资本市场的声誉及影响力，对推动资本市场的发展成熟，实现国际金融中心的宏图具有重要的战略意义。中国证监会主席肖钢在其最新出版的著作中强调，“我国要充分利用当前国际金融秩序重建的契机，力争更大的话语权，为我国争取更加公平的国际金融环境[①]”。尽管中国正在朝着资本大国的方向大步迈进，政府亦高度重视资本市场的对外宣传推介工作，但目前我国资本市场的国际推介工作整体上还处于零散状态，尚缺乏与我国资本市场实力匹配的有效宣传工具和手段。不管是市场监管部门的出国考察、访问和交流，还是作

① 肖钢. 聚焦新秩序——国际金融热点精述. 2013 年。

为资本市场主体的交易所组织的海外推介，抑或是国内形形色色的各类资本市场论坛，总体来看，资本市场的对外宣传推介工作仍有很大不足，全球资本市场来自于中国的声音还比较微弱、缺乏连续性。纵观国际经验，中国缺少以市场化运营的国家战略层面的资本市场宣传推介机构以多层次、多领域、多角度地大力开展有组织、有计划、有步骤的国际推广活动。

本篇详细收集整理了国际上主要国家和地区开展其资本市场境外宣传推介工作的有关情况和成功经验，介绍了我国目前开展该项工作的现状，并进行了仔细的境内外比较分析。随后，本篇阐述了我国开展资本市场境外宣传推介活动的重要意义，并借鉴国际经验，对我国如何具体开展有关工作做出了相关设想与建议，期望探索出一条适合于我国资本市场实际情况的市场化对外宣传推介道路。

第二十六章

全球主要资本市场经验借鉴

随着资本市场国际竞争的日趋激烈，一些国家和地区纷纷设立专门机构，有针对性地宣传、推荐本国本地区的资本市场，增强全球吸引力。通过借鉴先进的海外经验，有利于形成具有中国特色的资本市场境外宣传推广道路。本篇对国际资本市场的规模化推广模式进行了研究，希望为我国相关工作的开展提供借鉴，拓宽思路。本篇的资料收集研究范围囊括了主要发达资本市场如英国、德国、法国、加拿大、中国香港、美国、日本和新加坡；也包含了一些新兴的资本市场，如韩国、巴西、俄罗斯和印度。其中，不少国家或地区相关活动的运作模式对我国日后开展中国资本市场的境外推介工作具有很好的参考借鉴意义。

第一节　英国：TheCityUK 公司

一、总体背景介绍

（一）经济

英国是世界上第六大经济体，欧盟内第三大经济体，2012 年国内生产总值约 1 541.5 亿英镑。1993～2007 年英国经济增长较为平稳，GDP 增长率一直保持在 3%～4%左右（见图 26－1）。私有企业是英国经济的主体，占国内生产总值的 60%以上[①]。服务业是英国经济的支柱产业，占国内生产总值的 3/4。

---

① 英国概况．新华网：http：//news. xinhuanet. com/ziliao/2002－05/13/content_ 390506_ 4. htm。

受全球金融危机影响，英国金融业遭受重创，经济形势严峻。2008～2009年英国GDP增长率均为负数，失业率迅速上升，2009年失业率高达7.7%，经济陷入严重衰退（见图26－2）。2010年之后，量化宽松等经济刺激政策开始对实体经济产生影响，英国经济有所复苏，但由于世界经济疲软，外需不足，英国的对外贸易额仍增长缓慢（见图26－3）。

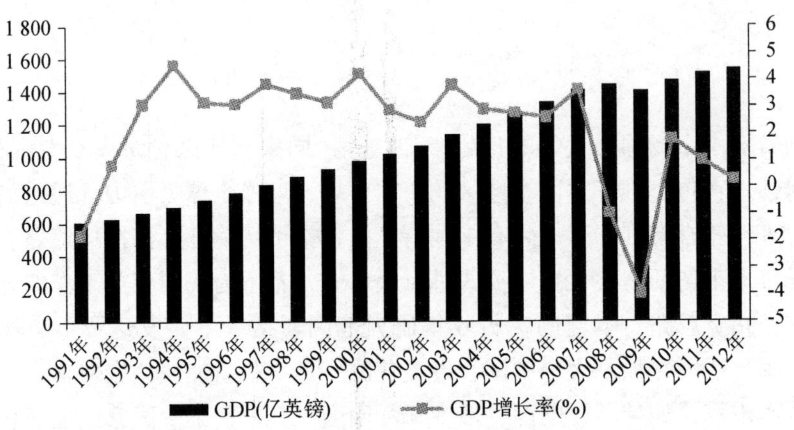

图26－1 1991～2012年英国GDP及其增长率

资料来源：世界银行网。

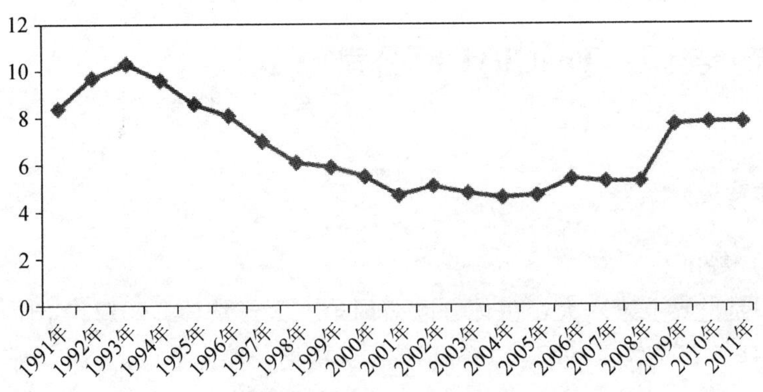

图26－2 1991～2011年英国失业率（%）

资料来源：世界银行网。

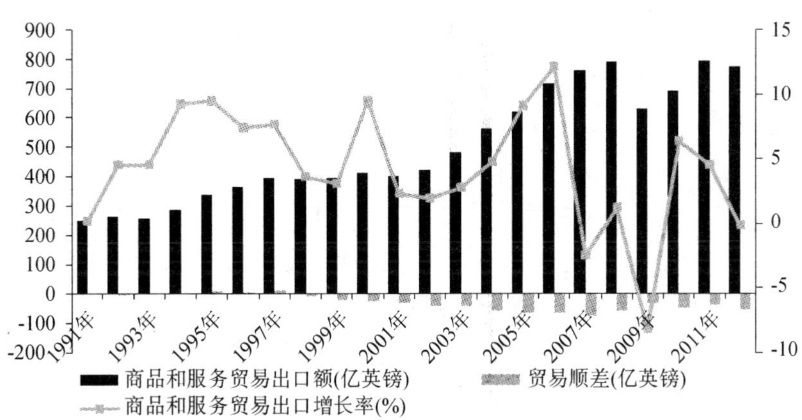

图 26－3 1991～2012 年英国对外贸易情况

资料来源：世界银行网。

（二）金融

金融服务业是英国经济的支柱产业之一。自 1986 年被业界誉为“大爆炸”的英国金融制度自由化实施以来，金融业不断取得快速发展[①]。2001 年金融服务业在英国国内生产总值中的比重为 5.5%，根据最新的政府统计数据，到 2011 年这一比例已上升至 9.7%。2011 年，英国金融业净出口额达 472 亿英镑，比 2005 年的 193 亿英镑增长 144.6%。2011 年底，英国金融服务业的就业人数达 107 万人。伦敦不仅发展成为世界金融服务中心，而且也是全球重要的金融交易市场[②]。此外，苏格兰的金融业已有 300 多年的发展历史，目前是仅次于伦敦的英国第二大金融中心。英国的金融业不仅涵盖银行、保险、证券、外汇、基金、衍生产品等金融领域的方方面面，而且其发展规模和国际化程度均位居世界前列。

1. 银行业

截至 2011 年底，英国共有各类银行 300 多家，其中外国银行设立的分行或子行 251 家。2011 年底英国银行业资产总额超过 16 万亿英镑，其中外国银行管理的资产占比接近 50%。近年来，英国的零售银行业务取得了前所未有的发展，汇丰、皇家苏格兰银行、巴克莱、HBOS 和 LLOYDS TSB 五大银行的

① 英国金融服务业．商务部驻英国使馆经商处．http：//www. mofcom. gov. cn/aarticle/i/dxfw/jlyd/200708/20070805047843. html。

② Key Facts about UK Financial and Professional Services，theCityUK，January，2013.

业绩表现不俗。在投资银行领域，欧洲地区一半的投资银行业务是在英国进行的。此外，伦敦还是全球主要私人银行业务开展地之一。

2. 保险业

英国拥有欧洲第一大、全球第三大保险业（仅次于美国和日本），在国际保险和再保险市场居主导地位。2011 年英国保险业的全球保费收入达 1 870 亿英镑，从业人数超过 31 万人，占英国金融服务业就业人数的 1/3。伦敦是全球唯一聚集了世界前 20 大保险和再保险公司的金融中心，2011 年伦敦地区的保费收入达 417 亿英镑。1688 年开业至今的伦敦劳埃德市场以经营高风险保险业务闻名于世，其业务遍及世界 200 多个国家和地区，92% 的富时 100 指数公司和 93% 的道琼斯指数公司在劳埃德市场投保。此外，伦敦还是世界主要的海事险中心，其全球市场份额为 21%（2011 年）。

3. 资本市场

伦敦是全球重要的证券和债券交易中心。伦敦证券交易所主板市场股票市值在 2013 年 6 月达到 20 884 亿英镑，在主板市场上上市的公司共 1 005 家，有 1 085 家公司（市值为 617.7 亿英镑）在另类投资市场上报价。

英国股票市场主要以大公司为主。截至 2013 年 6 月，有 154 家公司的市值超过 20 亿英镑，占总市值的 86%。市值低于 5 000 万英镑的 974 家公司仅占总市值的 1%。

4. 基金管理业

英国是仅次于美国和日本的全球第三大基金管理业中心，2011 年底英国基金管理业负责的养老基金、保险基金、互助基金、对冲基金、私募股权基金等各类基金的总规模达 5.1 万亿英镑，其中基金管理资产的 1/3 来自海外客户。

（三）伦敦的竞争优势

英国的资本市场尽管规模不及美国，但伦敦作为全球性的金融中心却毫不逊色于美国纽约。泰晤士河畔“一平方英里”的伦敦金融城（The City of London）聚集了近 300 家外国银行、180 多个外国证券交易中心。2007 年，麦肯锡的报告《维持美国及纽约的全球金融领导地位》和美国《纽约》杂志的封面故事《伦敦是 21 世纪的世界之都》甚至将伦敦排在了纽约之前。不同于纽约主要服务于庞大的国内经济，伦敦金融城则偏重于服务全球贸易。伦敦金融城长期以来一直是世界级的专业服务和商业服务中心。

伦敦之所以能发展成为最重要的国际金融中心之一得益于其金融服务业的专业水准和区域集群效应。伦敦成熟的金融服务业享誉全球，这是各国的金融机构热衷于选择伦敦作为其业务中心的重要原因之一。伦敦能提供包括投资管理、保险、会计、法律以及资本市场各类服务在内的专业全领域金融服务。伦敦是英国商品交易、客户服务、法律和战略咨询的集中地，这为伦敦金融服务业的开展起到了极大的便利。伦敦的地理位置也起到了很重要的作用，其位于美国和亚洲市场两个时区之间，这为资本的有效流动提供了良好的基础。

伦敦金融城是英国政府专门成立的为伦敦金融业服务的政府行政机构。尽管伦敦金融城仅仅是大伦敦市 33 个行政区中最小的一个，但却有独立的市政府、市长、法庭，是名副其实的“城中城”。伦敦金融城另一个独特之处在于其专门的市政机构——伦敦金融城政府（The City of London Corporation），致力于维护伦敦金融城的全球地位。伦敦金融城政府负责搭建政府和企业沟通的平台，促进境内外企业对内投资和项目的落地，加强英国对外金融联系，吸引境外投资者。通过渠道沟通和出行访问，伦敦金融城政府将伦敦金融城的信息传播到世界各地。伦敦金融城市长每年以英国金融服务业“特别大使”的身份对外进行访问。伦敦金融城政府联系企业界代表陪同市长访问，并促成企业界代表及外国政府和企业层面的对话。目前伦敦金融城政府已经在亚洲的北京、上海、孟买设立了代表处以加强地区联系。伦敦金融城政府还负责接待从世界各地去伦敦访问的商业代表团，组织其与伦敦本地商界展开圆桌会议。

二、TheCityUK 公司成立的背景

TheCityUK 创设于 2010 年 5 月 12 日，是在伦敦金融城、企业界以及投资者的大力支持下，整合英国国际金融服务业委员会与英国贸易投资局下属的英国金融服务业咨询委员会成立的。TheCityUK 的成立是英国为应对金融危机的影响，保持其在全球金融领域竞争地位的重要战略部署，其设立对维系英国国际金融中心的地位起到了重要作用。

（一）应对国际经济环境变化的新趋势

金融危机爆发后，国际经济形势变化迅速，全球金融业均面临改革的转折点，英国政府意识到要维系英国金融服务业在全球的竞争地位取决于如何应对新的国际形势。TheCityUK 公司的成立主要是为应对全球经济的三大趋势。

1. 经济全球化

金融危机以前，经济全球化程度，包括资本市场全球化，发展迅速。特别是自2000年后，国际贸易和资本市场的国际化程度发展非常迅猛（见图26－4）。经济全球化的发展不可避免地带来国家间进出口贸易失衡。各个国家的财政状况也发生着深刻的变化（见图26－5）。资本市场的相互依存度明显加深。2008年的金融危机给贸易全球化的进程带来了很大的负面影响，促使了贸易保护主义倾向的滋生，还带来了个别国家汇率管控政策的抬头以及贸易壁垒。为应对这个局面，2009年4月2日，20国集团伦敦峰会承诺要维护一个开放的全球经济，保证全球化持续发展。

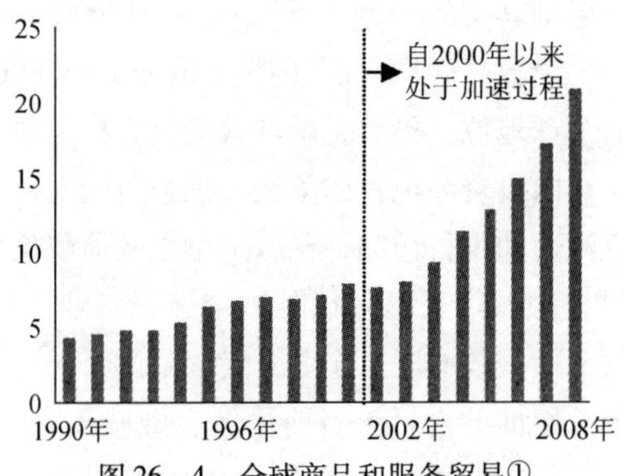

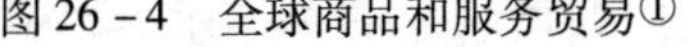
图26－4　全球商品和服务贸易①

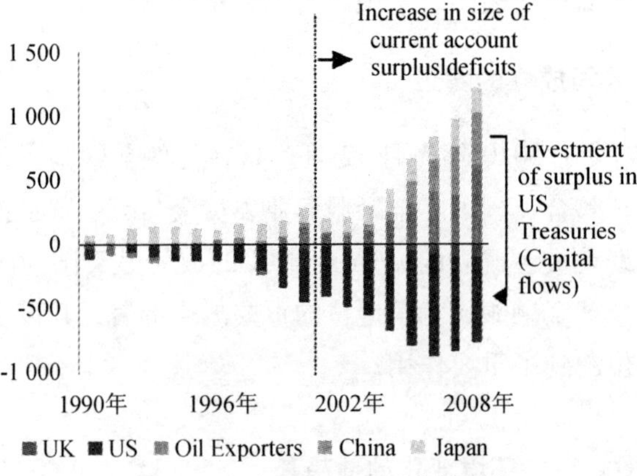

图26－5　各国的财政平衡情况②

① Global Insight. January 2009, IMF.

② Global Insight. January 2009, IMF.

2. 新兴经济体增长

近年来，全球 GDP 增长的整体组合态势都发生了变化，无论是 GDP 的规模结构还是 GDP 的增速结构，以“金砖四国为”为代表的新兴经济体在全球宏观经济的重要性越来越大（见图 26 - 6 和图 26 - 7）。因此，各主要发达国家都在竭尽全力争夺新的国际金融市场份额及对新兴市场的控制，吸引更多投资机构进驻和企业上市。顺应国际经济重心转移的潮流，英国积极协助新兴金融部门的发展，有利于英国在新兴市场中立足。

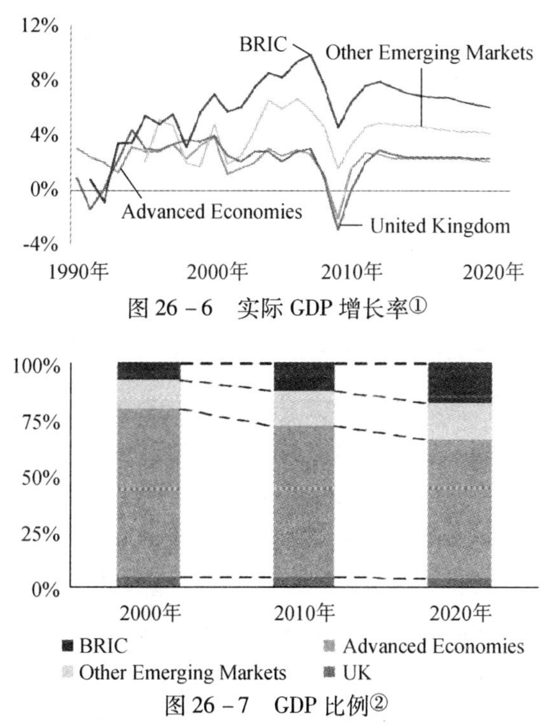

图 26 - 6 实际 GDP 增长率①

图 26 - 7 GDP 比例②

3. 人口结构的变化

相较于西方发达国家人口老龄化趋势，新兴市场国家人口普遍年轻化，增长速度较快，但随着世界范围内出生率和人口寿命趋同，新兴市场人口结构也将出现巨大的变化。新兴国家将越来越需要长期的储蓄产品以及国内金融市场与国际金融市场的连接以满足其对投资的需求。

① World Economic Outlook. October 2008.

② World Economic Outlook. October 2008.

以上三大趋势深刻地影响着现金和资本在国际间流动。作为当时世界领先的国际金融中心，英国试图通过不断进行改革以适应新的国际环境。英国政府意识到要保持和发展英国在国际金融领域的领先地位，需要能与高速变化的国际经济环境相适应的、能联合政府和企业共同力量的新型政策措施。

（二）振兴国内经济的需要

英国金融服务业是英国整体经济中生产、贸易和就业的重要组成部分，是英国经济具有优势和高效率的支柱型产业。金融服务业为英国创造了超过100万个工作机会，占整体经济比重为8%①。得益于伦敦金融产业的集群效应和良好政策支持，伦敦发展成为全球最重要的金融中心之一，有效吸引了国外的投资，带动了国内经济的发展。金融产业主要通过银行、保险、投资和其他金融服务，对其他产业的带动作用也非常显著，因此，构建一个更加强大的金融服务系统对英国的经济发展非常重要。

（三）TheCityUK公司的成立倡议

为应对金融危机后的国际经济新趋势、英国采取的新金融政策，发展以金融业为主体的英国经济，2009年5月7日，英国财政部发布题为《英国国际金融服务业——未来》的报告，提出了英国金融业在未来10年至15年内保持竞争力的发展战略，认为英国未来的成功必须以金融服务业与本国实体经济之间、英国与新兴市场经济体及其金融中心之间建立起的“伙伴关系”为基础。为了有效实施英国金融业的政策规划，报告指出应该由英国金融产业界与政府通力合作，成立一个涵盖金融各个领域、联系实体经济各个行业、与政府有紧密沟通的综合性金融推广发展组织。伦敦金融城原先有多个部门负责与金融发展相关的推广和研究活动。报告指出应有一个综合性的组织来整合各方面资源，为境外投资者提供一个接触英国金融服务业的清晰明确的渠道，确保各方面资源的凝聚力，减少内部资源消耗，提高效率。报告还建议，新组织应该具有明确的宗旨目标，广泛的参与成员，良好的治理架构和专业素养，深度了解英国各行业和金融服务业客户的观点和需求。

于是，TheCityUK②这样一个综合性组织应运而生。TheCityUK成立时的主

① Officefor National Statistics：United Kingdom National Accounts. The BlueBook，2008.

② http：//www. thecityuk. com.

要目的有三点：一是为英国金融服务业和英国其他产业与境外资本市场建立合作关系引导正确而清晰的方向；二是重新确立英国金融业的竞争力、责任心以及信任度的良好声誉；三是确保有益的政策和建议能得到有效的施行。

三、发展历程

英国政府长期以来注重组织英国国内各行业的对外宣传联系推广工作。早在 1968 年，因为注意到政府过多重视发展商品贸易，而忽略第三产业带来的无形收益，英格兰银行成立了英国无形资产出口委员会（Committee on Invisible Exports，CIE），旨在推动英国第三产业的发展和对外开放。到 1984 年，在委员会的推动下，英国的第三产业就已发展到占英国国家收入的 1/3 以上。1990 年，CIE 注册并更名为英国无形资产公司（British Invisible，BI），以担保有限公司的形式运营，深入推动英国第三产业发展和国际化。伦敦金融城政府于 20 世纪 90 年代初成立了东西欧城市贸易网络公司（City Network for East－West Trade，CEENET），旨在对东欧国家推广英国的金融服务业。CEENET 与 BI 于 1998 年合并，并于 2010 年更名为英国国际金融服务业委员会（International Financial Services London，IFSL）。IFSL 定位为会员组织，当时雇用了 24 名英国政府的资深外交官作为其联络工作人员。IFSL 的宗旨是为其会员组织境外推介活动、承担对英国金融服务业的表现的调查研究工作、为会员在世贸组织（WTO）中担当游说服务工作等。到 2009 年，其经费的 50% 来源于超过 100 名的会员，33% 来源于英格兰银行，17% 来源于伦敦金融城政府拨款。IFSI 作为英国金融服务业的国际代表，为推动英国金融服务业的国际化和大发展起到了重要作用。

2007 年，英国政府在其贸易投资局下设立了英国金融服务业咨询委员会（UKTI's Financial Services Sector Advisory Board，FSSAB）负责推介宣传英国的金融业，并领导当时其他组织的海外推介工作。FSSAB 借助其政府的影响力和组织力联合英国国内企业和在英国的外国企业开展了多样化的活动。问卷调查显示，当被询问 FSSAB 的工作是否对英国金融业的发展起到显著推动作用时，多数企业都给出了肯定的回答。

为了使英国金融业的国际推广工作更有效率，2010 年，IFSI 连同 FSSAB 一同并入了由政府、企业界和投资者共同发起成立的综合性行业推广组织 TheCityUK 公司（见图 26－8）。

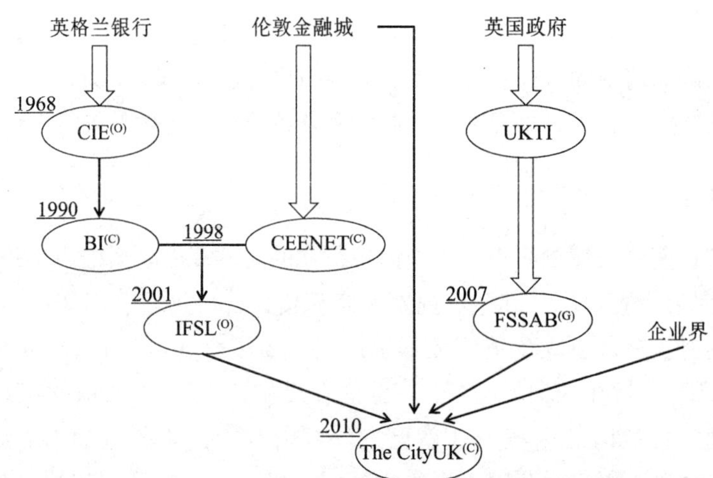

图 26－8 TheCityUK 公司的成立历史和发展

四、宗旨和业务

TheCityUK 现今的运营目标主要是维护英国金融服务和其相关专业服务领域的竞争地位，支持会员在全世界相关市场的商业利益，建立并维护英国公众和政策制定者对金融领域的信任与信心，宣传英国作为金融和相关专业服务的国际中心地位。TheCityUK 公司由来自资本市场的商业精英们管理，并和英国政府的各个部门有着紧密的合作关系，其中包括英国皇家财政部、商业部、金融服务局、国际和英联邦事务局、司法部。TheCityUK 公司也和英国驻各国大使馆、欧盟政商界、各国商务部以及民间非政府组织保持着合作关系。

五、运营模式

TheCityUK 以担保责任有限公司的形式运营。担保责任有限公司又称担保有限公司或保证（责任）有限公司，其英文名称为 Company Limited by Guarantee。在这种公司中，股东的责任以他们做出的保证在公司清算时向公司承担提供资产的数额为限，而不是或不仅是以其向公司的出资额为限。一般的有限责任公司股东的有限责任是以其出资额为限的，公司必须有与其生产经营相适应的资本并以全部资产承担债务责任，这是大陆法系国家有限责任公司的典型特征。不过，英国及中国香港公司法中的担保责任有限公司与有限责任公司的上述含义有所不同，可以说是有限责任公司的一种特殊形式，其特点是：一是股东的有限责任限于其已做出的保证金额。英国公司法要求，担保有限公司组织章程中的保证条款必须规定，每个股东应保证在他作为股东期间，或在他已停止作为股东后一年以内，如果公司清算，在其保证金额限度内，承担对公司债务的清偿责任。二是担保责任有限公司可以有股份资本（Share Capital），也可以没有股份资本进行注册。在一般情况下，这种公司不需要营业资本（Trading Capital），因为创立这类公司的目的往往是非营利性，是以推进艺术、慈善、宗教、科学、体育等活动为目的。此外，这种公司的资金经常来源于其成员的捐助或会费。三是拥有股份资本的担保有限公司，股东对公司负有双重责任。一方面，他要以出资额对公司承担责任，对其已认股份中未付清的数额负有责任；另一方面，他还要在其已做出的保证金额内对公司债务承担清偿责任。四是股东已承诺的保证金额带有储备债务的性质，不到公司清算时不得催缴；另外，也不得用于以公司债券持有人为受益人的抵押或者质押。五是公司的组织大纲和公司章程中必须说明公司股东对公司债务所负的有限的保证责任，并依法登记。

六、组织架构

TheCityUK 公司的顾问委员会负责监督公司的日常工作，并与公司董事会一起规划各项工作以实现公司愿景。顾问委员会由来自金融服务行业的众多资深从业人员组成（2012 年为 46 人），多是大公司的董事长或首席执行官。目前顾问委员会主席由伦敦金融城政府市长担任。TheCityUK 公司的董事会由 19 人组成，也多为金融企业高管兼职担任。TheCityUK 公司下设四个永久内控部门和六个专项委员会（见图 26 -9）。四个内控部门包括审计和风险控制委员会、资金委员会、薪酬委员会和人事管理委员会。六个专项委员会包括海外推广委员会、英国战略委员会、政策和公共事务部、国际规则战略组（由伦敦金融城政府协办）、自由贸易服务委员会和研究委员会。

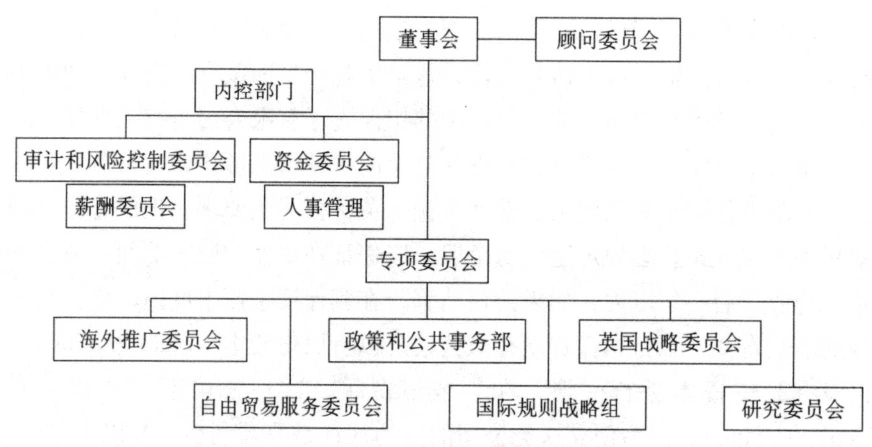

图 26-9 TheCityUK 的组织架构

（一）自由贸易服务委员会

自由贸易服务委员会，包含经验丰富的金融和相关专业服务执行人员，致力于排除国际贸易壁垒。自由贸易服务委员会具有相当的影响力，它是唯一一家被广泛认同，总部在英国，提供国际贸易领域及相关的专业服务，并定期向英国政府和欧洲委员会递送政策意见的部门。部门人员包括来自英国商务部、外交和联邦事务部、贸易投资总署、金融服务管理局和司法部等相关政府部门的观察员。

（二）政策和公共事务部

政策和公共事务部将政策制定者和行业的高级代表组织起来，就时下的公共事务，针对金融服务及行业在工作和发展进程中应扮演的角色进行深度对话。该部门建立的根本目标是促使英国成为全球提供金融和相关专业服务的最佳选择，在此大环境下，通常主要讨论的政策性主题包含税制、监管和技术等。

（三）国际规则战略组

国际规则战略组是一个由实践者领导的实体机构，由总部在英国的金融及相关专业服务行业领军人物组成。它的目标是在金融及相关专业服务行业中，成为欧洲领先的跨区域机构之一，从而展开广泛讨论并将监管付诸实践。在可持续的经济增长的总体目标下，它努力去识别与政府、监管者及欧洲与国际机构的接触与合作机会，向全球范围内推动有利于形成开放的有竞争力的资本市场的国际框架。其角色包含辨识战略层面的焦点，借助其跨领域的立场使已经存在的行业观点增加价值。不管对 ThecityUK 还是伦敦金融城而言，国际规则战略组都是一个咨询机构。

国际规则战略组坚信高于一切的政府战略目标和类似行业的战略目标应该是可持续的经济增长力量，并保证顾客和客户的金融安全。国际规则战略组由一个会员部门、执行董事会，以及专家智囊团（Engagement Panel）3 部分组成。

贸易服务委员会、政策和公共事务部及国际规则战略组分别从国家、地区和全球 3 个层面上，就政策、监管和贸易领域，为金融和相关服务提供者促成一个开放、有竞争力的公平市场。3 个部门协调出一个合作的行业方法，与英国政府（英国财政部、英国商务部、商业创新与技能部以及其他的部门和机构）、欧洲及国际权威机构紧密合作。具体的目标是推动英国和相关专业服务机构的竞争地位；确保欧洲和国际监管的合理性和合宜性；欧洲和国际监管改革辩论聚焦在监管的统一性上；清除全球贸易壁垒、歧视和保护主义。

（四）英国战略委员会

英国战略委员会的作用是恢复金融部门及相关专业服务部门的声誉，并帮助重塑与其他经济体及大众的关系。成员是应 TheCityUK 的首席执行官和委员会主席的邀约而加入的各种政府、商业和研究人员。

（五）研究委员会

研究委员会致力于运行一个战略和合作的研究项目以全面推动 TheCityUK 各项业务的发展。研究委员会的工作旨在提升英国金融服务行业的价值和贡献，展现金融服务业不断变化的外延与内涵，为关键的市场问题提供强有力的证据基础，围绕客户关心的问题，在金融机构和决策者面前提升会员品牌。

（六）海外推广委员会

海外推广委员会负责宣传英国的资本市场、金融服务及相关产业。海外推广委员会在海外与当地的企业紧密合作，是在 100 多个国家拥有办事机构的英国贸易和投资协会的主要行业咨询成员。同时，海外推广委员会与海外当地政府合作，对外宣传英国金融服务概况和市场准入制度等。另外，海外推广委员会还与多个国家和地区签署有协议备忘录。通过这些协议，会员可以直接和这些国家地区沟通以解决争端，直接受益。

七、会员制度

TheCityUK 公司采取会员制形式，邀请企业成为其会员，为会员提供相应服务，包括国际宣传、国内战略规划、跨行业领域活动、论坛、研究分析、品牌策划等，同时收取一定的费用以维持公司运营。TheCityUK 公司为不同的公司和组织制定了不同的会员类型标准：有针对大型公司和专业金融机构的全领域会员；有为中小企业和非政府组织设计的参与性会员；还有面向个人的独立会员。不同等级的会员需缴纳的会员费有所区别，享受到的会员权利和服务也有区分。例如，TheCityUK 的全领域会员将可以参加公司组织的境外推广访问活动、为市场自由贸易提供意见、参加市场重要课题的研究、受邀参加和工商业领袖的联谊活动、享受咨询服务、参加调研、参加跨领域领导层圆桌会议、收到 TheCityUK 定期信息更新、有权使用 TheCityUK 的所有数据和研究成果、参与到跨领域的政策审议制定、加入到 TheCityUK 领导层的机会和列席 TheCityUK 的工作会议。TheCityUK 的各级会费标准尚不对外披露，但根据其公司财政年报测算，普通公司的会费大概为 5 000 ~ 1 000 英镑每年。对于提供赞助达一定数量的组织，TheCityUK 还可升级其会员资格至赞助会员，享受到更好的服务。

八、经费来源和财务状况

TheCityUK 的运营经费主要来自会员交纳的会费和政府补助，两者的比例大约为 8:2。TheCityUK 的办公地点和人员由伦敦金融城政府支持。凭借其为伦敦金融城政府提供的服务，TheCityUK 公司 2011 年获得了由伦敦金融城政府提供的 71 万英镑的资金支持，2012 年此项支持为 78 万英镑。由于伦敦金融城政府的协助，TheCityUK 在其成立的前三年就建立起较为广泛且有代表性的关注企业群和交费会员。目前公司资金来源主要为会费收入、赞助和利息收益。TheCityUK 公司 2010 ~ 2011 财年的会费总收入为 301.6 万英镑；2011 ~ 2012 财年会费收入增加了 22%，达到 366.5 万英镑。2011 ~ 2012 年会费收入的增加主要来自于会员的扩充和顾问委员会规模的扩大。

自 2010 年成立以来，TheCityUK 公司运营情况良好。在第一个完整财政年度（2010~2011年），公司的运营盈余达60.4万英镑。TheCityUK公司在2012年获得了来自伦敦金融财团的大力支持。但由于公司建立英国战略委员会、政策和公共事务部、独立经济学家组、国际规则战略组（由伦敦金融城政府协办）及海外推广委员的开支需要，以及对于研究活动的大量投入，使得公司运营费用大增，2011~2012财年盈余降到5.3万多英镑。

九、成果介绍

TheCityUK公司每年在英国和世界各地组织一系列高端会议、论坛和峰会，邀请其会员、重要的政治人物、行业监管者和商界精英展开对话。公司举办活动的层级掌握灵活，组织形式丰富多样，包括伦敦当地的活动、英国国内论坛、欧洲议会和欧盟级别会议，乃至全球性的大型峰会。这些活动又多与TheCityUK公司当前自身的前沿研究项目、会员的发展计划及新的政府监管法规措施等有着紧密的联系。TheCityUK公司通过在其举办的活动中招募赞助商的方式，一方面解决了活动经费的来源和公司的经营收入，另一方面也帮助赞助商宣传品牌形象、与公众展开对话、影响政策制定。TheCityUK公司的另一重要服务领域是开展大量专业性的行业研究，为会员提供各种类型的研究报告、邀请著名学者和商业领袖撰写行业评论性文章、为注册会员发送期刊介绍TheCityUK公司情况等。

十、经验借鉴

TheCityUK公司对英国金融业的发展起到了良好的推动作用，为伦敦成为仅次于美国纽约的全球第二大金融中心贡献了可观的力量。TheCityUK公司之所以成为全球资本舞台上国家层面金融资本推广机构中的佼佼者，主要成功经验可以归纳为以下几点：

（一）联系的多样性

与英国政府、金融监管机构以及各国政府建立紧密的联系。通过这些联系，TheCityUK公司能及时了解政策走向、积极参与政策制定和建立良好的企业政府沟通平台。

（二）团队的专业性

TheCityUK公司拥有专业的公关媒体团队。作为与会员及公众交流的窗户，TheCityUK 公司的网站制作十分精良，极具现代感和专业性，且更新迅速、信息发布及时。其与公众交流的平台多样，手段灵活。其研究报告不但内容专业，紧跟当前形势，而且制作精良、通俗易懂、画面优美。TheCityUK 公司通过聘请专业团队来包装和宣传自身，起到了良好的效果。

（三）会员的广泛性

会员来自金融及其他各个行业，范围广泛且具有很强的代表性。另外，还拥有由商界精英组成的专业顾问团队。

（四）活动的多样性

组织活动形式多样，既有地区性活动增加社区商业活力，也有国际性活动推广英国资本市场。

第二节 德国：法兰克福美因河金融协会

一、总体背景介绍

（一）经济

自 1992 年东西德合并后，德国进入了新的经济发展阶段，截至 2012 年，20 年间的 GDP 平均增长率在 1.3% 左右（见图 26 - 10）。合并之初的 10 年，德国经济一度陷入低谷，经历了 1992/1993 年和 2002 年两次严重的衰退。同时，失业率不断上升，2004 ~ 2006 年期间连续 3 年超过 10%，政府为此支付了庞大的失业救济费用，预算赤字连续 5 年（2001 ~ 2005）超过 3%，而每年失业救济金的支出即占到了财政赤字的一半。2005 ~ 2008 年，德国经历了一轮新的增长，经济、贸易、就业都保持一个积极的增长的态势。2008 年全球金融危机致使德国经历了合并后第三次经济衰退，虽然政府的一系列举措拉动经济 V 型反弹，在 2010 年 GDP 增长率为 20 年以来最高的 4%，但 GDP 总量仍未超越危机前的数据。德国难以在全球缓慢复苏的步伐中独善其身，2010 年后经济增长速度呈减缓趋势。

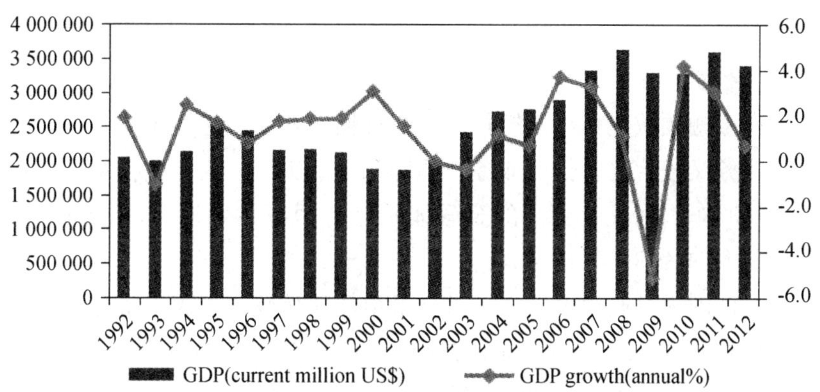

图 26－10 德国自合并以来的年 GDP 总量及增长率

Source：World Bank.

对外贸易始终是德国经济的重要组成部分。2003～2008 年德国一直稳居着世界货物出口量第一位。2005～2008 年，德国对外的商品和服务贸易总额持续增长，年平均增长率达到 15.64%，贸易顺差从 2005 年的 146 025 万美元，增加至 228 799 万美元，增幅达到 56.7%，出口对增长的贡献率高达 60%左右，贸易的发展带动了德国工业的发展，促进了就业，刺激了经济增长。2008 年经济危机后，德国的工业出口也恢复迅速，2011 年已经超过了危机前水平（见图 26－11）。

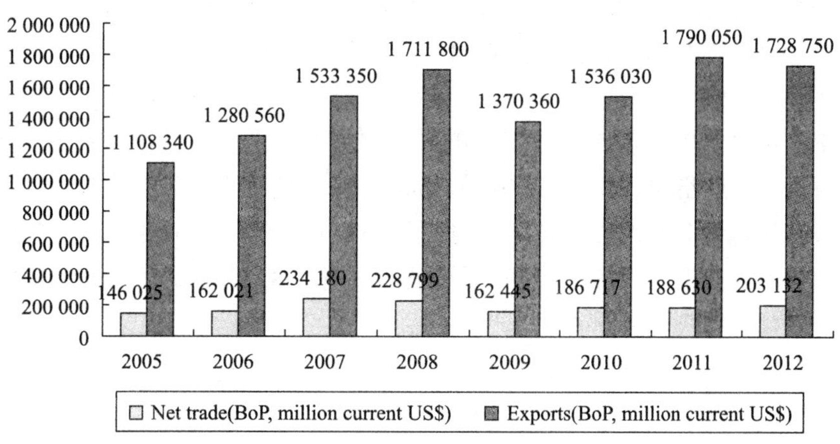

图 26－11 德国的对外贸易总量和出口总量

Source：World Bank.

（二）金融

德国在金融领域施行全能银行制，允许银行在同一法人主体下既经营传统商业银行业务又经营投资银行业务。德国的全能银行 = 商业银行 + 投资银行 + 非金融公司股东。因此，德国的金融体系是“银行主导型”的，与美国的金融体系有较大的区别，其特点有：

第一，德国银行业规模庞大，占金融市场比例较高。德国银行拥有庞大的资产，远超其 GDP 总量，而美国的银行资产相对于其 GDP 来说比例较低①。就银行数量而言，德国拥有超过 4 000 家独立的银行以及 50 000 多家分支经营网点，在世界上是典型的银行主导型体制。

第二，银行贷款在公司负债中占较大比例。这也是德国公司最重要的融资手段。德国银行融资占比一直保持在 30% 以上，而美国则在 10% ~20% 之间。

第三，德国证券市场的规模相对较小。德国证券市场市值与 GDP 之比自 2003 年以来基本维持在 0.4 左右，而美国这一比例为 1.2②。

第四，在金融监管方面，德国实行统一监管，监管规则严格谨慎。

第五，大银行几乎垄断了所有证券发行业务，公司股票的首次发行必定由一家大银行担任投资银行或承销商。此外，由大银行组成的联邦债券协会作为德国政府债券的固定承销商，包揽了所有政府债券的发行。

2008 年金融危机之前，全球的银行发展活跃，德国金融业发展空前繁荣。2004 ~2007 年，虽然上市公司的数目一直保持在 650 家左右，但是股市市值节节攀升，2007 年，股市市值达到顶峰 2.1③ 万亿美元，较前一年增长 28.6%，对比 2002 年，5 年内证券市场市值增加了 2 倍，占 GDP 的 63.3%。由德意志交易所集团（Deutsche Brse Group）推出的一个蓝筹股指数——达克斯指数（DAX）是全欧洲与英国金融时报指数齐名的重要证券指数。金融危机后，德国证券市场虽然经历了一系列波动，但其恢复的速度相对于其他欧洲国家来说相对较快（见图 26 -12）。

---

① 丁纯，瞿黔超．金融危机对德国经济与社会的影响及德国的对策．德国研究，2009（2）。

② 借鉴德国金融监管经验完善我国金融监管体系．中华人民共和国财政部。http：//www. mof. gov. cn/pub/jinrongsi/zhengwuxinxi/jingyanjiaoliu/200806/t20080620_ 47545. html.

③ 资料来源：世界银行。

图 26－12 2003～2013 年德国 DAX 股市指数①

（三）法兰克福成为金融中心的优势

法兰克福位于莱茵河中部支流美因河的下游，是德国重要工商业、金融和交通中心。得天独厚的“心脏”位置决定了法兰克福在世界各大金融中心中的地位。金融是法兰克福的支柱产业，有超过 300 家金融企业在此运作，金融从业人数超过 7 万人。银行业规模达到 2. 57 万亿欧元，有 40 多家外国银行在此设立代表处，150 多家外国银行在此开展业务②。法兰克福的证券交易所成为仅次于英国伦敦的欧洲第二大交易所，经营德国 85% 的股票交易。欧洲中央银行和德国联邦银行都坐落在法兰克福，未来欧洲银行监管局总部也在此落脚。

目前，法兰克福已发展成为欧洲大陆最重要的金融中心，在全球金融中心中高居第六位，其主要优势体现在：

第一，金融、货币体系十分稳定，监管适度。德国的金融业以稳定性著称，监管规则在经济自由和金融稳定上有很好的平衡。此外，法兰克福是欧洲中央银行所在地，欧元区的货币政策在这里制定。

第二，法兰克福是欧洲重要的融资中心。法兰克福证券交易所的市场流动性和全球投资者规模都在欧洲处在领先地位。不仅融资成本较低，融资者还能获得多样化的金融产品、相对合理的定价和个性化的融资服务。

第三，在金融技术与创新方面非常领先。法兰克福的网络证券交易规模庞大，占德国交易规模的 85%，欧洲交易规模的 35%。坐落于此的德国证券交易所和法兰克福证券交易所拥有世界最先进的有价证券交易系统——XETRA，该系统高速、可靠。此外，法兰克福的银行支付、清算与结算系统也是欧洲最先进的，十分稳定和高效。

---

① 资料来源：德意志交易所集团。

② The Global Financial hub. Frankfurt Main Finance, 2012.

第四，法兰克福是金融人才的教育中心，拥有41所金融高等院校、16万名金融专业的学生。

第五，交通便利、航空系统发达。法兰克福机场是世界第八大机场，有飞往日本、东欧、伦敦、北美等地的直达航班。

第六，国际化环境好，文化底蕴丰厚。法兰克福是德国最国际化的城市，并且是国际当代艺术的中心，拥有60多个博物馆、50个剧院和歌舞厅①。

二、法兰克福美因河金融协会的成立背景

2008年的金融危机对德国经济产生了深远的影响，影响路径是先金融，后实体；先投资，后消费。金融危机首先迅速冲击了德国的金融市场②。德国法兰克福DAX指数在2008年9月下旬到10月下旬期间急速下滑，一个月内跌幅高达33.8%（见图26-12）。之后的3个月，DAX指数反复震荡，在2009年3月再次出现大幅下滑，失守4 000点，上市公司的市值大幅缩水。受美国金融危机冲击最早、最大和最直接的是德国地产融资抵押银行（Hypo Real Estate，HRE）。2008年HRE税前共计亏损53.75亿欧元，其中位于爱尔兰的子公司——德发银行亏损达24.82亿欧元，濒临破产。因为HRE的规模庞大，德国政府担心它的倒闭会引发类似于雷曼兄弟公司破产带来的多米诺骨牌效应，在业已脆弱的金融市场再掀恐慌浪潮，最终决定全面接管。同一时期，德国第二大金融机构——德国商业银行仅实现300万欧元的税后利润，而运营亏损则高达3.78亿欧元③。德国安联保险集团、德国邮政银行、州立银行都出现不同程度的亏损。由于德国是银行主导的金融体系，私人银行危机的多米诺效应很快传导至实体经济，制造业销售额、生产额和获得海外订单数量大幅下滑。当月德国制造业的销售数量指数与2007年同期相比，下降了3.4%，之后情况进一步恶化。至2009年1月份和2月份，德国制造业的销售数量指数同比分别下降了23.8%和26.5%。由于信贷紧缩和对未来悲观预期的加强，整个经济陷入恶性循环。

德国政府为了恢复公众对金融市场的信心，使金融市场的运行恢复正常，出台了紧急应对措施。2008年10月17日德国议会通过了《金融市场稳定

---

① Frankfurt——The Financial Centre in the Heart of Europe. Frankfurt Main Finance.

② 丁纯，瞿黔超．金融危机对德国经济与社会的影响及德国的对策．德国研究，2009（2）。

③ 丁纯，瞿黔超．金融危机对德国经济与社会的影响及德国的对策．德国研究，2009（2）。

法》，决定设立金融市场稳定局来管理 5 000 亿欧元的金融市场稳定基金（Sonderfonds Finanzmarkt Stabilisierung，So FFin）。这一救市基金的主要任务是帮助德国金融机构解决流动性不足以及提高资本充足率，从而达到稳定金融市场的目的。基金的实际规模为 4 700 亿欧元，其中 4 000 亿为担保资金（当有额外担保需求时，德国财政部还可以提供 200 亿欧元的资金用于担保），其余 700 亿用来参股和注资（经联邦议院预算委员会的批准，还可以追加 100 亿欧元用于参股和注资）①。

金融危机还催生了一批新的金融服务机构，致力于提升德国金融业在全球金融业中的地位，起到规范金融机构的行为、提高风险管理的作用，同时又秉承政府一贯的参与但不干预市场的态度，加强政府、立法者、市场主体和监管者之间的沟通。法兰克福美因河金融协会（Frankfurt Main Finance）是其中最具有代表性的机构，该机构成立于 2008 年 8 月，由黑森州政府、法兰克福市政府、金融机构共同发起设立。

三、宗旨和业务

法兰克福美因河金融协会秉承“直接、全球性、综合化”的价值观，宗旨是推动法兰克福金融业发展，传播来自德国法兰克福金融中心的呼声，确立法兰克福作为欧洲大陆金融中心的地位，提升德国金融业在全球金融业中的地位。该协会将自身打造为世界了解法兰克福金融中心的窗口以及接触欧洲最大经济实体的门户。通过协会，外界可以了解到关于法兰克福的最新金融数据、行业状况和市场评估。同时，协会还为会员提供各式各样的媒体活动支持。为实现协会提出的目标，法兰克福美因河金融协会紧密联合来自经济界和政界的力量，并十分注重提高项目的实施效率。

四、运营模式：公会

法兰克福美因河金融协会以公会形式运营。公会即同业公会，即旧时同行业的企业联合组成的行会组织（在我国称之为行业协会）。在市场经济发达的主要资本主义国家，由于私营经济的企业主是分散的，企业竞争又异常激烈，需要一个组织来协调企业之间的关系，并能向政府反映和申诉行业的建议和意

---

① 丁纯，瞿黔超．金融危机对德国经济与社会的影响及德国的对策．德国研究，2009（2）。

见，而政府也需要一个组织能将自己的声音传达到广大企业中，行业协会正是在这种需求下应运而生。行业协会是指介于政府、企业之间，商品生产业与经营者之间，并为其服务、咨询、沟通、监督、公正、自律、协调的社会中介组织。行业协会是一种民间性组织，它不属于政府的管理机构系列，是政府与企业的桥梁和纽带。在我国，行业协会属于我国《民法》规定的社团法人，是我国民间组织社会团体的一种，即国际上统称的非政府机构，又称 NGO，属非营利性机构。

五、会员制度

法兰克福美因河金融协会提供两种会员模式：普通会员和赞助会员。其中，普通会员享受协会提供的一切服务，并可投票参与协会事务决策。赞助会员享受到的服务与普通会员相同，但没有投票权。该协会的会员规模从 2008 年最初的 12 家已经发展到目前的 40 多家。法兰克福美因河金融协会为其会员提供的平台包括：与金融界和政界的沟通渠道、促进企业间项目的合作与落地、与其他金融中心间交流的渠道、组织高质量的活动、帮助会员建立长期有效的良好公众关系、提升法兰克福在世界金融市场上的地位。

六、组织架构与经费来源

法兰克福美因河金融协会的宗旨要求其有一个和政商两界都紧密联系的运作团队。协会工作的有效开展既需要来自政商界代表的大力支持，也需要一个高效的管理团队。协会通过搭建有效的组织架构来达到各方面的平衡。协会的组织架构包括了主席团、管理委员会和工作组（见图 26 - 13）。管理委员会由会员大会选举产生，会员大会还负责确定由管理委员会推选的主席团名单并确定主席人选、审核协会的年度预算、批准协会工作规划、制订协会的规章制度和批准协会是否解散。主席团由来自各个会员商业机构的 12 名高级管理人员组成，负责协会的政策决策。主席团指派 1 到 2 名主管人员，负责协会的日常事务，引导工作组展开日常工作。工作组负责开展协会的具体项目。各个工作组和主席团每月定期召开工作会议，协调各组间的工作，最大限度地保证工作效率。协会运作的经费主要来自会员缴纳的会费以及企业的赞助，此外政府也给予协会一定的财政支持和政策倾斜。

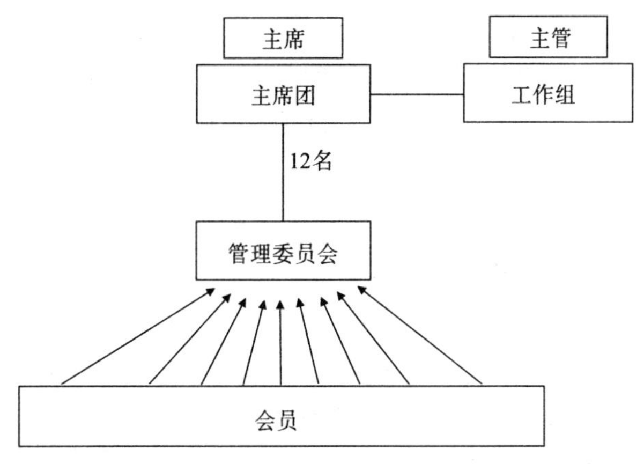

图 26－13 法兰克福美因河金融协会的组织架构

七、成果介绍

法兰克福美因河金融协会作为法兰克福金融市场的宣传和推动者，自2008年8月成立以来，积极开展各项活动，取得了显著成就。具体包括以下内容：

（一）编撰金融年度报告

协会自2009年起开始主持编撰《德国金融年度报告》。截至2013年，该报告已经连续4年出版，每年都会有大量业界知名人士就经济金融重要课题参与撰稿编写年度报告，在业内具有较好的影响（见表26－1）。

表26－1 《德国金融年度报告》主题

年份	报告主题
2009	金融危机的内因和展望
2010	建立国际金融新秩序
2011	建立国际金融中心
2012	欧元的历史与未来
2013	金融业如何刺激实体经济

（二）积极开展媒体工作

协会自成立以来，积极联系国内外媒体向公众呈现法兰克福金融中心。

2011 年，协会开始在《金融时报》上开设金融中心专题报道，面向全球宣传法兰克福金融中心的优势。截至 2012 年底，协会共发布新闻报道 132 篇，取得了良好的宣传效果。此外，协会积极使用线上宣传，开设了专门的门户网站。

（三）加强对风险监管的研究和培训

2009 年，为满足法兰克福在风险监管方面的要求，协会成立了法兰克福风险监管机构（FIRM），旨在加强对风险监管的研究和培训。自 FIRM 成立以来，每年资助开展风险管理系列的课题研究。2010 年 3 月，机构正式开设风险监管硕士课程，提供风险管理师培训，同时还开设了相关的论坛，提供各种风险管理方面的资料。此外，在歌德商学院金融风险管理师项目和 DVFA 协会风险管理师认证项目的带动下，该机构大力开展风险管理资格相关的认证项目。

（四）举办法兰克福金融峰会

2011 年，协会开始举办法兰克福金融峰会，目前已经成功举办三届，影响力逐渐扩大，为金融业、政府以及监管机构的跨境交流搭建平台。2012 年法兰克福金融峰会以“增强全球金融体系可持续性与弹性”为主题，来自银行董事会、公司管理层、中央银行以及国内外监管层、媒体各界等 220 人参与了此次会议，会议围绕“中央银行在新机构框架下的角色”、“国际监管的对接”、“新系统性风险”、“欧元危机与政府债务”四个子议题展开了激烈讨论，凸显法兰克福在风险监管方面取得的卓越成就。2013 年法兰克福金融峰会以“监管与危机管理对世界金融情况的影响”为主题，围绕“欧盟的未来”、“新资本协议的要求及其影响”、“新监管框架”展开讨论。

（五）启动数据库

2011 年 2 月，协会正式启动“法兰克福—新兴市场金融中心合作伙伴”数据库，加强与新兴市场的联系；2012 年 1 月，法兰克福美因河金融协会与莫斯科金融中心签订合作谅解备忘录。此外，协会与越南、印度、中国天津、伊斯坦布尔等地区均建立了对话机制。

（六）积极参加国际性组织活动

通过国际性组织活动，退提高法兰克福在国际上的知名度，加强与会员之间直接对话。2012 年，协会先后参加了 Brsen – Zeitung（德国最大的金融报纸）举办的金融中心会议、由 ZEIT 举办的金融中心会议以及未来金融论坛。此外，协会还与卢森堡金融协会举办了圆桌会议。

（七）开发和推广指数

协会与金融研究中心、法兰克福金融管理学院积极合作，分别开发和推广了金融中心市场指数（CFS）和市场景气（Finanzplatzbarometers）指数。

在协会推动下，法兰克福在全球金融中心的地位不断提升。在《银行家》杂志对全球金融中心的排名中，法兰克福从 2010 年起飞上升到全球第四（见表 26 –2）。

表 26 –2　　《银行家》杂志对国际金融中心的排名

排名	2009 年	2010 年	2011 年	2012 年
1	伦敦	纽约	纽约	纽约
2	纽约	伦敦	伦敦	伦敦
3	法兰克福	新加坡	新加坡	新加坡
4	新加坡	巴黎	法兰克福	法兰克福
5	巴黎	卢森堡	中国香港	中国香港
6	悉尼	中国香港	巴黎	迪拜
7	苏黎世	多伦多	多伦多	多伦多
8	迪拜	悉尼	迪拜	悉尼
9	东京	苏黎世	苏黎世	阿姆斯特丹
10	多伦多	阿姆斯特丹	卢森堡	巴黎
11	卢森堡	迪拜	悉尼	苏黎世
12	阿姆斯特丹	法兰克福	东京	卢森堡
13	都柏林	东京	阿姆斯特丹	都柏林
14	波士顿	旧金山	都柏林	东京
15	墨尔本	波士顿	哥本哈根	芝加哥

资料来源：《银行家》。

第三节 加拿大：多伦多金融服务联盟

一、总体背景介绍

加拿大的资本市场规模相对于美国较小，2012 年的 IPO 融资金额仅 18 亿美元。加拿大的金融市场和美国有比较大的区别。加拿大金融业的监管相较于美国来说相对统一集中，又偏向保守，属于强势监管。比如，加拿大金融机构贷款经营有上限，在加拿大购房，如果房贷超过房价的 80%，就必须向联邦政府机构投保。加拿大的投资银行隶属于商业银行，商业银行掌握着大方向，对投资银行严加控制。如果投资银行出了问题，亏损最后要由作为母公司的商业银行来承担。

多伦多作为北美第五大城市，是加拿大的经济中心，其经济总值 2012 年占到加拿大 GDP 的 12% 以上。金融业是多伦多的支柱产业，占城市 20% 以上的经济总量，大约有 22 万多伦多人直接受雇于金融业公司，另外还有 30 万人受雇于与金融相关的服务行业。在 2008 年后，多伦多正加速成为国际上重要的金融中心之一。目前，多伦多已发展成为北美地区第二大、全球第七大的金融中心，其主要优势体现在：

第一，银行系统十分可靠，监管严密。在风险管理方面，早在 21 世纪初，国际货币基金组织就开展了一项“金融业稳定评估”工作，认为加拿大金融体系是世界上最稳定最先进的金融体系之一。2012 年，加拿大的银行业已经连续五年被世界经济论坛评为世界上“最可靠的银行系统”。

第二，多伦多市的人寿保险产业十分发达，拥有两家世界上主要的人寿保险公司。

第三，多伦多股票交易所的金融、矿产、能源和绿色科技资本交易量在全球排名第一。

第四，全球五十大的养老基金中有三家的总部设在多伦多。

二、成立的背景

多伦多金融服务联盟（Toronto Financial Services Alliance，TFSA）创立于

2001 年，由多伦多市政府和金融业界合作成立，致力于树立并巩固多伦多作为国际金融中心的地位，宣传多伦多的金融业。TFSA 的成立有其特定的经济、社会背景。

（一）经济因素

20 世纪 90 年代早期（1989～1993 年），多伦多所在的安大略省丧失了近 20% 的制造业岗位，多伦多市内原有的传统产业就业前景不理想，大批制造企业外迁，多伦多被迫陷入相对漫长的经济结构转型期。从 20 世纪 90 年代中期经济转型结束后，加拿大经济一直运行比较平稳，从 1994 年至 2000 年，加拿大实际 GDP 增长率平均水平达到 4% 以上（见图 26－14）。较高的经济增长率为多伦多地区乃至加拿大全国范围内金融服务业的发展提供了坚实的经济基础。加拿大政府也希望通过发展金融业，帮助多伦多建立国际金融中心来进一步提升加拿大的经济发展和经济质量。

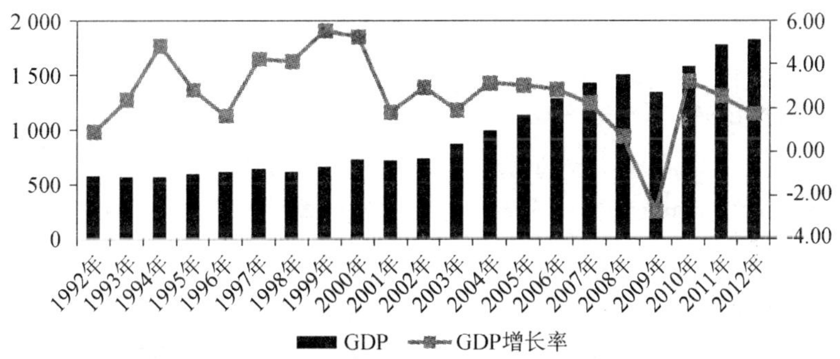

图 26－14 1992～2012 年加拿大 GDP（Billion USD）与实际 GDP 增长率（%）

资料来源：世界银行网。

（二）就业因素

失业率高一直是制约加拿大经济发展的重要因素。从 1992 年到 2001 年，失业率一直维持在较高水平但出现平稳下降的趋势（见图 26－15）。加拿大证券业从业人数自 1992 年实现稳定增长，到 2001 年前，统计的证券业从业人数达到 37 000 人[①]。但 2001 年这个数量比上一年下降了 6%。与此同时，一个长

① 资料来源：驻多伦多总领馆经商室子站。

期值得关注的问题是“人才外流”：专业人才被薪水较高、税收较低的巨大高科技产业所吸引，南流到美国。尽管由于很多受教育的移民在20世纪和21世纪进入加拿大，抵消了流出的人口的影响，但由于加拿大婴儿潮一代的退休、生育率下降以及劳动人口的流动性增加，加之众多移民无法立刻投入劳动力市场，导致人才供应量不足，特别是加拿大金融服务行业面临着严重的人才短缺危机。因此，不少研究学者建议清除海外移民在本地的就业障碍，吸纳海外移民来填补多伦多金融服务行业的职位空缺，强化金融服务教育以及加强行业内部合作，提升加拿大金融服务行业的品牌价值。这些都需要有一个综合性的组织在全球范围内来协调宣传加拿大的优势，吸引更多的人才来到加拿大。

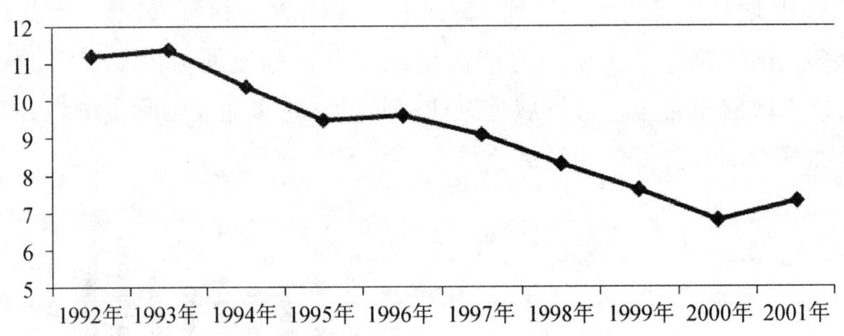

图26-15 1992~2001年加拿大失业率（%）

资料来源：BVD数据库。

（三）国际贸易结构需要

1994年至2001年，加拿大出口总值占GDP比重平均值达40%（见图26-16）。出口对于加拿大经济的影响十分显著，因为出口的推动，保险业资产规模在加拿大金融业已位居第二。加拿大是一个外向型的国家，接受外国资本渗透规模最大、范围最广、程度最深，其对国际贸易的依赖程度和资本市场的国际化程度也很高。加拿大的进出口贸易与其金融行业相辅相成，国际贸易的深化是加拿大建立国际金融中心的重要推手和基础条件，这也需要建立一个综合性的金融国际推广组织。

（四）加拿大的金融国际化

在20世纪国际金融市场出现的一体化、自由化趋势，金融创新以及金融国际化潮流的推动下，加拿大政府开始通过引进外资金融机构，增强本国金融

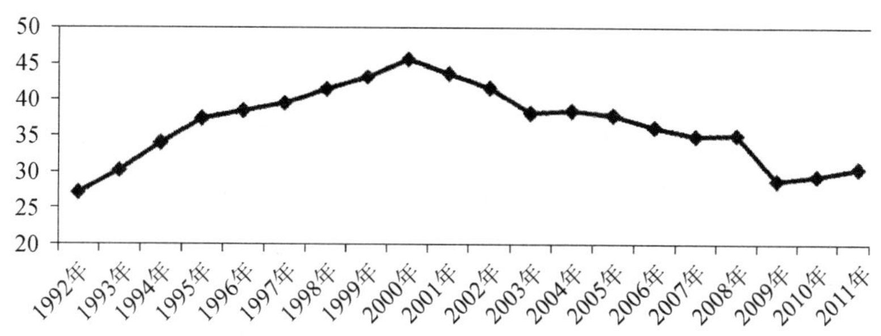

图 26－16 1992～2012 年加拿大出口占 GDP 的比重（%）

资料来源：世界银行网。

市场的活力，提高本国金融机构的活力。据统计，加拿大证券业的企业数自 1999 年以来增长迅速，截至 2001 年底，共有 198 家证券公司在加拿大境内运作。7 家最大的综合证券公司（其中 6 家为加拿大本土银行拥有，1 家为美国大交易商）的收入占全行业总收入的 71%，零售公司占 20%，外国和加拿大本土机构公司占 9%①。多伦多作为加拿大的金融与投资中心，汇集了加拿大最大的 5 家银行、50 多家外资银行总部以及 11 家证券公司。这些金融机构的进驻为多伦多的金融业注入了活力。多伦多市政府也提出了要将多伦多建设成为国际化金融中心的意愿，国际化浪潮在多伦多地区不断扩大。

三、TFSA 的发展历程

（一）TFSA 的成立

为发展多伦多的金融产业，推动加拿大资本市场的国际化，多伦多市于 2000 年制定的多伦多经济发展战略（Toronto Economic Development Strategy）中明确表示要向世界大力宣传多伦多，以多伦多独特的、多样化的经济、先进的创新理念来塑造一个世界知名的多伦多新形象。在这样一个背景下，多伦多金融服务联盟（TFSA）作为多伦多金融领域的专门宣传推广组织于 2001 年正式成立。TFSA 和当时其他领域的宣传部门一同致力于宣传推介多伦多的文化、经济和环境。当时的一个重要任务就是负责联系各界共同努力以获得 2008 年奥运会的主办权，吸引各类型的国际活动在多伦多举办，塑造国际资本市场对于多伦多地区优势的认可，为区域内的金融服务企业服务、开拓更广泛的国际市场。

① 资料来源：驻多伦多总领馆经商室子站。

（二）TFSA 2.0

2008年的金融危机对加拿大的金融业造成了不小的冲击，但相对加拿大的其他产业来说，金融业的发展仍具有相当的优势。2009年，在加拿大制造业的雇佣员工一年减少了3.5%的情况下，金融业的雇佣人数却增加了4.3%①。到2009年，根据全球金融中心指数（Global Financial Centres Index）的评估，多伦多在全球金融中心的排位为13位。为了使多伦多发展成为北美最大的两个金融中心之一，进入全球十大金融中心排名，多伦多政府邀请波士顿咨询公司（BCG）为其做了系统评估和长远规划。BCG的报告认为多伦多相对于其他金融中心有很多优势，能吸引到更多的国际投资和专业人才，但是世界对于多伦多的了解还远远不够。多伦多需要在现有工作的基础上，开展更为集中的、有效的国际宣传和推广活动。报告根据多伦多的实际情况建议向英国的IFSL组织学习，重组TFSA，建立一个政府和企业合作的资本市场发展组织，以更加主动地宣传和推动多伦多金融业发展，促进其成为北美最重要的金融中心之一。根据这个报告建议，多伦多市政府于2011年提出了一项为期三年的“全球枢纽”计划，重组并发展由政府与企业紧密合作的TFSA 2.0，旨在吸引投资、发展经济、增加就业（见图26-17）。

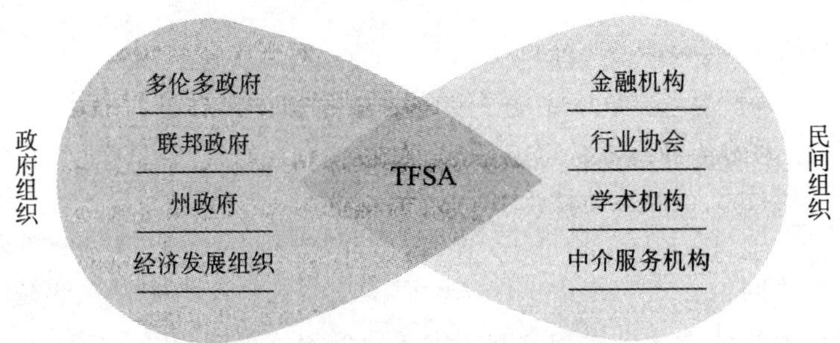

图26-17 TFSA的合作方式②

（三）TFSA 3.0

2013年1月，TFSA发布了关于该组织2013~2016年目标和方向的“TF-

① Boston Consulting Group. Partnership and Acton: Mobilizing Toronto's Financial Sector for Global Advantage. 2009.

② TFSA网站：http://www.tfsa.ca/.

SA3.0”战略规划①。该计划帮助多伦多以更加专注、综合的形式来为多伦多地区的金融服务业保持和提升发展动力、竞争力水平及国际声誉。为了更好地制定 TFSA 3.0 的规划，TFSA 对其会员和合作伙伴展开了大规模的问卷调查，收集了重要的观点和反馈，为下一步发展提供了方向。调查显示，多伦多给国际金融服务界的印象是多元化、稳定和可靠的综合性金融中心。调查反映，人才资源、监管环境、国际声誉和政策环境是区域金融竞争力的重要体现，也是建立国际金融服务中心的基石。对于多伦多，尽管其监管环境相对来说很有竞争力，但其他三个方面（人才资源、国际声誉和政策环境）仍有很大的提升空间。据此，TFSA 将其 TFSA 3.0 发展计划聚焦在提高这三个方面的竞争力上。

1. 人才资源

调查结果显示最重要的人才资源运作是将加强学术界和企业的交流，同时加大对于移民融合的帮助。在关注现有移民的同时还要主动招揽国际人才到多伦多就业。对此，TFSA 3.0 计划每年召开企业界、交易界和移民机构间的圆桌会议，确保各方交流的通畅。TFSA 还计划帮助新企业招收新雇员，加大帮助新移民找到合适的工作的力度。

2. 政策环境

调查显示，被调查者希望 TFSA 能够在影响政府的税收政策中起到更大的作用，帮助政府和私人企业间建立更多的对话渠道和反馈平台。为此，TFSA 3.0 将开展一系列的运作，帮助政府重新制定新的税收政策，同时组织更多的圆桌会议并及时发布报告。

3. 国际声誉

调查意见希望 TFSA 帮助提升加拿大银行在国际上的知名度，吸引更多的跨国公司进驻多伦多，同时增加多伦多地区外国银行的数量。对于这些意见，TFSA 3.0 计划开展综合性的运作帮助优秀的国内企业拓展海外业务；在 TFSA 于纽约和伦敦举办的活动中，加大对多伦多金融服务业集群优势的宣传和推广；开展商业大使计划，邀请多伦多金融业的领军人物参加其在国际上的推广活动。

TFSA 还计划每年 11 月开展类似的问卷调查活动，并将调查结果报告 TFSA 董事会、会员和合作伙伴，作为提升多伦多竞争力运作效果的一个衡量标准。

---

① TFSA Membership Survey——Summary of Key Insights, 2013.

四、宗旨和业务

（一）宗旨

TFSA 的宗旨包括：

第一，为多伦多地区吸引、发展、留住商业和就业机会。

第二，利用 TFSA 的优势、资源支持多伦多地区金融服务业的发展。

第三，确立和推动多伦多地区金融行业跨行业的投资融合。

第四，推广多伦多地区金融行业的优势，塑造公众对于发展国内经济和建立多伦多作为国际享有盛誉金融中心重要性的认识。

第五，确定和提高多伦多地区优良商业环境和对优秀金融人才的吸引力。

（二）业务

TFSA 目前为促进多伦多商业发展所推出的业务主要包括：

第一，对重要行业及其子行业进行市场细分研究，提炼营销信息、推荐营销工具。

第二，在其他关键领域推广特定的价值主张。

第三，发展 TFSA 会员，增加 TFSA 在金融服务业中的参与度和影响力。

第四，增强对项目的跟进，提升销售漏斗①（Sales Funnel）的管理质量、促进交易的完成。

第五，增进与多伦多政府、多伦多经济发展组织之间的合作，发展企业—政府—组织间的合作项目。

TFSA 在金融、实体企业进驻多伦多或者企业开展新项目的整体流程的每个环节都发挥着重要的促进作用。从早期的吸引投资招揽项目，到项目的落地与管理、评估和报告总结，直至最后的后续扶持、巩固和发展，TFSA 为企业提供多样化的个性化服务（见图 26 - 18）。在 TFSA 的协助下，多伦多形成了十分高效的企业孵化链条，加快了整体经济前进的步伐。

---

① 销售漏斗（也叫销售管线）是科学反映机会状态以及销售效率的一个重要的销售管理模型。通过对销售管线要素的定义（如阶段划分、阶段升迁标志，阶段升迁率、平均阶段耗时、阶段任务等），形成销售管线管理模型；当日常销售信息进入系统后，系统可自动生成对应的销售管线图，通过对销售管线的分析可以动态反映销售机会的升迁状态，预测销售结果；通过对销售升迁周期、机会阶段转化率、机会升迁耗时等指标的分析评估，可以准确评估销售人员和销售团队的销售能力，发现销售过程的障碍和瓶颈；同时，通过对销售管线的分析可以及时发现销售机会的异常。

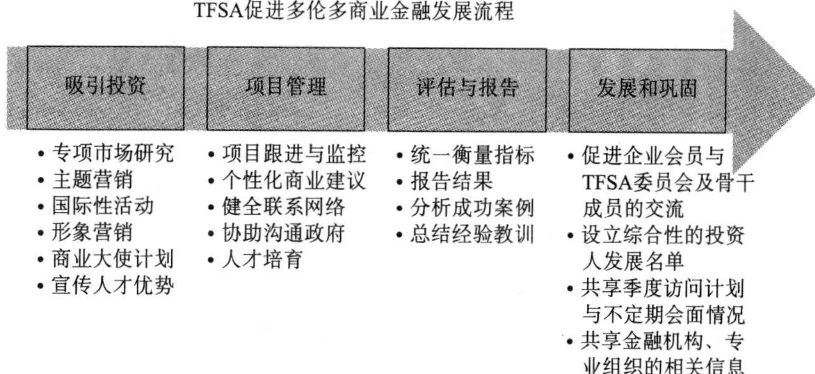

图 26－18 TFSA 在各个阶段所提供的服务

五、组织架构和经费来源

TFSA 由多伦多市政府、金融界和学术界合作运营，由董事会指导其日常工作。董事会由来自政府、企业和学术界的 23 位知名业界人士组成。TFSA 还设立了一个领导力咨询委员会，由 21 位资深政府官员和金融企业领导人组成，负责制定 TFSA 的发展战略方向。TFSA 的日常各项工作由专门的工作组负责。另外，TFSA 还成立了两个分支部门：全球金融服务业风险中心和金融服务业人才教育中心负责相关事宜（见图 26－19）。TFSA 的资金主要来源是多伦多市政府的拨款和会员企业、组织的会费以及赞助费用，但其具体数额和机构的财政预算并未对外公布。

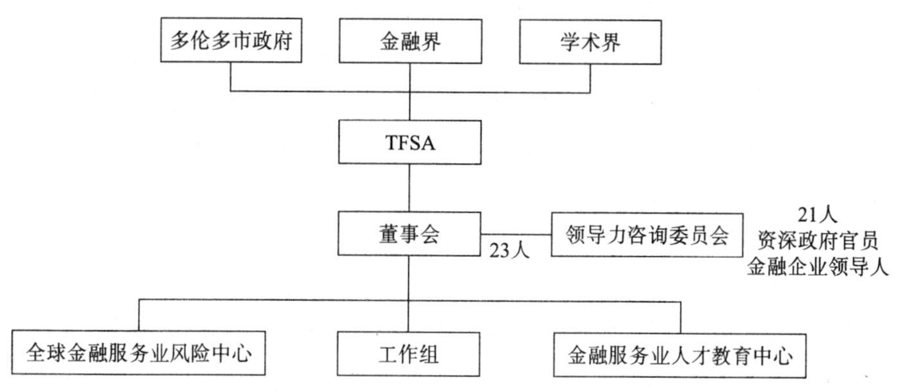

图 26－19 TFSA 的组织机构

六、会员制度

多伦多金融服务联盟采取会员制的形式推广多伦多的资本市场。通过邀请企业成为其会员，为企业在多伦多投资发展提供帮助，同时也向更多企业宣传多伦多的资本市场。加入多伦多金融服务联盟的企业可以享受到的服务有：

第一，融入全球商业社区的关系网：参加国际商业企划、人才引进等活动；在联盟及其伙伴的帮助下吸引新的投资者。

第二，与当地的工商业领军人物开展交流：参加为会员举行的会议；获得金融服务联盟的季度报告。

第三，与政府展开对话：对政府重要的政策提供意见；享受多伦多金融服务联盟和政府间紧密联系的服务。

第四，融入多伦多金融服务联盟：参加多伦多金融服务联盟内部会议；影响多伦多金融服务联盟的议程和工作重心；成为多伦多金融服务联盟的对外金融宣传大使。

七、成果介绍

TFSA 在成立之后取得了丰硕的成果，有力地促进了加拿大资本市场的国际化，吸引了大量人才，推动了加拿大金融业的发展。

（一）成果

第一，为了维持加拿大在全球享有盛誉的金融业的稳定性，TFSA 于 2011 年设立了全球金融服务业风险中心（Global Risk Institute in Financial Services）。该风险中心是由金融界、政府、学术界、专业机构共同运行的合作组织。中心成立的背景是政府领导人和主要金融公司一致同意要维护加拿大成功的、稳定的金融产业。风险中心的宗旨为通过研究运用综合性的风险控制、促进风险教育、帮助从业人员和管理人员的专业发展、协调金融服务行业和政府的关系等来不断提升加拿大的金融服务业水平。风险中心目前有 19 名来自政府和金融界的会员，包括有加拿大政府、安大略省政府、加拿大教师退休基金、加拿大国家银行等。每个会员在中心事务决策中都享有同等权力的投票权。风险中心的领导层从这 19 位成员中推选出的 13 个人组成，其中两人来自加拿大政府、两人来自安大略省政府、两位来自两个发起组织的成员、剩余 7 个为其他独立成员的代表。

第二，为了将加拿大地区的人才优势转化为资本优势，TFSA 建立了金融服务业人才教育中心（Centre of Excellence in Financial Services Education）。人才教育中心的宗旨是强化多伦多的金融人才输送体系，以应对来自需要人才的公司、寻找工作的学生、金融教育者各方面的需求，从而吸引更多优秀的人才来到多伦多地区。人才教育中心和来自各个行业的部门机构合作，从事大量重要的研究和组织工作。

第三，TFSA 与经济发展伙伴之间的合作与协调，被认为是政府民间合作组织的一种成功的运作模式。例如，世界经济论坛（World Economic Forum，WEF）就对 TFSA 吸引与培育人才的方式赞赏有加。

第四，TFSA 与多伦多政府合作，建立了多个企业与政府间的合作项目，取得了广泛的良好影响。多伦多政府已经计划将该模式的成功经验向整个安大略省的其他发展组织推广。

（二）影响

TFSA 对多伦多的金融业发展起到了十分积极的作用。自 TFSA 2001 年成立后，多伦多资本市场发展迅速，股票指数、股票市场规模和上市企业数目都呈现良好的态势（见图 26－20、图 26－21、图 26－22）。股票市场规模 1992 年为 0.24 万亿元，2000 年为 0.7 万亿元，到 2012 年，已达到 2 万亿元左右的规模；在加拿大上市的企业数目，1992 年为 1 119 家，2001 为 1 299 家，2012 年达到 3 876 家。业界对于 TFSA 的作用也广泛地表示肯定的态度，希望大力支持进一步发展 TFSA 3.0 计划以深化多伦多的全球金融战略。

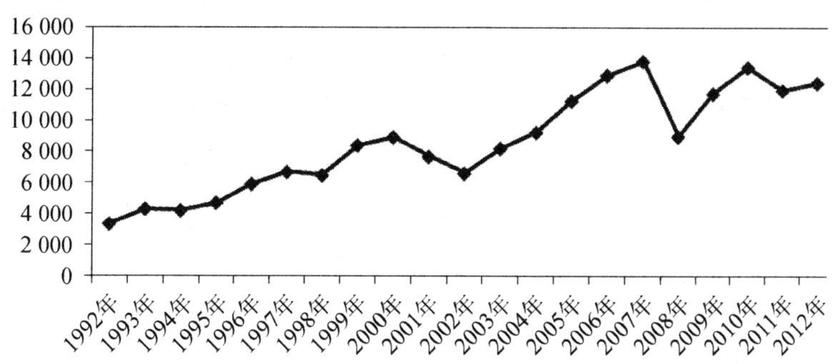

图 26－20 1992～2012 年加拿大股票指数情况

资料来源：Bank of Canada。

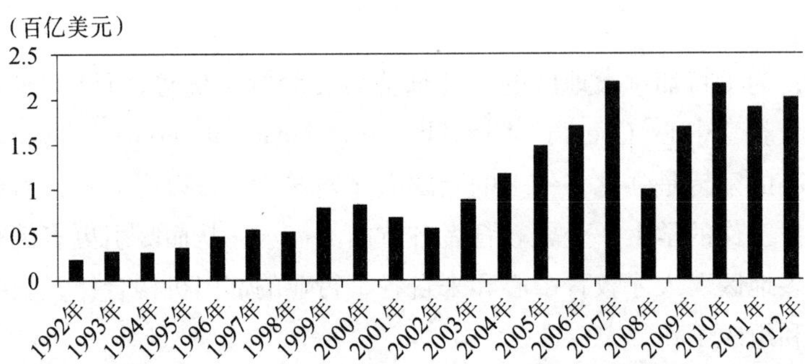

图 26－21 1992～2012 年加拿大股票市场规模

资料来源：世界银行网。

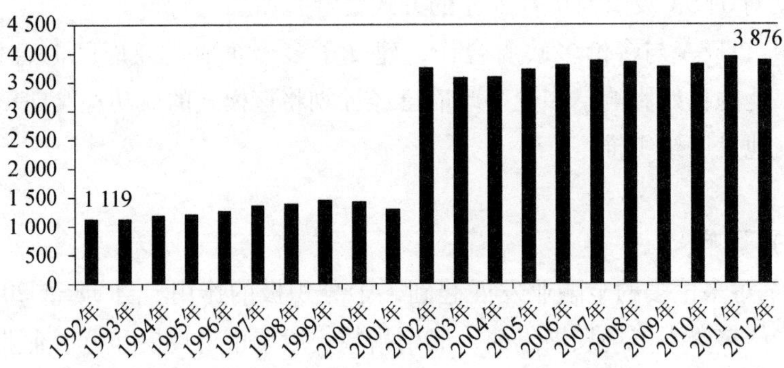

图 26－22 1992～2012 年加拿大上市企业数目

资料来源：世界银行网。

在 TFSA2.0 计划的推动下，多伦多成为全球享誉盛名的金融中心的计划不断向前推进。根据 Z/Yen 公司发布的全球金融中心指数（GFCI），多伦多从 2011 年首次成为排名前 10 的全球金融中心（见表 26－2）。在《银行家》杂志对全球金融中心的排名中，多伦多从 2010 年起从上一年度的第 10 名上升至第 7 名（见表 26－3）。普华永道在《机遇都市》（Cities of Opportunity）报告中指出，多伦多仅次于纽约，是世界排名第 2 的金融、商业、文化中心。

表 26－2　　全球金融中心指数（GFCI）排名

排名	2009 年 9 月	2010 年 9 月	2011 年 3 月	2011 年 9 月	2012 年 3 月
1	伦敦	伦敦	伦敦	伦敦	伦敦
2	纽约	纽约	纽约	纽约	纽约
3	中国香港	中国香港	中国香港	中国香港	中国香港
4	新加坡	新加坡	新加坡	新加坡	新加坡

续表

排名	2009年9月	2010年9月	2011年3月	2011年9月	2012年3月
5	深圳	东京	东京	上海	东京
6	苏黎世	上海	上海	东京	苏黎世
7	东京	芝加哥	芝加哥	芝加哥	芝加哥
8	芝加哥	苏黎世	苏黎世	苏黎世	上海
9	日内瓦	日内瓦	日内瓦	旧金山	首尔
10	上海	悉尼	多伦多	多伦多	多伦多
11	悉尼	法兰克福	悉尼	首尔	波士顿
12	法兰克福	多伦多	波士顿	波士顿	旧金山
13	多伦多	波士顿	旧金山	日内瓦	法兰克福
14	泽西岛	深圳	法兰克福	华盛顿	日内瓦
15	根西岛	旧金山	深圳	悉尼	华盛顿

资料来源：Z/Yen Group。

表26-3　《银行家》杂志对国际金融中心的排名

排名	2009年	2010年	2011年	2012年
1	伦敦	纽约	纽约	纽约
2	纽约	伦敦	伦敦	伦敦
3	法兰克福	新加坡	新加坡	新加坡
4	新加坡	巴黎	法兰克福	法兰克福
5	巴黎	卢森堡	中国香港	中国香港
6	悉尼	中国香港	巴黎	迪拜
7	苏黎世	多伦多	多伦多	多伦多
8	迪拜	悉尼	迪拜	悉尼
9	东京	苏黎世	苏黎世	阿姆斯特丹
10	多伦多	阿姆斯特丹	卢森堡	巴黎
11	卢森堡	迪拜	悉尼	苏黎世
12	阿姆斯特丹	法兰克福	东京	卢森堡
13	都柏林	东京	阿姆斯特丹	都柏林
14	波士顿	旧金山	都柏林	东京
15	墨尔本	波士顿	哥本哈根	芝加哥

资料来源：《银行家》。

第四节 法国：巴黎欧洲金融市场协会

一、总体背景

（一）法国金融自由化和资本市场的发展

20世纪90年代，法国经济金融自由化浪潮不断涌现，金融领域创新活动频繁，特别是随着欧洲金融一体化计划的提出，法国巴黎与英国伦敦、德国法兰克福在争夺欧洲金融中心地位方面展开了激烈的角逐。

法国金融自由化源于巴尔计划的启动，它涉及一系列新市场的建立和现存市场的发展：1983年建立了面向中小企业挂牌交易的二板市场；1986年设立了法国国际期货市场，从最初上市的虚拟债券期货合约随后扩展到利率期货、期权和约、CAC40指数期货和约和众多商品期货和约，成为伦敦国际金融期货交易所的强劲竞争对手；1988年法国开设了巴黎期权市场，进行股票和指数期权交易，现已发展为欧洲最主要的股票期权市场之一；1985年在货币市场中新增了大额定期存单和其他市场化证券品种；1988～1992年，取缔了证券经纪人对股票的经纪垄断。此外，政府在债券市场上推行了一系列新的更易于交易的品种、新的发行手段（荷兰式招标）和主交易商制度。金融自由化还包括鼓励增加储蓄和投资长期金融资产，特别是1978年的货币法有利于投资者持有法国股票，带来了开放式基金的快速增长。与此同时，1981年对大额定期存款设定利率上限的举措进一步促使了开放式基金（货币市场基金）的迅速增长。

在这一系列金融自由化政策和措施推动下，法国金融市场在20世纪80年代以后取得了迅速的发展（见图26－23），除巴黎交易所外，法国在波尔多、里昂、马赛、南锡及南特还有6家证券交易所。其中，巴黎交易所最大，从资本总值上讲仅次于伦敦交易所，上市的证券占7家交易所总数的89%以上。在资产管理以及债券衍生品市场方面，到20世纪80年代中期，巴黎已成为仅次于伦敦的欧洲第二大资产管理以及债券市场和衍生品中心。

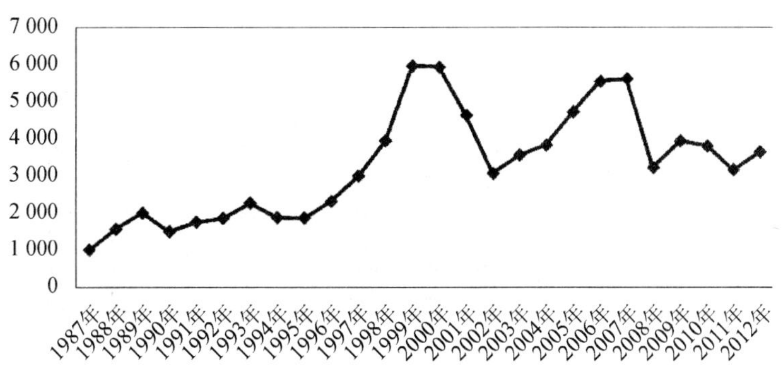

图 26－23 CAC40 法国市场股票指数

资料来源：世界银行网。

（二）巴黎的竞争优势

巴黎拥有高度发达的银行业、保险业和证券市场，是欧洲乃至世界最为重要的金融中心之一。巴黎之所以能够成为举世闻名的金融中心，主要有以下几方面原因：首先，良好的流动性和透明度。其次，有效而灵活的金融监管。巴黎的金融业监管在全球排名第 8，金融危机的发生使法国意识到混业经营与分业监管是银行业陷入困境的重要原因之一，于是法国将经济、财政与就业部门的 4 家监管机构合并为一家，隶属法国中央银行。再次，丰厚的金融文化底蕴。以法国的保险文化为例，法国保险业文化十分独特，其形成受国家立法的影响很深。第四，基础设施名列前茅。这是巴黎金融中心得以存续和发展的重要基础。第五，大力发展教育，提倡培养具有创新精神的全方位金融人才。最后，巴黎金融中心在形成与发展过程中，政府的引导和帮助起着很大的作用。

二、巴黎欧洲金融市场协会的成立背景

巴黎欧洲金融市场协会创设于 1993 年，是在欧洲金融市场一体化计划如火如荼、经济金融自由化以及政府大力支持的背景下成立的。1993 年，整个西欧经济整体低迷，法国经济也出现明显下滑，实际国内生产总值平均增长率为负的 0.7%，但与西欧大部分国家相比，法国的经济形势还不算那么糟糕（见图 26－24）。但在企业投资方面，1990～1993 年，法国的企业投资已下降 30%，企业存货大量清仓。

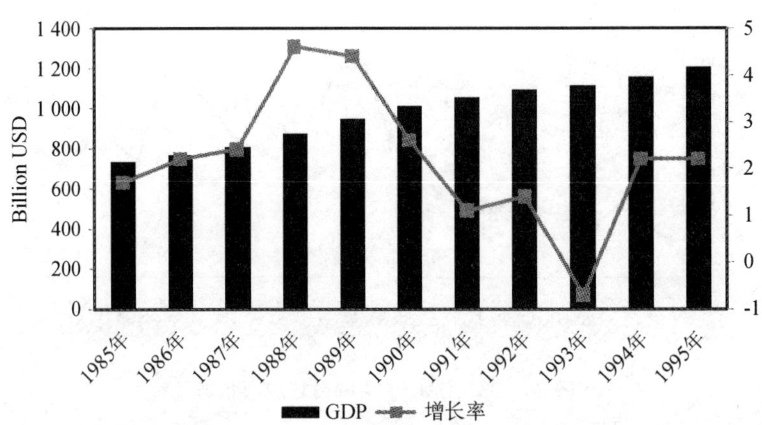

图 26-24 1985~1995 年法国 GDP 情况

资料来源：世界银行网。

在消费方面，1993 年，法国的消费市场十分疲软。由于法国民众的消费结构及习惯在变化，对一般消费品的需求趋向于物美价廉，因此在消费方面的支出没有明显增加。但由于法国连续两年的经济衰退，房地产价格下滑20%~30%。政府接连推出税收措施着力压缩个人资本朝向金融投资，提出给房地产投资予以优惠，旨在提升消费市场信心。

法国是全球贸易大国之一，对外贸易在其国民经济中占有重要地位。在出口方面，1993 年，法国出口占其 GDP 比重达到 25.81%，德国、西班牙、英国、意大利等西欧国家为其主要出口对象，尽管 1993 年西欧国家经济整体不景气，但 1993 年法国出口绝对数额较 1992 年仍有所上升（见图 26-25）。因此，从整体上看，法国经济的国际化水平较高，对国际贸易有相当高的依赖程度。

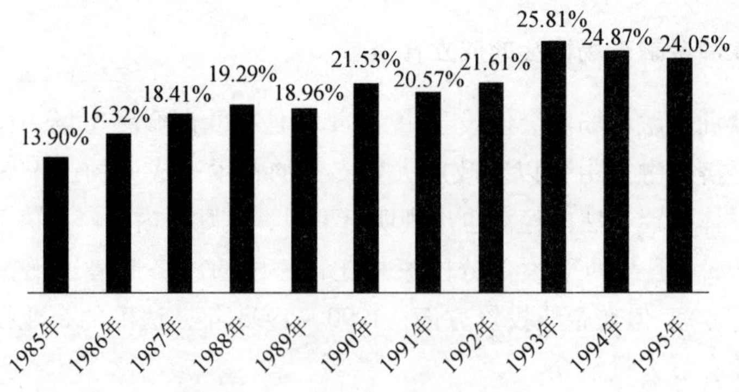

图 26-25 出口占法国 GDP 的比重

资料来源：世界银行网。

在就业方面，法国1993年的就业状况进一步恶化，失业人数达到330余万人，失业率达到10.1%，失业人数不断上升，呈现出一种压不住、稳不住的趋势（见图26－26）。

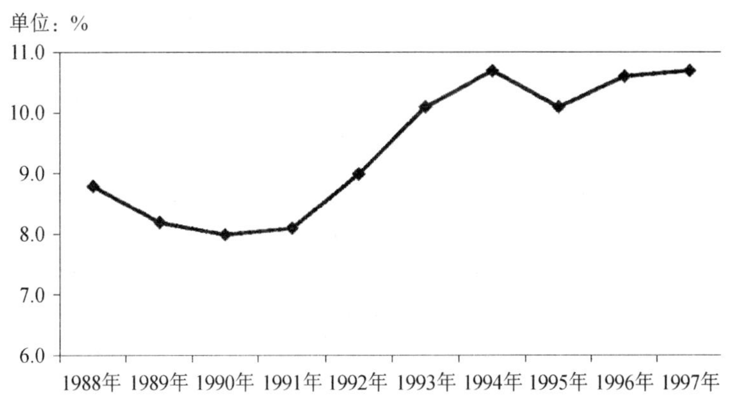

图26－26 法国的失业率

资料来源：世界银行网。

但与其他欧联体国家一样，法国受到《马斯特里赫特条约》规定，也就是欧盟框架下对于国家经济指标的制约，不可能实行单方面的刺激经济政策，政府决策只能通过调整来寻求平衡的发展，发展金融业以促进整体经济发展成为法国最合适的选择。相对于当时法国实体经济的国际化程度，其金融的国际化水平仍较低，因此，在欧洲一体化的背景下，巴黎欧洲金融市场协会应运而生。

三、发展历程

自1993年成立以来，巴黎欧洲金融市场协会逐渐演变发展，对提升巴黎欧洲金融市场在地区、欧洲乃至国际层面的影响力发挥了重要作用。其发展历程中的主要事件为：

（1）1993～1995年：发布第一份报告，明确了巴黎作为金融中心的优势和劣势。在欧洲金融一体化的过程中，该协会协助建立了两个机构：银行自由架构服务部（LPS）和欧洲的投资服务部（DHS），指导法国金融企业在欧洲金融市场上的活动。

（2）1996年：协助政府制定“现代金融活动法案（MAF）”，管理金融企业及其子公司在法国和欧洲的活动。由时任巴黎欧洲金融市场协会主席热拉尔·马帝尼耶主持该项工作，这为监管组织对在法国的金融活动管理奠定了基础。

（3）1996~1998年：协会选定三个优先目的地巴黎、东京、纽约，加快巴黎作为欧洲金融中心的国际推广。

（4）1999~2000年：欧元区成立。巴黎欧洲金融市场协会和麦肯锡事务所一同发起了在欧元背景下市场各方面（发行人、投资者、中介机构、市场监管机构）如何应对的重大研究计划，其中主要成就有：促进了当局合并法国交易所委员会（COB）和法国金融市场委员会（CMF）而建立法国金融市场管理局（AMF）；帮助计划在股市，特别是在债券市场上融资的公司重新设计公开发行方案；帮助部分公司在新政策下获得一些减税政策。

（5）2003年：创立EUROPLACE金融研究所（EIF），致力于研究金融、市场、公用事业的基础研究。现有超过100个研究实验室和50个赞助企业。

（6）2003~2006年：法国金融市场增长强劲，市场日益活跃，市场国际化程度加深。巴黎金融市场协会伴随这一趋势，通过与法国政府的密切合作，加快了巴黎作为国际金融中心的竞争力和吸引力的国际推广。

（7）2006年：为增进法国金融业的竞争力，围绕以下五个主题广泛开展金融创新：中小企业的创新融资；深入开展金融创新研究；金融教育，培育金融人才；建立财务报告平台；社会和金融市场环境的创新。

（8）2006~2007年：出版数份研究报告，调查研究了有关兼并巴黎证券交易所、伦敦证券交易所、法兰克福和纽约证券交易所的可能性和各种选择。

（9）2007年：建立路易·巴舍利耶（ILB）研究所。研究所汇集了全球最好的经济学和数学的研究学者，并在2012年创立LABEX（卓越研究室）研究“金融与可持续发展。”

（10）2007~2010年：为应对次贷金融危机，巴黎欧洲金融市场协会协助法国政府推出了旨在刺激巴黎金融市场增长的12个项目。巴黎欧洲金融市场协会组织超过400名的专业人员，为这个计划做出了卓越贡献。在巴黎欧洲金融市场协会的协助下，陆续推出了经济现代化法案（2008年）、银行和金融监管法（2009年）等一些市场监管法规的改进。

（11）2010~2013年：巴黎欧洲金融市场协会积极参与到G20的工作中，

帮助建立更有弹性的全球监管框架，严谨的银行业监管标准，会计标准等。此外，协会还启动了对于新兴全球金融环境的研究。

四、宗旨和业务

协会的宗旨在于联合市场参与各方力量，发展巴黎金融市场并使其进一步走向现代化，并将自身主要优势提高到地区、欧洲乃至国际层面，宣传和辐射巴黎金融市场在欧洲乃至国际上的影响力。巴黎欧洲金融市场协会致力于通过管理智囊团提出的旨在提升巴黎金融市场吸引力的改革建议，协助欧洲工作组的工作，推动产生一个金融集群，使巴黎金融市场发展成为成熟的金融中心，进而巩固巴黎在资产管理和金融研究领域的领导地位。该协会的主要业务包括：国际推广、游说（法国和欧洲）、金融创新研究与金融教育。

五、组织架构和经费来源

巴黎欧洲金融市场协会是由法国信贷机构和投资公司协会（AFECEI）、法兰西银行、巴黎公会、法兰西岛区域市政局、巴黎泛欧交易所（原巴黎证券交易所）、欧洲银行票据交换所（原 Sicovam）、巴黎市共同发起设立的非政府、非营利性机构，也是法国最大的金融市场组织。巴黎欧洲金融市场协会由董事会领导工作，督导委员会负责组织日常事宜，包括维持协会日常运营活动、引导金融创新和科研创新工作。督导委员会还负责监督两个独立部门：企业部和机构投资者部。协会另设五个专门工作组，负责专项项目研究和推进（见图 26－27）。其中企业部的主要工作是：定期发布 FINECO 报告，调查研究法国企业的融资状况，总结法国总体经济情况，为资本市场提供研究和数据参考；服务企业债券市场，协助公共债券市场发展，促进中小企业融资；为组约泛欧证券交易所提供项目监测服务；研究新型融资方式等。此外，企业部还发起成立了法国企业融资协会（CFA），帮助促进企业融资。机构投资者部的主要工作包括帮助机构投资者游说接触政府、提出政策改革建议等。目前，协会的经费主要来自于会员会费、商业赞助及政府的支持，年运营预算达到 1 000 万欧元。

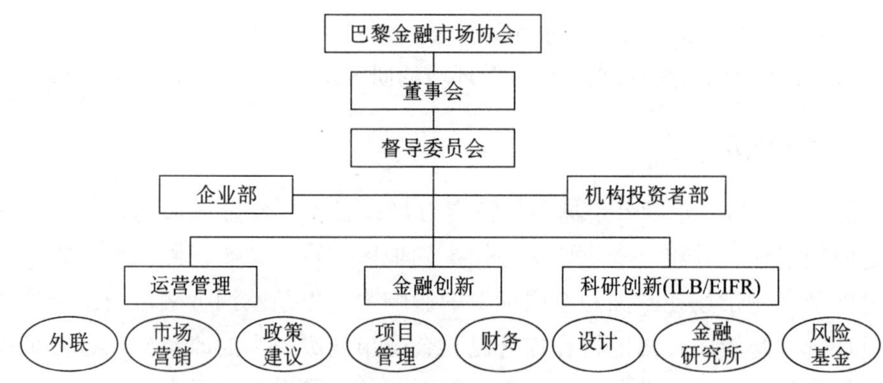

图 26－27　巴黎欧洲金融市场协会组织架构图

六、会员制度

巴黎欧洲金融市场协会采取机构会员制度，现有 265 家成员机构，汇聚了金融行业的各种参与主体，包括上市公司（中小型企业为主）、金融中介、资产管理公司、律师和会计师事务所及咨询公司。

七、成果介绍

自 1993 年成立以来，巴黎欧洲金融市场协会的活动已经遍布了全球 30 多个国家和地区，在世界各地举办了超过 100 场的路演，先后发布了超过 200 份的研究报告，在全球范围内造成了广泛的影响，有效提升了法国在国际金融资本市场上的地位。在国际推广方面，协会与其他多个金融中心签订了合作协议（备忘录）。协会每年会不定期组织国际性金融论坛，一方面为其会员企业推广金融产品和服务提供机会，另一方面旨在加强国际金融中心之间合作，论坛常设地点为巴黎、东京、纽约，与会者规模达到 600～1 500 人。在政府游说方面，协会则凭借着与法国和欧盟高层之间的紧密联系，加强监管者与市场参与主体之间的对话，为其会员提供影响重要政策制定的机会。在金融创新研究与金融教育方面，协会主要通过 EUROPLACE 金融研究所（EIF）、路易·巴舍利耶研究所（ILB）与高校紧密合作，组织会议与研讨会，开展科研创新与教育活动，以增强法国金融业的竞争力。

第五节 中国香港：金融发展局

一、背景介绍

（一）经济背景

自20世纪90年代以来，中国香港经济发展较为平稳，23年间经济平均增长率为3.8%，期间经历了1997/1998年、2001年和2008年三次衰退（见图26－28）。2008年全球金融危机之后，中国香港经济有所下滑，服务业实际增加值增长率由6.9%降至2.5%，制造业实际增加值出现负增长（同比下降6.7%），失业率迅速上升，2009年上半年达到5.4%[①]。随后，中国香港经济逐步复苏，到2010年经济增长恢复到金融危机爆发前的水平。2010年后，受欧债危机和全球经济疲软的影响，中国香港经济增长速度放缓，2012年本地生产总值为2万亿港元，增长率为1.5%。在对外贸易方面，中国香港商品和服务贸易的变动情况与经济整体的变动相同，在2010年后增长率明显下降（见图26－29）。

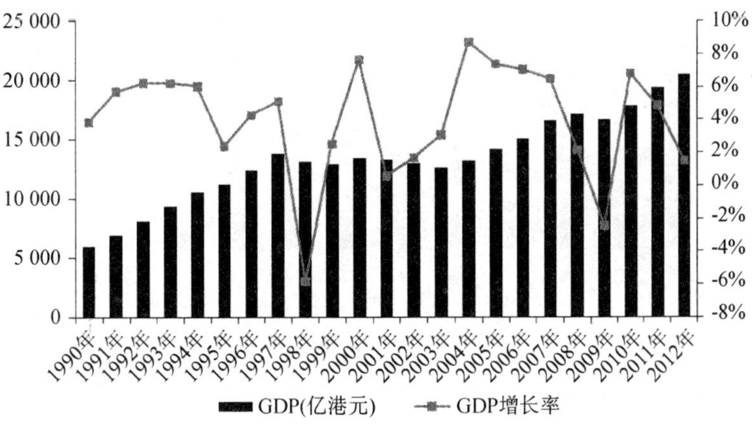

图26－28 1990～2012年中国香港本地生产总值（GDP）及其增长率

资料来源：世界银行网。

① 资据来源：香港政府统计处 http：//www.censtatd.gov.hk/。

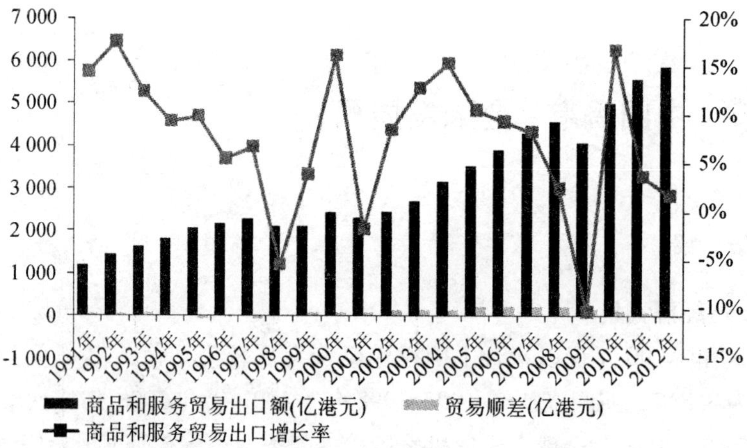

图 26-29 1991~2012 年中国香港对外贸易情况

资料来源：世界银行网。

从经济结构来看，1841~1950 年中国香港经济以转口贸易为主，1950~1980 年以制造业为主，1980 年后以服务业为主①，服务业在中国香港经济中的比重自 2004 年起便超过 90%。其中，金融服务业是中国香港四大支柱产业之一，近 6 年来占本地生产总值比重保持在 16% 以上（见图 26-30）。

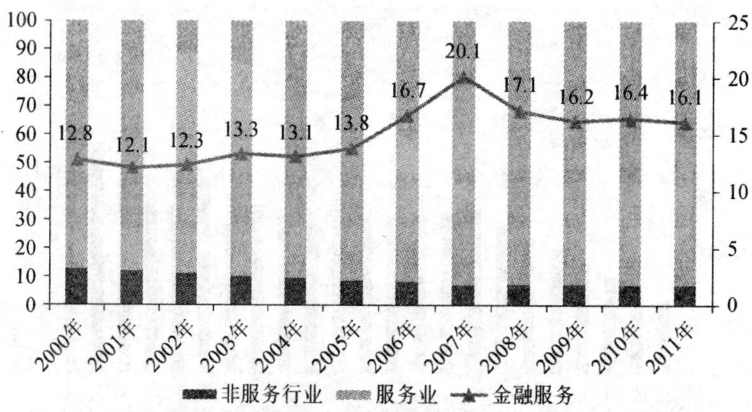

图 26-30 2000~2011 年中国香港主要产业占本地生产总值的百分比

资料来源：中国香港政府统计处。

当前，在欧债危机及全球性金融风暴尚未平息、世界经济复苏乏力的背景

① 香港经济概况．新华网．2007 年 6 月 13 日。http：//www.xinhuanet.com/。

下，中国香港经济的发展面临着很多挑战。然而危中有机，中国香港政府希望在世界金融业大洗牌之际大力发展金融服务业，提升和巩固中国香港作为国际金融中心的地位，促进中国香港经济增长。

（二）金融发展不平衡、创新不足

中国香港的金融发展不平衡，其资本市场以股票市场为主，债券市场规模较小。2011 年债券市场融资额为 1 620 亿港元，是股票市场融资额的 1/3①。中国香港的商品期货、信托和再保险业务发展缓慢。此外，一些金融市场中创新型的交易工具，如指数期货、期权交易等在中国香港还远远没有得到普及。从金融机构来看，与高度发达的银行体系相比，中国香港的非银行金融机构发展相对滞后②，只有保险公司、投资基金公司、租赁公司等少数几种金融机构。中国香港需要一个综合性机构进行金融发展政策、业务创新的研究，致力开拓多元化的金融业务，推动金融市场均衡发展，提升中国香港的金融影响力。

（三）内地发展机遇

中国资本市场的逐步开放和人民币国际化进程的加快，为香港金融业发展带来了前所未有的契机。2011 年国内实行 RQFII 试点，2013 年 3 月进一步扩大 RQFII 投资主体和投资范围。2012 年国内出台新境外上市管理办法，取消“四五六条款”，放宽企业境外上市条件。此外，“十二五”规划纲要明确提出支持香港发展成为离岸人民币业务中心和国际资产管理中心。这些政策为进一步促进两地的金融合作融合和香港的发展提供了战略指引。目前，香港已发展为内地企业的境外首要融资中心，全球最大的离岸人民币业务中心③。在此背景下，香港政府希望抓住内地发展的机遇，加强与内地沟通合作，配合国家金融市场逐步走向国际，进一步发展香港金融业。

（四）金融人才紧缺

人才向来是香港金融业赖以成功的要素，培育和吸纳人才是香港继续保持

---

① 金融发展局筹备小组成立金融发展局报告.2012 年 12 月。

② 冯邦彦. 香港作为全球性金融中心的比较优势与差距. 南方金融.2011（5）。

③ 张颖. 香港与内地金融合作的机遇和挑战. 资本市场.2012（1）。

国际中心地位的关键。但近年来，香港金融业面临人才短缺的危机，缺乏具有相关技能、最新知识和国际视野的金融服务从业人员。并且不少机构反映香港毕业生英语不够好、思维不够开阔、不愿承担风险等①。因此，香港需要成立综合性机构，与各大专院校、行业团体及业界合作，提升金融从业人员和毕业生的素质、专业精神和竞争力。

二、中国香港金发局的成立背景

现任中国香港特首梁振英竞选时，就提出了为香港建立一个金融发展局（简称金发局）的建议，来促进金融服务业的长远发展。有人曾对这项提议提出过质疑，担心成立该组织是否会与现有机构存在重复性，是否会成为香港的主权基金。中国香港政府请在业界具有相当影响力的中国证监会前任副主席史美伦女士来担当金发局的领导者，希望借助她在业内的资源和大陆的联系为香港金融发展开辟道路。史美伦主席表示香港政府要其领导的金发局的职责是明确的，计划发展为类似于咨询机构或智库，并没有设计主权基金的规划。

对于金发局作为市场参与者能做些什么，由史美伦主席领导的 5 人小组花了长达半年的时间做了较为全面的市场调查，对于成立金发局的必要性和具体职能做了研究论述。中国香港目前有电影发展局、艺术发展局、港口发展局、后勤发展局，还有所有发展局中最为成功的贸易发展局，但没有与金融市场相关的金融发展局。一直以来，中国香港金融市场长期缺乏金融服务业发展和系统性推广的组织部门。金融发展局要解决的问题就是将现有分散的推广和发展模式聚合起来，借鉴伦敦 TheCityUK 和纽约等国家地区类似机构的做法，增添国内外合作与沟通的渠道，提升香港国际金融中心的竞争力。2013 年 1 月 17 日，筹备半年多的中国香港金发局正式宣布成立。

三、宗旨和业务

金发局设定的宗旨和业务范围包括下列五项：

（1）进行政策和业界调研，制定建议供政府和监管机构参考。

（2）与监管机构和行业团体共同探讨金融服务业持续多元发展的机遇和掣肘。

---

① 史美伦 . Why Hong Kong Needs a Financial Services Development Council. Hong Kong Democratic Foundation（香港民主促进会特邀演讲），4 July，2013.

（3）与内地和海外相关机构保持沟通，支持中国香港金融服务业开拓新市场和新业务。

（4）与教育培训机构、行业团体和业界合作，提升从业人员的技巧和专业知识。

（5）通过举办研讨会、路演、印发刊物以及积极参与国际活动，在内地和海外推广香港的金融服务业和国际金融中心功能。

四、运作模式

对于金发局的运作模式，金发局主席曾表示金发局是定位在中国香港财经事务及库务局辖下的咨询机构，属于非政府机构，没有行政功能或监管权力。金发局早期的人力资源和经费也主要由财经事务及库务局调拨，并从其他金融监管机构借调人手。

金发局的成立报告中提出，金发局的组织架构在研究中国香港和海外经验后拟采用担保有限公司的形式。担保有限公司是指按照把责任限制在成员正常营业时，以及当公司被清算时各自所承诺负责的数目这一原则而成立，并且在公司的组织大纲中表示担保有限公司身份的国际公司。一般来说，担保有限公司成立目的在于促进教育、宗教、救助贫困等公共事业。担保有限公司的形式常见于无意向成员分发利润的非营利机构，近期中国香港成立的金融纠纷调解中心即采用这种形式。

金发局认为采用这种公司形式的好处可以概括为以下几点（见于金发局成立报告）：

（1）金发局能具有独立身份，形象较为清晰。这样有利于与业界的沟通，也可以提高其作为政策研究者和倡导者的公信力。同时，可以以独立个体的身份配合香港政府的工作，在外推广香港的金融服务，游说其他市场的有关当局。

（2）金发局必须遵守中国香港公司法的各种法定要求，这样有助于推进良好的管治，提高运作透明度。

（3）以财政独立的公司形式运作，在业务规划和资源管理方面有更大的灵活度，可以量才聘用具有相关市场经验的人士。

（4）有更大的自主空间考虑其他经费来源或资助模式，长远而言做到自给自足。

五、组织架构

金发局将由其董事会（Director Board）负责担保有限公司的管治。董事局将广纳业内不同领域的人才，组成人数也将充分考虑职能履行时的成效和效率。金发局的架构计划力求精简，人员编制尽量用于处理事务工作，例如研究、制定政策建议、与业界沟通、发展人力资本、宣传推广、游说工作等。金发局成立初期由于中国香港的政治环境，没有充足的资金，其工作人员主要各个政府部门借调，例如中国香港金融管理局，中国香港证券及期货事务监察委员会，中国香港贸易发展局和金融服务局。

由于自身资源和制度的限制，金发局目前较为依赖于委员会委员们的贡献。目前金发局共有22名来自本地公司和外企的银行、保险、资产管理、对冲基金、私募等各类市场机构的委员，具有很高的市场代表性。金发局利用例如摩根大通或者摩根斯坦利等公司的员工和资源帮忙其完成需要的市场调查和研究报告。现有的22名委员名单见表26－4。

表26－4 香港金发局名单

职务	姓名	身份
主席	史美伦	前中国证监会副主席，中国香港行政会议成员及汇丰香港公司非执行董事
当然委员	陈加强	财经事务及库务局局长
非官方委员	Douglas W. Arner	中国香港大学法学院主任
	陈爽	光大控股执行总裁
	冯愉敏	摩根大通亚太区私人银行主席
	洪丕正	渣打香港行政总裁
	关白忠	前汇丰金融服务（亚洲）行政总裁
	林天福	香港贸发局总裁
	李细燕	中国香港证券学会会长
	李君豪	港交所非执行董事
	李律仁	前中国证监会企业融资部总监
	刘廷安	中国人寿保险（海外）副董事长兼总裁
	马凯博	贝莱德亚太区主席
	文礼信	花旗亚太区高级顾问
	倪以理	麦肯锡香港区总经理

续表

职务	姓名	身份
非官方委员	秦晓	前招商局集团主席
	威廉思众	摩根斯坦利亚太董事总经理
	谢涌海	中银国际副执行总裁
	黄钢城	前星展银行行政总裁
	叶招桂芳	罗兵咸永道（pwc）亚太区资产管理组税务主管
	朱云来	中金总裁
	Mark G Shipman	高伟绅律师事务所合伙人

金发局董事局计划于适当的时候设立专职小组委员会、委任顾问、增选成员，以进一步扩大外界参与和吸引更多专业知识和资源。其中，专职小组委员会具体负责某项特定职能或监察公司管治等专项工作。目前已设立了五个专项委员会：

（一）政策研究发展委员会

政策研究发展委员会是目前金发局最重要的委员会。该委员会下设各个小组，与学术研究机构一起努力为香港成为国际金融中心做好研究规划。从性质上来讲，这是一个长期学术研究型机构。该委员会将把香港与其他国际金融中心做各方面的详细比较研究，提出切实的政策建议，考虑到该项目的复杂性，可能需要5年时间才能完成。与此同时，委员会还开展了一项短期的市场普查活动，计划用几个月的时间形成一个市场报告，将市场人士关心的议题，阻碍市场发展的原因和目前香港面临的最大问题归纳总结。金发局日后的工作将以这个报告为基础加以开展。该委员会的第三个任务是协助监管改进。很多市场人士认为，目前的监管框架规则过于严格、老旧、不合理，竞争力不强，需要实际具体的建议和解决方案来为政府提供相应的政策建议。所以，委员会成立专门的小组研究该领域。市场比较关心的政策多与税务、证券及期货条例相关。委员会将充分考虑市场要求，提出相应的政策建议。

（二）大陆机会委员会

目前，在香港金融市场，内地企业在香港交易所所占的市值超过50%，日成交量超过65%。从各个方面来说，内地企业成为目前香港资本市场的主体力量，过去20年，是内地国有企业红筹股助香港成为国际金融中心。然而，早期的香港仅仅依靠本地公司，市场单一。1991年时，超过50%市值来自房地产开发公司，只有少量在制造业。因此，国际机构对香港兴趣并不高。1993年内地企业在香港上市后，国际上才看见了香港的潜力，因此内地企业在过去20年的香港市场上发挥了重要作用。但现在，内地的国有企业到香港的上市资源基本枯竭。未来几年，新上市的公司将以小型、私营企业为主，IPO将不会创造过去香港股市辉煌的经历。然而，人民币国际化为香港带来了良好的机遇，香港绝佳地理位置带来的优势也将进一步扩大，香港不仅能帮助大陆，也能为自身金融市场深度发展创造条件。香港要借助人民币国际化的趋势，大力发展人民币业务和产品，努力发展成为最重要最领先的离岸人民币业务中心。尽管今后将会有更多的离岸人民币中心发展起来，但香港有先发优势。金管局已在人民币国际化方面做了很多工作，但从市场的角度来看，仍有很多可待开发的产品。大陆机会委员会还将针对深圳前海带来的机遇和挑战展开调查研究，为香港争取更多的发展机会。

（三）创新业务委员会

金发局成立前的市场调查显示，业界对中国香港开拓新金融业务都抱有很大的期望。以航运金融为例，香港以前有航运金融市场，但过去二三十年，该项业务逐渐转移到伦敦和新加坡，未来，这项业务在香港能否开展、如何开展、如何能使这项业务有竞争力，这都是委员会将要研究的问题。创新业务委员会将根据市场需要，根据香港的实际情况和能力，积极开拓金融新产品，推动金融的发展。

（四）市场推广委员会

香港包括各行业都有专司推广宣传的部门机构。对于香港金融业的宣传推广活动一直以来都由中国香港政府的各个部门分散承担着，例如，中国香港金融秘书处每年都有例行的国际访问推广活动，中国香港金融局也做了很多路演。然而，香港金融市场长期以来缺乏一个系统性推广和发展金融服务业的部门。金发局要解决的问题就是将现有分散的推广和发展模式聚合起来，提升香港国际金融中心的竞争力，市场推广委员会将承担起这部分职责，扮演好总体协调员的角色，选取需要对外推广的领域，学习国际先进经验，弥补这方面的空白。市场推广委员会目前缺乏相应的资源和人力，独立开展对外访问、路演、宣传工作也将和目前其他机构所进行的类似活动有所重叠。因此，市场推广委员会目前的工作方式还是以总体规划为主，派遣个别人员参加香港其他政府机构开展的金融资本市场推广活动。

（五）人力资源委员会

人才向来是香港金融业赖以成功的重要因素，培育和吸纳人才是香港继续保持国际中心地位的关键。香港有接纳包容外来专业人士的传统。近年来对于大陆人才的吸引也为香港的发展带来了活力。随着外来人口的增加，香港本地人感受到更强的竞争压力，保守主义和保护主义在近年来有所抬头。然而，作为一个自由国际港口城市，保护主义不利于香港的长远发展。因此，如何提高香港当地人在金融行业的竞争力也是金发局要考虑的问题。近年来，不少机构反映香港毕业生英语不够好、思维不够开阔、不愿承担风险等。因此，金发局准备成立人力资源委员会，与各大专院校、行业团体及业界合作（如改善课程），以提升从业人员职业技术和竞争力。

六、经费来源

金发局的长远计划是以自给自足的模式运作，将参考英国类似机构（TheCityUK）经费来自会费和政府补助的方式。由私营界承担部分经费，有助于促进市场参与者对金发局工作的认同，也有助于金发局构思和倡议有利于金融业发展的举措。除收取会费外，金发局也将考虑开拓捐款和赞助等其他收入来源，用以举办宣传推广活动或研究工作。

金发局对于来自公、私界别的经费分担的比例制定还在规划当中。金发局成立初期，首要工作是逐步建立市场对该局的信息。因此，金发局成立报告中建议金发局初期运作主要由公营界别支持。在此期间，该局将制定长远自给自足的经费模式，并制订明确目标，逐步削减公营界别的经费承担。

七、问责和透明制度

金发局以担保有限公司形式成立，须遵守香港公司法的相关要求，包括推行良好的公司管治，例如适时把成员、董事、公司秘书和注册办事处的资料、董事会报告、审计账目的周年申报表交付公司注册处存档，供公众查阅等。

在遵循相关法定要求的同时，金发局也将考虑效法香港其他主要公营机构，采取加强问责性和透明度的一些额外措施，例如向香港政府提交财政预算及业务规划以供审批；向香港立法会提交周年报告；制订并实施严格的内部监控程序；通过刊物、传媒采访及专用网站，积极与相关各方和公众沟通。

第六节 美 国

一、总体背景介绍

（一）宏观经济背景

2008 年，美国爆发了百年一遇的金融危机。这场危机重创美国经济，拖累了全世界经济的发展。从 2008 年至 2011 年底，美国经济经历了第二次世界大战后最严重的大衰退。2008 年 GDP 下降 0. 3 个百分点，而到了 2009 年 GDP 下降 3. 5 个百分点，达到了 60 年来最严重的衰退。危机爆发后，美国复苏的脚步缓慢，虽然美国金融市场仍在各方面位列全球之首，但美国的统治地位遭到动摇，纽约在国际金融中心的领导地位受到来自世界各地金融中心的挑战。实际上，早在金融危机前，美国的资本市场在世界上的统治力就呈现出逐年下滑的趋势，资本市场融资总量增长速度缓慢，远远落后于其他国家（见图 26 - 31），美国资本市场 IPO 数量占全球 IPO 总量的份额也在逐年下降（见图 26 - 32）。

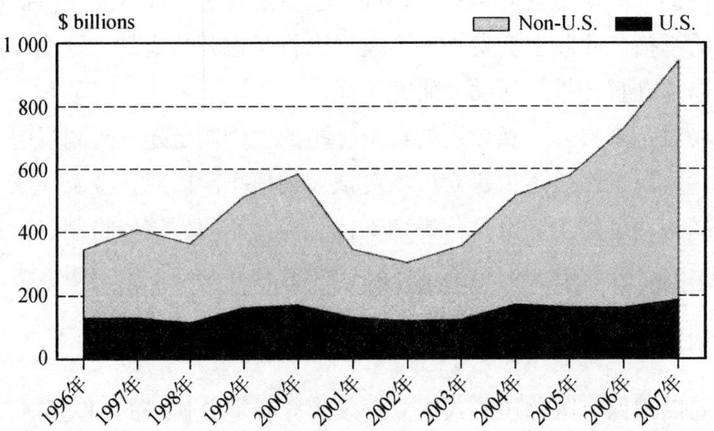

图 26 - 31 国际资本市场（美国和非美国）的融资总量年变化图

资料来源：US Committee on Capital Markets Regulation and Thomson SDC Platinum。

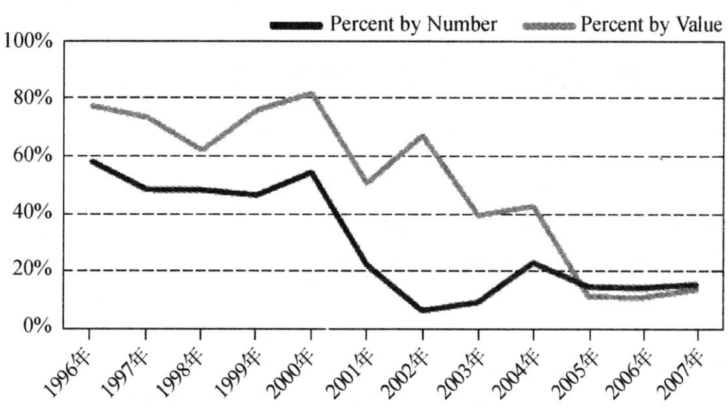

图 26－32 美国资本市场在全球 IPO 中所占份额的年变化值

资料来源：US Committee on Capital Markets Regulation and Dealogic。

（二）金融背景

美国的金融体系以《1999 年金融服务法》为基础形成，现阶段主要采取混业经营和分业监管体制。金融市场的主体包括商业银行、存贷机构、信用组织、产业银行、投资银行、保险公司等。监管体系包括一系列国家和州层面的监管者，为了实现合并监管的目的，种类繁多的监管者通常以控股母公司的形式，通过设定机构的组织框架、资本管理和风险管理规则来实现监管，美联储、美国储蓄管理局及美国证监会都是典型的例子。美国金融系统监管的途径主要通过制定法律规则，不管是国家层面还是州层面都有一套金融系统法律体系。

分业监管的弊端是往往会造成重复监管，这种重复监管带来的冲突甚至需要几个月才能解决。如美国控股公司（Financial Holding Companies）的债券业务，受到美联储、美国证监会、全美证券商协会以及州立证券监管 4 个机构共同监管，造成的结果是监管机构的响应能力无法满足金融市场的要求。各个层级的监管者尚未就统一的监管原则达成共识，对市场主体监管、监督、规范缺乏统一性。

（三）美国金融服务系统受国内外各方面严峻挑战

国内方面，由债务支持的消费增长模式带来对美国经济和金融的长期危害。美国消费的增长幅度远远超过实际的经济增长幅度，前者增长速度快于后者2.5倍①，超额部分主要依靠来自商业、消费者和银行的债务来支持，这种消费增长模式加剧了金融服务业和经济的恶性循环：廉价资本的可得性与对债务的过度依赖导致了次级债市场的恶化，致使资产减值，金融市场主体的资本比率下降，加剧了资产错配与流动性紧缺，去杠杆化、化解风险的一系列措施再次导致资产减值，造成新一轮的流动性紧缺。效率、流动性和安全是金融市场非常重要的三个方面，由债务支持的消费增长模式对这三个方面带来长期损害。

金融危机后，美国金融业领导地位受到世界各地的挑战。首先，在高盈利的投资银行业务、销售业务和交易业务上，欧洲与美国实力相差无几，在销售和交易业务方面，欧洲甚至已经实现了超越，以740亿交易规模超越美国的690亿美元②。其次，欧洲和亚洲区资本市场占整个金融市场的份额以及GDP的份额低，潜在的发展空间巨大，持续的经济自由化改革和以市场为主的监管机制的深化将进一步促进资本市场的繁荣。最后，英国、德国、法国、加拿大等纷纷加大资本市场的海外推广力度，设立资本市场的推介组织以提升其在国际金融市场的地位。

二、资本市场境外推广活动缺乏的原因分析

美国作为全球最大的金融市场，资本市场的开放使美国一早就成为全球投资者自发追逐的焦点，在吸引国际投资者方面缺乏动力，其金融体制改革的精力主要着重于自身系统的改革。

第一，美国政府侧重于设法解决其金融系统内部存在的缺陷，对内推行一系列法案，期望能重新稳固美国资本市场的统治地位。出台的法案有会计和审计改革方案，加强金融监管的SOX法案（Sarbanes - Oxley Act）等。2009年，奥巴马签署了JOBS（Jumpstart Our Business Act）③ 降低IPO的门槛以及上市企业信息披露负担，并免除部分新兴的增长型公司对SOX法案报告的义务，以促进中小企业的发展。

---

① Financial Services Revitalization Plan——Refocus Strengthen Reemerge. New York City Economic Development Coperation. 2009/02/18.

② Mckinsey Corporate and Investment Banking Revenues Survey.

③ Adam Sussman, Deepali Nigam. Capital Formation: Alternative Financingand the Fate of Intermediaries. TABB Group. www. tabbgroup. com2013. /04.

第二，美国是崇尚市场经济的自由经济体，政府较少运用行政干预进行管控。美国金融体系采取混业经营、分业监管的模式，银行、证券公司、保险对应不同的监管机构和法律规定，至今尚未达成统一的监管原则，尤其是保险市场，每个州的立法都不同。政府通过法律干预市场的程序繁琐、难度大。加之美国采取联邦制，三权分立的政治体制使得即使形成统一的监管原则，各个州拥有相当的自主权，执行的阻力大、效率低。

第三，在市场经济体制下，美国私有经济部门实力强大，私有企业对政府和资本市场监管有显著影响，运用市场力量来取得发展的意愿更加强烈。全球10大资产管理机构美国有6家[①]，仅第一名的贝莱德（Blackrock）的全球托管资产超过德国的2012年GDP。在危机中贝莱德不仅没有接受政府援助，而且还帮助政府处理危机。贝莱德在2009年，仅花费数天便为佛罗里达州政府提出了处理不良资产的方案，这之后又作为美国财政部顾问帮助政府管理资产，并且还向英国和深陷债务危机希腊中央银行提供帮助。

第四，美国推介机构发展缺乏动力。由纽约市长办公室和美国参议院曾共同提出建立一个由政府和企业合作的合伙公司的计划，在具有广泛影响力的领导层带领下专注于提升纽约金融服务的核心竞争力[②]。公司将由一名具有卓越影响力的执行主席领导，由市长亲自任命。这个公司及其领导人将搭起金融机构和当地政府及监管机构的沟通桥梁，作为重塑纽约金融业核心竞争力的驱动力，以一个统一的声音为城市、国家到国际各个层面的金融行业、投资者、持股人提供发展计划。公司将分别设立城市和州层面上的议程，平衡提升核心竞争力、保护消费者以及更广泛的经济增长三个目标，这个计划包含：积极提升纽约金融服务业的持续吸引力；为全球应用金融领域建立起世界级的教育中心；建立起国际金融服务特区；提升纽约市和纽约州的金融业形象，打造全球领先的金融中心；对金融服务业的重要问题展开前沿研究；以公共关系推动国际金融中心的地位；代表纽约市在洲际层面和国家层面上发出倡议等。遗憾的是，随着金融危机席卷全球，美国经济受到重创，金融改革的步伐被打乱，监管机制和监管体系重新布局，成立公司合伙企业的提议被搁浅。

综上所述，美国作为全球最早最大的金融市场，其精力主要着重于自身系

---

① Data Source：Bank around the World，http：//www. relbanks. com/.

② Sustaining New York's and the US' Global Financial Services Leadership. 2007.

统的改革，在国家层面没有形成专门的境外推介机构来组织成体系、规模化的推介活动，资本市场推介工作分散到了各个证券交易所和私有公司。

三、美国资本市场竞争力中心简介

资本市场竞争力中心（Center for Capital Markets Competitiveness，CCMC）是美国私有经济实力的一个体现。2007 年，由美国商会（Chamber of Commerce）策划成立了资本市场竞争力中心（CCMC）。CCMC 属于非政府机构，联合了美国政府、国会和商业精英，旨在促进美国资本市场改革以及保持美国资本市场在全球的领先地位。CMCC 的主要工作是帮助市场监管者实施资本市场改革以建立现代化的金融服务管理体系、保护投资者的长远利益、组织市场新工具的研究及开展对全球金融市场分析工作。

CCMC 每年组织召开年度资本市场峰会（Annual Capital Market Summit），CCMC 在年度资本市场峰会上发布其关于美国金融市场的研究，强调完善的金融体制、良好的流动性以及有活力的市场的重要性。年度资本市场峰会邀请来自全球各地的知名企业高管和各国政要，参会人数超过 300 人，讨论美国金融市场以及全球经济面对的问题和挑战。著名的政府要员、政策制定者和商界领军人物将受邀作为演讲嘉宾为金融市场的监管和发展趋势提供建议和意见①，在另一个层面有力地宣传了美国的资本市场。

四、纽约经济发展公司简介

纽约作为美国的金融中心，金融服务业占其 GDP 的比重超过 15%，在金融危机中受到十分惨重的冲击。1991 年成立的非营利组织纽约经济发展公司（NYCEDC）负责搭建纽约政府和企业的对话平台，为企业发展提供支持和建议，并负责新型金融工具的研究工作。金融危机后的 2009 年，纽约市长布隆伯格（Bloomberg）推出的金融服务业复兴计划（Financial Services Revitalization Plan）中包含了 11 项刺激金融产业的政策。其中第一项政策就是由 NYCEDC 协助的国际金融服务业进驻纽约全球性招募，在中国、印度、阿联酋等国招募，并帮助国际金融企业进驻纽约。2009 年 6 月 8 日至 12 日，由纽约市副市长利伯（Lieber）率领，包括 NYCEDC 代表的团队来北京和中国企业家

① 来自美国资本市场峰会网站：www. capitalmarketssummit. com。

举行圆桌会议，招募有意向的企业进驻纽约。2010 年 3 月，Lieber 带领 NYCEDC 团队和一批企业家代表又到伦敦，对 100 位以上的国际投资者进行一对一的圆桌会议，确定潜在的合作对象。

第七节 日 本

一、日本的经济金融背景

（一）经济

日本作为世界第三大经济强国，历经了 20 世纪八九十年代泡沫经济、1998 年亚洲金融危机、2008 年国际金融危机以及 2011 年地震海啸以及核辐射三灾的侵袭，目前正在经济复苏的道路上努力前行。2012 年日本经济总量为 475.5 万亿日元，经济缓慢回暖，经济增长率为 1.95%，失业率为 4.3%；人口老龄化问题凸显，65 岁及以上人口占总人口的比重为 24.3%[①]（见图 26－33、图 26－34）。

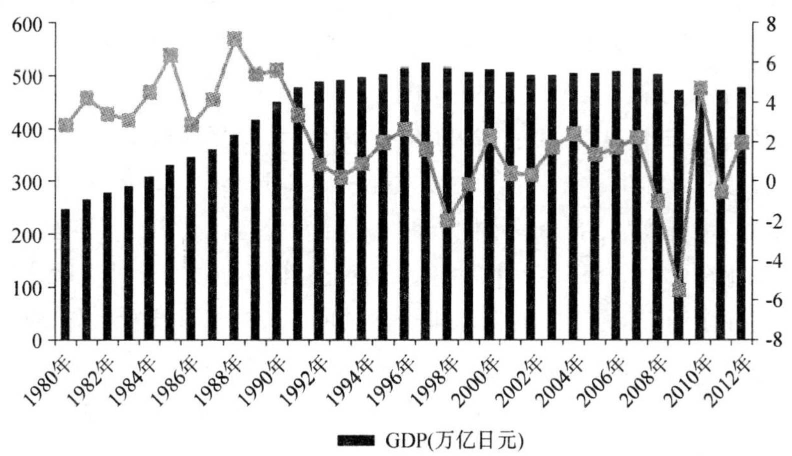

图 26－33 1980～2012 年日本 GDP 及其增长率

资料来源：世界银行网。

① 资料来源：世界银行官网 http：//www.worldbank.org/。

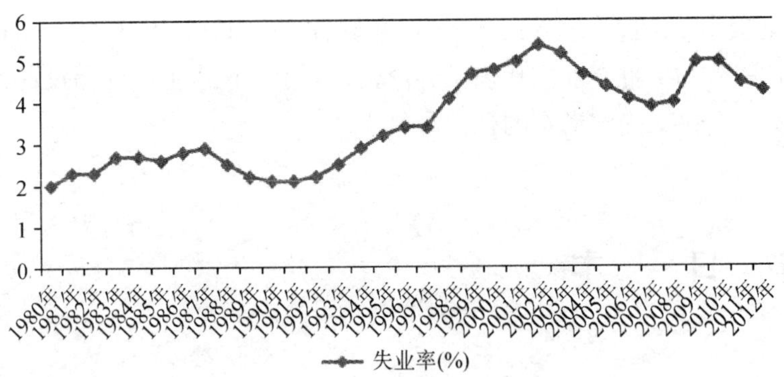

图 26-34 1980~2012 年日本失业率

资料来源：世界银行网。

（二）金融

日本金融体系由中央银行、民间金融机构、政策性金融机构等机构组成。日本金融市场的主要特点有①：

1. 银行为主的间接融资格局占主导

日本是以间接金融为主的金融体制。由于间接金融比重高，银行在金融体系中一直处于核心地位，其中银行业务又以城市银行为主。承担间接金融业务的金融机构主要有普通银行、相互银行、信用金库、信用组合等。

2. 大银行的金融重组与集约化加速

1995 年，日本 21 家银行，2011 年重组为 7 家集团，分别为三菱日联、瑞穗、三井住友、新生、青空、三井住友托拉斯和 Resona。2008 年 10 月，政策性金融机构进行改革，8 个政策性金融机构撤销整合。其中，日本政策投资银行和商工组合中央金库 5~7 年后完全民营化；国际协力银行与国际协力机构合并；国民生活金融公库、中小企业金融公库、冲绳振兴开发金融公库、农林渔业金融公库合并成日本政策性金融公库；公营企业金融公库转为地方公共团体运营机构；国际协力银行的国际金融业务将于 2012 年 4 月单独设立。

3. 证券业的发展以服务实体经济为主

东京证券交易所在日本排名第一，在全球排名第三。从东京证券交易所情况看，丰田排名第一，其次是 NTT 公司，第三位是 UFJ，主要以支持实体经济

① 徐霞. 日本金融业发展及应对危机经验借鉴. 农业发展与金融. 2012（5）。

为主，注重制造业的发展，尤其注重发展以高新技术、节能环保、能源、材料等方面具有领先优势的制造业。

4. 保险业的发展注重社会保障功能

日本生命保险主要注重服务国民健康个体幸福，注重社会和谐，注重消费型保险业务的发展，而不是一般投资型（储蓄型）业务的发展。

日本建立了体制健全、管理有力、分工完备的金融体系①，通过国家财政和金融机构的有机配合，政府金融机构和民间金融机构相互补充，长期信贷和短期信贷分类进行，根据各行各业对各类贷款的不同需求实现资金的合理分配，引导社会资金流向急需资金的产业部门，特别是银行信贷体系的功能得到了最大限度的发挥，成为“产业的动脉”、资金供应的轴心，保证了经济高速发展中资金的供应。

（三）监管

从监管角度来看，20 世纪 90 年代后日本金融监管体制一直处在变革之中，具体演变可概括为以下几个方面②：

1. 金融监管权的高度集中

为提高监管效率、增强金融市场的稳定性，日本政府以 1998 年实行的新日本银行法为起点，经过三个阶段的金融监督机构大调整，实现了金融监管权力的集中，保证金融监管机构的权威性及政策执行力。第一阶段：设立专门的金融监督机构。1998 年 6 月，日本政府决定将金融监管权从大藏省（类似财政部）分离出来，成立金融监管厅，而 1998 年 12 月成立金融再生委员会，将在此前成立的金融监督厅归并到金融再生委员会之下，但金融政策制定权仍然属于大藏省。第二阶段：实现金融监管和金融政策的统一。进入 21 世纪后，为了进一步整顿金融监管权力分散、效率低下的问题，日本将对中小金融机构的监管权由地方政府交由金融监督厅负责。2000 年 7 月，在金融监督厅的基础上成立金融厅，金融厅同时拥有金融监管权和金融政策制定权，因而日本的金融监管更具有权威性。第三阶段：建立独立的金融监管机构。2001 年 1 月，在全面推行政府机构改革时撤销金融再生委员会，其对濒临破产的金融机构进行处理的职能也归到金融厅。至此，日本的金融监管权高度集中，一个以金融厅为核心、独立的中央银行和存款保险机构共同参与、地方财务局等受托监管

---

① 冯昭奎．改革开放以来中国的日本经济研究综述与评论．日本研究．2012（2）。

② 金仁淑．经济全球化背景下的日本金融监管体制改革．广东金融学院学报．2012（5）。

的新的金融监管体制基本框架正式形成。

2. 金融监管与金融创新的协调

20世纪90年代后期以来，日本经过金融监管制度和立法改革，建立了对所有金融行业和金融产品由金融厅一体监管的体制，对泛滥于美国无监管的场外交易的各类金融衍生产品也都进行了严格的监管。其目的在于既要实行金融监管，也要顺应金融自由化潮流，鼓励金融创新，避免因过度监管而损伤日本金融市场的活力和国际竞争力。

面对来势凶猛的全球性金融危机，为了缓和市场价格过度波动对日本实体经济造成的冲击，日本金融厅制定了短期和中长期监管措施，即短期内采取帮助中小企业融资的相关应急措施，部分放松自有资本比率监管；中长期方面明确证券化商品原资产的可追查性，加强对评级公司的监管，强化金融厅的内部体制，设立新的部门专门负责把握市场动态。这些措施，有效防御了金融危机对中小金融公司的冲击和影响，增强了金融机构自身的免疫力，并利用欧美金融业全面陷入萧条的有利时机，以低价收购了濒临倒闭的金融机构，为提高日本金融机构的国际竞争力奠定了良好的基础。

目前，日本已建立起体制健全、管理有力的金融监管制度，金融监督机构拥有高度独立性和集中性，金融监管和金融创新有效协调发展。

二、日本金融市场监管架构

日本金融服务局（Financial Service Agency，FSA）是负责监管金融市场的政府监管机构，直属于日本内阁，由金融服务部长、副部长和议会书记领导。FSA致力于维护日本金融系统的稳定，保护投资者和存款人的利益。

金融服务局下设六个事务局：管理法律处（Administrative Law Judge）负责判决与金融业相关的民事案件；规划统筹局（Planning and Coordination Bureau）负责统筹协调FSA各部门事务，制定发展规划与监管政策；调查局（Inspection Bureau）负责调查金融机构运营的合规性；监管局（Supervisory Bureau）负责监管金融机构的市场行为，确保交易的合法、公平；证券交易监督委员会（Securities and Exchange Surveillance Commission）负责资本市场的日常监控，维护金融市场秩序、保护投资者利益；公共会计审计监管会（Certified Public Accountants and Auditing Oversight Board）负责监管日本注册会计师协会、审计机构的工作，确保本国的财务审计质量（见图26－35）。

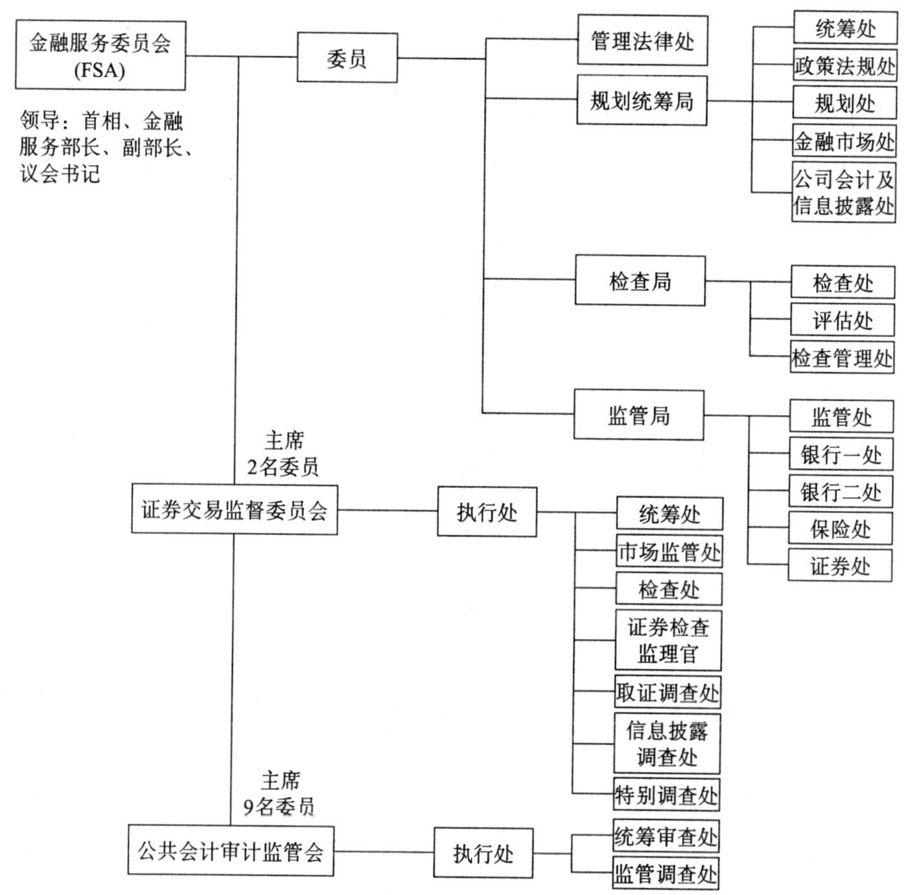

图 26-35 日本金融服务委员会组织架构图

三、东京重塑金融中心计划

为推动金融业发展，由金融业界发起成立的日本国际银行家协会（International Bankers Association，IBA）于 2007 年提出“东京重塑金融中心计划”[①]，以提高东京金融业的国际影响力。

（一）东京成为全球金融中心的优势

IBA 指出东京成为全球金融中心的优势在于：东京是日本的金融中心，金

① Recommendations To Promote Tokyo As A Global Financial Center. IBA Paper. March 16, 2007.

融市场规模巨大且资产流动性亚洲最高；东京的金融产品符合亚洲人的投资偏好，金融市场匹配资金供求双方的效率极高；东京有很强的人力资源优势，拥有大量受过良好教育和专业训练的金融人才；东京作为大都会城市，建有全球最好的公共基础设施；东京是世界级的大城市，人文生活环境优越，公共安全程度很高、犯罪率较低。

（二）“东京重塑金融中心计划”

IBA 提出的“东京重塑金融中心计划”主要包括以下几个方面：

（1）建立内阁直属的资本市场推广机构（FSPO）。由日本政府主导成立该机构，吸纳国内外金融机构、金融专家、投资者与相关非政府组织参与，致力于提升东京作为全球金融中心的地位和重要性。

（2）完善金融监管体系。提高监管机构的独立性，保证监管的一致、有效、高效和透明。

（3）促进金融混业经营的发展。放宽监管限制，分步骤有计划地放开金融业内的“防火墙”。

（4）打造东京成为“亚洲最佳上市融资中心”。优化上市流程，降低融资成本，设立创业板吸引亚洲高成长性企业上市，提高交易系统的稳定性，整合六个证券交易所，统一发行标准和交易规则。

（5）吸引对冲基金进驻东京。简化牌照要求，为对冲基金从事多领域业务提供便利，减轻其税务负担，放宽信息披露要求。

（6）优化税制，鼓励金融发展。对投资给予税收优惠，修订与完善双边/多边税务协定，提高税收管理与执法的有效性。

（7）改善人文环境，吸引金融人才。重视人才教育培训，放宽移民政策，提高人才管理的灵活性，为国际金融人才提供良好的就业和生活环境。

四、日本资本市场推广计划

（一）由 FSA 组织的市场交流

为刺激金融改革，推动金融市场发展和推介日本的金融市场，日本金融服务局于 2012 年和 2013 年分别举办了“公共—私有金融圆桌会议”。圆桌会议为金融从业者和金融业监管者提供了一个持续对话的平台，促进了各方的紧密对话和意见交换，为提升和刺激日本金融复苏提供了基础。首届圆桌会议确立了设立私有公共合作小组的计划，以开展政府和企业间的对话，还提出了三大建议：一是通过海外推广和国际金融合作，推动日本企业和金融机构走出去；二是发展资本市场，为中小企业、初创企业提供金融支持；三是加快研究与创新，推出符合老龄化社会需求的金融产品和服务。第二届金融圆桌会议审议了首届会议成立的私有公共合作小组的工作和上期建议的开展情况，并确立了日后对政策实施效果的交流机制。会议还提出了研究金融对促进地区企业发展的影响以及推动金融结算服务创新的建议。

（二）日本市场论坛

在民间方面，日本市场论坛（Market Forum）每年在日本举办一次，其主要目的在于推介日本的金融市场，促进金融业内人才交流，通过金融界精英的聚会来联络人脉以激发和达到更高的目标。日本市场论坛最早是由一些工业和市场的精英从业者组织的，自 2006 年开始以来，其规模日益增大。论坛组织部门于 2008 年向日本内阁申请成为正式的非营利性组织（NPO），并于 2009 年得到日本内阁批准，确定命名为 NPO 日本金融证券工业市场论坛。通过建立正式的 NPO，该组织能比较便利地接受来自行业机构的资助，这对论坛规模的扩展起到了良好的推动作用。到 2010 年，论坛规模已经发展至参会企业代表数超过 500 人，并且参会人员已经从证券市场专家发展到了包含证券交易商、咨询公司、市场信息销售、市场相关的发展人员、记者等各个行业的专业工作人员。在加强日本市场间联系的同时，日本市场论坛始终保持着由市场从业人员来组织的惯例，保持了论坛的中立和友好气氛。会议组织的费用大部分来自合作企业的赞助以及对与会人员收取的相对低廉的参会费用。

五、日本资本市场推介业务发展方向

为推动金融业发展和经济复苏，由金融业界发起成立的日本国际银行家协会（International Bankers Association，IBA）于 2010 年提出日本资本市场改革的建议①，主要包括四个方面：一是活跃资本市场。改革养老金体系，重点转向个人养老账户与市场化投资，从税收政策上给予支持；推动基金行业发展，

① Recommendations for Further Financial Reforms to Promote Economic Growth. IBA Paper. March 25, 2010.

调整投资风格和方向，加大对战略产业和高成长性企业的投资。二是促进机构投资者参与公司治理。建立表决披露制度，鼓励机构投资者参与公司经营决策，树立起负责任投资的理念。三是发展债券市场，消除体制障碍。四是发挥金融业对经济发展的促进作用。充分认识金融服务业的重要性，建立内阁直属的资本市场推广机构（FSPO），加强投资者教育，注重金融专业人才的培养。

IBA 在改革建议中，特别提到要加强金融行业的宣传推介工作，并再次强调要成立内阁直属的资本市场推广机构（FSPO）①。建议由日本政府主导成立 FSPO，加强政府和企业在金融方面的合作，吸纳国内外金融机构、金融专家、投资者与相关非政府组织参与。FSPO 的宗旨是提升东京作为全球金融中心的地位和重要性，向国内外推介日本资本市场，提高投资者对日本资本市场规则的认知度，保持日本的人才优势，汇聚国内外金融专业人才，推动日本金融业发展。

第八节 新加坡

一、总体背景介绍

（一）概况

新加坡是东南亚地区重要的金融中心、运输中心和国际贸易中转站，也是世界电子产品重要的制造中心和第三大炼油中心。新加坡于 1965 年脱离马来西亚获得独立后，政府决定将发展金融服务业作为建立新的国民经济结构的一个重要方面，给予重点倾斜和支持，确立了金融立国政策和金融市场国际化的战略。20 世纪 90 年代开始，新加坡经济步入了稳健的增长时期，经济发展渐趋成熟，国际竞争力不断增强（见图 26 - 36）。经过 40 多年的不懈努力，新加坡已经成长为成熟的区域性国际金融中心。2012 年，根据全球金融中心指数显示显示，新加坡位列纽约、伦敦和香港之后，是全球第四大国际金融中心，其外汇交易量居全球第 4 位，跨国界贷款居全球第 10 位，柜面市场衍生

---

① 建立内阁直属的资本市场推广机构（FSPO）的建议，由 IBA 在 2007 年的“东京重塑金融中心计划”中首次提出。

交易居全球第13位。2013年第2季度，新加坡GDP同比增长3.8%，高于预期的3.7%，经济增速高于预期。

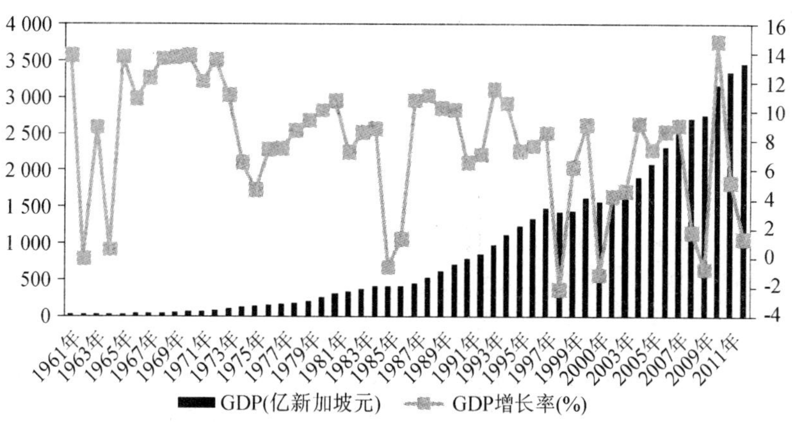

图26－36　新加坡的GDP总量和增长率年度变化

资料来源：世界银行网。

目前，新加坡已发展成为全球瞩目的金融中心之一，金融服务业产值占新加坡国内生产总值的13%以上，从业人员占就业总人口的5.4%。金融服务业提供的金融服务范围在过去数年中急剧扩大，涵盖了财富与资产管理、股票、债券、外汇、金融衍生产品市场等领域，成为亚太地区最成熟的资本市场之一，同时也是亚洲地区（日本除外）最大的房地产投资信托基金市场①。

随着全球财富管理和基金管理的迅猛发展，新加坡现已成为亚洲最大的新兴市场货币交易中心，拥有600多家本地和外国金融机构。此外，这里也是全世界发展最快的国内债券市场之一，同时还是亚洲地区进行金融衍生品场外交易的领头羊。作为亚太地区领先的资产管理中心，新加坡目前管理着总额高达1兆元新币的资产。2013年5月27日，新加坡正式启动人民币清算服务，由中国工商银行新加坡分行担任清算行，确立了其除香港之外的人民币离岸中心的地位，为新加坡成为区域乃至世界重要金融中心迈出了坚实的一步。

（二）货币市场

新加坡的货币市场主要由亚洲美元市场、银行同业拆借市场、贴现市场及

---

① 新加坡经济发展局网站：http：//www.edb.gov.sg/。

政府短期证券市场等构成。亚洲美元市场是随着新加坡金管局批准美洲银行新加坡分行首次推出亚洲货币单位后，在政府不断推出各类优惠税收和不断放宽的其他管理政策的宽松环境下迅速发展起来的。在新加坡政府的鼓励下，亚洲美元市场业务发展非常迅速，日金融交易量达 2 100 亿美元。

银行间市场和贴现市场的发展也很迅速。特别是在 20 世纪 60 年代和 70 年代开始大量发行国库券和政府证券，更进一步促进了货币市场的发展。从 1973 年开始，国库券的发行方式由随要随供方式（Tap System）转向招标方式，使得金融管理局可以主动控制每次发行国库券的规模，而不是被动地等待金融机构的需求。从货币控制的角度看，招标方式更有利于培育和发展金融市场。

新加坡金融管理局是货币市场上的最后贷款者，它向贴现行提供贷款，但要求以国库券和政府证券为担保。贴现行也一直是国库券的重要购买者。银行间市场和贴现市场的迅速发展使得银行和其他金融机构能够更好地运用其短期资金获取利息，从而提高了新加坡金融体系的效率和弹性。

新加坡货币政策旨在保持低通货膨胀，为经济可持续发展提供基础。政策的中心是一揽子交易货币的汇率管理。新加坡金融管理局过去 25 年的货币政策记录非常优秀。自 1971 年以来，新加坡年均通货膨胀率为 4.1%，如果不考虑两场石油危机影响，新加坡年均通货膨胀率仅为 2.1%，为世界最低之一。与此同时，年均实际 GDP 增长率为世界最高增长率之一①。

（三）资本市场

新加坡资本市场具有悠久的历史。早在 19 世纪末，英国殖民者在新加坡建埠后，就出现了一些股份有限公司，并出现了通过股票交易进行的公司所有权转让活动。但是，直到 1910 年橡胶业和锡矿业繁荣时期，股票交易才开始成为新加坡经济生活中的一项主要内容。新加坡独立初期，与马来西亚共用一个证券市场，直到 1973 年 5 月马来西亚政府决定中止两国货币的互换性后，证券市场也随之一分为二。1973 年 6 月新加坡证券交易所作为一个独立的交易所正式营业，从此新加坡资本市场开始发展起来。经过 40 年的发展，新加坡资本市场市场经济的成熟度已经很高，其特点是金融、外汇、关税等管制程

---

① 罗梅．2008～2009 年新加坡回顾与展望．东南亚纵横．2009 年。

度低，税制简单，税率低；国际化程度高，7 000 多家跨国公司本身就形成了强大的资本市场的需求；国际贸易和外向型经济对资本市场的需求大，有全球最繁忙的集装箱码头，65% ~70% 的转口贸易量；资本构成以机构投资者为主，散户投资者为辅。外国企业大部分是以新加坡作为融资平台，很多外国企业在新加坡本地没有任何业务运营。截至 2011 年末，新加坡交易所在世界交易所排名中位列第 22 位，市值 5 982. 72 亿美元①。

（四）新加坡的竞争优势

1. 政府鼎力支持

新加坡自 1965 年建国伊始，就以迈向“亚洲苏黎世”为目标，利用其作为国际贸易港的有利条件，加速发展金融市场。为了促进金融市场的发育成长，新加坡政府通过提供税收和管理上的种种优惠，重点培植了亚洲美元市场和金融期货交易所。1968 年，新加坡建立了亚洲美元市场，这是新加坡金融国际化的一个重要里程碑。

随着新加坡作为金融中心地位的逐步提高，政府通过内改外引的方法不断改革和完善新加坡的金融制度，如把当时通行的英国式会员管理的股票交易管理制度，改为美国式政府及银行组织参与管理的管理制度；建立证券期货市场，允许个人用存入中央公积金局的公积金购买黄金、股票等，通过一系列政策措施以促进新加坡金融市场更加国际化。

另外，新加坡政府不断推出各种优惠政策，加大对金融中心发展的支持。1968 年，新加坡政府取消了非居民存款人在利息收入上的预扣税；1972 年取消了对亚洲货币单位 20% 准备金的规定，免除了对提货单和可转让定期存单的印花税征收；1977 年，新加坡政府再次让利，对亚洲货币单位各项离岸所得仅征收 10% 的所得税；1983 年，新加坡政府对当地银行、金融机构等采用亚洲货币单位提供的银行贷款免征所得税。以税收为主的优惠政策，进一步巩固了新加坡区域金融中心的地位。

2. 创新提升地位

自 1998 年起，新加坡开始着力打造财富管理中心。由于新加坡金融管理局出台了很多具有吸引力的政策，致使香港地区很多基金经理转至新加坡发

---

① 世界交易所联合会网站。

展。1998 年新加坡的基金数量仅有 870 亿美元，低于香港地区，而到了 2003 年新加坡基金数量攀升至 2 700 亿美元，超过了香港地区①。

新兴的亚洲财富管理市场非常缺乏相关专业人士，当时新加坡的财务管理从业人员仅有千余人左右。为了培养更多的财富管理人才，新加坡专门成立了一所由国企控股的财富管理学院，面向全球招生，计划在十年内培养出三四百名卓越的财富管理人才。

财富管理业是新加坡具有发展潜质的金融业领域之一，新加坡在这方面享有许多吸引国际从业者的竞争优势。许多顶尖的私人银行和基金管理公司都已经在新加坡设立分支机构，其中不少还在新加坡设立了区域总部。为了发展财富管理业，以进一步巩固国际金融中心地位，新加坡金融管理局出台了很多措施吸引跨国机构，如进一步开放金融市场，进一步放宽公积金投资规定，政府注入投资扩大市场，改革监督制度，专注于监控系统上的风险以及与企业磋商等。

3. 监管符合国情

新加坡没有正式的中央银行，政府为了在强化宏观控制的基础上创造宽松的金融环境，设立了新加坡金融管理局、新加坡货币发行局和新加坡政府投资公司，分别执行金融监管、货币发行和管理外汇储备的职能。新加坡金融监管局成立于 1971 年，其作用相当于新加坡的中央银行，一方面通过公开市场业务，运用外汇市场利率等工具调控国民经济，保持本币稳定，将通货膨胀控制在合理范围内；另一方面还担负着对银行、证券和保险业的监管责任。新加坡政府投资公司则是专门负责金融管理局和货币委员会大部分外汇和黄金资产的管理，将这些资产投资于有价证券和不动产，以维护资产的保值增值。三者完全独立行使职权，政府及其他任何部门不对其进行干预，这种既相互独立又相互制约的监管体系，符合新加坡国情，有效地促进了新加坡国际金融中心的发展②。

由于允许金融机构混业经营，金融管理局的监管部门下设银行署、保险署和证券署，分别负责本行业的监管。新加坡自 1992 年起，开始对银行实施资本充足率管理，要求资本充足率达到 12% 且必须全部是一级资本，大大高于国际通行标准。1998 年 12 月修改了有关资本充足率的规定，不再要

---

① 李卫玲．新加坡力保国际金融中心地位．国际金融报．2008 年。

② 李豫等．金融危机下的新加坡国际金融中心．企业管理出版社 2010 年版。

求全部是一级资本，只要求一级资本占比在10%以上，允许二级资本2%的比例，但关于二级资本的定义则比国际清算银行严格得多。在银行流动性监管方面，新加坡所规定的最低流动性资产比率是18%，这也是世界上最高的标准。

二、新加坡金融管理局

（一）成立背景

新加坡金融管理局（MAS）成立于1971年1月1日，其使命是“促进持续性并无（或低）通货膨胀的经济成长，发展一个健全与先进的金融中心”。作为新加坡中央银行并同时监管银行、保险、证券与期货业务，主要职能如下：（1）制定管理货币政策和发行货币，监督支付系统进行，同时担当政府的财政代理人；（2）对金融服务和金融稳定性进行监管；（3）管理新加坡的官方储备金；（4）将新加坡发展成为国际金融中心。

在MAS成立之前，新加坡中央银行的职责是由众多政府部门和机构代为执行的。20世纪60年代后，随着银行和货币体系越来越复杂，新加坡急需要成立中央银行来制定金融和货币方面的政策，MAS在此背景下成立。此外，MAS还承担着将健全和监督新加坡资本市场，将新加坡打造成为国际金融中心的艰巨任务。新加坡在过去25年金融业的大幅发展，彰显了MAS先进健全的管理架构和打造有利于金融业发展环境的努力①。

MAS公布最新数据显示，截至2012年底，新加坡金融中心的管理资产总值达1.63万亿新币（约1.29万亿美元），比上年同期上涨22%。有权威人士预期，未来的新加坡将会取代瑞士成为全球管理资产最高的金融中心。

（二）组织架构

MAS由新加坡财政部长领衔的董事局管理。执行总监办公室是其最高运营管理部门，设执行总监一名，负责相关的日常管理，同时有2名副执行总监和8个部门负责人组成的管理团队为其服务，提供支持，现有员工519人。MAS由执行总监办公室下的四个署组成，其中，金融监管署是新加坡金融管理局最大的一个部门，其人员占金管局总人员工数的1/8。金融监管署下设6

① Monetary Authorith of Singapore Report.

个监管组群，并确定每个组群的监管对象。同时在银行部内部专门设置了由精通资本市场业务人员组成的资本市场部、以便与金融监管署内的有关部门合作以有效监管银行信贷、资本市场相互并叉、渗透的业务。新加坡金融管理局除分别设置银行部、保险部和证券期货部对银行业、保险业和证券期货业进行分业监管外，还设置了市场体系与风险顾问署、监管政策署和监管法律服务署等专门为监管部门提供相关服务的技术部门，保证了其监管工作可以满足既精深又广博的要求（见图 26 - 37）。

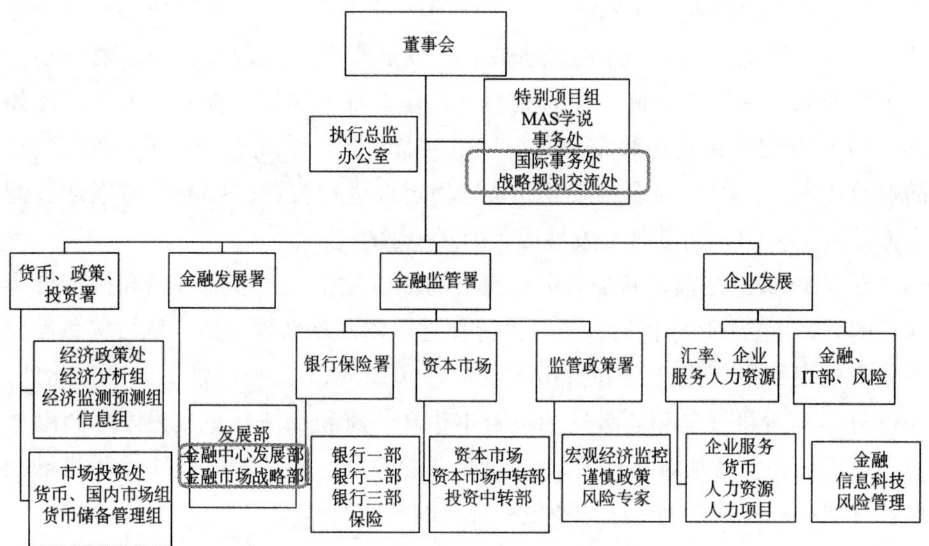

图 26 - 37 MAS 组织架构图

三、新加坡资本市场的国际交流和推广

目前，新加坡资本市场的国际宣传、交流和推广活动主要是由 MAS 下属的几个职能部门协调完成，政府主导并协调，企业积极参与，多方面共同协作，旨在促进新加坡金融业的发展，推进新加坡成为国际主要金融中心的进程，期望在新的国际金融环境和竞争中，帮助新加坡取得更大的竞争优势。

（一）相关机构与职能

MAS 下属参与国际交流和推广的部门主要有两个，分别是：

1. 战略规划与交流处

战略规划与交流处直属于执行总监办公室，负责规划发展战略，联系各方面利益相关机构，是组织、协调交流的部门。该部门通过制定传播战略、联系外部利益相关机构组织、协调媒体关系等，对 MAS 政策和形象进行有效的宣传。战略规划与交流处还负责新加坡金融教育的相关事宜，并负责调解大众投资者与金融服务机构的纠纷。更为重要的是该部门还负责协助 MAS 的战略规划工作，收集整理国内外企业界对于金融行业优先发展事务、政策和举措的建议，学习国际先进经验，在组织内部形成政府和企业高效沟通的工作环境，为董事会秘书处服务，制定适合新加坡发展的金融政策规划。

2. 金融发展署

为促进新加坡金融业的发展，加快建设国际金融中心的步伐，MAS 组织成立了金融发展署，直属于 MAS 执行总监办公室。金融发展署下属两个处：金融中心发展处和金融市场战略处。

金融中心发展处的职责是，通过寻求国内外各方面力量支持以及开展丰富多样的宣传推广活动来传播推广新加坡，促进确立新加坡国际金融中心的地位，推动新加坡金融业的发展。

金融市场战略处注重促进新加坡资本市场产品的发展，融资渠道的拓宽以及金融市场基础设施的完善，负责制定促进新加坡发展成为亚洲领先的融资和风险管理中心、区域领先的资本市场和享有盛誉的金融服务市场的战略政策。

（二）设立海外代表处

为加强与国际主要成熟资本市场的交流与合作，MAS 在纽约和伦敦都设有代表处。MAS 为加强和地区各经济体间的交流，确立新加坡作为区域金融中心的地位，还分别在香港地区和台湾地区设立了办事处。MAS 于 2013 年 5 月 28 日正式开设了驻北京代表处。MAS 在北京设立亚洲第一家代表处主要基于三方面原因：第一，中国的发展对亚洲地区及新加坡有着重要意义；第二，中国与新加坡一直有多方面的双边合作；第三，金融合作已经成为中新关系越来越重要的支柱。北京代表办公室将进一步加强新加坡金管局和中国人民银行（PBC）以及与其他中国金融当局，包括中国银监会、中国证监会、中国保监会之间的合作。

（三）其他海外推广活动

新加坡本土是一个很小的经济体，所以新加坡必须大力开发国外市场，特别是中国市场。近年来，新加坡政府的推动与配合在客观上推动了外国企业赴新加坡上市。2002 年 5 月底，新加坡经济发展局与中国科技部正式签署谅解备忘录，在新加坡设立中国在海外的第一个创新中心，承诺推动其火炬中心下属的 53 个国家级高新区的 24 000 多家高技术企业，前往新加坡落户或上市。为了吸引海外企业，进一步加强新加坡的竞争力，其对在新加坡上市的海外公司采取了与本国上市企业一视同仁的待遇。上市募集资金还可以在新加坡元、港币、美元之间选择，这对海外企业来说，无疑具有很大的吸引力。

新加坡证券交易所还推出了有别于全球其他交易所的服务措施，包括组织一些海外企业到香港、伦敦等地巡回路演，以便于更多当地投资者了解企业情况。同时，启动了一项计划，为包括中国企业在内的所有有兴趣的上市公司共同出资聘请研究机构，撰写上市公司报告，免费刊登于新交所的网站中。

第九节 韩　　国

一、总体背景介绍

（一）经济金融背景

韩国国土面积狭小，自然资源贫乏，市场规模较小，其经济对国际市场和资源的依赖程度相当高，自 20 世纪六七十年代以来，韩国致力于发展大进大出的外向型经济，30 多年来经济始终保持着较高速增长（见图 26 - 38）。韩国资本市场自 1998 年金融危机后发展迅速（见图 26 - 39）。韩国资本市场开放程度较高，1998 ~ 2000 年逐步解除对资本流动的限制，目前韩国证券市场已完全开放。

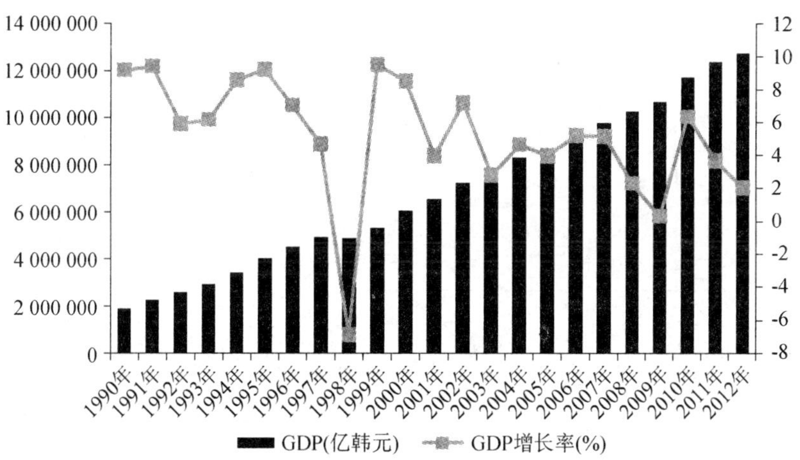

图 26-38 1990~2012 年韩国 GDP 及其增长率

资料来源：世界银行网。

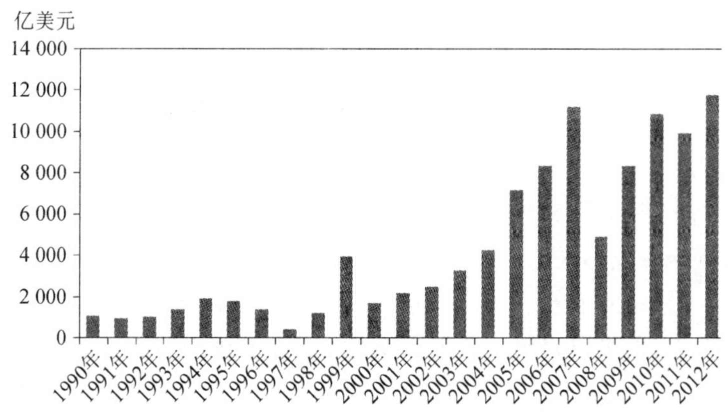

图 26-39 1990~2012 年韩国资本市场规模

资料来源：世界银行网。

（二）市场监管体系

韩国金融业的管理机构为金融服务委员会（Financial Services Commission，FSC），负责银行、证券期货、保险等金融行业的监管。FSC 旗下设有证券期货管理委员会（Securities and Futures Commission，SFC），专门负责证券、期货市场的监管；另外，FSC 还设有金融监理服务公司（Financial Supervisory Service，FSS），负责执行金融监管政策①（见图26－40）。

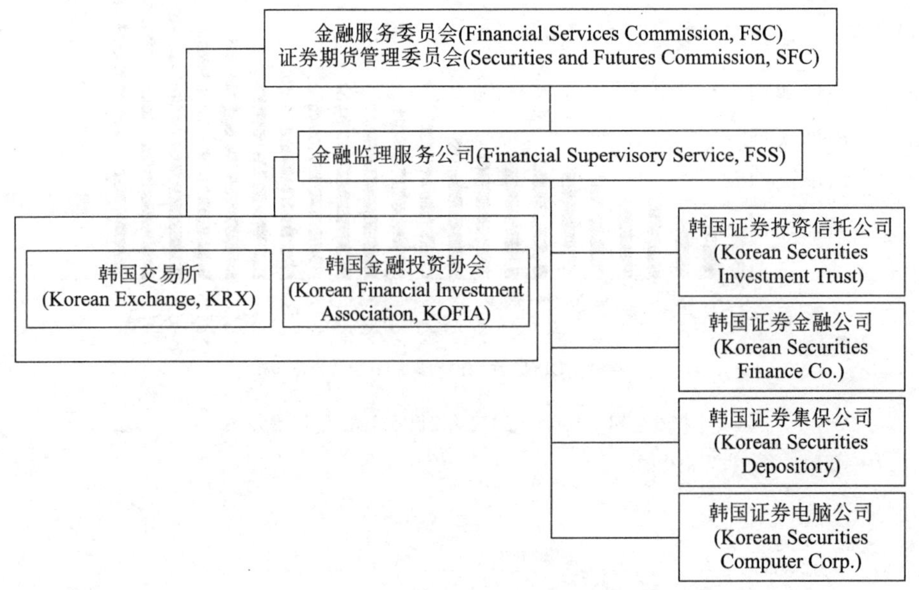

图26－40 韩国金融行业的管理体系架构图

韩国政府历来很重视金融市场建设。1997年亚洲金融危机之后，韩国便开始整顿金融市场基层结构。2004年韩国政府将韩国证交所（KSE）、韩国期交所（KOFEX）及韩国店头市场（KOSDAQ）合并成单一交易所——韩国交易所（KRX），完成证券、期货市场的整合，建立起统一的交易交割结算系统，有效提高了投资便利性、降低了交易成本。韩国交易所亦积极推动国内企业到国外上市和引进国外企业到国内市场上市，改进市场结构，放宽外资准入限制，建立符合国际标准的买卖和结算制度，提高市场透明度和发展先进的信息系统，以改善金融环境，推动与国际市场的接轨。

然而，截至目前，韩国尚无一个专门的机构从事大规模的、系统的资本市场的海外推介工作，其金融发展的重心主要放在加强本国金融市场建设、维护金融系统稳定、促进本国资本市场协调发展等问题上。

① 韩国证券市场相关制度。

二、韩国金融服务委员会（FSC）成立背景

韩国金融服务委员会（Financial Services Commission）的前身是金融监督管理委员会（Financial Supervisory Commission）和财经部的金融政策局（Financial Policy Bureau），2008 年由两者合并而成[①]。此外，原韩国财金智库（Korea Financial Intelligence Unit，KoFIU）也纳入到 FSC，负责反洗钱及金融防恐相关工作。

早在 1997 年，为应对亚洲金融危机，韩国设立了直属于总统的金融改革小组，负责成立金融监督管理委员会，推动金融改革，减少政府干预，促进市场机制运行。金融监督管理委员会主要职责有：一是推动金融改革计划；二是制定和解释金融监管法规；三是检查、指导下级金融监理单位——金融监理服务公司（Financial Supervisory Service）的日常监管活动[②]。

此后，韩国金融监管体系不断发展，监管范围也逐渐扩大。到 2007 年，韩国对金融业的监管出现了监管过严、多部门重复监管等问题。为此，韩国前总统李明博在 2008 年的政府机构改革中，提出要整合金融监管体系，成立金融服务委员会，以提高监管效率，保证监管的有效性、灵活性和一致性，更好地促进金融服务业发展。

三、宗旨和业务

FSC 是政府机构，与其他国家的金融监管机构不同，除了维护金融系统稳定、防控系统性风险外，其重要职能还包括促进韩国金融业发展、推动韩国金融一体化、维护韩国金融系统稳定性、提高韩国在全球金融领域的影响力、带动实体经济增长。该委员会的具体职责是：促进韩国金融服务业发展；维护韩国金融系统稳定；保证公平的金融运行规则；健全社会信用体系；金融投资者服务和教育；提升韩国作为全球金融中心的竞争力。FSC 把金融业看做发展本国经济的重要一环，强调金融对实体经济的贡献，重视信用体系的健全与投资者的教育，视野较为宏观。

---

① Financial Services Commission Brochure.

② 韩国金融监管体系由两个层面组成，政策制定与执行相互分开。在执行部分，以公司组织方式运作，不纳入政府预算，通过对被监理单位收取管理服务费的方式，达到一定程度独立运作的目的。

四、组织架构

FSC 的主席由总统任命，委员由财政部官员、金融监理服务公司、韩国银行、韩国存保公司、韩国工商协会等金融机构的代表组成，是韩国金融领域最高层次的监管机构。FSC 下设五个事务局（见图 26－41）。

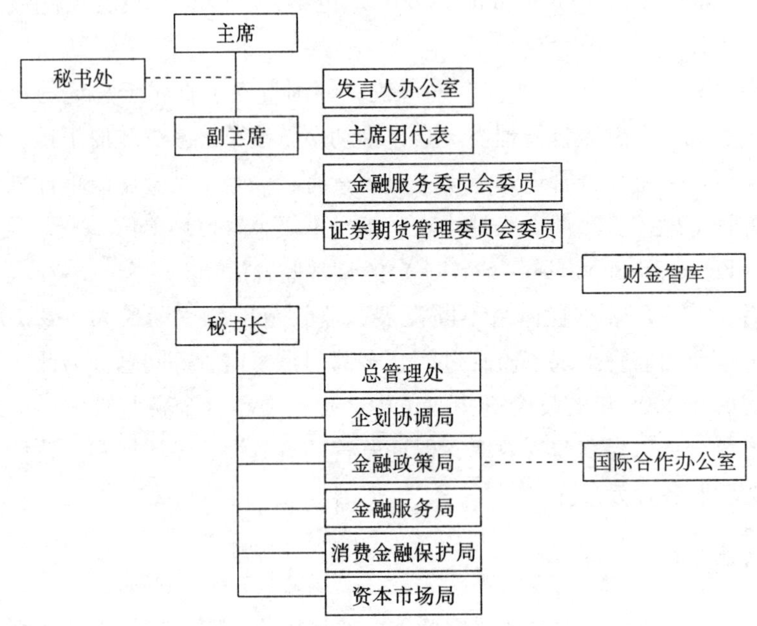

图 26－41　FSC 的组织架构图

（1）企划协调局（Planning & Coordination Bureau）。主要负责协调各单位业务，制定和执行预算，修订法规，执行核查、检查并管理相关事务。

（2）金融服务局（Financial Service Bureau）。主要负责制定银行、保险及其他金融机构的相关政策，管理授权、核准、发照、登记、存款及保险给付等事项，监督信用及保险业务等各项事务。

（3）消费金融保护局（Consumer Finance & Protection Bureau）。主要负责制定互助储蓄银行、信用社、小额贷款公司等相关机构的监管政策，管理核准、发照、登记、保险给付等事项，进行投资者教育，协调投资纠纷等各项事务。

（4）资本市场局（Capital Markets Bureau）。主要负责制定资本市场（如证券、期货及衍生金融产品交易）的相关政策，监督管理资产基础证券的发行、公司挂牌、公开发行、员工认股权计划、企业合并、资产管理公司、投资顾问公司、信托制度、退休金制度、会计审计准则的采用与修订等相关议题，强化公司治理、外部稽核与资讯披露，并负责调查不公平交易、内部稽核等各项事务。

（5）金融政策局（Financial Policy Bureau）。主要负责制定金融政策，规划金融监督工作，强化金融监督、检查与处置措施，促进金融市场的公平和健全，保护投资人，宣传教育，分析经济财务资料和市场趋势，产业融资管理，核发金融机构设立许可证，金融产业重整，全球化与金融产业开放，金融中心规划及国际合作等各项事务。金融政策局下设有国际金融部与国际金融合作办公室，负责代表 FSC 参加国际会议活动，处理国际金融事务，与海外金融监管机构合作，执行关于提升韩国的全球金融影响力的相关政策，管理金融机构的海外投资、跨境交易等。

五、成果介绍

FSC 会不定期举办国际金融交流会议，一方面与国际金融界沟通交流、互相学习，另一方面也起到了宣传推介韩国资本市场的作用。2011 年 9 月 29 日，韩国金融服务委员会负责承办了国际保险监管年度大会，邀请了超过 140 个国家和地区的保险监管机构，讨论了保险监管的国际新举措，并提出建立“国际保险公司监管共同框架（ComFrame）”的设想。另外，FSC 每季度出版韩国经济金融报告，介绍最新的经济发展政策与金融监管措施。

第十节 巴　　西

一、总体背景介绍

（一）经济

作为南美最大的国家，巴西近年来经济发展迅速，其 GDP 年增长率排在世界前列，成为带动世界经济增长的“金砖四国”之一（见图 26－42）。2012 年，巴西的整个经济总量跃升到世界第六位，人均 GDP 水平也大幅度提升

(见图26－43)。巴西支柱产业集中在农业、原材料、能源等行业。近年来，巴西的医药、飞机制造等高科技行业发展也十分迅猛。

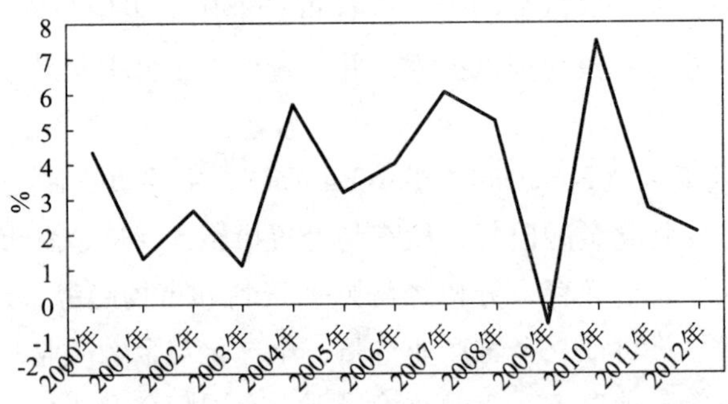

图26－42 2000～2012年巴西GDP增长率

资料来源：巴西财政部。

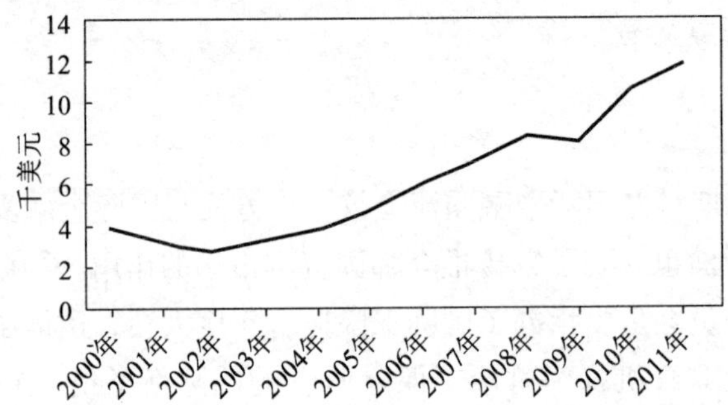

图26－43 2000～2011年巴西人均GDP增长情况

资料来源：IBGE。

（二）资本市场概况

20世纪90年代以前，巴西金融市场管理混乱，投机现象严重，通货膨胀率始终保持在两位数以上（最高达到2 000%以上），货币系统脆弱。但经过最近十几年的重建后，货币稳定，经济发展步入良性循环，期货市场发展迅速并处于世界前列，以中央银行深度参与为基础的金融市场健康发展，整体素质大大提高。巴西金融市场由巴西证券期货交易所（BM&BOVESPA）、巴西结算和托管公司（CETIP）、各大银行、证券和期货经纪公司、外投资银行等金融机构组成，采用中央银行的实时转账系统（RealtimeGross Settlement System，RTGS）进行清算，由巴西证监会（CVM）和中央银行（BCB）进行统一监管。

巴西期货交易所主要交易政府债券、巴西证券交易所指数、外汇汇率、黄金期货、期权等金融衍生品以及咖啡、玉米、酒精、棉花期货期权等商品期货及其衍生品，其结算由其下属结算所完成，同时该交易所还负责提供国债现货交易系统和清算以及负责为外汇现货交易提供结算。巴西证券交易所主要交易股票、企业债券、单一股票期货等产品，其结算由独立的巴西结算和托管公司负责。与巴西整体经济组成类似，其资本市场偏重于农业、资源类行业，与其他经济体有较大的差别（见图26－44）。

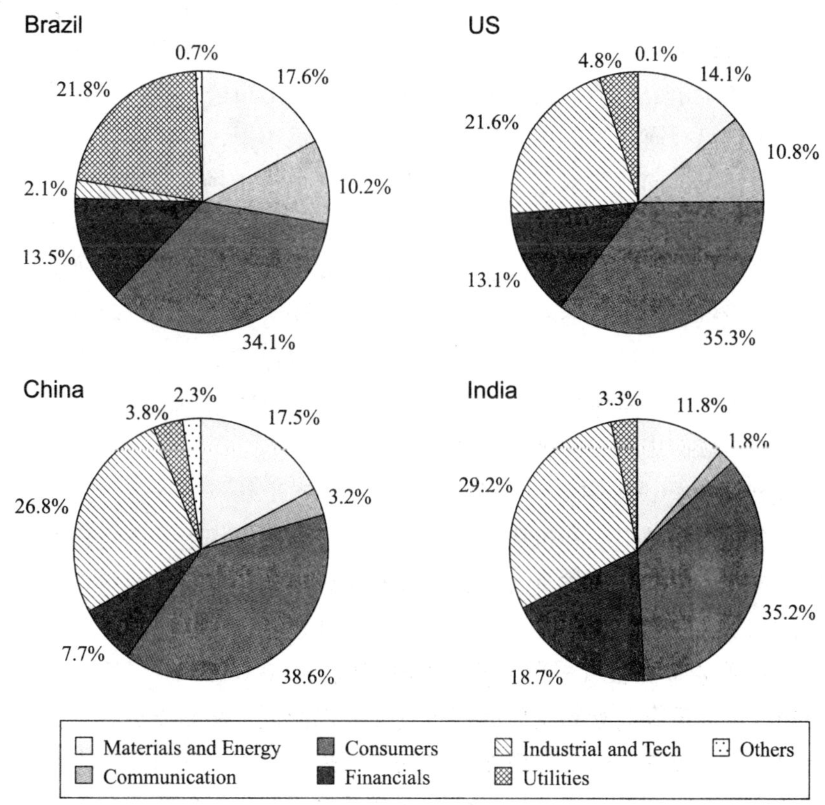

图26－44 巴西资本市场行业组成与世界各国比较①

资料来源：彭博。

① Joonkyu Park. Brazil's Capital Market: Current Status and Issues for Further Development. International Monetary Fund, 2012.

巴西资本市场具有较高的国际化程度，2012 年度巴西交易所数据显示其国际投资者占交易金额的比例达到 34%。资本市场的各项基础制度、法律法规、交易机制也逐渐与国际接轨。但巴西的储蓄和投资的水平相对于国际平均水平较低。考虑到增加资本市场的深度和流动性有利于增加储蓄的意愿，利于增加投资，因此，巴西政府始终将促进资本市场发展作为其一项优先政策。

（三）巴西资本市场的成功经验①

1. 高度注重上市公司治理

2001 年，巴西大力推进上市公司治理，推出了上市公司治理的 Novo Mercado 标准，并编制了上市公司治理指数，提高了信息披露标准。Novo Mercado 标准要求进入上市公司治理指数的公司在遵守一般上市公司执行的标准的基础上，提高了信息披露要求，规定这些公司还需提供季报，并披露管理人和控股股东的持股情况，同时要求至少有 5 名董事，还要求市场上自由流通的股份比例不低于 25%。这些措施对规范上市公司行为，提高上市公司治理水平起到了显著作用。进入公司治理指数的公司逐渐受到市场的青睐，是否进入公司治理指数成为投资者的重要参考，因此上市公司纷纷努力争取能够符合公司治理标准。上市公司日益遵守商业道德，公司的社会责任感不断提高，逐步加强了环保意识，也更加注重保护中小股东利益等等。治理标准和治理指数的推出，对促进巴西市场健康发展起到了重要作用。

2. 组织和机构设置完善

巴西金融市场的组织和机构设置比较完善。金融市场上，除货币政策委员会、中央银行、证券交易委员会外，还设有金融机构协会，主要负责协调金融产品创新以及推动市场发展。另外，巴西还有经济和社会发展银行（BNDES）、养老金协会（ABRAPP）、分析师协会（ABAMEC）等组织。巴西证券交易委员会负有监管和发展的双重责任，巴西证券交易委员会内部设有市场发展部，主要负责巴西证券市场发展的总体战略规划，同时还负责推动创新业务市场发展部定期对市场数据进行分析和风险测评并提出相关建议。

2009 年，巴西成立巴西金融资本市场协会（Brazilian Financial and Capital Markets Association，ANBIMA）专门促进巴西金融和资本市场发展。作为一个

① 祁斌，王明伟，李修辞．资本市场与大国经济——两个南美大国的比较及对我们的启示．中国证监会研究中心。

自律型私人市场监管组织，该协会采取会员制的形式，其会员包括来自巴西金融市场内多达340多家的主要金融机构和组织。该协会要求其会员遵守协会制定的行业准则，并与巴西政府监管机构合作实施监管，目的在于规范巴西金融和资本市场，推进巴西金融业的健康发展。该协会是巴西国内金融和资本市场行业数据、指数和研究的重要提供者，是外界了解巴西金融市场的窗口。协会还致力于发展金融市场教育和专业规范，为巴西国内资本市场培育和储备金融人才。

3. 坚持对外开放与市场化

巴西制定了金融业对外开放的长期战略，并始终贯彻和执行这一战略。与此同时，巴西政府旨在建立一个透明、公正、规范的市场，大力打击违法行为，注重公司治理，很少对市场进行行政干预。巴西金融体系和资本市场成功的重要原因之一即具有较高的国际化和市场化程度，市场基础制度和法律法规接近国际标准，市场参与主体较为成熟。巴西十分欢迎国外投资者的进入，国际投资者只需在巴西证券交易委员会注册，然后选择巴西的一家经纪商，把资金投入经许可的资金存管机构并提供税号即可投资。市场在对国际投资者和投资银行开放的同时，本土的金融机构也通过参与竞争提高了核心竞争力，并占据了主导地位。

二、资本市场的境外推广活动

巴西资本市场的发展离不开对外开放，长期以来，巴西政府都十分重视资本市场发展与国内外投资者的关系。1999年，根据巴西新的财政政策，巴西中央银行成立了投资者关系与特别研究部（The Investor Relations and Special Studies Department，Gerin）以增进巴西中央银行和投资者间的双向交流。2001年，巴西国家财政部设立了投资者关系办公室（Investor Ralations Unit，IRU），旨在维护和提升投资者、分析师和评级机构间的关系，提高财政政策的透明度，拓宽投资者的基数。Gerin和IRU在各自独立发展的过程中逐步建立起合作关系，并有相互融合的趋势。2004年，Gerin和IRU共同发起“最好巴西”（Brazil：Excellence in Securities Transactions ，BEST Brazil）长期主题国际推广活动（Activities/Initiative），其宗旨是对国际投资者推广宣传巴西资本市场，提供巴西资本市场发展动态、投资机会以及与巴西资本市场重要人物紧密沟通的渠道。除巴西中央银行和财政部的投资者关系部门，“最好巴西”得到其他政府组织的参与，包括巴西证券交易委员会（CVM）、巴西金融资本市场协会（ANBIMA）、证券期货交易所（BM&FBOVESPA）、巴西证券登记结算公司（CETIP）和巴西银行联盟（FEBRABAN）。2007 年，Gerin 在其网站上建立 IRU 的链接，并接受 IRU，帮助投资者了解巴西对资本市场投资者的双重政府管理的模式。

三、活动及成果

“最好巴西”作为巴西资本市场推广活动的协调组织，每年都会组织巴西的各大机构投资者在北美、欧洲、中东和亚洲主要金融中心进行路演和相关推介活动，旨在为外界展现巴西资本市场的良好形象以吸引国际投资者，为国际投资者提供巴西资本市场发展的动态和投资机会。来自巴西金融界的高管们也积极参加这类推广活动，为与国际投资者们展开零距离沟通，介绍巴西市场和行业动态。到目前为止，“最好巴西”已经组织了超过 20 多场的在全球主要金融中心的路演活动，接触了超过 4 000 家的投资者。2013 年，“最好巴西”组织巴西证券期货交易所、巴西投资商业协会、巴西中央银行、巴西财政部、巴西证监会、巴西登记托管结算公司等主要市场机构在英国、瑞士、卢森堡和法国等地分别开展 16 场路演活动，与超过 160 家的机构投资者进行交流。

“最好巴西”还成立了一个由政府资深人员组成的工作组以扫除国际投资进入巴西的障碍，帮助国际投资者进入巴西资本市场；建立起专门的网站为国际投资者提供关于如何投资巴西市场、巴西市场动态以及其他相关信息。

第十一节 俄罗斯

一、总体背景介绍

（一）俄罗斯经济发展概况

苏联解体后，俄罗斯继承了苏联大部分物质基础，但经济体系百废待兴。为此，前总统叶利钦采纳了激进式改革方案——“休克疗法”，直至 1998 之前，经济处在波动剧烈的负增长中，深陷财政和金融危机及制度变迁所伴生的低迷中。1999 ~ 2008 年，10 年间呈现出持续增长的势头，尤其是，2000 年后，俄罗斯经济一直保持着较快增长的势头，年均增长率在7%左右，外债减少，卢布升值（见图26－45）。2008年，全球经济危机加上原油价格暴跌导致的泡沫经济破裂给俄罗斯带来了巨大的冲击，2009年，经济增长率由上一年度的7%～8%骤降为－7.9%，在全球主要经济体中的下滑程度最大[①]。2010年，俄罗斯在政府一系列救市措施后，实现V型反弹，但是2012年3%的增长率仍难以与危机之前7%的增长率相提并论。

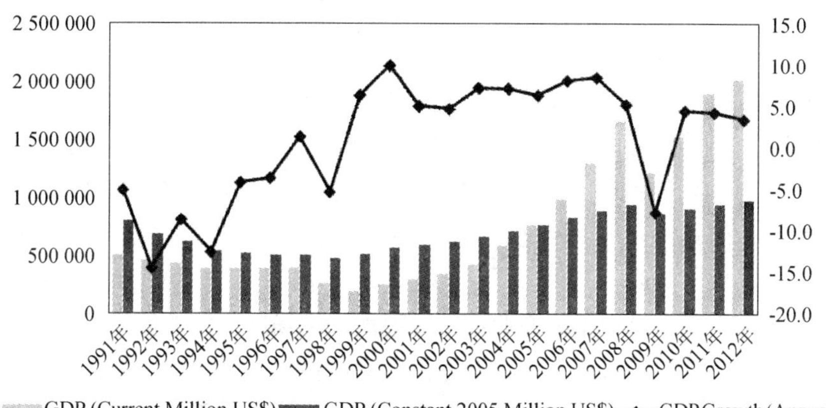

图26－45 俄罗斯年度GDP净值和增长率变化

Source：World Bank.

俄罗斯属于典型的资源依赖型经济，即主要依靠自然资源的大量出口来达到经济的快速增长。出口导向型发展模式出口极大地推动了其经济发展，出口规模约占经济总量的30%。据俄罗斯经济发展和贸易部的资料，目前俄罗斯经济增长的27%是由石油和天然气等能源的出口获得的，而包括能源在内的原材料行业占到俄罗斯GDP的70%以上[②]。

俄罗斯外汇收入的约60%来自能源出口，对能源的依赖主要表现在以下三点：第一，石油经济的特征明显，仅在编制年度预算时要以预期的国际石油基准价格，安排财政收支及预测经济增长；第二，资源经济发展迅速，在俄罗斯的出口构成中80%为原材料，其中石油和石油产品占38%，天然气占18%，有色和黑色金属占15%；第三，经济政策对资源能源出口的倚重，俄罗斯经

① 久保庭真彰．俄罗斯经济的转折点与“俄罗斯病”．俄罗斯研究．2012（1）。

② 郭连成．资源依赖型经济与俄罗斯经济的增长和发展．国外社会科学，2005（6）。

济发展和贸易部2004年12月发布中期发展纲要草案要在2015年中，提升石油领域的投资至1 280亿美元~1 400亿美元，为解决石油管道运输能力不足，又花费巨资修建了波罗的海管道二期工程，使年输油能力从目前的4 600万吨提高到6 200万吨。

（二）金融改革历程

作为“休克疗法”的附属部分，俄罗斯自苏联解体后便启动了金融自由化战略。然而金融自由化之路一路艰辛，成效索然，不但没有促进经济发展，反而一次次成为俄罗斯经济衰退的导火索和催化剂。

1. 激进式改革阶段：1991年至1998年

1992年，“休克疗法”改革初期，俄罗斯货币金融体系陷入了严重混乱，金融体系改革的具体表现就是建立证券市场、利率市场化、卢布的自由兑换、汇率的自由浮动。1992~1995年间，俄罗斯商业银行股份制改革步伐加快。私有化改革催生了大量中小型商业银行，但由于市场准入标准偏低、资产规模小、抗风险能力差，银行体系成了金融体系的潜在威胁。另外，银行依附于企业，形成金融工业集团。金融工业集团利用银行吸收来的资金大量贷款给企业来收购私有化股份，以获取其对行业的垄断地位。同时，私有化严重削弱了居民对银行的信任度，在通胀背景下，俄居民减持卢布增持美元，在短缺的储蓄当中，又有相当一部分流入了外汇市场，加剧了信贷资源的紧缺。

在证券市场方面，转型初期的俄罗斯为了配合企业股份制转型和增加为国债的流通性，强制性地进行制度设计，开启证券交易市场，导致内幕交易、虚假信息泛滥，企业股票被廉价收购，证券市场严重缺乏效率。1992年，俄罗斯启动了卢布自由兑换的改革，经常项目外汇的自由兑换使卢布汇率的波动也开始逐渐增大，卢布兑美元持续贬值。国内资本外逃愈发严重，经济“美元化”愈发明显，1995年俄罗斯不得不开始实行“外汇走廊”固定汇率制度。

2. 恢复性增长阶段及全球金融危机：1998年至今

1998年俄罗斯金融危机爆发后，经历了来连续10年的恢复性增长，年均超过6%的增长速度成为世界上增长最快的国家之一。与此同时，俄罗斯的资本市场也随着其经济复苏，上市公司总市值以及其相对于GDP的比例增长迅速（见图26-46）。

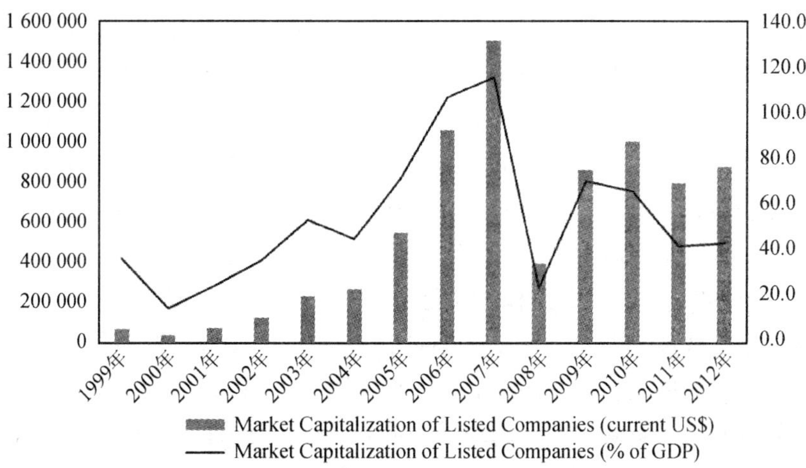

图 26-46 俄罗斯上市公司市值以及相对于 GDP 的比例

资料来源：世界银行。

为应对金融国际化浪潮，俄罗斯提出了卢布国际化战略。为促进外国机构投资者长期持有卢布，俄罗斯加大证券市场的开放度，允许境外投资者购买卢布然后用于投资，实行资本项目下的卢布自由兑换。同时，为了维持固定汇率制度，中央银行只能不断地买进或卖出美元资产，将通货膨胀目标放在一边。但在政策目标选择上，中央银行希望更多地选择维持物价稳定，而经济发展部和财政部则更倾向于中央银行稳定卢布汇率。政府市场管理机构政策的不统一在一定程度上造成了金融市场混乱、外资抽逃严重、银行大面积倒闭。最终汇率的自由浮动，资本项目的开放使俄罗斯成为 2008 年国际金融危机的重灾区，资本市场在金融危机的冲击下萎缩严重（见图 26-46），金融体系和实体经济均受到严重影响。

（三）资本市场监管体系

苏联解体后，俄罗斯金融体制改革形成了以中央银行为主导、商业银行为主体、多种金融机构并存的金融体系①。俄罗斯的中央银行是由国家银行转变而来的，两级银行体系占据金融市场的主导地位。2004 年 3 月，俄罗斯政府将金融资本市场的控制和监督职能转至联邦金融市场服务管理局（FSFM），迈

---

① 郑东生．俄罗斯金融体制改革．俄罗斯中亚东欧研究．2004（6）。

入混业经营的改革。FSFM 的目标是确保资本市场的平稳运行，提高资本市场的效率、投资吸引力以及透明度。主要功能是：监管有价证券的发行、发行结果报表及发行方案，保证证券市场上的信息公开，对发行者、市场专业参与者及其自律组织、公司型投资基金及其自律组织、管理不动产抵押金的代理机构以及商品交易所等进行监管。FSFM 的权限包括执法、向政府提供政策建议、对证券市场进行政策研究等。

但目前，FSFM 并没有发挥出全能监管者的作用，主要原因在于 FSFM 审计机构还由财政部监管，银行由中央银行监管，保险基金仍由俄联邦保险监管机构监管①，更重要的是 FSFM 尚没有获得立法权。因此，混业监管框架下的分业监管混乱成了下一步改革的动因。俄罗斯政府着力提升中央银行的监管地位，向统一监管体系发展。2013 年 4 月，俄罗斯总统普京在签署一项关于成立统一金融监管机构的法案时表示，未来俄联邦金融市场局对金融市场的主要监管职能将划归中央银行②，在中央银行基础上成立统一的金融监管机构将解决俄罗斯金融监管机构职能重复的问题，提高金融监管的稳定性和有效性（见图 26－47）。

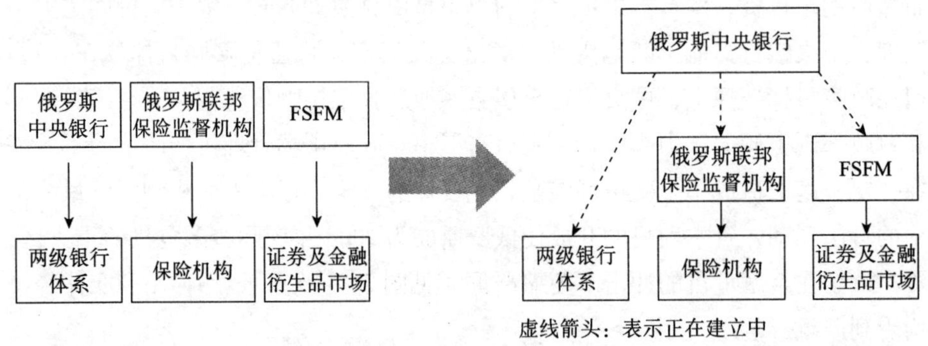

图 26－47　俄罗斯金融监管体系改革

二、资本市场的境外推广活动

俄罗斯金融体制 20 年的变迁历程带来了许多经验和教训，俄罗斯政府希

① 陈菁泉，米军．俄罗斯证券市场监管制度变迁及启示．俄罗斯中亚东欧研究．2010（6）。

② 俄罗斯中央银行将统一监管金融市场．新华网：http：//news. xinhuanet. com/fortune/2013－07/24/c_ 116674902. htm。

望能深入分析这些经验，寻找未来俄罗斯金融体制的发展方向。俄罗斯的证券市场与经济增长和实体经济投资关联度弱。俄罗斯公司在证券市场募集的资金只有少量资金投向实体经济，大量的资金用于公司股份的并购。近几年内，由于实体经济融资需求的带动，以及国内金融机构在实体经济融资方面的能力不足，实体经济的目光逐渐转向国际资本市场。但由于俄罗斯在国际资本市场的影响力和地位较低，又缺少有效的宣传推广途径和专业资本市场推介机构，其吸引境外资金的能力不足。因此，政府采取了一系列措施，开展海外推介活动，与国际重要金融中心的推广机构展开合作，努力提升俄罗斯在国际金融资本市场的地位和影响力，增加对国际资本的吸引力。

其中，作为俄罗斯经济金融中心，莫斯科的开放步伐最为明显。莫斯科投资和出口促进局（MIEPA）负责向政府提出吸引外商投资监管的分析研究与建议。自2010年起，MIEPA还设立了若干专业门户网站帮助莫斯科企业发挥出口潜力和吸引海外投资，以“投资俄国”（Invest in Russia）和“莫斯科投资窗口”（Moscow's Investment Gateway）最具影响力。这些网站旨在为海外投资者提供便利，通过向国际投资者提供投资信息和帮助，服务外国投资者的业务发展需要，帮助其进入莫斯科乃至俄罗斯市场。该机构目前已通过向海外派遣推广代表团、安排国际推广会议和路演等形式获得了一定的海外推广经验。此外，俄罗斯的对外吸引外资和宣传推广主要侧重于实体经济，其资本市场海外影响力和知名度的提升仍没有得到应有的足够关注。

2010年，俄罗斯政府设立莫斯科国际金融中心（MIFC），旨在以其丰富的自然资源带动各个行业的经济发展，推动国际间的前沿合作。近年来，俄罗斯加快了资本市场海外推介步伐，目前正与英国TheCityUK和德国法兰克福美因河金融协会（FMF）合作，拟建立一个专门的资本市场海外推介组织。2011年，MIFC与TheCityUK签订谅解备忘录，建立了莫斯科—伦敦联络组织（JLG）。此外，TheCityUK拟帮助俄罗斯全方位打造资本市场发展计划“Russian Champions”，以提升莫斯科及其金融产品在全球金融市场的地位。该计划主要包括以下内容：为国际企业提供俄罗斯重大投资机会的相关信息；协助建立主要国际企业业绩信用记录；帮助改善俄罗斯资本市场内上市公司治理水平；协助政府创造低税收、低债务的市场环境；配合政府解除资本管制，进一步开放外汇、证券及衍生产品市场；帮助打开国际资金进入俄罗斯金融市场的渠道；协助俄罗斯实现国家和私人养老金市场自由化计划等。

第十二节 印 度

一、总体背景介绍

作为开放的新兴市场，印度和我国的情况有许多类似之处，是典型的发展中国家。自20世纪90年代以来，经济持续快速增长，资本市场获得了较大发展（见图26－48、图26－49）。2012年底印度资本市场规模达到12 633.35亿美元，上市公司数目为5 191家。

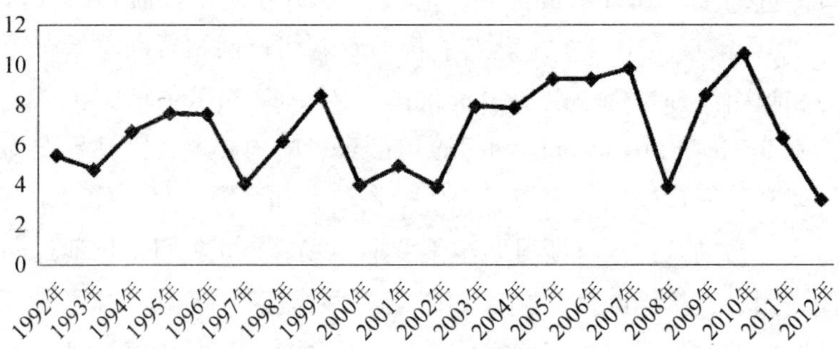

图26－48 1992～2012年印度经济增长率（%）

资料来源：世界银行。

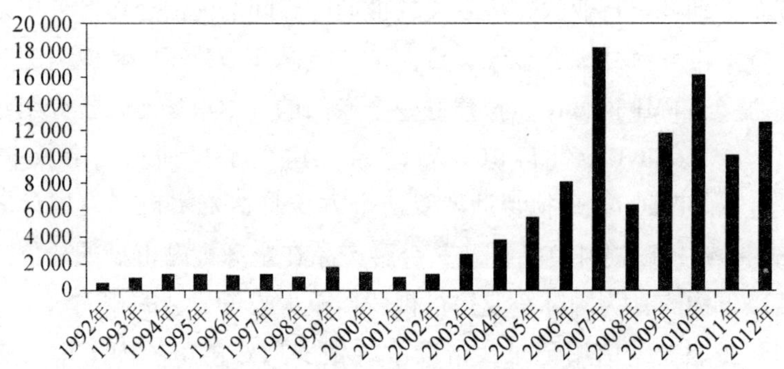

图26－49 1992～2012年印度资本市场规模（亿美元）

资料来源：世界银行。

印度的金融体制介于分业和混业之间，银行业兼营保险，证券业相对独立。1935 年 4 月成立的印度储备银行（Reserve Bank of India）为印度中央银行，主要职责包括制定和执行货币政策、监管金融体系、管理外汇市场、发行货币、监督支付体系运行、担当政府的银行和银行的银行等角色。印度证券交易委员会（SEBI）成立于 1992 年，直接受内阁领导，主席由总理任命，成员来自印度储备银行、财政部门和司法部门，负责基金和证券市场的规则的制订、实施和监督管理（见图 26 - 50）。

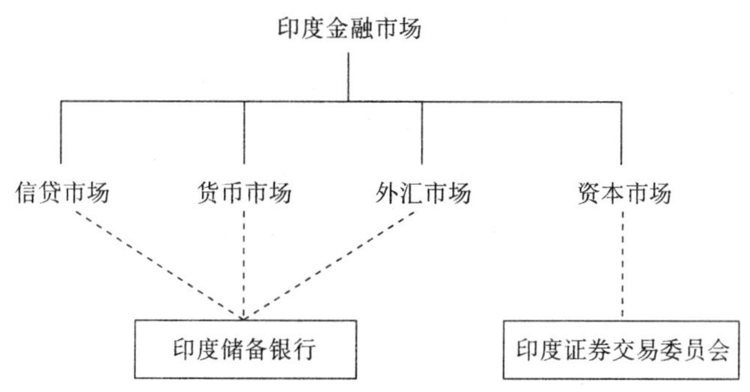

图 26 - 50　印度金融资本市场的监管体系

孟买作为印度最大的城市，也是印度的经济中心和金融中心。据估算，孟买集中了印度 50% 的现金流量以及高达 92% 的股票交易。孟买还是印度对外贸易的中心，50% 的集装箱吞吐都集中在孟买。孟买在人力资本和商业头脑方面有着固有的优势。印度将孟买建设成为国际重要金融中心的雄心由来已久①。2007 年，印度成立了一个由印度财政部主导的孟买国际金融中心建设高级专家委员会，并发表了《孟买：一个国际金融中心》白皮书。但最新发布的 2013 年“全球金融中心指数”（GFCI）报告显示，在全球 79 个金融中心排名中，印度最大的金融中心孟买由上一期的第 63 位下滑至第 66 位，排名几乎垫底，这说明孟买想要成为国际金融中心仍面临着严重的制约，主要体现在：

第一，城市基础设施落后。城市基础设施落后是印度首要解决的难题，也是制约印度经济发展的重要障碍，不利于孟买国际金融中心的建设。事实上，孟买在 1995 年就提出过一个名为“孟买赶香港”的计划；2003 年 9 月，孟买又提出了“孟买计划”，表示要在城市建设上与中国上海一拼高下。不少国家

① Entering the Indian financial services market. PricewaterhouseCoopers LLP. London. 2007.

在帮助孟买成为金融中心的过程中也表示要大力支持印度的基础设施建设，然而这些计划在具体实施过程中能够实现的却很少。

第二，公司债券市场不发达。印度的债券市场始终落后于其股票市场和政府债券市场。在印度，政府对公募发行的公司债券一律实施强制的信用评级要求，整个过程十分复杂、发行速度慢、成本高且信息披露要求严格，因此几乎所有的公司债券都是以私募方式发行的。这种极高比例的私募发行，造成印度公司债券发行对象相对集中，市场缺乏多样性、多元化的债券投资者，资金需求和对风险的偏好具有一定趋同性，市场中的投资者难以有积极交易、流动性低。

二、印度金融稳定和发展委员会（FSDC）成立背景

FSDC 的前身是印度资本市场高级协调委员会（HLCCFM）。早在 2004 年，HLCCFM 下属的印度储备银行监管技术委员会就设立了系统性重要金融机构的监管机制。尽管 HLCCFM 并不是一个正式的组织，但在 FSDC 成立前，实际担当着资本市场监管协调职责。

金融危机后，各国非常重视金融稳定和金融安全。2010 年 7 月，美国颁布《多德—弗兰克华尔街改革和消费者金融保护法案》，决定成立金融稳定监管委员会（FSOC）以应对系统性风险。随后，在印度 2010 ~ 2011 年度财政预算大会上，印度财政部借鉴美国做法，提出为保障金融体系的长期稳定，加强国内监管机构之间的协调，决定成立印度金融稳定与发展委员会（FSDC），对资本市场监管进行协调。

三、宗旨

印度金融稳定和发展委员会（Financial Stability and Development Council, FSDC）成立于 2010 年 12 月，旨在促进印度金融业的发展、提高印度金融业的稳定性、协调政府各监管部门的合作、研究制定新的金融政策、规划印度金融业的对外开放和对外合作，代表印度政府参加国际性金融论坛，加强与国外监管机构、国际金融稳定理事会（FSB）、金融行动特别工作组（FATF）等的合作与协调①。该委员会由印度财政部长带领，综合了来自印度政府各个高级监管层面的人员，是印度最高层次的监管协调统一机构。

① 印度政府报告：Objective and Functioning of the Financial Stability and Development Council。

印度 FSDC 的重要职能包括促进印度资本市场的发展。但是由于城市基础设施建设落后以及资本市场制度不健全，目前印度仍把工作重心放在如何加强城市基础设施建设、如何加强本国金融市场建设以及维护金融系统稳定、促进本国资本市场协调发展等问题上。因此，截至目前，印度尚无一个专门的机构从事资本市场的海外推介工作。尽管 FSDC 的职能中包含着对海外推介宣传印度金融资本市场、吸引国际投资者、加强国际合作的作用，但 FSDC 自建立以来的成果和影响有限，在国际推广方面的活动及效果更是缺乏。

四、组织架构

印度金融稳定与发展委员会的主席由印度财政部部长担任，其成员包括金融监管机构（即印度证券交易委员会 SEBI、印度储备银行 RBI、印度保险监督和发展局 IRDA、养老金监督和发展局 PFRDA）的首脑、金融司司长、财政部经济事务司司长、财政部金融服务司司长、首席经济顾问。委员会的秘书处由财政部、资本市场部、经济事务部三部门的秘书联合担任。

FSDC 下设子委员会，该子委员会由印度储备银行负责，主要讨论和决议一系列与资本市场发展和稳定相关的问题。2011 年 8 月，在子委员会的审议下通过成立了两个工作组：金融宣传工作组（Financial Inclusion and Financial Literacy Technical Group）和跨部门监管工作组（Inter Regulatory Technical Group）（见图 26－51）。其中，跨部门监管工作组由印度储备银行的执行董事领导，成员包括来自 SEBI、IRDA、IRDA、PFRDA 的执行董事级别的代表。该工作组每两个月召开一次会议，主要讨论系统性风险和内部监管协调。金融宣传工作组由印度储备银行的副行长担任，成员包括所有的监管机构和财政部的代表。此外，FSDC 还开设了专门服务重要金融机构监管的跨部门监管论坛。

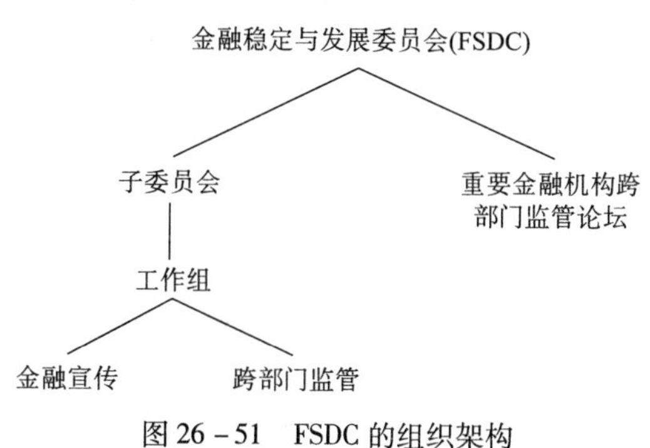

图 26－51　FSDC 的组织架构

第十三节 小　　结

一、国际资本市场推广活动小结

国际上主要资本市场对于国际宣传推介活动的开展程度参差不齐，这主要和资本市场的发展情况以及政府对于国际宣传推介业务的重视程度有关。发达资本市场如英国、德国、法国、加拿大、中国香港等，其政府十分重视金融业和资本市场的发展，把资本市场的国际宣传推介活动作为促进资本市场发展的重要手段，从政策倾斜、资源配置方面都给予很多支持。这些国家和地区的推广组织产生的背景通常和当地资本市场的发展情况有紧密的联系：有关政府希望借助推广活动来促进当地资本市场的发展，提升经济。凭借完善的资本市场机制体制，这些市场的宣传推介机构通常以市场化的非营利公司或者协会形式运作，整合了社会各界资源，提高了机构运行效率，同时又提升了机构活动影响力，对促进当地资本市场整体发展起到了积极作用。而像美国和日本这样的发达资本市场，由于自身或历史原因，政府对于规划资本市场的整体国际宣传推介业务并不十分重视，没有形成长效的推广体系。一些新兴的资本市场，如韩国、巴西、俄罗斯和印度，随着其实体经济的发展，这些国家对于发展资本市场的重视程度也逐渐提升。这些国家渴望在资本市场国际化的浪潮中获得竞争优势，纷纷开展由政府主导的各式各样资本市场国际宣传推介活动。但由于其市场机制不完善，市场主体参与度低，国际推广经验欠缺等原因，新兴资本市场的国际推广业务虽有亮点，但整体仍显得零散和不足，所产生的影响也有限。

二、推介机构的影响小结

国家层面的资本市场国际宣传推介机构有利于整合社会资源，提高推广效率，有效促进资本市场的整体发展，是资本市场推广的有效组织机制。然而，国际上缺乏对于资本市场推介机构作用的直接量化评估。究其原因主要是难以建立推介活动与资本市场发展间的直接联系，由推介活动直接刺激的资本市场发展也难以有效量化。但是，可以通过有限的调查问卷资料来管窥业界对于开展推介活动影响的评价。

2010 年英国投资贸易局开展了一系列行业推广战略评估①。投资贸易局通过调查问卷的形式征询了 57 家英国金融企业和 81 家国际金融企业对于金融行业推广活动的意见和建议。这个时期之前的英国金融业推广活动主要是由英国投资贸易局下属的英国金融服务业咨询委员会（UKTI's Financial Services Sector Advisory Board，FSSAB，TheCityUK 公司的前身之一）负责引导和监督。

调查问卷的结果显示，在被问及整个金融行业在没有参加政府组织的各类推广活动的情况下是否还能取得相同程度的发展时，84% 的受访企业对政府的工作给出了正面的回应：其中 42% 的企业表示行业在没有政府推广活动的情况下只能取得部分成果；25% 的企业表示政府的推广活动加速了行业的发展（见图 26－52）。

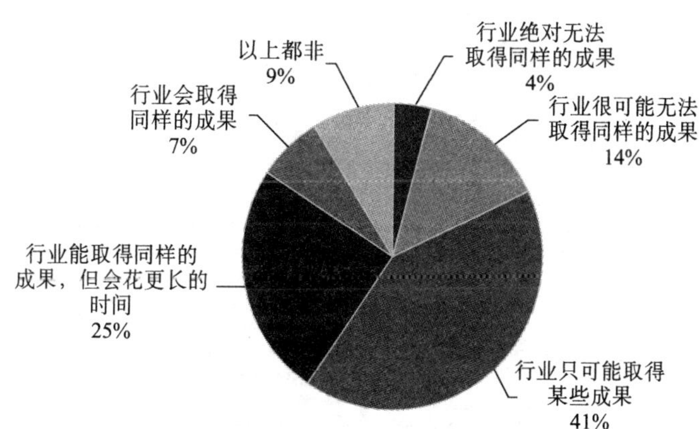

图 26－52 行业整体是否从推广活动中受益

在被问及企业个体在没有参加政府组织的各类推广活动的情况下是否还能取得相同程度的发展时，79% 的受访企业对推广活动给出了正面的回应：其中 33% 的企业表示企业在没有政府推广活动的情况下能取得部分成果；30% 的企业表示政府的推广活动加速了行业的发展（见图 26－53）。

① Evaluation of UKTI Sector Marketing Strategies：Financial Services Case Study，UK Trade and Investment. 2010.

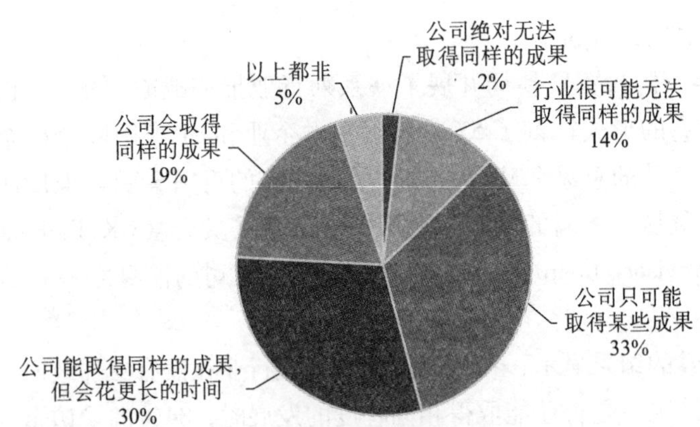

图 26-53 企业个体是否从推广活动中受益

在调查英国本国企业对于推广活动具体影响的认同程度时，超过半数的英国受访企业表示推广活动为英国金融服务业提供了一个清晰的品牌形象（53%）并成功突出了英国金融服务业的主要业务（51%）。同时，受访企业还表示推广活动有效提升了英国金融业在全球市场上的声誉（44%），为国际市场了解英国企业做出了重要贡献（37%）（见图 26-54）。

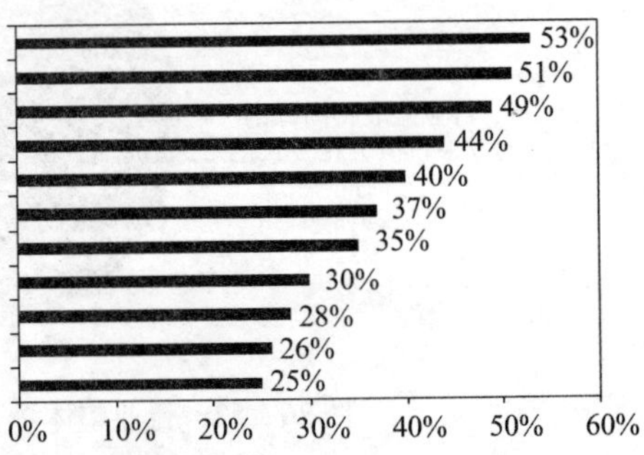

图 26-54 对英国国内企业的问卷调查结果①

当在英国境内的外资企业被问到对于英国政府推广活动的印象时，外国企业的回应普遍都十分赞同这类活动。对于推广活动能否展示英国作为全球领先的金融中心的优势，展现英国的品牌形象、凝聚对外的一致声音，外国企业在10分的范围内给出了平均7分的较强认同（见图 26-55）。

① 询问企业对于推广活动具体影响的肯定程度，以0~5分为衡量，5分为非常肯定，选取4分以上的调查结果计算百分比。

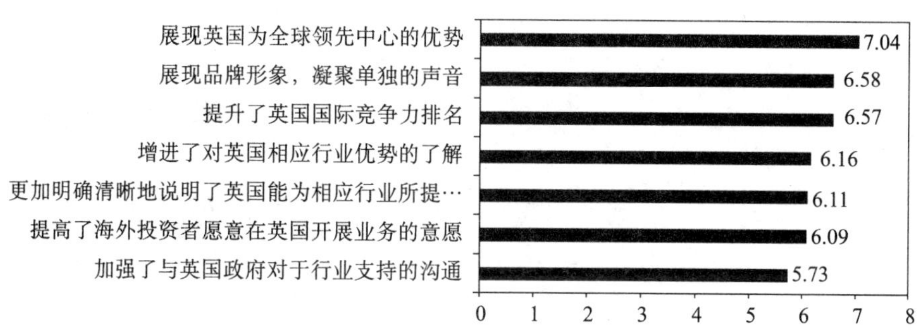

图 26－55 对在英国有业务的外国企业的问卷调查结果①

综合来看，英国国内外企业都不同程度地从政府的推广活动中受益。有42%的企业表示推广活动帮助其建立广泛的联系，充分了解国际市场的动态和潜力（40%），并有更多机会展示公司自身业务（33%）（见图 26－56）。推广活动有效地促进了英国金融业的发展，刺激了当地经济，提升了英国就业，同时也为英国经济的国际化程度做出了贡献。

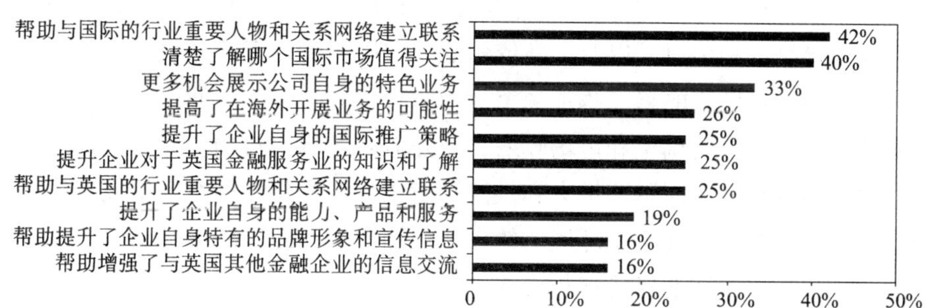

图 26－56 英国国内外企业从推广业务中受益的调查部卷②

① 询问外国企业对于推广活动影响的肯定程度，以 0～10 分为衡量区间，10 分为非常肯定，计算平均分。

② 询问企业从推广活动中的具体受益效果。以 0～5 分为衡量区间，5 分为非常认同，选取 4 分以上的调查结果计算百分比。

第二十七章

国内情况介绍

第一节　中国资本市场的背景

2008 年爆发的国际金融危机，对中国经济形成巨大的冲击，标志着中国经济新一轮调整和转型的开始。中国经济增长模式的两个基本特征是：经济增长过度依赖投资和出口，以及过度依赖低成本资源和要素的高强度投入。在危机后，这种增长模式的路子越走越窄，矛盾日益突出。一方面，国际金融危机带来的世界经济深度调整和市场收缩，使外需对经济增长的贡献明显下降；另一方面，随着经济规模迅速扩大和供需平衡条件的变化，原有的低成本优势持续减弱，而能源资源和生态环境的约束不断加剧。因此，中国经济亟待进行战略性调整和转型，转变经济增长模式，调整经济结构。

2012 年，随着中央经济工作会议的召开，实体经济的发展和重塑被提上了战略发展的高度，经济转型与产业升级成为贯穿我国未来经济十年的主线。而资本市场和实体经济协同发展是一国经济可持续增长的重要动力。培育和大力发展中国资本市场，建立与 GDP 相符的强大资本市场，有助于解决中国经济面临的全球经济滞涨导致的出口增速下跌、经济增长速度放缓以及通胀压力持续等问题，促进经济结构调整和产业升级，增加居民收入和抗通胀能力，以消费促进经济平稳较快增长。

当前，我国多层次资本市场的建设正如火如荼地进行，对实体经济的支持作用也在不断增强。截至目前，我国已初步形成了主板、中小板、创业板、股份转让系统、产权交易市场的多层次资本市场体系。其中，主板市场主要为大型、成熟企业的融资提供服务；中小板主要为中小企业提供融资平台；创业板为正处于成长阶段的自主创新企业和其他高成长企业提供直接融资渠道；而股份转让系统和产权交易市场则为初创期的高科技创新企业提供了股份转让和融资的平台。然而资本市场各层级间发展不平衡，与国外成熟资本市场典型的场外市场、创业板、中小板、主板的金字塔结构不同，中国资本市场呈现出倒金字塔式的结构，主板上市公司占有绝大部分的资产资源，中小企业所占的资本市场份额较低，得不到市场重视，严重制约着经济转型（见图 27－1）。

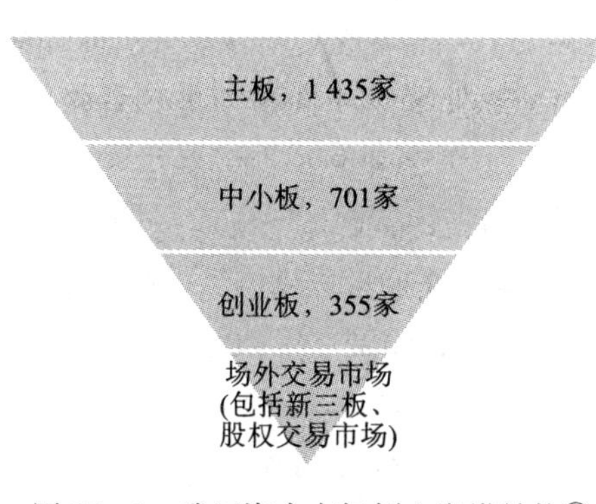

图 27－1　我国资本市场倒金字塔结构①

从目前的情况来看，我国资本市场的基本特征仍然是“新兴加转轨”，整体发展水平仍处于初级阶段②，呈现出如下特点：（1）整体规模偏小，直接融资比例较低，股票、债券市场结构失衡；（2）市场机制不完善，市场运行效率不高；（3）上市公司治理水平有待提高；（4）证券公司综合竞争力较弱；（5）投资者结构不合理，机构投资者规模偏小，发展不平衡；（6）法律和诚信环境有待完善，监管和执法效率有待提高③。

中国经济转型成功的希望在实体经济，中小高科技企业和蓝筹股上市公司作为实体经济健康运行的重要组织形态，离不开资本市场的支持。而资本市场国际化对于提升上市公司的整体治理水平，改善中小企业融资条件，促进中国资本市场健康发展都具有十分积极的意义。为此，政府陆续出台多项措施，结合我国实际情况，逐步加大对金融服务业的对外开放程度，积极引进境内外机构投资者。

---

① 截至 2013 年 5 月，资料来源中国证监会。

② 中国证监会．中国资本市场发展报告．中国金融出版社 2008 年版。

③ 中国证监会．中国资本市场二十年．中信出版社 2012 年版。

第二节 中国资本市场对外开放现状与规划

一、外资进入中国资本市场的现状和发展方向

为吸引国外长期资金进入我国资本市场，增加机构投资者的比重，2002年11月5日，中国证监会和外汇管理局颁布了《合格境外机构投资者境内证券投资管理暂行办法》。QFII（Qualified Foreign Institute Investor）是合格境外机构投资者的简称，即经中国证监会批准投资于中国证券市场，并取得国家外汇管理局额度批准的中国境外基金管理机构、保险公司、证券公司以及其他资产管理机构。中国台湾、韩国、印度、巴西等国家和地区在20世纪90年代初就实施了这种制度。QFII制度本质上就是对进入本国证券市场的外资进行一定的限制。目前，QFII是我国资本市场外资进入的主要形式。此外，我国资本市场还设立了利用境外人民币资金在境内进行证券投资的制度——RQFII（人民币合格境外机构投资者）。QFII及RQFII制度的确立和实施不仅丰富了我国机构投资者的队伍，引进了境外资金，同时还带来了先进的投资理念与文化，促使了A股多元投资文化的形成，推动了中国资本市场的全面发展。

（一）QFII成立背景

1. 资本市场开放的过渡性措施

QFII是我国渐进式金融改革的必然产物。自20世纪80年代以来，我国不断推行渐进式金融体制改革。经过30余年的努力，金融体制逐步完善，金融部门对经济增长的贡献也日益明显。在金融业的改革逐步推进的同时，我国也在努力推进金融业的开放，外资银行和保险机构在我国的业务规模和业务范围逐步扩大。但是我国对资本市场的开放却相当谨慎。我国在20世纪末的亚洲金融危机中之所以未受较大冲击，主要因素在于我国资本市场尚未完全开放，人民币资本项目下不能自由兑换，这在一定程度上避免了外国资本对我国金融市场的冲击。但是这种幸运并不是永久性的，封闭不是长久之策，中国的金融体系终究要面对世界竞争。QFII的出现，正是这种要求的产物，是我国走向资本市场完全开放和资本账户下人民币的完全自由兑换这个目标的一个中间环

节，一种渐进策略①。

2. 股市的阶段性低迷的产物

QFII 的出台与近年来我国股市在 2002 年的低迷有一定关系。从 1999 年到 2001 年，我国资本市场的发展态势良好，交易活跃，给经济发展注入了不少活力。但在 2001 年 9 月之后我国资本市场逐渐走向低迷，人们对股票市场的消极预期增强。2002 年全年的低迷态势更是十分明显，股票投资收益率有很大下滑。资本市场的低迷态势与我国持续高速成长的国民经济总体发展趋势十分不协调。因此，引入 QFII 对于激发资本市场活力，遏制资本市场低迷态势有积极作用。

3. 贸易和金融自由化的影响

2001 年底，我国正式加入世界贸易组织，标志着国际贸易进入全新的发展阶段，贸易自由化也加速了我国金融自由化进程。有关金融业开放的各项承诺逐步兑现，其中包括银行业的开放（最终允许外国银行业向所有中国客户提供金融服务）、证券业的开放（允许外国证券公司从事中国股票的承销和政府债券、公司债券的承销交易以及基金的发起）以及保险业的开放（最终允许外国保险公司在中国开展保险和再保险业务）。QFII 的引入是资本市场开放的一个过渡性措施，通过引入合格的境外机构投资者，有选择、有控制、有目的地引入境外资本，实现资本市场的部分开放和资本项目下人民币的局部可自由兑换。QFII 作为人民币和资本账户的开放的过渡形式，给予了中国政府、研究者和投资者一定的缓冲时间。

（二）QFII 发展历程和现状

自 2003 年 5 月 26 日瑞士银行（UBSAG）获批成为我国首家 QFII 以来，QFII 在我国发展势头迅猛。2006 年 8 月 24 日，中国证监会联合人民银行、外汇管理局正式颁布了《合格境外机构投资者境内证券投资管理办法》。2009 年国家外汇管理局颁布了《合格境外机构投资者境内证券投资外汇管理规定》，同之前的《合格境外机构投资者境内证券投资管理暂行办法》相比，这一正式规定大幅度降低了 QFII 的准入门槛，缩短了锁定期，提高了投资上限。QFII 的投资额度在 2003 年为 100 亿美元，2007 年增加至 300 亿美元。2012 年

① 卢莉娅．QFII 的国际经验借鉴及中国化问题初探．湘潭师范大学学报（社会科学版）．2005（9）。

4月3日，经国务院批准，中国证监会、中国人民银行及外管局决定新增QFII额度500亿美元，总投资额度达到800亿美元（见图27-2）。

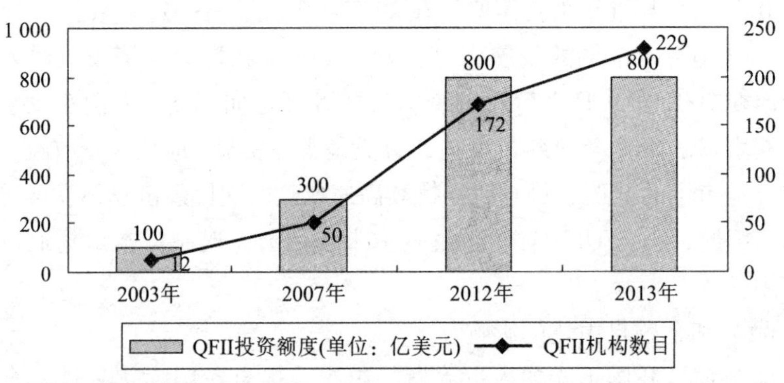

图27-2　QFII开放进程

QFII对于投资者的资质有较高的限制。对于基金管理公司要求具有5年以上经验，且管理资产总值在100亿美元以上；对于证券和保险公司，要求最少要具备30年经验，已缴足资本金10亿美元，且管理证券资产总值100亿美元以上；对于商业银行，要求其资产规模在全球排名100以内，且资产管理总额达100亿美元以上。QFII必须委任一名托管人（托管银行），通过其开立证券和现金账户、执行外汇交易、提供托管、与结算公司进行资金交割和满足监管要求的汇报服务等。境外机构投资者在申请成为QFII后，仍旧需要二次审批，由外管局做出投资额度的批准，2009年起，单家QFII机构可申请投资额度的上限由8亿美元增至10亿美元。

截至2012年6月，国内共有172家境外机构获得QFII资格，其中商业银行23家，证券公司13家，资产管理公司96家，保险公司11家，其他类机构（捐赠基金、主权基金等）29家，累计投资额度达273.63亿美元。从地域上看，QFII分别来自24个国家和地区，其中亚洲83家，欧洲52家，北美34家，澳洲2家，非洲1家，来源于英国和美国的资金比例最高（见图27-3）。2012年的统计数据显示，所有QFII的投资资产中股票、债券和银行存款占比分别为74.5%、13.7%和9.6%；已有11家商业银行（包括7家中资银行）开展QFII托管业务，22家国内券商为QFII提供经纪业务。

随着我国资本市场监管机构对于QFII的政策限制逐渐放宽并日趋完善，境外机构投资者参与我国证券市场热情持续高涨。2013年的QFII在2012年的

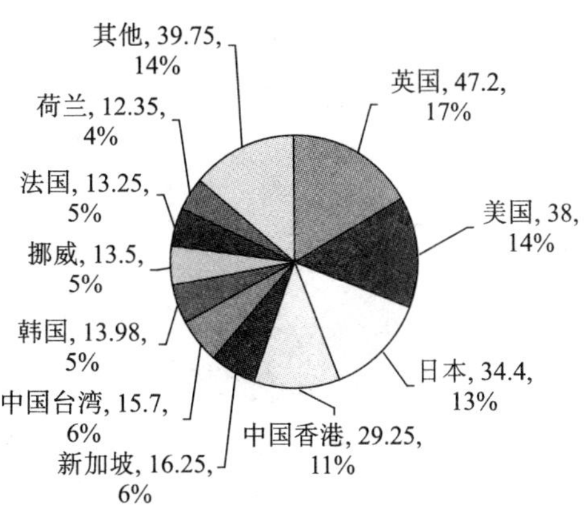

图 27 - 3 2012 年 6 月 QFII 国家和地区的累计批准额度（存量）

基础上又有大幅发展。截至 2013 年 6 月 30 日，国内共有 229 家境外机构投资者获得 QFII 资格，较去年同期增加 33. 1%；其中，210 家得到了外管局的批准，QFII 投资额度累计达 449. 53 亿美元，较去年同期净增 175. 9 亿美元，增幅达 64. 3%。新获准的投资者中有美国投资者共有 58 家，中国香港 22 家，美国 8 家，中国台湾 8 家，新加坡 6 家，加拿大、瑞士、瑞典各 3 家。新获批的投资 QFII 额度中中国香港净增额最多增加了 34. 42 亿美元，占新增投资额度的 19%；其次是新加坡 24. 5 亿美元，占比 14%；占比 5% 以上的国家和地区还有中国台湾、卡塔尔和韩国。这表明中国香港、新加坡、中国台湾、卡塔尔和韩国对中国资本市场的信心较足。单个机构额度增加最大的机构是卡塔尔控股有限责任公司。卡塔尔控股是卡塔尔主权财富基金卡塔尔投资局的全资子公司，获批 10 亿美元，达到单个机构可获批额度的上限。从机构投资者的背景来看，包括卡塔尔控股（10 亿美元）、科威特投资局（7 亿美元），阿布扎比投资局（5 亿美元），新加坡政府投资有限公司（6 亿美元），马来西亚国家银行（6 亿美元），中国香港金融管理局（7 亿美元）等在内的政府或中央银行背景的机构投资者贡献了 40 余亿美元的 QFII 额度，充分表明中国资本市场已开始赢得越来越多的国家层面上的认可和信任。

从机构投资者的类型来看，截至 2013 年 8 月底，国内共有 238 家海外机构投资者通过中国证监会审批获得了 QFII 资格，其中有 96 家资产管理机构，38 家银行（包含商业银行、国家中央银行、政策性银行、投资银行和信托银行等），20 家信托公司，17 家保险公司，9 家养老金等（见图 27 - 4）。

从 QFII 获批额度来看，截至 2013 年 9 月，QFII 累计批准额度达到 474. 93

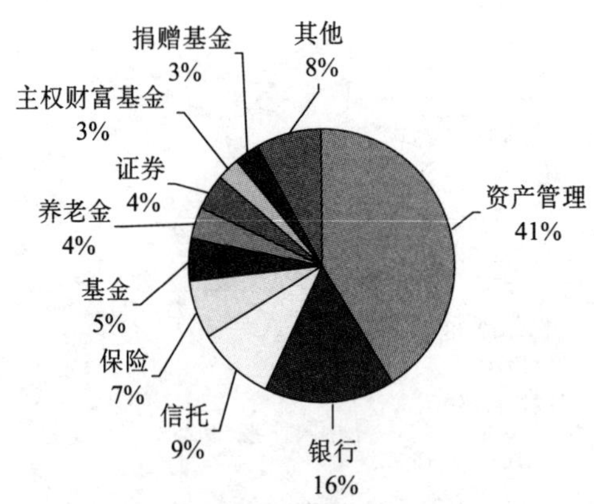

图 27－4 QFII 机构类型分布（截至 2013 年 8 月底）

资料来源：中国证券监督管理委员会。

亿美元。累计批准额度前三类机构分别为资产管理公司、银行以及主权财富基金。其中资产管理类公司累计获得额度最高，达 139.5 亿美元，占据总批准额度的 30%，但低于其在 QFII 机构总数中的占比（41%）；其次是银行类，银行类包含商业银行、国家中央银行、政策性银行、投资银行和信托银行等，累计额度达到 116.3 亿美元，占据总批准额度的 25%，高于其数量在 QFII 机构总数中的占比（16%），投资规模相对集中；主权财富基金累计额度达 68.5 亿美元，占据总批准额度的 15%，远高于其在总 QFII 机构数目中 3% 的占比，投资额度分布集中。其余获得额度审批的机构还包括信托、保险、基金、养老金、证券公司、捐赠基金等（见图 27－5）。

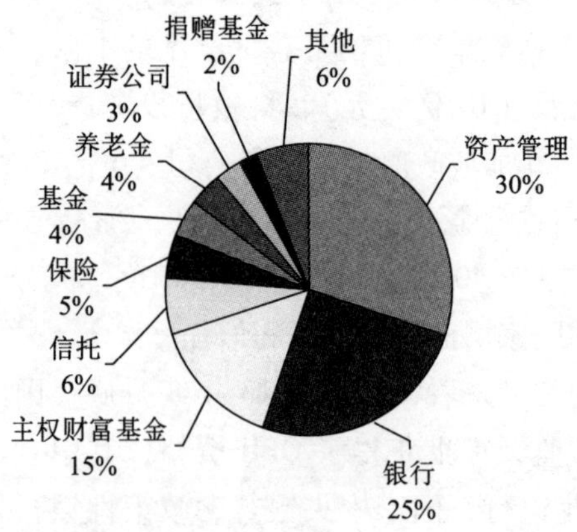

图 27－5 QFII 累计金额行业类型分析（截至 2013 年 8 月底）

资料来源：国家外汇管理局。

（三）发展 QFII 的意义

QFII 推出以来，整体投资运作平稳。从实施情况来看，QFII 注重价值投资和长期投资，丰富了境内资本市场的投资者结构，推动了上市公司质量的提升，提高了资本市场的国际化水平和影响力，增加了国际社会对于我国经济和社会发展的了解。虽然引入 QFII 也存在一定的风险和挑战，但是从促进我国证券市场健康发展的角度看，QFII 有以下几方面的有利影响：有利于优化中国资本市场的投资结构，有利于引入国际机构投资者先进的管理经验和投资经验，有利于提升上市公司的公司治理，有利于打开一扇世界了解中国金融中国资本市场的窗口，推动我国金融国际化与国际接轨，有利于维持债券市场稳定，有利于建立健全金融市场的法制体系。

1. 优化中国资本市场的投资结构

机构投资者的崛起是全球金融体系近 30 年以来最重大的变化之一。作为资本市场的重要参与者，机构投资者在改善投资主体结构，稳定市场，活跃交易，乃至促进金融体系竞争与效率等方面都起到举足轻重的作用。10 多年来，我国资本市场一直致力于培育机构投资者。机构投资者队伍从无到有，现已初具规模。但从现实来看，机构投资者群体虽众，但规模不大，长期投资和价值投资不足。在西方发达国家成熟的股市中，大量的机构投资者如退休养老金、保险基金、银行信托基金和投资基金等拥有长期稳定的资金来源，他们持有股票资产占股票总市值的 50% 以上。而我国的机构投资者机构持有股票资产仅仅占股票总市值 9. 6% ，持有债券比例也仅占债券市场的 17. 6% 。对比美国，美国机构投资持股比例约占 44. 1% ，所持债券比例 27. 6%[①]，我国机构投资者投资结构不合理，且投资者持股换仓频率是国外成熟市场的数倍，甚至不低于散户投资者。近年来资本市场发展的情况表明我国的机构投资者不管从规模、投资结构，还是投资的长期性，其功能尚未完全体现出来，不足以给中国资本市场的稳定发展提供有力支持。因此，引入优质的境外投资者有助于优化中国资本市场的投资结构，提高长期投资的比例。

2. 引入国际机构投资者先进的管理经验和投资经验

引入合格境外机构投资者可以将丰富的市场经验和良性市场行为带入市

---

① 资料来源：美联储官方网站。

场，促进我国证券市场的良性发展。专业的境外机构投资者具有专业的理财队伍，投资行为更加理性，并兼具规模经济所带来的成本优势。QFII 制度的实施过程是境外投资者的投资风格和理念与本土投资者形成的风格和理念从冲突到融合的过程。具有丰富投资经验和专业知识的 QFII 擅长于资产组合管理和风险管理，可使境内投资者了解和学习到国外先进的操作经验和投资策略，树立价值推动型的长期投资理念。

3. 完善公司治理结构

QFII 具有良好的市场分析和鉴别能力，在选股时注重公司的财务表现，其投资稳健并且注重公司财务表现和规范性的风格。QFII 关注的是企业的内在价值和持续发展潜力，更多的是扮演着价值投资者的角色。这不管对于公司治理还是证券市场的稳健发展都是有益的。QFII 投资于境内企业，可以促使企业保持竞争优势，切实推行现代企业制度，完善内部治理结构，强化内部激励机制和风险约束机制，增加内生性的业绩增长。相关的研究表明：从长期看，有 QFII 持股的上市公司相比无 QFII 持股的上市公司在资产规模、杠杆率、存货周转率、流通股比例等的财务表现上都更为优异①。

4. 维持证券市场的稳定

在对引入 QFII 国家地区的一系列研究中，相当一批实证研究证实了 QFII 具有稳定当地证券市场的作用。例如，Choe、Kho 和 Stulz（1999）② 利用韩国的数据发现，在亚洲金融危机期间，韩国国内的散户有明显的正反馈交易，而国外的机构投资者则不存在这种倾向。所谓的反馈交易策略是以股票过去的表现作为买卖判断的主要基础，正反馈策略是买入近来的强势股票，卖出近来的弱势股票，负反馈策略的交易正好相反。正反馈效应作为大多数投资者时的交易策略会增加股市的波动性，境外机构投资者冲淡了散户的正反馈交易，从而有利于金融稳定。Lin、Lee 和 Chiu（2009）③ 对中国台湾地区 QFII 的研究也表

① 吴卫华，万迪昉，蔡地．合格境外投资者对 A 股市场的影响及改善研究．第六届公司治理国际讨论会文集。

② Choe Hyuk，Kho Bong - Chan，and M. Rene Stulz. Do Domestic Investors Have an Edge? The Trading Experience of Foreign Investors in Korea，The Review of Financial Studies. 2005，Volume 18（3）.

③ Lin，C. M.，Y. H. Lee，and C. L. Chiu. Structural Changes in Foreign Investors' Trading behavior and the Corresponding Impact on Taiwan's Stock Market. 2009 Research in International Business and Finance 23，pp. 78 - 89.

明，境外机构投资者起到稳定台湾股市的作用。Schuppli 和 Bohl（2010）① 则检验了引入 QFII 制度作为市场自由化标准之后境外机构投资者对中国股市稳定性的影响，结果发现自由化之后正的回馈交易的减少，说明国外机构能够起到稳定中国股市的作用并且提高市场效率等。

5. 推动中国资本市场开放发展

QFII 制度在我国货币没有实现完全可自由兑换、资本项目尚未开放、国际间资本的自由流动受限的情况下打开一扇世界了解中国经济实力、中国资本市场及中国上市企业的窗口。这对推动我国的金融国际化和资本市场的发展有重要意义。金融业的放开可以带动国内相关法律法规及市场规则的发展，增加市场的透明度，这对建立健全金融体制，规范金融市场有积极影响。

（四）RQFII 简介

RQFII 是根据 2011 年 12 月 16 日发布的《基金管理公司、证券公司人民币合格境外机构投资者境内证券投资试点办法》的规定，经中国证监会和国家外汇局批准，运用来自境外的人民币资金在境内进行证券投资的境外机构。它与 QFII 的区别在于：一是汇入境内的资金货币不同，RQFII 汇入境内的是人民币资金，而 QFII 汇入境内的是外币资金。二是面对境外机构的范围不同。例如目前申请 RQFII 的境外机构投资者必须是境内金融机构的香港子公司或者具有资产管理业务资格的在港机构，而申请 QFII 的境外机构则无此地区限制。三是机构资质要求、资金汇出入管理机制、审批流程等方面的不同。RQFII 自 2011 年试点推出以来，运作情况良好。截至 2013 年 7 月，RQFII 总投资额度已达 2 700 亿元人民币，已有 27 家境内基金管理公司和证券公司的香港子公司获得资格，合计获批投资额度 1 219 亿元（见图 27 -6）。

RQFII 的资金原则上是参与人民币结算的机构和企业持有的人民币资金（主要是香港人民币贸易结算的资金），回流国内投资市场，完成人民币国际化的一个回环。随着被越来越多的国家和地区接受，人民币正逐渐成为一种国际结算货币。所以 RQFII 资金投资内地扩容，作为人民币国际化的一个环节，显示人民币国际化进程不断推进。RQFII 进入债券市场将参与中央银行主要通过债券市场的公开市场操作，推动利率市场化的过程，有利于利率市场化的发

① Schuppli, M. , and M. T. Bohl. Do foreign Institutional Investors Destabilize China's A - Share Markets? . Journal of International Financial Markets, International & Money 20, 2010, pp. 36 -50.

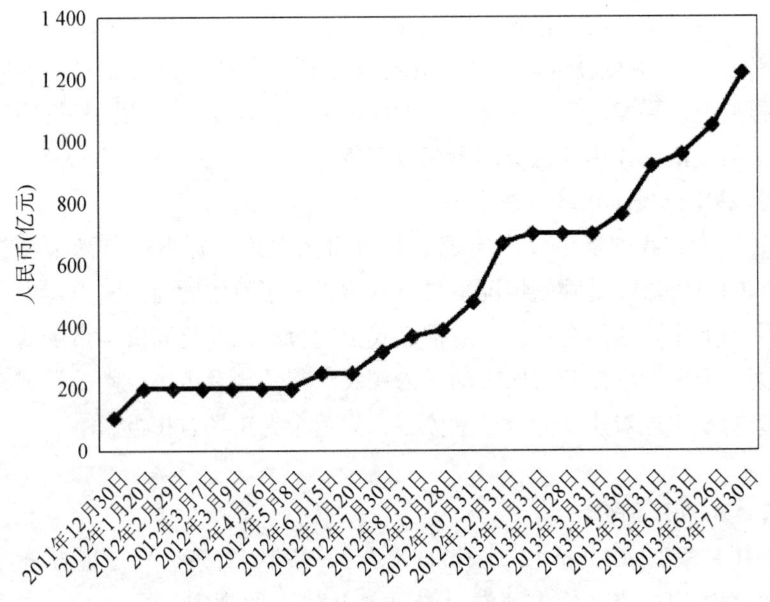

图 27－6　RQFII 投资额度增长情况

资料来源：Wind。

展。因此，未来 RQFII 的扩容可能与人民币国际化的速度、未来汇率机制的改革、资本项下的进一步开放密切联系在一起。总体来讲，RQFII 业务的推出，允许境外机构投资者以人民币投资境内 A 股市场，将增强人民币吸引力，实现人民币在国际业务上除结算职能外向投资职能深化，进一步奠定人民币成为国际货币的基础，且有利于境内金融机构拓展国际业务。

（五）小结

从当前发展趋势看，QFII 的引入在促进中国资本市场投资者结构和投资行为的转变、稳定资本市场及促进上市公司发展方面具有重要作用。

对于 QFII 和 RQFII 扩容，有人担心引入 QFII 可能对汇率稳定、国际收支、外汇压力存在一定的影响。但过度夸大 QFII 额度的影响为时尚早。截至 2013 年 7 月 30 日，QFII 投资占我国 A 股市场的比重非常之低，仅占 A 股市值的 1% 左右，已批准投资额度不到总额度的 58%，800 亿美元的额度仅仅使用了 459 亿美元。未来可以考虑将 QFII 投资规模保持在国内机构投资者投资规模 1/4 到 1/3 的水平[①]。多数分析还是认为增加 QFII 和 RQFII 投资额度利好 A 股市场。但是，若认为股市处于低迷状态时外资会来救市可能是一厢情愿。不论是 QFII 还是 RQFII，短期套利操作将仍是其当前投机资金的主要手法。资本市场的外资规模一定会持续扩大，资本市场也会不断开放，但对于 QFII 和 RQFII 的资金性质还是要有理性的认识，对可能带来的资本市场的风险也应该审慎监管。

每个国家在全球化进程中都面临着危机与风险，不能因为潜在的不确定性而停滞中国资本市场发展的脚步。作为蓬勃成长的第二大经济体，中国必将在国际事务的各个方面拥有更多的话语权，也有责任承担起更多地维护全球金融稳定的责任。

A 股作为新兴市场，与其他国家市场的低关联度为投资者提供较好地分散投资的机会，同时 A 股上市公司涵盖了中国国民经济的各个行业，为投资者提供了参与中国经济增长的机会。但是，国外投资者对中国资本市场、上市公司缺乏了解，进入中国资本市场的境外投资者只有很少一部分。因此，应该加大中国资本市场的宣传推介力度，大力引进境外资本，增加市场中的 QFII 比重，为中国资本市场的稳定发展提供长远动力。

二、中国证监会引导的中国资本市场对外开放工作的整体规划

经过多年的发展，中国资本市场已跃升为全球第二大资本市场。随着中国资本市场的日益开放成熟，与国际市场接轨步伐也在稳步迈进，中国资本市场对国际投资者的吸引力也日渐增大。坚持对外开放一直是中国证券监管部门的一个重要工作方向，而且重视程度有逐年增大的趋势。2013 年的全国证券期货监管工作会议就将“继续积极稳妥地推进对外开放”列为我国资本市场今年的重点工作之一。2013 年 5 月 24 日，国务院总理李克强出访瑞士发表演讲时也进一步表示要稳步推进股票、债券、保险市场对外开放，这为中国资本市场的国际化提出了更高的要求和期望，也为中国资本市场如何助力实现中国梦指明了道路和方向。

近年来，中国证监会在着力加强市场制度建设的同时，实施了一系列综合改革措施，积极稳妥地推进资本市场对外开放。主要表现在以下三方面[②]：

---

① 黄露．QFII 引入对中国外汇市场的影响研究．经济视野．2013（11）。

② 一帆．坚定不移，推进资本市场对外开放．证券日报．2013 年 5 月 28 日。

首先，吸引A股境外投资者。2012年7月，中国证监会发布了《关于实施〈合格境外机构投资者境内证券投资管理办法〉有关问题的规定》，大幅降低QFII资格要求，提高持股比例上限，增加运作便利。为解决长期困扰着QFII机构的税收问题，中国证监会表示将会同有关部门，推动QFII所得税政策，放宽投资额度和资金汇出汇入限制。此外，相关部门正在研究批准境外长期投资机构超过10亿美元的投资额度。与此同时，中国证监会正在推动修改RQFII法规，扩大参与机构范围，放宽对RQFII的资产配置限制，积极扩大试点规模，创造更好投资环境，鼓励境外长期资金进入我国资本市场，促进资本市场健康发展。

其次，扩大证券业开放度。2012年10月，中国证监会正式公布《关于修改〈外资参股证券公司设立规则〉、〈证券公司设立子公司试行规定〉的决定》，将中外合资券商外方股东的持股比例上限从原来的1/3提高至49%；券商子公司申请扩大业务范围的经营年限由5年缩短至2年。这是资本市场进一步开放的明显信号，依据这一规定，合资券商将摆脱经营业务单一的束缚，全面开启“全牌照”之路。放宽证券业外资的市场准入、提高外资持股上限、逐步扩展业务范围，不仅可以壮大券商队伍实力，更有利于发挥外资券商在投行业务方面的长项，促进证券行业创新发展。

第三，加强国际合作，提升A股市场国际影响力。2012年中国证监会、中国财政部与美国公众公司会计监察委员会（PCAOB）签订美方来华观察中方检查的有关协议，同意PCAOB派员工以观察员身份来华观察中方对在美注册的境内会计师事务所质量控制的检查。中国证监会、中国财政部与美国公众公司会计监察委员会签署执法合作备忘录，正式开展中美会计审计跨境执法合作。同时，中国证监会、中国财政部的有关部门将继续与美国公众公司会计监察委员会进行磋商，探讨如何以各方认可的方式对为在美上市公司提供审计服务的中国会计师事务所进行日常监管。此外，中国证监会还与MSCI等国际指数公司进行了沟通交流，对A股纳入相关指数进行了探讨。此举不仅将为A股带来巨额增量资金，还将为A股估值与国际接轨提供便利。

从中国证监会引导的吸引外资进入到国际合作和跨境监管都表明中国证券市场的开放程度进一步加深，这也将促使国际投资者越来越重视A股市场，中国资本市场正迎来一个更加开放的时代。所以及时有效地向境外投资者传递中国资本市场的动态和方向，吸引境外的资本和经验，能有力地推动中国资本市场的发展。

三、上海自由贸易实验区

为进一步推动中国经济转型，为经济改革开辟试验田，2013 年 7 月 3 日，国务院常务会议审议并通过了《中国（上海）自由贸易试验区总体方案》。2013 年 8 月 17 日，国务院正式批准设立中国（上海）自由贸易试验区。2013 年 8 月 30 日，全国人大常委会决定授权国务院，在试验区内暂时调整有关法律规定的行政审批。2013 年 9 月 29 日，自贸区正式挂牌成立。

作为推动中国经济转型，积极主动对外开放的重大举措，上海自贸区也将会成为中国资本市场国际化的最前线。上海自贸区的实施方案涉及税收政策、外汇管理、海关监管等一系列复杂的改革，各项领域的开放力度也史无前例。金融方面，中国证监会、中国银监会和中国保监会分别出台了各自对于自贸区的支持措施。

（一）中国证监会的支持政策

中国证监会于 2013 年 9 月 29 日公布了支持促进中国（上海）自由贸易试验区若干政策措施①，具体措施包括：拟同意上海期货交易所在自贸区内筹建上海国际能源交易中心股份有限公司，具体承担推进国际原油期货平台筹建工作；支持自贸区内符合一定条件的单位和个人按照规定双向投资于境内外证券期货市场；区内企业的境外母公司可按规定在境内市场发行人民币债券。根据市场需要，探索在区内开展国际金融资产交易等；支持证券期货经营机构在区内注册成立专业子公司；支持区内证券期货经营机构开展面向境内客户的大宗商品和金融衍生品的柜台交易。

（二）中国银监会的支持政策

中国银监会2013 年9 月29 日发布《关于中国（上海）自由贸易试验区银行业监管有关问题的通知》，明确了对于上海自贸区的八项支持措施：支持中资银行入区发展；支持区内设立非银行金融公司；支持外资银行入区经营；支持民间资本进入区内银行业；鼓励开展跨境投融资服务；支持区内开展离岸业

---

① 新华社北京，2013 年 9 月 29 日电。

务；简化准入方式；完善监管服务体系。

（三）中国保监会的支持政策

为充分发挥保险功能作用，支持中国（上海）自由贸易试验区建设，中国保监会对上海保监局提出的有关事项做出批复，主要内容包括：支持在自贸区内试点设立外资专业健康保险机构；支持保险公司在自贸区内设立分支机构，开展人民币跨境再保险业务，支持上海研究探索巨灾保险机制；支持自贸区保险机构开展境外投资试点，积极研究在自贸区试点扩大保险机构境外投资范围和比例；支持国际著名的专业性保险中介机构等服务机构以及从事再保险业务的社会组织和个人在自贸区依法开展相关业务；支持上海开展航运保险，培育航运保险营运机构和航运保险经纪人队伍，发展上海航运保险协会；支持保险公司创新保险产品，不断拓展责任保险服务领域；支持上海完善保险市场体系，推动航运保险定价中心、再保险中心和保险资金运用中心等功能型保险机构建设；支持建立自贸区金融改革创新与上海国际金融中心建设的联动机制[①]。

自贸区内关税、金融资本、企业注册等方面的改革将给中国的实体经济和金融资本市场都带来深远的影响。自贸区成立以后，可以预见将吸引大量国际企业机构进驻。金融方面，允许外资设立金融机构以及人民币的自由兑换将对国际金融机构有很大的吸引力。从资本市场角度来说，自贸区也势必将成为外国市场机构投资内地的主要踏板之一。总之，自贸区作为中国经济改革的试验田、中国资本市场国际化开放的最前沿，将承担着拉动和指引中国经济转型方向的重任。

---

① 保监会网站：http：//www. circ. gov. cn/web/site0/tab40/i258025. htm。

第三节 中国资本市场对外宣传推介活动开展现状

一、交易所等市场主体引导的中国资本市场海外路演推介

（一）路演形式和规模

根据中国资本市场对外开放的需要，为吸引更多境外长期资金进入中国资本市场、扩大机构投资者队伍，上海证券交易所、深圳证券交易所和中国金融期货交易所曾分别组团赴美国、加拿大、欧洲、韩国、日本和中东地区开展过路演形式的宣传推介活动，向境外长期投资机构宣传介绍中国资本市场和QFII制度的发展情况，鼓励更多境外长期资金进入中国资本市场。境外路演的国内参与机构还包括中国证监会和外汇管理局负责QFII监管的部门、QFII交易券商、托管银行等中介机构。

2012年9月13日~9月22日，由中国证监会和外汇管理局发起，上海、深圳证券交易所组织了规模较大的一场北美中国资本市场投资推介活动。此次活动邀请了中信证券独家协办，华夏基金、国泰基金、中国农业银行、花旗银行（上海）等金融企业的相关业务负责人也随同参加。代表团进行了为期10天的高密度路演，先后访问了美国旧金山、纽约、波士顿、华盛顿以及加拿大多伦多等城市，横跨美国东西海岸。

此次路演采取了推介会、研讨会以及一对一会谈等形式。代表团在资产管理机构较为集中的城市举办了8场集体推介会，邀请全球排名靠前的养老金、主权基金及其资产管理机构等大型机构投资者参加。参会的境外投资机构接近200家，机构构管理资产总额超过25万亿美元。通过推介会，代表团向机构投资者们介绍了中国资本市场概况以及QFII制度的最新情况，随团的QFII托管行、QFII券商、QFII投资管理人（基金公司）则介绍了在QFII业务中相关市场参与主体的业务功能。此外，代表团分别于2012年9月14日在旧金山、9月17日在纽约举行了两场中国资本市场研讨会，与来自北美各地的机构投资者展开交流。研讨会邀请到MSCI的代表作为嘉宾，就中国A股指数未来纳入到MSCI全球新兴市场指数的主题做了简单的演讲和交流。此外，2012年9

月 19 日，代表团在波士顿举办了一场午餐研讨会，与到会的 9 家机构投资者代表，就中国资本市场以及 QFII 制度的最新情况进行了介绍和充分的沟通。除推介会与研讨会外，代表团还以公司拜访、午餐会议或电话会议等形式进行了总计 73 场的高效一对一会谈，在多个城市与当地的养老金、基金会、一线资产管理公司等大型机构投资者进行了高规格的面谈沟通。

北美机构投资者对于此次中国代表团的来访高度重视，认为本次活动不仅是一个了解中国资本市场和 QFII 制度的机会，也是了解中国资本市场监管层政策态度的好机会，因此，在出席规格上，基本都安排了本公司高层管理人员出席。另外，不少大型的资产管理公司如 Mellon Capital、Putnam、Wellington 等，不仅总部全体高管和中国业务相关人员集体出席，还积极要求为其单独安排一个半或两个小时的会议时间，以保证与中国代表团的充分交流。

（二）路演成果

在整个北美路演行程中，代表团向以养老金、基金会、一线资产管理公司为主的机构投资者介绍了中国资本市场的最新情况，以及 QFII 相关的审批、监管政策的最新开放动态，并就中国资本市场和 QFII 业务相关问题进行了充分的交流。路演对于帮助北美机构投资者更好地了解中国资本市场和 QFII 制度，推动其投资中国、申请 QFII 身份起到了很好的效果。与会的托管银行（花旗、道富、梅隆、JP 摩根）、资产管理公司、养老金等机构都表示会将此次中国代表团关于中国资本市场和 QFII 制度的最新信息与业内其他机构分享，向自己的客户积极推介中国资本市场。作为一次高规格、大规模的由交易所发起、监管层和各个市场参与方共同合作的中国资本市场海外推介路演，此次活动获得了较好的反响。在推介过程中，境外机构投资者普遍表现出较强的投资愿望，许多养老金、主权基金明确表示将启动 QFII 资格申请或投资额度增加申请。同时，此次的路演推介也让代表团直观地了解到当前北美机构投资者对于中国资本市场的投资兴趣和相关看法以及对于 QFII 制度在审批和日常监管方面的具体诉求和相关建议。

（三）反馈意见

境外机构普遍对中国加快 QFII 审核、增加投资额度、降低资格标准和扩大投资范围等一系列措施表示欢迎。机构投资者增加对 A 股市场的配置比重的意愿也逐渐加强，他们认为，虽然中国经济出现增长放缓的趋势，但中国经济的长期增长潜力仍让人看好。市场的普通观点是中国股市目前的估值水平已具备显著投资价值，养老金等大型机构表现出了较强投资意愿，但中小型机构仍存在观望情绪。

境外机构投资者对QFII监管制度普遍表示了关心，提出了很多具体的建议，并对中国资本市场的监管制度提出了一些有益的看法。大型投资机构均表示希望能提高QFII投资限额，目前大多数机构申请额度都不能得到足额批准（首次获批额度一般为1亿美元~3亿美元），这既不能满足境外机构投资者的投资需求，也导致机构出于成本原因不愿对中国市场投入更多资源。境外机构还希望进一步放松QFII资金的汇出入限制，提高流动性，满足根据市场情况灵活投资的需求。此外，境外投资机构对于即将明确的QFII所得税政策表示了欢迎，认为这将减少QFII投资运作的困难和风险。部分境外机构还表示希望能放开QFII的债券投资比例要求，以便根据市场情况灵活调整资产配置。此外，借助此次路演，部分对冲基金也表示了申请QFII，投资我国资本市场的意愿。

当前，海外投资者获取QFII监管政策、上市公司报告的信息渠道较为分散，可以获得的英文信息资料也较少。参加路演的机构投资者表示，希望能够从官方渠道获得QFII监管政策、上市公司报告等英文信息。

境外投资机构普遍看好中国经济的中长期发展前景，对投资中国具有浓厚兴趣，也较为关注中国经济在短期内面临的挑战。许多境外机构对商业银行的不良贷款、地方政府债务负担等问题较为关心。鉴于近期部分在海外上市的中国公司出现财务造假，例如在加拿大上市的嘉汉林业（Sino Forest）财务造假事件，造成了许多境外机构遭受较大损失，对此，境外投资机构表达了对于我国完善会计制度和提高上市公司财务报告可信程度的期望。此外，境外养老金对投资对象均有履行社会责任的严格要求，较为关注上市公司的公司治理、投资者利益保护等，因此，对于中国资本市场近来持续完善上市公司治理、上市公司社会责任报告制度和提高机构投资者积极参与上市公司治理程度等情况表示了积极的回应。境外投资者关注的其他问题还包括：中国B股市场的改革方向、国际板的进展、人民币自由化和国际化进程等。

境外的中国资本市场路演推介扩大了中国资本市场的国际影响，增强了国际投资者对中国资本市场的关注和了解。国际投资者的反馈意见也推动了中国资本市场的改革和发展，形成了良好的交流和互动。部分机构投资者，特别是最为保守的养老金、基金会等，整体上缺乏对于中国资本市场的直接了解和关注，因此，需要持续的推介、交流等活动来提高海外机构投资者对于中国资本市场的投资信心和兴趣。然而，海外推介会这种形式具有明显的时间和地域局限性。

二、国内的资本市场论坛

国内尚缺乏单独为推介中国资本市场而开展的规模化制度化的运作。目前最为常见的资本市场推广活动是以论坛或峰会的形式进行，邀请政府监管机构、境内外投资者和学术界代表齐聚一堂，相互探讨交流。这样的交流既向境内外投资者介绍了中国资本市场，也可汲取各方的意见，推动中国资本市场的改革发展。这类活动的组织者可以是政府机构，也可以是非政府组织、商业团体和各类民间组织等。目前，国内专注于资本市场的论坛并不多，以下列举具有代表性的主要资本市场论坛：

（一）上海陆家嘴论坛

上海陆家嘴论坛（Lujiazui Forum）创办于2007年12月，由上海市政府、中国人民银行、中国银监会、中国证监会和中国保监会共同主办，以促进和深化金融领域的全球对话与合作，加快上海国际金融中心的建设步伐为宗旨。陆家嘴论坛是一个金融领域的专业性论坛，致力于加强中国与世界金融体系的双向融合，深化中国金融改革，提升中国在国际金融市场的地位。该论坛每年举办一次，每次确定一个主题。该论坛逐渐发展成为目前国内最大、最权威的经济论坛以及国际有名的顶级经济论坛之一。

（二）北京国际金融博览会

北京国际金融博览会（简称北京金博会）创办于2005年，由北京市金融局、西城区政府、中国人民银行、北京证监局、北京银监局等单位主办，历经7年发展，已成为国内规模最大和最具影响力的金融博览会之一，被誉为“中国金融第一展”。北京金博会对于促进首都金融业发展，优化首都金融发展环境等方面具有重要意义。

（三）中国资本市场峰会

中国资本市场峰会（CICMF）是中国国内最高规格的以资本市场投资为主要议题的专业性常设论坛，到 2012 年为止，已经在北京成功举办了 6 届。论坛的宗旨是：预测全球经济发展趋势，探索中国资本市场的改革和创新，分享国际投资大师的交易策略和投资经验，在世界资本市场不稳定的情况下探索中国等新兴资本市场重大投资机会。

2012 年，该峰会由中国证券业协会、中国银行业协会、中国保险业协会、北京市金融工作局、西城区人民政府和北京国际金融博览会组委会共同主办，并与高盛高华证券有限责任公司开展战略合作。2012 年的峰会以“全球经济预测与中国资本市场创新发展”为主要议题，邀请国内外金融机构领导、经济学家、投资大师就全球资本市场发展趋势、中国资本市场如何进行突破、证券行业转型升级、世界及中国资本市场预测、金融衍生品交易等议题进行了探讨。峰会还对资本市场过去的发展进行了全面的研究总结，并对中国资本市场发展趋势进行前瞻性探讨，提出了对策性方案。

（四）国际投资论坛

国际投资论坛（IIF）是由中国商务部和中央电视台主办，福建省人民政府和厦门市人民政府协办，于每年与中国国际投资贸易洽谈会同期在厦门举办的国际论坛。国际投资论坛从 1998 年举办以来，至今已经连续成功举办了 15 届，在全球投资界产生了广泛而深刻的影响，成为世界各国政府、投资机构和企业交流投资信息、发布权威政策、协调投资机制的重要平台和全球投资领域的世界顶级论坛。论坛宗旨是加强投资领域的国际合作，促进国际投资，推动世界经济增长和共同繁荣。国际投资论坛是中国双向投资政策发布的窗口，是国际投资权威信息发布的渠道，也是各国政要、政策制定者、商业领袖和投资人互动的平台。国际投资论坛活动通常为期 2 天，由主旨论坛、专题论坛、信息发布和互动交流四大板块组成。国际投资论坛与投洽会相互辉映，不仅为参会者提供投资项目和合作伙伴选择，而且还展现了新出现的投资机会，对于中国资本市场的推广和推动都起到了非常积极作用。

（五）中国资本市场论坛

中国资本市场论坛（CCMF）的举办开始于 1996 年，主办方主要为中国人民大学金融与证券研究所和中国证券报社。到2013年已经成功举办了17届，是国内历史最为悠久的资本市场论坛。该论坛每年都能邀请到资本市场权威部门负责人和知名的专家学者参加，在政府、金融界和学术界都有着广泛的影响力，是金融界各方每年定期交流的一个重要平台。

（六）中国资本成长论坛

中国资本成长论坛（CCGF）是国内经济学学界及金融机构研讨中国宏观经济及资本市场发展的大型论坛，由北京大学经济学院和中国证券报社主办，从2008年到2012年，已成功举办三届。中国资本成长论坛现已成为我国经济领域的著名经济学家、金融学家和资本市场的著名学者云集的一个交流平台。2012中国资本成长论坛的主题是：2012中国经济："超越危机"还是"危机四伏"？

第二十八章

境内外比较分析

第一节　推广活动的开展与资本市场的发展阶段密切相关

一、成熟资本市场

（一）市场开放和国际化程度较高

成熟资本市场的对外开放和国际化程度很高，本国本地区资本市场与国际资本市场联系紧密，企业和金融中介机构进入国际资本市场的程度以及资本市场对外国投资者和中介机构的开放程度都很高①。具体来说，这些成熟资本市场的开放和国际化主要体现在：

1. 外国上市公司在成熟资本市场的交易所中占据重要地位

资本市场国际化程度的提高使企业可以在全球范围内配置资源，从而降低筹资成本、扩大国际影响、提升国际竞争力。企业不仅能在其国内发行债券和股票进行直接融资，而且能到境外交易所上市和发行境外债券。一般而言，国际化的程度越高，资本市场的外国上市公司的数量就越多，国际主要成熟资本市场的交易所中都有较大比例的外国上市公司（见表 28－1）。例如，2012 年的数据显示，在伦敦证券交易所上市的外国公司数量就超过了其上市公司总数的 20%，显示了高度的国际化水平和良好的国际吸引力。

① 刘慧敏．我国资本市场国际化的战略选择．证券市场导报，2004。

表 28－1　　2012 年全球主要交易所上市公司总数分析

交易所	上市公司总数	国内上市公司总数	外国上市公司总数	外国公司占全球外国上市公司的比例	外国公司占交易所公司比例
伦敦证券交易所	2 767	2 179	588	19.65%	21.25%
纽约泛欧交易所（美国）	2 339	1 815	524	17.51%	22.40%
新加坡交易所	776	472	304	10.16%	39.18%
纳斯达克 OMX 集团	2 577	2 287	290	9.69%	11.25%
卢森堡证券交易所	293	25	268	8.95%	91.47%
纽约泛欧交易所（欧洲）	1 073	939	134	4.48%	12.49%
澳大利亚交易所	2 056	1 959	97	3.24%	4.72%
墨西哥证券交易所	3 970	3 874	96	3.21%	2.42%
中国香港交易所	1 547	1 459	88	2.94%	5.69%
德意志交易所	747	665	82	2.74%	10.98%
前十证券交易所	18 145	15 674	2 471	82.56%	13.62%
全球交易所	46 396	43 403	2 993	100%	6.45%

资料来源：Annual Report and Statistics 2012，The World Federation of Exchanges。

2. 跨国证券交易量大幅度增长

西方国家跨国证券交易的金额在 20 世纪 80 年代初仅占其 GDP 的 10% 左右。然而，在资本市场国际化和全球化浪潮推动之下，这些成熟资本市场的跨国证券交易数量迅猛增长，现已远远超过了其 GDP 的总量。在跨国交易量大幅增长的同时，各成熟市场的参与主体也迅速发展，涌现了很多资金实力雄厚的机构投资者。对于这些投资者来说，国内的资本市场已经不能满足其发展需要。因此，越来越多的机构投资者把目光投向国际市场，在全球范围内寻求获取高收益的投资机会，分散投资风险。外国证券已成为各国大型机构投资者投资组合的重要组成部分，这促进了证券投资全球化的高速发展以及跨国证券交易量的大幅度增长。

3. 证券公司经营全球化

在资本市场国际化过程中，投资银行等市场主体的经营也日益全球化。随着国际金融市场壁垒逐步消除和金融管制的放松，投资银行等中介机构得以在国外资本市场上开展业务。各大投资银行纷纷调整业务布局，通过收购兼并或设立分支机构等方式向海外扩张，成为业务覆盖全球的跨国性金融机构。到目前为止，高盛、美林、摩根斯坦利等跨国金融巨头在几乎所有的重要资本市场都开展了投资银行和各类中介业务。同时，国际经营活动对于金融机构的重要性也在不断加强。伴随着新兴国家经济的发展和其资本市场国际化程度的加深，海外证券活动收入已成为跨国证券公司、投资银行等金融机构总收入的重要组成部分，并且呈逐年增加的趋势。

4. 交易所走向合并联盟

在企业跨国上市融资和证券公司经营全球化的带动下，各国国内的交易所大规模整合以增强竞争力，国际上的一些交易所也开始建立跨国合并联盟，以节省交易成本，减少融资成本，提升交易所的竞争力。例如，1998 年美国证券交易所与纳斯达克股票交易所合并；1998 年香港联交所、期交所及中央结算所合并；2000 年，欧洲的巴黎、阿姆斯特丹、布鲁塞尔、葡萄牙交易所与伦敦衍生品交易所进行合并，并在此基础上组建了新的交易所 EURONEXT；斯德哥尔摩证券交易所和哥本哈根证券交易所结成北欧股市联盟 Norex；德国交易所、维也纳交易所和爱尔兰证券交易所组建共同进入系统；纽约、巴黎、东京等十大交易所 2004 年组成全球股市联盟（The World Federation of Exchanges）等。

5. 金融产品多样化

国际资本的大规模流动和证券市场的国际化直接促进了金融产品的极大丰富。20 世纪 70 年代以来，金融期货、金融期权等金融衍生产品从西方发达资本市场大量涌现，进而影响到全球资本市场。金融交易品种多样化与资本市场国际化这两者相辅相成、密不可分、相互促进。资本市场的发达程度和国际化水平的一个重要衡量标准就是其金融产品的丰富程度。金融产品的不断创新，特别是金融衍生产品的不断涌现，可以使投资者有效地规避证券市场潜在的各种投资风险，在全球范围内选择投资机会和分散风险，促使了西方资本市场相互之间及与全球其他市场的联系越加紧密，从而进一步推动资本市场的国际化发展。

6. 资本市场的各项法规制度的国际标准化

资本市场的国际化不单纯是资本市场的开放，更重要的是资本市场的规则、交易体制、会计制度与国际惯例的接轨。法规标准的国际标准化使得跨国业务得以顺利进行，减少了因为制度标准的差异所造成的障碍。因此，遵循全球通用的技术标准和制度规则是资本市场国际化的重要标志。发达资本市场在其发展过程中为法规制度的国际标准化做出了很多努力。1983 年由主要发达资本市场国家的证券市场政府监管机构发起建立了国际证监会组织（IOSCO），到目前为止，IOSCO 的会员已涵盖世界上 95% 的证券市场政府监管机构①。随着资本市场国际化，在证券上市和投资者保护方面，各国证券监管部门的监管制度都趋向符合 IOSCO 的总体监管原则和框架内容，使各国证券监管的基本制度逐渐国际标准化。各主要证券市场也普通采用了通用的国际会计准则作为证券市场的核算方法。资本市场的国际化同时促进了上市公司遵循公司治理的核心原则，规范了上市公司治理。除此之外，国际货币基金组织的规划和巴塞尔协议的商业银行监管原则，使得全球的金融体系都纳入到一整套国际化框架之中。可以说，西方发达资本市场经过多年的发展已经形成了一套保证资本流通顺畅的通用标准制度体系。

（二）资本市场国际化为宣传推广创造了条件

资本市场的国际化加强了国际资本流动，各个资本市场间的相互依赖性也日益增强，这为各国资本市场间的交流和联动创造了条件和动力。各资本市场参与主体也努力拓展海外市场，寻求海外投资合作机会。在这样的背景下，各国的资本市场如何能吸引更多的海外投资者、如何成为国际资本市场的中心，是各国资本市场监管机构考虑的重要问题。随着资本市场国际化的潮流，各发达资本市场纷纷成立了旨在促进本国本地区资本市场发展的专业性市场宣传推介机构，以加强国际吸引力，提升国际资本市场影响力。特别是在 2008 年国际金融危机以后，各主要资本市场先后重组或者改进原先的资本市场推介组织，进一步加强了宣传自身资本市场的能力。

（三）资本市场多极化竞争加剧是开展宣传推介的动因

20 世纪 90 年代以来，在全球经济发展不平衡、国际贸易格局变化和国际资本流动方向转变的条件下，伴随着各个经济体相互依赖性的增强，经济体之间、金融资本市场之间的竞争也日趋激烈。全球资本市场各方在竞争中此消彼长，逐渐形成新的格局。美国虽然仍旧保持着国际金融中心的地位，但是随着

① www. iosco. rog.

欧洲一体化深入创造的欧洲金融业的再度繁荣，以及以“金砖五国”（中国、印度、俄罗斯、巴西以及南非）为代表的新兴国家的崛起，国际金融资本市场的多极化趋势进一步加强。主要表现在：第一，亚洲股票市场的兴起。美国虽依然位居全球股票市场榜首，但其份额却有明显的下降。亚洲国家（不包括日本）的份额开始迅速上升。伴随中国经济高速发展，中国股市（上海和深圳）迅速扩张，成为全球最为重要的市场之一。第二，欧盟在债券市场发起挑战。尽管美国仍然占据着国内债券市场发行规模的首位，而在国际债券发行规模方面，欧盟却处在了领先地位，对美国构成了有力的挑战。第三，美国依旧在衍生品市场保持强势。近年来，全球衍生品市场迅速成长，交易金额大幅增长。以美国为主的北美市场仍然是衍生品市场的主导力量，占据着全球交易的大部分份额。

资本市场的多极化要求各资本市场进一步改善自身条件、深入开放市场、积极做好宣传推介自身优势的工作，以期在国际竞争中取得更大的优势。西方发达资本市场，特别是其国内市场有限、传统上又十分重视国际市场的欧洲国家，充分感受到国际资本市场多极化对其带来的竞争压力，同时也看到了多极化为其带来的潜在机遇，纷纷制定中长期发展计划，加强其资本市场的国际宣传推介工作，期望在激烈的国际竞争中占有先机。

（四）健全的市场机制使促成熟资本市场的推广活动以市场化方式运营

成熟资本市场国际宣传推广活动从早期由政府、监管机构引导的零散推广时期，逐步发展到由专门性市场化机构主导的系统化全方位推广时期，这个趋势随着资本市场国际化，特别是在国际金融危机后越发显著。市场化运营的资本市场宣传推介机构形式多样，有以公司制形式运营的，例如英国、加拿大等；也有以非营利性组织、公会形式运营的，例如法国，德国等。这些机构整合了相关国家的整体资本市场宣传推广力量，提高了推广效率，能对外发出清晰统一的宣传声音，在提升相关国家资本市场影响力和声誉方面做出了重要贡献。成熟市场的这类宣传推介机构的鲜明特点就是市场化运营，遵守市场规则，以市场参与者的身份，在市场的各个环节发挥着作用。市场化运营的宣传推介机构要在政府、市场主体和学术界中搭建起良好的沟通渠道，离不开各方面的大力支持。

首先，这类宣传推介机构与当地政府都有着紧密的联系，其工作获得政府相关部门的大力支持和配合。发达资本市场的政府和市场监管机构逐渐意识到国际市场对其资本市场的重要性，日益重视对外宣传推介工作。因此，这些国家的宣传推介机构多由相关政府协同金融行业机构发起成立，例如英国的TheCityUK是由英国皇家财政部和伦敦金融城政府发起成立；德国法兰克福美因河金融协会是由黑森州政府、法兰克福市政府和相关金融机构共同发起成立。政府发起成立此类宣传推介公司时，都会出台相应的政策措施，并在其日后的工作中加以配合，帮助其建立市场权威和公信力。

其次，在宣传推介机构业务开展过程中，相关企业的作用至关重要，这些市场机构的资金实力也为宣传推介机构的市场化运营提供了有力的支持。相关金融机构和企业意识到国际市场对其发展的重要性，也了解推广本国资本市场对其业务有良好的推动作用，因此，这些市场机构有意愿配合宣传推介机构做好本国资本市场的国际推广工作。推介机构的通常做法就是招收相关金融服务机构和行业企业成为其会员，这样既有利于了解会员的需求，为其提供相关服务，又有利于组织会员企业深入参与推广活动。会员企业可以通过缴纳会费、提供赞助、积极配合帮助推介机构活动的方式，对资本市场的推广活动提供支持。

最后，发达资本市场完善的市场规则，健全的市场机制和丰富的组织经验是宣传推介组织得以市场化运营的保证。西方发达国家对于非营利性组织的运营有着完备的法律法规，市场各方对于非营利性组织的作用和运营也有着充分的认识和肯定。在健全的制度和社会规则下，非营利性组织公信力较高，这对于其开展相关工作具有积极的意义。而且，类似社会机构的丰硕成果得到社会各界的肯定，有利于资本市场宣传推介机构工作的开展；其他类似机构的丰富经验也为资本市场宣传推介机构的组织和运营提供了良好的借鉴。

二、新兴资本市场

近年来，新兴资本市场对于国际宣传推介的重视程度日益加深，各国政府和市场监管机构纷纷出台政策和刺激措施引导促进资本市场国际宣传推介业务的发展。然而，对于新兴市场来说，由于其市场机制不健全，各市场主体融入国际市场的意识不够、意愿不高，以市场化运营推介机构仍存在相当的困难，目前主要以政府机构负责相应的宣传推介业务或者政府组织引导市场开展零散的推广活动等形式为主。例如，巴西目前的“最好巴西”资本市场主题宣传推广计划是由其中央银行和财政部共同发起的，由政府组织市场监管机构在全球各主要金融中心开展路演和交流工作；印度很早就有了资本市场的国际宣传推广计划，并成立跨政府部门的资本市场发展协调机构专门负责该计划；俄罗斯的资本市场宣传推广计划已在起步之中，但目前仍只局限于莫斯科地区的投资引进和与国际合作建立莫斯科金融中心的几个零散计划。总体来说，新兴资本市场虽然从政府角度开始重视到国际宣传推介的重要性，但受限于政府的效率与市场灵活度，这些市场国际推广活动的发展与其快速成长的资本市场不相匹配，严重滞后。但可以预见，随着新兴资本市场逐渐发展成熟，其国际宣传推介业务的发展方向是建立市场化运营的专门性推介机构，负责对外宣传本国资本市场，进一步促进资本市场的开放和国际化。

三、中国正处在开展市场化系统性资本市场对外推广活动的难得机遇期

资本市场国际化是当今国际资本市场的潮流。随着国际资本市场格局的变化，发达市场和新兴市场间既合作又竞争的关系是未来国际资本市场发展的主要基调。发达资本市场的机制体制健全，市场主体经验丰富，又走在国际资本市场宣传推广的前沿，对国际资本有较大的吸引力。而新兴市场携本国经济发展的强大动力，在国际资本市场上的声音日益增大，虽然在市场开放度和宣传推介工作上暂时落后，但其发展潜力和机遇是国际资本所不能忽视的。从各新兴市场的长远规划来看，各国都把发展资本市场摆在了十分重要的位置，而其中加强资本市场的国际宣传推介又是推动资本市场发展的重要有机组成部分，我国不应在这个方面落后于其他新兴资本市场。

我国资本市场目前仍处于“新兴加转轨”阶段，还是一个不太成熟的市场，相比于美英等发达国家还有相当长的一段距离，市场也存在着许多扭曲状态[①]。我国资本市场的国际化仍然处在一个比较初级的阶段。为了适应中国经济的发展需要，我国资本市场有必要加快国际化步伐。然而，在推进资本市场国际化的过程中也出现了种种问题和障碍。如何借鉴境外资本市场国际化的经验和教训，适时稳妥地推进我国资本市场的国际化，确保我国金融市场的健康发展，仍然是当前我国资本市场面临的重要问题。开展市场化系统性对外宣传推广活动正是推动我国资本市场国际化、促进资本市场健康平稳发展的有力

① 陈敏，陈春兰，刘晓娟，王梅丽，陈梦玲．经济全球化形势下中国资本市场发展路径探析．金融管理．2013。

抓手。

我国之前进行过由中国证监会发起、交易所组织的零散海外路演推介活动，虽然获得了良好的反响，但缺乏连续性。而且国内目前对外交流还未形成长期有效的机制，主要以各方举办的资本论坛为主。总体看来，我国资本市场的国际宣传推介活动仍处在较为简单的早期发展阶段，与我国日益提升的国际金融地位严重不符。国际金融危机后，国际资本市场上的竞争日趋激烈，西方发达资本市场处在一个相对弱势的时期，而我国在国际资本市场上的吸引力和竞争力逐渐增强。资本市场的国际宣传推广对推动资本市场的发展具有积极的意义，这将在以下章节进行详细分析。同时，我国加大参与国际资本市场的意愿不断增强。党中央国务院制定的促进资本市场开放的政策规划为开展资本市场境外推广工作创造了良好的政策背景。综上所述，无论从国际形势还是国内情况来看，当前正是我国开展市场化系统性资本市场对外推广活动的难得机遇期。

第二节 境内外推广活动开展情况对比

一、规划上的差别

一个国家的资本市场推广活动的顺利开展和持续作用很大程度上取决于政府或相关机构对于这项工作的整体规划和重视程度：即是否将资本市场国际推广业务定位在资本市场发展的核心地位？是否为推广业务制定了有效的政策和制度支持，并配置了充足的资源？如果没有正确的定位和足够的资源，就没有合适的发展方向和发展目标，影响到各方面业务的开展，从而制约推广活动的有效性和影响力。而在规划层面上定位与资源配置的区别也造成了各国资本市场国际推介业务发展的不平衡。

（一）定位的差别

从国外来看，不同国家资本市场推广组织的定位有很大不同。

第一，英国 TheCityUK 公司的定位层次最高且最为综合。TheCityUK 公司的定位是国家层面的综合性资本市场发展组织，其业务涵盖了金融业与其他实体经济，服务对象包含了政府、企业界和公众，同时还注重发展英国与其他经济体之间的关系。英国政府将金融作为其经济发展的支柱产业和首要发展对象，并将其资本市场的国际宣传推广工作作为英国金融业发展的有力抓手。因此，TheCityUK依托英国政府和伦敦金融城政府的强大支持，眼光覆盖整个英国，其战略部署综合考虑各个行业、各市场主体的利益关系；同时放眼国际，努力提升伦敦作为全球金融中心的地位和影响力。

第二，德国、加拿大、法国与中国香港的资本市场推广组织在定位上，依托城市和地区政府支持，主要着眼于城市本身的金融业发展，强调城市形象与国际金融中心的塑造。这四个国家或地区都有城市层面的资本市场推广组织，以发展城市金融业为主要目的，以此带动地区和国家经济发展。这些推广组织较少有涉及国家层面的行业协调与政策制定，在与国外机构合作时，也是以城市间的金融合作为主。

第三，美国、日本、新加坡等成熟资本市场由于各自原因，没有将资本的境外推广业务定位在其资本市场发展规划的重要位置，尚无专门的市场化推介组织。其当前的宣传推介工作或主要由企业独自进行，或以民间零散的论坛交流活动为主，或由政府相关机构出面组织，缺乏政策引导和支持。以日本为例，日本金融服务局承担金融市场的监管与发展工作，宣传推介是其工作职能之一，定位是为国内金融业界与监管界提供沟通平台，以推动金融发展，但并不是政府工作重点，只是一种金融发展的辅助手段。日本还设有日本市场论坛，以民间组织的身份，促进金融业内人才交流，定位较窄、层次较低。但日本目前已意识到宣传推介工作对于金融发展的重要性，并有意向设立专门的资本市场推广组织，以提升东京作为全球金融中心的地位，向国内外推介日本资本市场，推动日本金融业发展。

第四，韩国、巴西、俄罗斯、印度等新兴资本市场也尚未形成市场化的专门推介组织，目前国际推介工作主要由政府承担。这些国家的资本市场国际推介活动主要定位是作为其市场加大对外开放的主要体现，以学习国际先进经验、塑造良好国际形象、吸引境外资金为目的，为实体经济发展服务，促进本国金融市场的发展。例如，韩国的资本市场推广主要着眼于金融行业本身，以促进监管为主，不涉及与其他行业的协调及本国外贸政策的调整。巴西的资本市场宣传推介主要由中央银行和财政部负责，宗旨是提升巴西的资本市场形象和与投资者关系，宣传推广巴西资本市场，吸引国际投资者。这些新兴市场受限于其不完善的市场机制，推广活动的形式较为简单，广度和深度较浅，效果有限。

我国虽然已经将金融业的发展作为国际经济发展的重要组成部分，并提升到战略高度，大力提倡加大资本市场对外开放的步伐，但对于资本市场国际宣传推广的重视度仍显不足，我国目前还没有成立专门的资本市场境外推介组织。中国资本市场的国际推介活动亟待加强，目前只是由沪深交易所及其他相关机构组织过几次短期的境外路演。而官方或者民间组织的一些资本市场论坛组织虽然能起到一定的沟通交流作用，但国际影响有限。总体看来，我国的资本市场推广活动还处在初级发展阶段，层次较低、定位较窄、缺乏组织性和持续性，没有涵盖金融体系发展的各个方面，缺乏对金融各市场主体的利益关系的全面考虑，更没有规划金融业与实体经济的联动、中国与其他经济体的合作。

（二）资源配置的差别

国家对于资本市场推广组织定位的区别直接造成了这些组织在资源调动能力上的不同，这对推广组织的效率和影响力也产生了较大的影响。在设有综合性市场化运营的资本市场推广组织的国家，如英国、德国、加拿大与法国，在政府大力支持的同时，相关行业企业也积极参加资本市场的境外宣传推介工作，借助业界的广泛联系，有效整合金融业界、政界、学术界的资源，形成合力共同促进本国金融业的发展。以英国为例，TheCityUK 公司正是一个涵盖金融各个领域、联系实体经济各个行业、与政府有紧密沟通的综合性金融推广发展组织，由政界、商界支持设立，整合了政府、金融界、企业界、投资者、学术界等各方资源，并形成凝聚力，为其推广工作奠定了坚实的基础。TheCityUK 公司由来自资本市场的商业精英领导，并与英国政府有着紧密的合作关系，其中包括英国皇家财政部、商业部、金融服务局、国际和英联邦事务局、司法部。同时，TheCityUK 公司也和英国驻各国大使馆、欧盟政商界、各国商务部以及民间非政府组织保持合作关系。如此广泛的合作网络和资源储备，让 TheCityUK 公司具备了强大的资源调动能力。

在没有专门的资本市场推广组织的国家，如日本、新加坡、韩国、印度、俄罗斯和巴西等，宣传推介工作主要由政府主导并赞助，其资源组成较为单薄，无法有效调动社会资源和相关行业企业积极性，因此推广手段单一且不灵活。例如，新加坡的宣传推广工作以政府为主导，发动企业参与，但没有形成类似于英国的政界、商界、学界等各界的合力，在资源调动能力上非常有限，业界参与程度也不高。

我国现有的资本市场推广活动相当零散，没有形成金融界、政府界、学术界的合力，其资源调动能力亦非常有限。由沪深交易所及其他机构引导的资本市场海外推介工作，主要以政府为主导，邀请部分托管银行、基金管理公司、证券公司参与，其涉及的金融市场参与主体有限、相关各方也并没形成紧密合作关系。国内的资本市场论坛，以提供交流平台为主，邀请政府监管机构、境内外投资者与学术界代表参与。虽然论坛的组织者有政府机构、非政府组织、商业团体、民间组织，但论坛参与各方的合作仅限于思想交流与探讨，故对其市场行为影响不大。总体来说，我国虽然有少量的国际推广交流活动，但从政府到市场对于这方面重视程度不够，对推介活动的资源投入仍十分有限，而国内也缺乏专门的推广机构来争取和协调更多相关的资源投入。

二、运营管理的差别

好的运营管理模式，会呈现出信息传递高效、决策灵活、责任清晰、业务执行有效的良好局面。各国资本市场推广组织的运营管理差别很大，主要体现在组织架构与职能分配上，这也造成了各组织在运营效率上的不同。

（一）组织管理的差别

对于成熟资本市场，如英国、德国、加拿大、法国，其市场化的推广机构以公司或公会形式运行，有独立的身份，管理架构完善。其中较有代表性的是英国和德国。英国的 TheCityUK 公司以担保责任有限公司的形式运营，组织架构层级清晰，在管理的有效性上优势突出。TheCityUK 公司下设董事会负责管理决策，顾问委员会负责监督公司的日常工作，业务方面按照领域的不同设立六个专项委员会。此外公司还注重内部控制，专门设有审计和风险控制委员会、资金委员会、薪酬委员会和人事管理委员会。在这样的组织架构下，各方权利得到有效制衡，信息传递高效，保证了机构运行的效率和稳定。德国的法兰克福美因河金融协会以公会形式运营，组织架构简洁完整，突出了管理灵活性上的优势。法兰克福美因河金融协会的组织架构包括主席团、管理委员会、工作组和会员大会，管理委员会由会员大会选举产生，会员大会负责确定由管理委员会推选的主席团名单并确定主席人选、审核协会的年度预算、批准协会工作规划，主席团负责协会的政策决策，工作组负责日常工作的开展。各个工作组和主席团每月定期召开工作会议，协调各组间的工作。在这样的组织架构下，民主思想得到了良好的体现，各工作组的任务和职责规定比较灵活，组织管理的策略和方向可根据金融市场情况及时调整，保证了运营的高效。

在没有专门的资本市场推广机构的国家，其推广活动主要由政府承担。相关机构缺乏独立的身份，管理有效性较低，而且运营管理受政府其他职能影响，自主性、灵活性较低。以韩国为例，韩国金融服务委员会负责金融市场的监管和发展工作，属于政府机构，管理层级很多，推广工作主要由金融政策局下设的国际金融部和国际金融合作办公室负责，职责规定相对模糊，组织模式比较僵化，在管理有效性和灵活性方面都远不如英国、德国的资本市场推广组织。

我国目前资本市场的国际宣传推广活动缺乏有效的组织管理。仅有的几次海外路演是由中国证监会发起，交易所负责，被邀请的市场主体参与的短期的合作关系，没有固定的组织架构和长效的执行机制。而且国内的资本市场论坛，组织管理更为松散，主要以会议组委会的形式管理，没有过多的层级设计，各论坛间也缺乏交流和联系。现有推广活动的组织模式不能与我国日益发展的资本市场相适应，无法承担资本市场综合推广的任务。因此，我国在资本市场宣传推介方面需要有一个科学高效的组织架构，以保证管理的有效性和灵活性。

（二）职能分配的差别

国外资本市场推广组织在职能分配的设计上有很大差别。

第一，英国的职能分配设计最为清晰、明确和全面。TheCityUK 公司设有六个专项委员会，包括海外推广委员会、自由贸易服务委员会、政策和公共事务部、国际规则战略组、英国战略委员会和研究委员会。各委员会负责不同业务，职责划分明确，业务内容全面，涵盖商业与金融业、政策制定与宣传推广、国内发展与国际规则等不同领域、不同层级的工作，并覆盖政府、行业、企业三个层面。新成立的香港金发局学习 TheCityUK 公司的模式，设立相应的职能委员会，职能分配上明确清晰。

第二，德国、加拿大、法国推介组织的职能分配设计采用职能部门与工作组结合的形式，在某些业务领域对部门职责有明确的规定，而在政策制定等较为宽泛的领域则以工作组的形式开展业务，根据当时的金融市场情况确定业务内容。以法国为例，巴黎欧洲金融市场协会下设企业部、机构投资者部两个业务部门，并设有五个专门工作组，负责专项项目研究和推进。业务部门的工作内容较为固定，专门工作组的工作内容则主要与专项项目相关，随着项目内容变化而变化。

而以政府主导宣传推介业务的国家，其职能分配设计较为模糊，覆盖面也较窄。以日本为例，日本金融服务局的职能之一是宣传推广日本资本市场，但该机构并没有设立相关部门具体负责推介工作，业务设计非常不明确。再如，巴西中央银行的投资者关系与特别研究部及财政部的投资者关系办公室，主要负责维护和提升投资者、分析师和评级机构之间的关系，增进政府和投资者的双向交流。该业务主要关注投资者，没有综合考虑资本市场的各个参与主体，而且两个部门也存在业务重叠的问题。

我国的资本市场推广活动较为单一，职能分配也较为简单，覆盖面也窄。沪深交易所及其他机构引导的中国资本市场海外推介，主要是向国际机构投资者介绍中国资本市场发展的最新成果、通报近期针对 QFII 制度的政策调整。而国内资本市场论坛，主要讨论中国资本市场改革创新、全球经济发展的问题，并进行国际投资信息的交流。

三、业务开展的差别

各国（地区）在其资本市场国际宣传推介业务的开展上差距巨大，主要体现在业务层次、规模、种类和影响力上。

（一）业务开展规模与层次的差别

资本市场国际推广业务开展规模较大、层次较高、活动较为频繁的国家是英国、德国、加拿大和法国，其中以英国最为典型。英国 TheCityUK 公司举办的活动规模较大，分为伦敦当地、英国、欧盟及全球四个层级，涵盖政府、行业、企业三个层面。其次，美国、日本、新加坡、俄罗斯等国也有定期开展资本市场推广业务，以地区、国家层面的活动居多，主要着眼于政策制定与行业发展。以日本为例，由日本金融服务局组织的推介活动“公共—私有金融圆桌会议”从2012年起每年举办一次，是日本金融业界与监管界的交流平台，并不涉及单个企业本身的发展探讨。此外，韩国、印度等新兴市场国家在资本市场推介上，业务层级较为单一、开展频率较低。以韩国为例，其宣传推介业务仅限于举办国际金融监管机构会议和出版韩国经济金融报告。

我国当前资本市场推广业务的规模较小、层次也不高。由沪深交易所及其他机构引导的资本市场海外推介活动仅覆盖了美国、加拿大、欧洲、韩国、日本、中东地区，只针对部分境外机构投资者开展路演，且举办次数很少、持续时间很短。而国内的资本市场论坛多为每年举办一次，主要关注行业层面，缺乏综合性的探讨与企业层面的研究，国际影响力也十分有限。

（二）业务开展形式与种类的差别

在业务开展的多样性方面，国外资本市场推广机构的情况各有不同。英国、德国、加拿大、法国等成熟资本市场，设有专门的推介组织，业务形式多样。以德国为例，法兰克福美因河金融协会开展各式各样的业务活动，包括编撰《德国年度报告》、联系国内外媒体进行形象宣传、开设风险监管硕士课程、举办法兰克福金融峰会、建立“法兰克福—新兴市场金融中心合作伙伴”数据库、推广金融中心市场指数与市场景气指数等。其他未设专门推介机构的国家，推介业务种类较为单一，多为海外路演与论坛峰会，我国的情况也大致如此。

（三）业务的影响力

英国、德国、加拿大、法国等国设有综合性的资本市场推广组织，业务开展较为系统、有效，覆盖面较广，因而影响力也较大。以英国为例，TheCityUK的推广活动受到金融业界、政界的广泛好评，被认为为英国金融服务业塑造了一个清晰的品牌形象，有效提升了英国金融业在全球市场上的声誉，为国际市场了解英国企业做出了重要贡献，有效推动了英国金融业的发展，为伦敦成为仅次于美国纽约的全球第二大金融中心贡献了重要力量。业界对于该推介组织的影响也普遍持肯定态度。而日本、韩国、巴西等国家对资本市场国际推介业务重视不足，没有专门的推介机构，开展的业务种类不多，规模与层次也不够，因而业务影响力不大。

我国目前在资本市场宣传推介方面，由于未形成各界合力、形式单一、覆盖面窄，故影响力十分有限。沪深交易所及其他机构引导的资本市场海外推介虽然获得了部分境外机构投资者的良好反响，但影响的范围仍十分有限。而国内资本市场论坛的规模普遍不大，缺乏重要的国际知名论坛，对监管政策与金融发展的实质性影响也有限。

第二十九章

我国开展资本市场境外推介的意义

第一节　有利于提升国际金融市场的定价权与话语权

近年来，随着我国经济实力的快速提升，金融机构和金融市场的国际化程度逐步提高，外汇储备等形式的对外投资能力不断增强，国际金融实力和影响力也开始提升，然而我国在国际金融市场上的话语权仍处于发展起步阶段。例如，我国在世界银行目前的投票权在其改革后由原来的2.77%提高到4.42%，但仍然大幅度落后于美国的15.85%，甚至日本的6.84%[①]。我国在世界货币基金组织（IMF）中的投票权在2010年后虽然达到6.07%，但仍然大幅落后于美国的16.47%，并排在日本之后[②]。

2008年金融危机后，美国已经实行四轮量化宽松政策。日本自安倍晋三2012年12月下旬上台以来，日元也贬值近20%。此外，欧元、英镑对人民币汇率也不断贬值。IMF数据显示，仅在2008年至2010年间，发达经济体通过超发货币获得3万多亿美元收益，而2010年后其货币超发仍没有得到有效控制。发达经济体通过货币超发转嫁了经济危机，使得本国仍保持较低通胀，如美国的通胀率2012年仅为2%。而中国作为世界第二大经济体，付出的代价是最大的。目前，中国外汇储备已经超过3.3万亿美元。全球货币超发造成中

---

① http：//www. worldbank. org.

② http：//www. imf. org.

国财富大幅缩水，而且推高石油、铁矿石等大宗商品价格，使得中国企业内外承压。对此，中国应果断发声，要求 IMF 对这些国家的财政纪律提出要求，监督以发钞对冲财政赤字的做法，敦促实施适当的紧缩财政政策，减少对全球其他国家的压力。拥有强大话语权的国家对于 IMF 这样的国际组织具有较大的影响。2013 年 2 月 15 日，G20 峰会在莫斯科举行，金砖国家共同要求发达国家注意货币政策的外溢性，IMF 官员却淡化货币战说法，并认为发达国家的“宽松政策是合适的”。然而，在亚洲金融危机期间，IMF 对东南亚被援助国就提出了严格的财政纪律，即必须紧缩财政。而此次对于欧洲部分被援助国在财政紧缩上的迟缓动作，IMF 却态度暧昧，不愿做强硬的表态。这些都显示了 IMF 的双重标准。可见，拥有强大的话语权对于维护本国的利益和国际地位具有十分重要的作用。

金融市场规则话语权是实现金融力量的主要手段，掌握了话语权就会处于主动地位。近 30 年来，全球化发展一直处于内部失衡的状态。全球化包括功能性全球化和制度性全球化两个方面：功能性全球化在私人部门利益驱动和市场力量的推动下得到快速发展，但制度性全球化的推进始终较为落后。尤其是金融投资领域的规则制度建设还很滞后，很多领域还在沿用 20 世纪 40 年代建立起来的规则制度。现存的国际金融体系也是一个屡屡被提及的“病灶”，相关“游戏规则”主要由发达国家主导，缺乏全球参与的民主性，导致现行国际金融体系缺乏公平性、公正性和有效性。

金融危机爆发后，国际社会开始着手探讨危机根源、总结教训，以在此基础上寻求补救和预防措施。后危机时代的信用评级标准、金融监管、金融会计准则、反洗钱与大宗商品定价权等规则都要经历大规模的协商改变和重新洗牌以应对新的国际金融环境。然而，这个过程目前仍由西方国家主导。同时，新兴市场也都正在积极参与。2008 年国际金融危机爆发以来，我国提出国际货币体系改革的倡议，参与国际金融标准和规则的制定及重大国际金融事务的讨论，在全球金融治理中的地位和作用得到提高和承认，国际金融话语权有所提升①。我国要充分利用当前国际金融秩序重建的契机，力争更大的话语权，为我国争取更加公平的国际金融环境②。

要提升话语权除了改善自身实力，积极参与国际事务之外，重要的方法对

① 王晓秋．后危机时期提升我国国际金融话语权的对策研究．改革与战略．2012（3）。

② 肖钢．聚焦新秩序——国际金融热点精述．2013。

策之一就是加强国际沟通和交流，制造更多与我国经济实力相符的有利声音，引导对我国公平有利的舆论方向，塑造中国资本市场和中国企业的正面形象，展现我国参与国际事务的热情和良好愿望。

第二节 有利于改善中国资本市场投资者结构

近年来，随着机构投资者特别是证券投资基金的快速发展，我国资本市场投资者结构有所改善。但总体看来，我国机构投资者发展不均衡，保险资金在2004年才允许进入资本市场，且规模较小；养老体系改革还有待深入，尚未成为中国机构投资者的力量之一，机构投资者的功能在我国的资本市场上并没有完全体现出来，我国资本市场投资者结构仍不合理。主要表现在：

一是我国资本市场的机构投资者规模偏小。根据中国证监会统计，截至2012年底，我国资本市场中专业机构投资者持有流通A股市值的比例为17.4%。而在西方发达国家成熟的股市中，大量的机构投资者如退休养老金、保险基金、银行信托基金和投资基金等拥有长期稳定的资金来源，持有股票资产占股票总市值的50%以上。同时，我国现有各类机构投资者之间在投资理念、投资标的等方面显示出较大的雷同性，不利于股票市场的长期健康发展。因此，相对发达市场，我国机构投资者相对规模仍然较小，对市场影响力仍然有限。

二是我国资本市场中个人投资者比例偏高。根据中国证券登记结算公司数据显示，截至2013年9月，流通市值在10万元以下的账户比例高达84.6%，50万元以下账户比例更是超过97.2%[①]。中国股市已是名副其实的散户集中营，个人投资者的交易量占整个市场交易量的比例高达85%。从投资行为分析，与机构投资者相比，个人投资者尤其是中小个人投资者更偏向于持有和交易小盘股、低价股、绩差股和高市盈率股，持股时间较短、交易较为频繁。

三是我国资本市场股票换手率高、交易频繁（见图29－1）。经过近20年的发展，在管理层不遗余力地倡导长期投资理念并进行积极的制度推进下，我

① 中国结算统计月报2013年9月，中国证券登记结算有限责任公司。

国资本市场中短期投资行为已呈减少趋势，投资周期也有所拉长，但与境外成熟市场相比，目前我国股票市场投资者平均换手率仍然偏高、交易行为频繁短期投资行为比较明显。

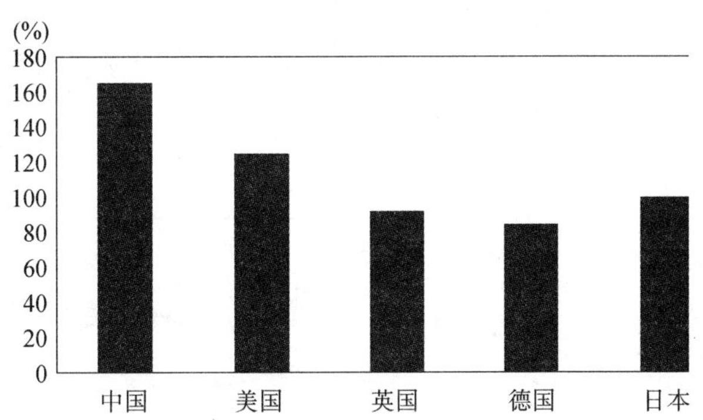

图 29－1　2012 年国际股票市场换手率比较

资料来源：世界银行。

发展长期机构投资者队伍，一方面为股市的良好发展发挥稳定器的作用，机构投资者追求长期稳定的回报，其引进有助于促进上市公司更好地规范自身水平，从而提高公司治理水平，改善公司与投资者之间的关系；另一方面，长期机构投资者的引入也满足了中国股市融资服务的需要。

因此，在加大鼓励国内长期资金入市的基础上，适当加快吸引境外机构投资者也成为工作重点。而进行境外的中国资本市场宣传推介活动，对于引进境外机构投资者具有十分积极的意义。

第三节　有利于提高中国资本市场的境外资金比例

目前，中国资本项目尚未完全开放，外国资金要进入中国资本市场，须先成为合格境外机构投资者，再以 QFII 或者 RQFII 的身份在批准额度内进行投资。因此，QFII 和 RQFII 是中国资本市场境外资金的主要来源。

我国从 2003 年开始引入 QFII 制度，2012 年第 4 季度开始逐步放松，加快审核速度、扩大规模。截至 2013 年 9 月底，我国共批准 QFII 216 家，累计批准额度达到474.93亿美元。QFII持股市值约占A股流通市值的1.6%①。该比例与成熟开放的发达国家的资本市场有着较大差距，甚至与历史上通过实行QFII制度来逐步开放其资本市场的国家或地区（如韩国、印度、中国台湾）相比也处在比较低的水平（见图29－2）。全球大部分股市外国投资者占流通市值的比例为20%左右，从这个角度看，海外投资者对A股还有约5倍以上的投资空间。

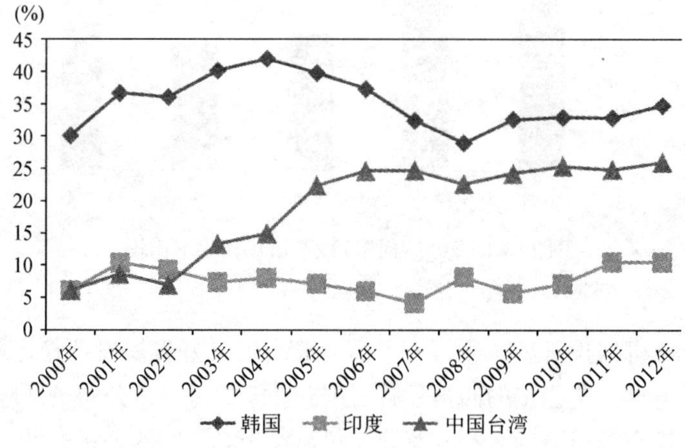

图29－2 韩国、印度、中国台湾外资累计投资占总市值比例统计

韩国从1992年8月开始实施QFII制度，到1998年5月取消，证券市场全面开放。自从1992年引入QFII制度后，韩国QFII的持股市值和持股数量持续稳步增长，QFII的规模逐步扩大，而其交易数量和交易市值则一直维持在低位运行②（见图29－3）。QFII对韩国股市的净买量持续扩大，说明QFII的进入使韩国证券市场开始盛行关注企业长远发展并重视价值投资的理性投资理念，投机行为明显减少，对降低市场的波动幅度起到了一定的作用③。1994年QFII持股市值比为10%，到1998年上升至18.6%。取消QFII制度后，外资流入迅速增加，2008～2012年外资持股市值比保持在29%～35%之间④。

① 证监会．QFII账户股票资产达1 929.65亿元．中国证券报．2012年8月3日。http：//www.cs.com.cn/sylm/jsbd/201208/t20120803_3439151.html。

② 牧野．韩国QFII制度概观．当代韩国．2003年。

③ QFII制度对韩国证券市场的影响，可参见《韩国、中国台湾、印度QFII政策实施后的市场效应分析》，证券日报．2003年3月4日。

④ 韩国证券交易所（Korea Exchange）www.krx.co.kr。

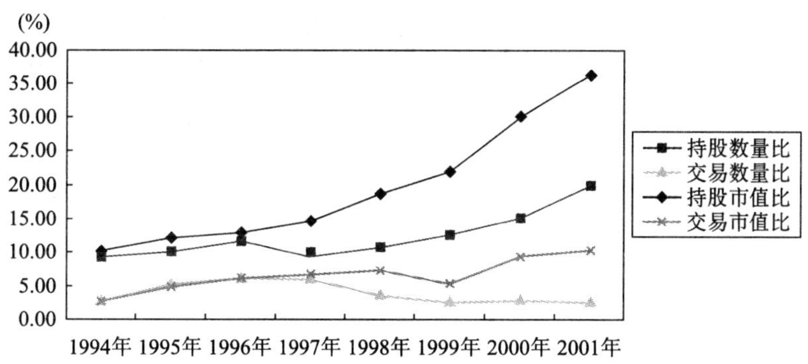

图 29-3 1994~2001 年韩国股市 QFII 概况

印度从 1992 年 9 月引入 FII 制度（Foreign Institutional Investment，与我国的 QFII 制度类似），2006 年逐步放开投资范围和投资规模，至今资本项目尚未完全开放，FII 制度依然有效。印度实施 FII 制度后，外国机构投资者的资金流入整体呈逐年上升趋势，1993 年 FII 持股市值比为 1.1%。截至 2002 年，在印度注册的外国机构投资者达 545 家，累计外国机构投资额达 116.9 亿美元，大约占总市值的 9.47%①。相对于中国台湾和韩国，印度的市场总规模较大，加上印度对外资在准入、持股比例方面要求较高，FII 运行后对市场的影响力相对小于中国台湾和韩国。但从市场的总体走势看，印度股市在实行 FII 制度以后的十年内，市场深度和规模均有比较大的发展，价格波动幅度不大，总体上保持了上升的格局，市盈率稳定在 18 倍左右。到 2008~2012 年，印度的境外资本比例保持在 6%~11%之间②。

中国台湾在 1991~2003 年实行 QFII 制度，2003 年末取消该制度，资本项目完全开放③。在实行 QFII 制度期间，台湾 QFII 累计汇入外资额占总市值的比例从 1991 年的 0.38%逐步提高到 2002 年的 13.78%④（见图 29-4）。1999 年之前，QFII 资金汇入额增长缓慢，净流入量最高的 1996 年也只有 23.6 亿美元。1999 年后，中国台湾市场中 QFII 持股比例放宽，同年 8 月，MSCI 宣布将台湾指数进入自由指数的比重由 50% 调高到 100%。受此影响，1999 年至

① 林丽．QFII 制度的国际经验及投资实践——基于内地证券市场的实证分析．东北师范大学硕士学位论文，2006 年 4 月。

② 印度证券交易委员会（Securities and Exchange Board of India）www.sebi.gov.in。

③ 境外“活水”，抬升估值——QFII 制度专题研究．中信建投证券．2013 年 3 月。

④ 证监会基金部与清华大学联合课题组．QFII 的市场效应与监管制度演进研究．2003 年 10 月。

2001 年外资流入爆发性增长，这 3 年的净流入量分别达到 95 亿美元、68 亿美元和 89 亿美元。在 2003 年末取消 QFII 制度之后，中国台湾的外资流入迅速增长，2008 ~2012 年外资投资占总市值的比例保持在 23% ~26% 之间[①]。

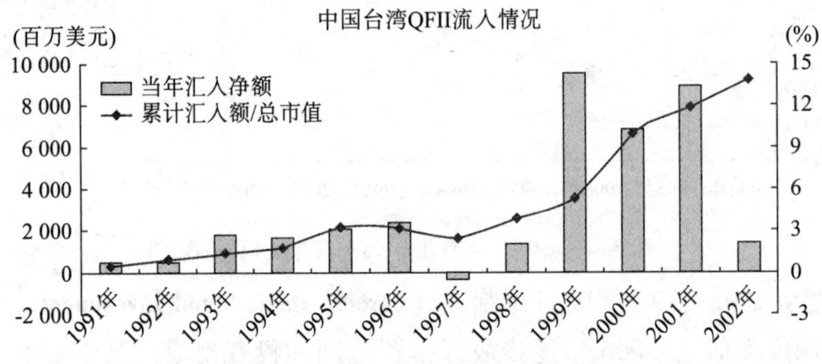

图 29－4 1991 ~2002 年中国台湾股市 QFII 概况

因此，与实行过 QFII 制度的海外市场相比，我国资本市场境外资金的比例还比较低，仍有很大的发展空间。通过宣传推介中国资本市场，将有利于吸引境外资金，提高我国资本市场的境外资金比例。

第四节 有利于提高中国资本市场的海外认知度

我国资本市场起步晚，发展还不成熟，受我国特殊的经济社会环境影响，我国资本市场与国际成熟资本市场之间仍存在比较大的差异，比如我国股票发行审核、新股定价市场化程度、税收政策安排、会计准则、公司治理、对股东债权人以及投资者的保护力度等方面均与国际资本市场存在制度规则或发展程度上的差异。对中国资本市场制度的不熟悉和担忧已成为境外投资者参与我国资本市场的主要障碍之一，在一定程度上降低了其投资意愿。

例如，税收政策的不同一直是境外机构投资中国资本市场时比较关注的问题。一般来说，国际新兴市场以印花税作为资本市场主体税，成熟市场经济国家则主要征收所得税。在我国，QFII 主要的涉税项目为营业税和企业所得税。

① “台湾金融监督管理委员会证券期货局”。http：//www. sfb. gov. tw/ch/。

2005 年财政部、国家税务总局联合发出的《关于合格境外机构投资者营业税政策的通知》明确表示，经国务院批准，对 QFII 委托境内公司在中国从事证券买卖业务取得的差价收入，免征营业税。对 QFII 所得税的征收，根据《国家税务总局关于中国居民企业向 QFII 支付股息、红利、利息代扣代缴企业所得税有关问题的通知》，QFII 取得来源于中国境内的股息、红利和利息收入应按照《中华人民共和国企业所得税法》及其实施条例的规定缴纳 10% 的企业所得税。但目前我国对 QFII 在中国从事证券买卖业务取得的差价收入的企业所得税是否需要征收，尚无明确定论，这给 QFII 计算和汇出利润带来很大困难。此外，QFII 收益在汇出时需提交税务主管部门出具的完税、减税或免税凭证，需提交将来明确后按照有关税务规定补缴税款的承诺函，这些规定都是 QFII 十分关注的问题。

此外，QFII 对投资对象均有严格的履行社会责任要求，比较关注 A 股公司的公司治理、保护投资者利益等。而在我国资本市场发展初期，由于股权结构不合理、透明度较低，尚未形成活跃的控制权市场，经理人选拔机制也多是从内部选拔，公司治理机制亟待加强。近年来，尽管我国资本市场仍存在很多问题但也取得了明显的进步和成果。这些都需要通过相应的渠道向境外投资者不断地进行介绍，增强其对我国资本市场发展近况的了解。

应资本市场的国际化发展要求，我国资本市场监管机构也在努力缩小与国际资本市场的制度性差异。近年来，中国证监会结合我国资本市场发展的实际，借鉴国外资本市场的发展经验，陆续出台更新了系列法律法规，不断改革发展中国资本市场。2001 年以来，每年中国证监会颁布的新条令平均近 8 条，每年发布的市场公告超过 40 条（见表 29－2）。因此，向境外投资者介绍相关法规政策的动态是我国资本市场对外推介工作的一项重要内容。

表 29－2　　历年中国证监会出台的新法律法规数量统计

年份	证监会令	证监会公告
2001	5	—
2002	9	—
2003	4	—
2004	8	—
2005	1	—
2006	10	—

续表

年份	证监会令	证监会公告
2007	20	—
2008	7	46
2009	7	35
2010	3	40
2011	7	43
2012	12	51
2013（截至2013年8月）	5	29

第五节　有利于帮助中资金融机构“走出去”

伴随中国实业企业大规模的海外投资，中国金融业也紧随其后，开始了“走出去”的进程。继中国银行业率先在海外布局后，中资券商、基金、期货公司等机构也正在努力开拓国际业务。从政策方向上来看，券商、基金、期货公司的国际化，也是中国证监会提倡和鼓励的。与中国企业海外上市首选香港市场一样，中国香港市场同样成为中国基金、券商、期货公司“走出去”的首选地和“练兵场”。

首先，基金走在中国资本市场国际化的前列，境外子公司正成为国内基金公司图谋国际市场的一个跳板。据统计，自2008年以来，中国证监会批准设立的77家基金管理公司中已有20家基金管理公司在香港设立子公司。不少基金公司通过担任QFII的投资顾问，或通过QFII额度在海外市场发行产品投资国内市场①。国内基金公司“走出去”益处颇多，境外子公司可以利用其独特的区位优势，为公司QDII基金的境外投资提供信息支持，同时还可以成为公司未来拓展海外业务的战略平台。国内基金公司通过境外子公司积极申请QFII牌照，一方面能以母公司身份担任投资顾问，另一方面可以通过金融创新等路径成为QFII管理人。但目前我国基金的境外分支机构的业务主要仍集中在投

① 中国证监会年报，2012年。

资国内市场，分支机构地点也多选在香港，缺乏真正“走出去”、投资国际资本市场的勇气和实力。

国内证券公司的国际化步伐也在加快，但也具有一定的局限性。截至2012年底，中国证监会已批准24家证券公司到境外设立子公司，其中23家境外子公司注册地在香港，1家境外子公司注册地在老挝。就发展情况来看，我国券商的国际化仍处在初级阶段，在境外设立的分支机构数量不多、布点地域窄、业务单一，且基本集中于香港特区。不仅如此，很多在境外开拓业务的券商生存环境也并不乐观。2011年，在港中资券商亏损过半，实现盈利的仅有国泰君安国际、海通国际、申银万国（香港）、招商（香港）等几家进入较早者及多元发展者。

相比而言，国内期货市场的开放步伐则更为慢。自2006年以来，中国证监会先后批准格林期货、永安期货、广发期货、中国国际期货、金瑞期货和南华期货6家期货公司以收购或新设的方式在香港设立分支机构。由于目前国内期货市场收取的手续费是“期货公司拿小头，交易所拿大头”，而在境外市场交易所收取的手续费要低于期货公司所获得的部分。在这样的背景下，香港子公司主要充当母公司的“盈利窗口”。内地期货公司在港开设分支机构可以进行期货经纪、投资管理、自营等多项业务，还可以开辟新的盈利模式，从而加速内地期货公司由单纯的商品期货公司向综合性期货公司方向发展。但根据目前的情况来看，6家国内期货公司香港子公司业务仍以商品期货为主，金融期货的业务占比依然较低。

不论是银行，还是基金、券商、期货公司，海外的政治风险、市场壁垒、制度接轨的困难、激烈的市场竞争以及复杂的信用风险等，将会对这些“走出去”的金融机构形成非常大的挑战。中资金融机构“走出去”是对国内金融机构综合竞争力的考验，不论是人才、还是理念、业务等方面都须与国际市场深度对接。目前，国内金融机构在海外开设分支机构所遇到的问题，除了自身综合实力的缺乏外，缺乏国际视野、对国际环境的不熟悉、海外知名度不高，也给海外分支机构的发展带来了很大的障碍。因此，开展资本市场境外宣传与推介业务，有利于加大中资金融机构的知名度，培育真正国际化的金融机构，从而稳步推进中资金融机构“走出去”。

第六节 有利于提升中国企业的国际形象

中国资本的对外开放既包括将境外资金引进中国市场的“引进来”，也包括中国企业海外融资的“走出去”。在对外开放的过程中，由于中国资本市场制度与境外市场的差异、中国企业制度的不完善以及对外话语权的缺失，不论是“走出去”还是“引进来”的过程都举步维艰。从当前中国海外上市公司在国际市场上所遇到的困境可以看出，中国企业在国际上的整体声誉不佳。这也直接导致境外投资者对中国国内上市企业的不信任，增添了他们投资中国股市的迟疑。

中国海外上市公司曾被认为是认识中国企业的窗口。仅北美市场，在过去15年中，就有400多家中资企业上市，总市值约1 200亿美元。中资企业赴美上市的首波高潮出现在20世纪90年代中期，当时上市的主要是受政府支持的国企，上市公司行业主要分布在保险、能源和电信业。第二波浪潮是一批私营蓝筹股公司，大都身处科技、消费品和媒体等极具吸引力但战略性不强的行业。2010年，内地公司在美成功IPO的数量达30家，融资总额超过30亿美元，其中不少中国概念股市盈率超过100多倍，而美国大盘股的市盈率一般仅为20倍左右。继中国民营企业开始加速发展之后，中小民营企业也加入了赴美上市的大军，构成了第三波上市潮。截至2013年，全球的中国概念股共有450只，在美国上市的中概股数量最多，达到202只。其中，在NASDAQ上市的有120只，在NYSE上市的有71只，在AMEX上市的有11只。非美概念股共有248只，其中LSE35只，新加坡上市的有135只①。

然而2011年3月以来，在美上市的中国公司接连被爆出财务丑闻，导致不少中国企业在美IPO暂停或股价跌破发行价。其中，因做空中国概念股而一夜成名的浑水公司（Muddy Water Research）先后发布多家中国公司的卖空报告，质疑中国公司的财务数据造假，造成多家中国公司的股价大跌，被迫退市或摘牌。从当初受热烈追捧，到如今遭遇诚信危机，再到美国做空机构调研机

---

① Wind 数据。

构质疑频频做空，中国概念股在短短2年间遭遇了过山车般的变化。中概股被做空的起因是借壳上市的弊端，部分造假公司在美国发行注册制下顺利上市，致使其成为浑水和香橼等做空机构盈利的目标。由于财务管理不严谨、会计造假、未满足信息披露条件、不熟悉美国资本市场等原因，这些公司有的被清退出市场，有的受到高额罚款，有的遭受集体诉讼，中国企业的整体信誉一时间遭到严重损失。海外做空机构对于中概股企业的做空研究多单纯从会计角度质疑企业收入和成本的透明度，而不考虑企业的战略意图，很少可以找到违规的直接证据，其结论通常带有较强的主观推断。事实上，大部分中概股企业具有良好的成长性和盈利能力，但美国媒体不断放大这一事件，助长了事态的恶性发展。一些优质公司也遭到美国做空机构的恶意做空，迫使这些公司要花很大精力应对，严重干扰了公司的正常经营，越来越多海外上市的公司产生私有化或退市的意愿。截至目前，在海外已摘牌中国股132只，其中退市私有化23只①。

中概股的海外困境对于中国企业在海外的集体形象造成了极其不利的影响，也给中国企业海外融资带来了许多障碍。同时，由中概股引起的对国内上市公司规范性和真实性的担忧和质疑将显著地削弱境外投资者投资中国资本市场的意愿。此外，由于缺乏对中国国情和目标企业所在行业的深入了解，境外投资者对于投资未知的中国资本市场也将持保守态度。因此，对外宣传中国资本市场制度、上市公司情况以及各行业动态，有助于增进国际间的相互了解，改善中国公司集体形象，提升中国资本市场声誉，促进境外资金进入中国资本市场，也有利于中国企业，特别是中小高科技企业进行海外融资，从而促进我国经济产业链的升级。

第七节 有利于适应国际资本市场，把握开放节奏

我国资本市场发展还不完善，应对国际冲击的能力仍需加强。因此，在强调要进一步开放资本市场、推进资本市场国际化的同时，也要注意开放的步伐

---

① 根据Wind数据统计。

与国家的发展战略、经济的安全以及行业的整体规划相协调。

把握好资本市场的开放节奏对一个国家资本市场的发展有至关重要，这可以从阿根廷与巴西两个国家的对比得到启示。阿根廷 1991 年实行比索和美元的固定汇率，并实现了国际收支资本项目下的完全自由兑换，大量美元流入阿根廷。但由于没有考虑到本国经济和本国机构的承受力，最终导致阿根廷丧失了货币政策独立性，国内经济遭受国际资本流动的冲击而难以稳定。过快开放资本市场导致阿根廷的大量上市公司资源流失海外，2/3 以上的企业选择在海外上市，使阿根廷资本市场发展失去了基础，逐渐被外国资本占据。同时，阿根廷本土的金融机构逐渐被国际金融机构取代，使得阿根廷经济美元化。相反，巴西的对外开放节奏适宜，其成功经验值得借鉴，主要有两点，一是有长期规划和统一的战略部署，并始终如一地坚持贯彻，保持了对外开放政策的连续性；二是采取了渐进式的对外开放策略，把握好了对外开放的节奏。在市场对外资开放的同时，巴西本币雷亚尔在巴西境内牢牢占据主导地位，虽然美元可以较为自由地兑换，但市场上购物一般不接受美元。同时，巴西在对外开放的过程中，由于节奏控制较好，本土的金融机构的核心竞争力不断提高，并最终占据了主导地位。

我国要把坚持对外开放上升到战略高度，有关部门需协调一致，制定中长期对外开放战略，并能够长期坚持贯彻。同时，要遵循“积极稳妥、循序渐进”的原则，把握好开放的“度”和节奏。要充分吸取阿根廷开放过快的教训，考虑自身的承受能力，在防范风险、保障金融安全的前提下，根据市场发展的需要逐步提高外资参与我国市场的比例，同时着力提升本土机构的竞争力。

因此，为促进中国资本市场健康平稳的发展，政府和市场监管机构需制定好相关开放政策，把握好开放节奏，通过组织系统的对外宣传推介活动促进行业各方的力量的整合，汲取各方的意见，形成共识、综合规划，建立良好的风险预警机制，有效防控风险，把握好我国资本市场开放的整体节奏。由一个专门对外宣传推介机构承担代表中国资本市场在国际上的“发声筒”和“先遣队”的角色，能更好地宣传我国的开放政策，同时帮助国内企业适应国际市场，避免各自为战，提高整体效率，有助于政府和监管机构对宣传和推广等开放步伐进行整体把握，确保我国经济金融环境的整体稳定。

第三十章

政策设想和建议

中国资本市场的发展离不开境外资本的推动作用，也离不开广阔的国际市场。一些境外资本虽对投资中国有浓厚的兴趣，但受限于对中国资本市场的监管和运作规则的不熟悉，尚未能充分参与中国资本市场。而一些中国企业虽有意愿进行境外融资，一些金融机构也在逐步拓展海外业务，但这些中资机构的国际认同度不高，自身对国际资本市场规则也缺乏系统性的认识，国际化步伐进展缓慢。

开展境外推介业务是发达国家促进资本市场发展的重要做法之一，是向境外显示本国市场竞争力、确保优势、提升吸引力的有效手段；而成立市场化运营的资本市场推介机构来负责资本市场的国际宣传推介业务又是发达资本市场的普遍做法和成功经验。但我国现有的资本市场境外推介业务整体规划不强、整合资源能力不高、国际视野不宽、效率较低、缺乏长效性，影响力有限。因此，根据当前国际形势复杂多变的要求以及我国自身发展环境的需要，中国资本市场需要设立一个定位在国家层面，承担长期性、系统性地向境外推介宣传中国资本市场工作的综合性市场化专业机构。

下面将该推介机构的发起与设立，职能定位，运营模式，主要业务及发展计划提出设想与建议。

第一节　专业性资本市场推介机构的发起与设立

该专业性资本市场推介机构，建议由中国证监会发起设立，采用公司制，以服务资本市场监管机构、联系国内市场主体、开展宣传推介活动、推动中国资本市场发展为主要职能，系统性地组织策划国内外相关事宜，通过有组织、有计划、多层次、多渠道的对外宣传推介活动，为提升我国资本市场在国际市场上的影响力和声誉服务。

由中国证监会发起成立资本市场推介机构的优势主要包括：有助于树立该机构的权威地位，便于联系上市公司、金融中介机构和投资者等市场主体；依托政府资源，同时拥有广泛的社会资源，平台优势显著；定位于国家层面，服务于整个资本市场，能站在一定高度的战略平台上开展境外推介业务；便于整合各方资源，提高对外宣传推介的效率，减少监管系统各部门各自为战，保持凝聚力；同时也便于中国证监会的整体规划和统一管理，有利于把握好宣传和开放的节奏。

推介机构采用公司制的优势包括：拥有较为清晰的独立公司身份形象，便于与市场各方进行沟通协调，有助于形成一个各方沟通交流的窗口与平台；可以以独立个体身份配合中国证监会的工作；在业务规划和资源管理方面也更为灵活，便于拓宽经费来源渠道，量才聘用具有相关市场经验的人士。

第二节　职能定位

资本市场国际宣传推介业务应定位于国家层面，以服务整个资本市场为宗旨，以资本市场监管机构为引导，充分利用市场化机制。其具体职能为：宣传推介中国资本市场，打造中国资本市场、上市公司的国际品牌和声誉，吸引境外机构投资者，帮助境内企业到海外融资，稳步推动中资金融机构走出去，促进中国资本市场的有序开放和长远发展。根据监管机构和资本市场发展的需要，既开展一系列系统性的宣传推广活动，又针对境外重点市场和重要机构，因地制宜、因时制宜，“量身定做”方案，探索走出一条适合中国资本市场监管和发展需求、有效宣传推介中国资本市场、切实提升我国资本市场话语权和定价权的新路子。概况来说，该机构应具有四大业务主线：服务资本市场监管机构、引进境外机构投资者、推动资本市场主体拓展国际业务、协助中资企业海外融资与并购。

第三节 运营模式

资本市场境外宣传推介业务的潜在服务对象主要是市场监管机构、各大交易所、国内外机构投资者、托管银行、长期基金及上市公司等。在对境外的宣传工作中，提高针对海外市场各种类型、各种规模机构的覆盖度，大力推介中国资本市场的实力及优势，创造良好的社会舆论基础，形成对中国资本市场的普遍投资热情，从而达到吸引投资的目的。

鉴于境外对外宣传推介业务的相对独立性，未来设立的专业性资本市场推介机构可借鉴目前国外先进金融推广公司的资本市场推广模式，采用公司制，以市场化形式运营，并参考国际相似公司的“会员制”的形式，邀请相关的金融企业、上市公司和机构投资者开展合作。

第四节 业务建议

推介机构可邀请市场各方主体合作，联系国际相关机构，做好资本市场的宣传推广工作，以迅速建立推介机构在国际上的声望和权威，计划开展一系列具体品牌活动，为以后的国际推广打下良好基础。具体业务建议包括：

第一，与国际同类型的资本市场专业推介机构建立联系，在广泛调研协商的基础上，签订合作备忘录并建立合作伙伴关系。

第二，组织市场各方力量开展综合性的中国资本市场国内外主题宣传推广活动，可通过在国内和目标国家周期性地召开中国资本市场推介会和学术研讨会等，迅速形成品牌效应，在国际上树立一个清晰、知名、长效的形象。

第三，建立为境外宣传推介服务的专业性网站。

第四，市场动态研究，定期出版市场研究报告，介绍中国资本市场最新发展情况和变化，吸引关注，增进了解。

第五，与境外权威媒体加强沟通，在国外媒体和公共平台上投放广告，加强对国际上关于我国资本市场舆论的引导，建立中国资本市场的良好声誉和品牌效应。

第五节 资金来源

推介机构的运营费用可以来自为“合作伙伴”或“客户企业”提供服务收取的费用，既包括事件性的不定期收入，也包括周期性的“会费”形式收入。具体服务费用，可以参考国外同类机构的标准，结合实际，进行制定和调整。而具体“会费”额度则可依据《民政部、财政部关于调整社会团体会费政策等有关问题的通知》和《民政部、财政部关于进一步明确社会团体会费政策的通知》有关规定，参照中国上市公司协会会费标准制定。此外，推介机构还可以接受实力雄厚的大型企业的赞助，以获得资金支持。在进行推介活动的同时，亦可通过出售冠名权、赞助权等模式获得资金来源。

第六节 发展规划

专业性资本市场推介机构的发展可分阶段进行：

（一）第一阶段

广泛研究学习各国同类机构运作模式，建立联系，签署合作备忘录，结成战略伙伴。同时广泛联系国内外上市公司、金融券商、机构投资者、研究机构和知名人士，寻求合作，形成有一定规模的组织。

（二）第二阶段

用一至两年的时间形成有计划、有规模的组织模式，搭建好国内外投资者、上市公司、金融券商和政府监管部门间交流沟通的平台，引导资本双向流动，探索建立帮助中资机构拓展国际化业务的长效机制，推动资本市场之间的交流。牵头建立国际间资本市场推介组织联盟，建立国际资本市场顺畅交流网络；组织有一定规模的国内外主题宣传推广活动，建立起国际知名度和品牌认知度，探索收支平衡的可持续运营模式。

（三）第三阶段

壮大规模，探索市场化模式，整合更多社会资源，进一步提升我国资本市场国际地位。拓展推介机构举办活动和会议的影响力，使其常态化、规模化和国际化；发展国际间资本市场推介组织联盟，健全国际资本市场交流网络，引导国际间资本市场的有序交流。

第六篇
探索中国资本市场人才发展新模式

第三十一章

资本市场人才发展导论

“人才资源是第一资源”，是社会经济发展的第一推动力。进入 21 世纪以来，人才，特别是创新人才，已经成为生产力发展的核心要素，也成为行业发展的重要竞争力。

资本市场具有人才密集型和知识密集型的特征，人才是市场创新发展中最具潜力的资源，是市场改革发展的决定性因素。近年来，我国资本市场取得了突飞猛进的发展，市场规模不断扩大、市场体系愈加完善，市场化运行机制初步形成，国际影响力显著提升。随着多层次市场体系建设的日益成熟和创新产品的不断推出，市场对高素质、创新型、专业化监管人才和行业人才的需求更为迫切。新的历史机遇和发展阶段要求我国资本市场必须具备一批具有较高专业水平和创新能力的综合型人才，不断加强市场基础建设，提供全面有效的金融支持和金融服务，充分发挥市场功能，推动我国资本市场及整个中国经济的良性互动，不断提高我国资本市场的国际竞争力。

资本市场的蓬勃发展离不开人才的支撑，行业人才对于资本市场发展的推动作用不可磨灭。资本市场的竞争，归根到底，更趋向于行业人才的竞争。因此，如何进一步加快我国资本市场人才队伍的建设和发展，保持行业人才竞争力是文章思考和探讨的重点。

人才资源是一种特殊的资源。与其他战略资源不同，人才的培养周期长，见效较慢，且人才资源的培育需要投入大量的人力物力成本。同时，人才资源具有很强的外部性，属于半公共品。依据传统的经济学观点，这类资源的供给往往严重不足。

近代西方发达国家经济的发展，很大程度上得益于国民素质的提升与各类人才资源的开发。改革开放以来我国取得的巨大的经济发展，人口红利亦功不可没。在日趋激烈的国际竞争中，人才作为核心竞争力受到了越来越多的重视，各国均制定了相应的人才发展战略①，从国家政策层面上给予高度支持，以最大限度地培养人才、吸引人才以及使用人才。近年来，我国对人才发展的重视程度日益增强，逐渐将人才发展问题提升到国家战略层面，明确提出了人才强国战略，并颁布了《国家中长期人才发展规划纲要》。伴随着国家人才政策的逐步推进，人才发展问题成为社会各界关注的焦点，各种组织的人才发展战略也随之应运而生。下面将详细介绍西方发达国家及我国相关人才发展战略，以期为我们探讨资本市场人才发展新模式提供背景支持。

第一节　国际人才发展战略概要

人才发展战略的本质是将人才作为一种战略资源来对待，其核心是人才的培养、使用、吸引和发掘。

西方发达国家的发展经验表明，人才决定了国家的国际竞争力，国家间的人才竞争已经成为决定各国国际竞争力的关键因素。部分发达国家和地区在完善人才市场体系、发展人才中介服务、发挥市场机制在人才资源配置中的基础作用，以及提升国家（或地区）人力资源储备等方面，进行了积极的探索，制定了一些行之有效的人才政策、法规和措施，积累了许多成功的经验，形成了比较完整、具有竞争力的人才政策体系。

一、美国人才发展战略概要

美国是世界公认的人才大国、人才强国，美国的发展史可以说就是美国人才资源开发的历史。美国非常重视人才的开发和培养，并将其视作一个系统工程来推进实施。以美国公务员为例，美国国家公务员每年都要分期分批进行在岗轮训和脱岗培训，这使得每位员工不仅精通本岗位的业务，而且熟悉整个部门的运作情况，一旦发生人事变动，立即能够有人填缺。美国不仅重视培养和开发国内人才，同时也注重吸引国外高素质人才，并把人才引进的理念通过法

---

① “人才发展战略”是指国家为实现经济和社会发展目标，把人才作为一种战略资源，对人才培养、吸引和使用做出的重大的、宏观的、全局性构想与安排。

案、法规等形式来实现和保障。

在尊重市场对人才调节的同时，美国各级政府在人才开发中，也发挥着巨大的作用。美国政府收集市场信息传递给人才，同时又把人才的反馈信息传达给市场。美国政府还支持高级专门人才在企业、高校、政府、科研机构之间进行自由流动，并通过强化医疗、住房和保险等社会化服务来便利人才的流动，实现才尽其用。

二、加拿大人才发展战略概要

为了应对全球高层次人才紧缺、争夺激烈的局面，加拿大政府推行以下四条人才发展措施：

一是制订高层次人才开发计划；二是移民政策向技术移民倾斜；三是创造一个良好的人才发展的政策环境；四是实行人才激励政策，提供更多高薪职位，通过工资、福利、保险、住房和提供学习机会，以开发、吸引和留住人才。现在，吸引技术移民已成为加拿大人才资源开发的一项基本国策。

人才服务机构在加拿大人才资源开发与管理中发挥重要作用。加拿大的人才服务机构一般可分为两类：第一类是传统的猎头公司，这类公司的主要服务对象是特定客户，为其提供满足特殊职位需求的人才服务。第二类是随着信息技术和互联网发展起来的人才网站。随着经济全球化的发展，人才交流与合作的国际化趋势更加明显，而互联网技术为人才交流与合作的国际化提供了更为快捷的可能。

三、新加坡人才发展战略概要

新加坡是典型的“人才建国、人才立国”的国家，它的人才战略从立国之初就开始了。人才资源可以弥补自然资源的缺乏，这是新加坡人才观中最具危机意识和前瞻性的思想。

新加坡政府通过务实理性地大胆创新，构筑了独具特色的人才市场体系。其中，新加坡人力部作为全国人才资源发掘与引进的统筹协调与管理部门，开设了人才服务机构“联系新加坡”，并在中国、印度、澳大利亚、欧洲和北美等建立了十多个海外分支，专门为希望到新加坡留学和工作的外国人及海外新加坡人提供各种咨询服务，构建起用人单位和海外人才间的桥梁。另外，新加坡政府鼓励民间人才服务机构发展，以便为新加坡的发展提供充足的人才保障。

四、经验借鉴

发达国家的成功经验表明，建设人才强国，需要以科学、合理、完整、高效的人才发展战略为引导，建立起人才培养、人才吸引的长效机制。具体可分为以下四点：

一是要加大人才培养、引进和使用等方面的投资力度。美国、加拿大和新加坡政府都把人才资源视为战略资源和提升国家竞争力的核心因素，大力加强对人才的投资。我国要进一步充分认识到人才的重要性与紧迫性，把培养、引进和使用人才作为一项战略任务抓紧抓好，制定并落实在财政预算中安排好人才开发与培养的资金投入等方面的政策。

二是要强调全球视野下的人才竞争。如今，随着经济全球化与竞争国际化的不断深入，开放发展成为世界的主旋律。面对愈演愈烈的国际竞争态势，对人才的竞争更是一场没有硝烟的战争。在开放的主题下，对人才的竞争也更多地将在全球范围内进行。纵观美国、加拿大、新加坡的人才战略，无一不是为了吸引全世界高素质的人才，我国人才发展战略也应顺应这种趋势。

三是要健全形式多样的人才激励政策。为激励人才，提高人才贡献的积极性、主动性与创造性，要为人才提供多种多样的奖励，形成富有吸引力的激励政策体系。美国、加拿大和新加坡都非常重视对人才的奖励，通过薪资以及各种福利来调动人才的积极性，我国也应积极健全人才激励政策，以激发人才的活力，更好为经济社会建设服务。

四是要政府主导和推动人才服务市场的建设。美国、加拿大、新加坡等国政府人才服务机构在人才市场体系中居于主导地位，具有功能齐全、体系完善、机制健全、设施先进的特点，并且专业化、信息化、国际化程度高，不仅能提供公益性公共服务产品，而且能提供高品质的市场竞争性服务产品，有效地满足市场、响应客户需求。我国也应当充分发挥政府部门在人才服务市场建设中的主导作用，弥补市场的不完善，为人才队伍建设和发展提供更为高效的服务。

第二节 我国人才发展政策

改革开放以来，我国经济发展日新月异，综合国力不断增强。为了建设一支能够与我国经济社会迅速发展相适应的人才队伍，我国制定并积极推行人才强国战略，颁布了《国家中长期人才发展规划纲要（2010～2020年）》，推出了海外高层次人才引进计划等一系列措施。人才强国战略和人才工作成为备受关注的焦点，各种组织的人才战略和人才规划也应运而生，例如《金融人才发展中长期规划（2010～2020年）》、《中国证券期货行业人才队伍建设发展规划（2011～2020年）》等10年人才规划纲要。

一、人才强国战略

2002年，面对中国加入WTO后的新形势，在经济全球化和综合国力竞争越来越激烈的背景下，中共中央、国务院制定下发了《2002～2005年全国人才队伍建设规划纲要》，首次提出了“实施人才强国战略”；2007年，人才强国战略作为发展中国特色社会主义的三大基本战略之一，写进了党的十七大报告和中国共产党党章。

所谓人才强国战略，就是要从全球一体化经济竞争的角度，从国家竞争力提升的高度来认识人才资源的开发与管理问题。人才强国战略的制定和实施从国家战略层面确定了人才开发工作的重要性，对于我国人才队伍的建设和发展具有十分重要的指导意义。

（一）人才强国战略的科学内涵

人才强国战略的核心是“人才兴国”。国家兴盛，人才为本。依靠人才兴邦，走人才强国之路，大力提升国家核心竞争力和综合国力，是人才强国战略的核心要义。人才强国战略的目标指向是建设“现代化强国”。作为国家发展战略，人才强国战略必须与国家发展的战略目标保持一致和协调，为实现这一目标提供人才保证和智力支持。大力实施人才强国战略的工作重心应当落在“人才资源强国”的建设和充分发挥人才的作用上，要调动各方面的积极性，通过各种途径，大力开发人才资源，加快中国从人口大国向人才资源强国转变的进程，努力造就一支规模宏大、素质优良、结构合理、精力旺盛，既能满足中国经济社会发展需要，又能参与国际竞争的人才大军，为实现新世纪我国经济社会发展的宏伟目标提供坚强有力的人才保证。

（二）实施人才强国战略的重大意义

1. 实施人才强国战略是从人口大国向人口强国转变的必然选择

我国是人口大国，但不是人才大国，更不是人才强国。虽然我国人口资源丰富，但人才资源却相对匮乏。与发达国家相比，我国人口受教育程度尤其是高等教育程度较低。此外，我国人才结构不尽合理，这使得潜在的人口资源优势难以迅速转化为现实的人才资源优势。巨大的人口资源既是我国最大的比较优势，也给我国带来了沉重的人口压力。如何将人口比较优势转化为人才比较优势，如何将人口大国转变成人才强国，是我国21世纪面临的重大战略问题。人才强国战略的提出，正是促进我国从人口大国向人才大国转变的必然要求。

2. 实施人才强国战略是应对国际竞争的客观要求

衡量一个国家核心竞争力的重要标准之一便是人才。当今世界各国发展无不以人才为核心。随着经济全球化进程的深入推进，几乎所有的生产要素都需要在更大范围和更高层次上参与全球竞争。在这种情况下，哪个国家拥有数量众多的高素质人才资源，便会在国际竞争中占据领先地位。我国拥有数量庞大的廉价劳动力资源，但缺乏足够的优秀人才资源。“中国制造”难以突破成为“中国创造”，这已经成为了制约我国经济进一步发展的瓶颈之一。实施人才强国战略，正是为了突破人才瓶颈，应对更激烈的国际竞争。

3. 实施人才强国战略是国际人才竞争越来越激烈的必然趋势。

如今，国际化的人才竞争越来越呈现白热化的态势，各国纷纷采取强有力的措施争夺和抢占国际人才资源。早在1990年，时任美国总统布什便签署新的移民法，重点向投资移民和技术移民倾斜，鼓励各类专业人才移民美国。近年来，美国移民局对六类移民（管理人才、科学家、特殊技术人才、特殊艺术人才、娱乐名流和运动员）入境申请提供“签证快车道”，使之以每年8万人左右的速度涌入美国①。法国在2006年7月通过了关于外国移民融入法国的

① 薛伟. 美国人才立国的文化传统. 人才资源开发，2009（7），P79－80。

新法律，其中针对高水平的学生和研究人员、企业家、艺术家及运动员入境居留的“优秀人才居留证”则是其中最重要的一部分①。日本为海外人才在本国就业采取了诸多切实可行的措施，尤其是2007年经过修订发布的《雇佣对策法》，明确将促进留学生等具备高级专业知识和技术的外国人在日本就业提升到国家级雇佣对策的高度②。澳大利亚通过诸如“澳大利亚奖学金计划”的方式，向国际人才展示其优厚的待遇和优越的条件，以此吸引国际一流人才③。

在国际人才竞争激烈的形势下，我国正面临着高素质人才流失、国际人才引进困难的双重挑战。但随着我国经济的不断发展，我国同样面临着吸引外流人才归国和国际优秀人才来华工作的巨大机遇。因此，实施人才强国战略，将两种人才资源、两个人才市场置于战略层面，营造良好的人才环境，创新人才体制机制，为我国强国战略储备更多的高素质人才资源，是国际人才竞争日趋激烈的必然要求。

二、海外高层次人才引进计划（“千人计划”）

2009年1月，中央人才工作协调小组制定了《关于实施海外高层次人才引进计划的意见》。海外高层次人才引进计划（简称“千人计划”），主要是围绕国家发展战略目标，从2008年开始，用5到10年，在国家重点创新项目、重点学科和重点实验室、中央企业和国有商业金融机构、以高新技术产业开发区为主的各类园区等，引进并有重点地支持一批能够突破关键技术、发展高新产业、带动新兴学科的战略科学家和领军人才回国（来华）创新、创业。

（一）“千人计划”实施背景

以留学人才为主体的海外人才是我国高层次人才队伍的重要来源。在“千人计划”实施前，中央人才工作协调小组的调查显示国家重点项目学科带头人中的72%是“海归”，81%的中科院院士、54%的工程院院士也是“海归”。在全国创办的60多个留学人员创业园中，留学人员创办企业5 000多家，年产值逾100亿元。2006年，国家自然科学奖获奖项目的第一完成人中的67%、国家技术发明奖第一完成人中的40%、国家科技进步奖项目第一完

① 李钊．法国：让人才成就新世纪里的新突破．国际人才交流，2009（3），P6－7。
② 钱铮，孙巍．日本引进海外人才战略及对我国的启示．组织人事报，2009年3月5日。
③ 谭云．澳大利亚的国际人才战略．国际人才交流，2008（10），P48－49。

成人中的30%是留学回国人员①。

中央人才工作协调小组了解到采取积极措施吸引海外人才是世界主要发达国家和新兴发展中国家壮大本国人才队伍的通行做法，也是在较短时间内突破技术瓶颈、提升科研水平的一条宝贵经验。改革开放以来，我国出国留学人数不断增多。据有关方面统计，我国在主要发达国家约有20多万人学成后留在海外工作，其中45岁以下、具有助理教授或相当职务以上的约6.7万人；就职于国际知名企业、高水平大学和科研机构，具有副教授或相当职务以上的高层次留学人才约1.5万人。随着改革开放的深入推进，我国各项事业蓬勃发展，为各方面优秀人才提供了前所未有的发展空间和广阔舞台，吸引大批海外高层次人才的时机已经到来。因此，当时中央提出要统筹资源、完善政策、健全机制，组织实施海外高层次人才引进计划，大力引进海外高层次人才回国（来华）创新创业。

（二）“千人计划”内容概述

海外高层次人才引进工作小组负责“千人计划”的组织领导和统筹协调。工作小组由中央组织部、人力资源和社会保障部会同教育部、科技部、中国人民银行、国资委、中国科学院等单位组成。在中央组织部人才工作局设立海外高层次人才引进工作专项办公室，作为工作小组的日常办事机构，负责“千人计划”的具体实施。

“千人计划”引进的人才，一般应在海外取得博士学位，原则上不超过55岁，引进后每年在国内工作一般不少于6个月，并符合下列条件之一：在国外著名高校、科研院所担任相当于教授职务的专家学者；在国际知名企业和金融机构担任高级职务的专业技术人才和经营管理人才；拥有自主知识产权或掌握核心技术，具有海外自主创业经验，熟悉相关产业领域和国际规则的创业人才；国家急需紧缺的其他高层次创新创业人才。根据创新人才和创业人才的不同特点，以及不同事业平台的具体需要，拟引进人才还应具备相应的其他条件，比如，创业人才应拥有自主知识产权和发明专利，且其技术成果国际先进，能够填补国内空白、具有市场潜力并进行产业化生产；有海外创业经验或曾在国际知名企业担任中高层管理职位3年以上，熟悉相关领域和国际规则，

① 资料来源：2009年1月7日中央人才工作协调小组《关于实施海外高层次人才引进计划的意见》答记者问。

有经营管理能力；自有资金（含技术入股）或海外跟进的风险投资占创业投资的50%以上等。

“千人计划”依托国家重点创新项目、重点学科和重点实验室、中央企业和国有商业金融机构、以高新技术产业开发区为主的各类园区等四个事业平台引进人才。海外人才需与各个事业平台的用人单位进行双向选择，签订工作合同或达成引进意向后，即可进行申报。申报可采取用人单位申报或自荐的方式进行。评审工作由四个事业平台的牵头单位组织实施。国家重点创新项目的评审工作由科技部负责，重点学科和重点实验室分别由教育部和科技部负责，中央企业和国有商业金融机构分别由国资委和中国人民银行负责，创业人才的评审由科技部、人力资源和社会保障部负责。

评审工作分两步进行：首先请国内外同行专家进行匿名的通讯评审，然后组织相关领域的专家进行综合评议。海外高层次人才引进工作专项办公室选择一批知名专家、企业家、风险投资专家等，建立“千人计划”评审专家库。为确保评审的公正性，不设专职评审委员，每次评审根据申报人的具体情况，在库中随机抽选相关领域的专家组成评审小组。

（三）“千人计划”实施效果

至2011年9月，“千人计划”入选者总人数已达1 510人，其中创新人才1 161人，创业人才349人。而在1 161名创新人才中，有美国、英国、澳大利亚、加拿大等发达国家院士22人，相当于教授职务的1 100多人。这是一个带有标志性的数据——“千人计划”引进的海外正教授数量，是改革开放以来到实施“千人计划”之前国内引进正教授数量总和的近20倍[①]。同时，这也标志着覆盖各领域、不同年龄段的“千人计划”引才体系基本形成——“千人计划”作为引进人才的国家品牌已经树立起来。截至2013年9月底，国家“千人计划”已分9批共引进3 319名海外高层次人才[②]，海外人才回国（来华）后，在科技创新、技术突破，学科建设，人才培养和高新技术产业发展等方面发挥了积极作用，产生了重大影响力。

“千人计划”专家的回国，带动了一大批海外优秀人才回流，在国内形成

① 资料来源：“千人计划”树立引进人才的国家品牌．人民日报，2011年9月13日。

② 资料来源：江苏64人入选第九批国家“千人计划”．http：//www.jspc.org.cn/Item.aspx？id=2451。

了一批以“千人计划”专家为核心的高水平创新团队，特别在生命科学、电子信息等领域，正成为国际知名专家集聚和高水平人才成长的重要阵地。例如：陈十一担任北京大学工学院院长后，发挥自身学术影响力，引进了包括6位“千人计划”专家在内的60多位国内外杰出人才，塑造出湍流与复杂流动领域国际一流的研究团队；中国商飞引进了李东升等6名“千人计划”专家，并以他们为核心吸引了443名海外人才投身我国大飞机的研制工作……一批具有世界水平的创新团队开始落地生根①。

“千人计划”实施以来，在海内外学术界乃至社会相关方面引起了较大反响。美国《华尔街日报》、英国《金融时报》、美国《科学》杂志等都曾报道“千人计划”实施和进展情况。2010年度世界经济论坛发布的“应对全球人才风险报告”，将中国实施“千人计划”作为应对全球人才风险的重要经验。

（四）金融领域的“千人计划”实施情况

国家对于海外高级金融人才的引进十分重视，将企业和国有商业金融机构作为“千人计划”的四个申报平台之一。根据《引进海外高层次人才暂行办法》（中组部［2008］28号）中《中央企业和国有商业金融机构引进人才工作细则》的规定，按照“千人计划”的部署，围绕中央企业和国有商业金融机构的需要，从2008年开始，用5～10年时间，引进500名左右海外高层次科技创新人才和金融人才。其中，金融人才的引进工作由中国人民银行牵头组织实施，中国人民银行会同中国银监会、中国证监会、中国保监会，组织专家对金融机构提出的推荐人选进行评审，提出引进人才建议名单。所引进的金融人才除应符合《引进海外高层次人才暂行办法》规定的基本要求外，还应具有丰富的金融管理、资本运作经验，并在业界有较大影响。

三、证券期货行业十年人才规划

2012年3月，中国证监会颁布了《中国证券期货行业人才队伍建设发展规划（2011～2020年）》（以下简称《规划》）。这个规划是我国资本市场第一个中长期人才发展规划，是行业层面的顶层设计，《规划》作为指导今后一个时期证券期货行业人才工作的纲领性文件，对促进行业人才发展具有重要意

---

① “解码‘千人计划’”．新华网．2013年7月23日，http：//news. xinhuanet. com/ziliao/2013－07/23/。

义。该规划是中国证监会为贯彻落实中央关于人才工作的一系列重大部署，根据《国家中长期人才发展规划纲要（2010～2020年）》和《金融人才中长期规划（2010～2020年）》，结合证券期货行业人才工作实际制定的。《规划》在总结我国证券期货行业人才队伍建设取得的成绩、分析面临的形势任务基础上，明确提出了证券期货行业监管人才、经营管理人才、专业技术人才、实用技能人才四支人才队伍的建设发展目标。

（一）证券期货行业十年人才规划推出背景

《国家中长期人才发展规划纲要（2010～2020年）》（以下简称《纲要》）是根据党的十七大提出的更好实施人才强国战略的总体要求而制定的。作为我国第一个人才发展的十年规划，《纲要》明确了我国人才发展的总体目标是到2020年培养和造就规模宏大、结构优化、布局合理、素质优良的人才队伍，确立国家人才竞争比较优势，进入世界人才强国行列，为在本世纪中叶基本实现社会主义现代化奠定人才基础。随后，各行业各地区也根据国家十年人才规划制定了相应的人才发展规划。根据2010年全国人才工作会议的工作部署和《国家中长期人才发展规划纲要（2010～2020年）》的有关要求，中国证监会历时两年编制完成了我国资本市场首个中长期人才发展规划——《中国证券期货行业人才队伍建设发展规划（2011～2020年）》。《规划》制定了今后10年我国证券期货市场人才队伍建设发展的宏伟蓝图，提出到2020年我国证券期货行业人才队伍建设基本接近发达国家资本市场水平，并在人才规划设计、选拔培养、使用激励等关键环节形成完善的政策制度体系。

（二）证券期货行业人才队伍建设的主要目标

按照“十二五”时期我国资本市场建设发展目标，力争到2015年，我国证券期货行业人才工作组织领导体制进一步完善，“党管人才”原则进一步深化和落实；行业内监管人才、经营管理人才、专业技术人才、实用技能人才四支人才队伍平衡发展，结构层次趋于合理，各支队伍中都能涌现出一批在行业内具有一定知名度和影响力的领军人才；证券期货监管系统内部人才交流实现制度化和规范化，证券期货监管系统和市场业界之间基本实现人才的良性互通和有序交流；行业各类人才培训实现规模化和制度化，重点领域专业人才形成多元化的社会储备机制，部分紧缺专业人才建立相对稳定的来源补充渠道；制约人才发展的体制机制问题得到有效解决，人才队伍建设发展环境进一步优化，多出人才、快出人才、出好人才的格局初步形成。到2020年，按照我国资本市场法律制度和监管体系更加完善、市场深度和广度极大拓展、金融服务水平全面提高、市场功能得到有效发挥的建设发展目标，我国证券期货行业人才队伍建设基本接近发达国家或地区成熟资本市场水平，各支队伍中都能涌现出一批在国内外金融领域有较高知名度和影响力的领军人才；人才规划设计、选拔培养、使用激励等关键环节形成完善的政策制度体系，证券期货行业在资本市场中的集才、育才、用才的“高地”效应整体显现。

《规划》明确了监督管理、经营管理、专业技术、实用技能这四类人才队伍建设发展目标：

1. 监管人才队伍建设发展目标

监管人才队伍建设发展目标是适应监管业务拓展和监管水平提升的需要，使得证券期货监管系统人才资源总量进一步提升，队伍结构进一步优化，管理体制进一步完善。到2020年，竞争性选拔成为发现和使用人才的重要途径，各类人才轮岗交流、挂职锻炼实现制度化和常态化，后备人才选拔、调整和储备机制健全完善；以建立专业职务序列为载体，专业人才队伍形成梯队建设格局，各重点专业领域涌现出一批能够满足监管工作需要的中高层次专业人才；队伍专业结构不断优化，法律和会计类专业人才在人才队伍中及各单位（部门）领导班子中的比重显著提高；面向国内外市场引进专业人才力度持续加大，监管队伍的专业化、国际化水平有效提升。

2. 经营管理人才队伍建设发展目标

经营管理人才队伍建设发展目标是适应证券期货行业经营机构提高自身竞争力、在未来激烈的市场竞争中生存发展的需要，依托行业协会的扶持，依靠经营机构的自身动力，多渠道加强对经营管理人才的培养锻炼，稳步提升其战略思维能力、经营管理能力、专业技术水平和诚信服务意识。力争到2020年，在行业经营机构中，能够涌现出一批代表市场地位、具有国际视野、通晓国际规则、引领行业参与国际市场竞争与合作的高素质经营管理人才。

3. 专业技术人才队伍建设发展目标

按照专业精湛、结构合理、梯次衔接的发展目标，坚持把专业技术人才队伍建设工作摆在突出位置。力争到2020年，行业内入选中国工程院院士人数实现零的突破，入选国家“新世纪百千万人才工程”、“中国青年科技奖”、享受国务院特殊津贴人员超过100人；在证券期货监管、证券发行与承销、资产管理、产品创新、风险管控、投资研究等关键业务领域，培养出200名左右在国际上有一定影响力，500名左右在国内市场业界有较高知名度的高层次专业人才；继续加大海外高层次专业人才引进力度，全行业入选中央“千人计划”人员超过200人。

4. 实用技能人才队伍建设发展目标

适应金融产品极大丰富和交易平台一体化的发展趋势，实用技能人才队伍整体建设水平显著提升。在证券期货营销、信息服务保障等业务岗位，具有良好职业道德、精湛专业技能、较强创新精神的高素质实用技能人才数量逐年增多。力争到2020年，行业内以证券期货营销人员和信息服务保障人员为主体的实用技能人才接近百万人规模，其中，具有全日制本科及以上学历人员占75%以上，参加过各类专门业务培训人员超过80%①。

为了达到上面提到的四个目标，《规划》提出了推进证券期货行业人才队伍建设的七大重点工程：一是实施行业人才环境优化工程，二是实施各类人才素质能力提升工程，三是实施行业人才诚信意识提升工程，四是实施行业领军人才培养工程，五是实施后备人才储备工程，六是实施行业人才国际交流工程，七是实施海外人才引进工程。

第三节 小 结

人才资源作为知识经济时代促进社会经济发展的第一要素，已经成为国家和地区发展的战略性资源。而人才服务业正是为人才资源优化配置与人才价值充分实现提供服务的重要服务行业门类，是实现国家人才发展战略的重要组成部分，在人才队伍建设和发展中发挥着不可替代的作用。

就资本市场而言，资本市场的发展归根到底是资本市场人才队伍的建设和发展。新的历史机遇和挑战要求我国资本市场必须具备一批具有较高专业能力及国际化水平的监管人才和行业人才，进一步夯实人才队伍存量，完善人才队

① 中国证券期货行业人才队伍建设发展规划（2011～2020年）. 2012年3月22日。

伍结构，不断加强市场基础建设，提供更加全面有效的金融支持和金融服务。

为了更好地促进我国资本市场人才队伍的建设和发展，本书对如何更好地提供人才发展服务模式进行了探讨，以期找出一条适合我国资本市场人才发展的道路。在阐述境内外人才发展战略的基础上，对境内外人才服务行业发展现状、人才服务机构的类型进行了分析。另外，详细整理了境内外非营利性金融人才服务机构的有关情况和成功经验，并且重点介绍了另一类重要人才服务机构——基金会的发展情况，同时选取了我国几家有代表性的人才发展类基金会进行详细分析。根据以上研究内容，我们提出了促进资本市场人才发展的思路框架，分析了我国资本市场开展人才发展业务的重要意义，并借鉴国内外经验，提出了搭建综合性人才服务平台，市场化与公益性双轮驱动的资本市场人才发展新模式，详述了其定位及可行性并对如何具体开展有关工作做出规划与设想。

第三十二章

人才服务机构概览

第一节　人才服务业概况

一、人才服务业的行业定位

人才服务，既包括政府部门所属人才服务机构本着公益目的开展的各项公共服务活动，也包括各类人才服务机构按照市场运行规则依法从事的市场经营性服务活动，涵盖了人才招聘、人事代理、人才培训、人才测评、人事管理咨询、高级人才寻访、人才派遣、人才网站等服务项目。

在西方发达国家，不管是从产值、规模还是行业整体发展状况上来看，人才服务已经发展成为一个独立的，对社会有着很大影响的产业。比如，英国的人才服务企业不仅仅局限于传统的职业介绍，已经发展到重视开展某一行业的人才需求调查、预测、雇员的培训服务、就业指导服务（如为求职者设计简历等）、咨询诊断服务、信息管理服务、特殊人才“猎头”服务、定时工（短期工）招聘服务等综合性服务。

人才服务业蓬勃发展的效应不仅仅体现在行业自身的发展上，更重要的是其发展的外部效应，或者称为溢出性效应，即通过促进人才资源的优化配置，促进国民素质的提高，推动经济社会的可持续发展。

与西方发达国家相比，我国人才服务业起步较晚，但已取得了长远的进步，在我国经济社会发展中发挥着促进人力资源市场化合理配置的重要作用。在2007年3月国务院下发的《国务院关于加快发展服务业的若干意见》中，“人才服务业”这一概念第一次正式出现，该意见明确提出“发展人才服务业，完善人才资源配置体系”，并且要“扶持一批具有国际竞争力的人才服务机构”。这是党中央、国务院在新的形势下对发展人才服务业的新要求，表明我国的人才服务业已全面融入国民经济总体格局之中，成为服务业的重要组成部分和促进经济社会全面发展的重要力量。

二、人才服务业的发展现状

国外人才服务业经历长时期的发展已趋于成熟，并形成了适应市场经济的稳定模式。特别是近年来，随着国外人力资源配置刚性需求的不断增长以及要素市场的逐渐规范，人才服务业呈现出快速、稳定发展的态势。

人才服务业是各国增长最快的产业之一，也是创造就业岗位的主要动力源。CIETT（全球私营职业中介机构联合会，成立于1967年，是世界唯一的人力资源行业的国际民间组织）的研究报告认为，人才服务业的作用具体体现在两个方面：一是促进了就业，二是帮助了那些临时雇员转变为长期雇员。据CIETT的调查显示，人才服务业的咨询和培训服务使各成员国的平均就业比例由29%上升到了59%，几乎翻了一番。美国劳工部也曾乐观地预估：“到2014年，就业服务所创造新的就业岗位将达到505万，超过任何其他产业”①。

我国的人才服务业市场已经形成了国有机构（包括国有企业和事业单位）、民营企业和中外合资企业三类主体竞争发展的格局，涌现出了中智公司、上海外服、北京外企（FESCO）等一批规模化发展的国有企业，还有前程无忧、中华英才、智联招聘、万宝盛华等一批实力日渐壮大的民营和中外合资企业，多元化的人力资源市场服务体系初步形成。目前，全球人力资源服务机构三大著名集团，德科、万宝盛华和任仕达及全球排名前十位的人力资源企业，如光辉国际、海德思哲等都已进入我国。500家大型国际人力资源服务机构中，已经有492家在上海落户。

截至2012年底，我国各类人力资源服务机构中，县级以上公共就业服务机构有6 914家，占人力资源服务机构总量的24.4%；人才公共服务机构有2 939家，占10.4%；国有性质人力资源服务企业有1204家，占4.2%；民营性质人力资源服务企业有17 087家，占60.3%；港澳台及外资性质的服务企业有212家，占0.7%。

① 汪怿．国外人力资源服务业：现况、趋势及其启示．科技进步与对策，2007（7），P195－199。

从经营和发展情况看，2012 年人才服务全行业营业总收入达 5 765 亿元（其中，含服务外包等业务的代收代付部分 4160 亿元）①。按照营业收入来划分，国有企业是绝对的市场主力。仅上海外服、中智公司、北京外企三家大型国有人力资源服务企业的营收规模近 1 000 亿元。但从企业数量来看，民营机构是人才服务业的主力军。以北京市为例，2012 年全北京共有经营性人力资源服务机构 646 家，其中国有企业 41 家，占机构总数的 6.3%；民营机构 568 家，占机构总数的 87.9%；中外合资机构 12 家，占机构总数的 1.85%；港澳独资机构 25 家，占机构总数的 3.87%②。

第二节　人才服务机构概述

一、人才服务机构的概念

国际上对人才服务机构的定义主要是指开展人才招聘、人事代理、人才培训、人才测评、人事管理咨询、高级人才寻访、人才派遣、人才网站等人才服务业务的集团或公司。

在我国，按照其隶属关系，人才服务机构可分为两大类：

一是人力资源社会保障部门所属的人才服务机构，即国家人力资源和社会保障部下属的全国人才流动服务机构及地方政府（县以上）人力资源和社会保障厅（局）下属的人才服务机构，具有人力资源社会保障部门授权的行政职能，负责开展社会化人事档案管理、出国政审、组织申报专业技术职务任职资格考试或评审、转正定级和工龄核定、大中专毕业生接收、人才引进等全方位的人事代理业务。

二是非人力资源社会保障部门所属的人才服务机构，即各级政府的其他部门、社会团体、企事业单位所属的人才服务机构和民办人才服务机构，不具有行政职能，经过人力资源社会保障部门批准，只可以从事人才供求信息的收

---

① 资料来源：我国人力资源服务业实现大发展．厦门人才网．http：//www. xmrc. com. cn/xmrc/information/information/201306/t20130603_ 89991. htm。

② 资料来源：萧鸣政，郭丽娟．中国人力资源服务业白皮书 2012．人民出版社，P79。

集、整理、发布和咨询服务、人才信息网络服务、人才推荐、人才招聘、人才培训、人才测评等其中一项或多项中介服务业务。

二、人才服务机构的业务范围

人才服务机构的业务范围见图 32－1。

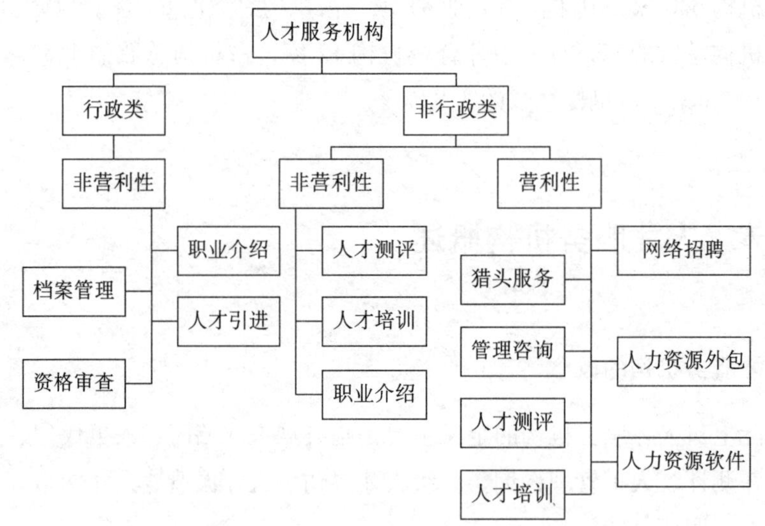

图 32－1 人才服务机构业务范围

（一）网络招聘服务

网络招聘，也被称为电子招聘，是指通过技术手段的运用，帮助企业人事经理完成招聘的过程，即企业通过公司自己的网站、第三方招聘网站等机构，使用简历数据库或搜索引擎等工具来完成招聘。

网络招聘的方式在美国等国家已经非常普及，成为大学毕业生和职员求职的首选方式。在美国，上网找工作已经成为家常便饭，很少还有人通过报纸等传统媒介寻觅就业机会。

中国互联网发展十分迅速，已经成为日常生活中不可或缺的一部分。由于网络招聘范围广、操作快捷、费用低的优点，其在当前中国招聘市场上的认同度大幅提升，涌现出前程无忧、中华英才网、智联招聘等大型招聘网站。相对于传统的人才市场、招聘会等方式，网络招聘的市场占有份额也在持续攀升，占据了近四成的市场份额，网络招聘平台已经成为越来越多企业雇主和求职者的优先选择。

（二）人才测评服务

人才测评服务是通过心理测验、情景模拟、面试等技术，对人的知识、技能、能力、个性等进行测量，并根据工作岗位要求及组织特性进行对个体或群体评价考量的过程，以实现对个体准确的了解。通过招聘选拔、培训与开发、绩效管理、团队配置等手段，实现个体与组织的最佳工作绩效。科学合理的人才测评可以实现人岗匹配和有效的人力资源开发，充分发挥人力资源的价值，避免人才浪费。

人才测评技术在西方已得到广泛而深入地应用。20 世纪初，由最初的心理测验发展而来的人才测评技术，经过一个世纪的发展，在理论和实践上都得到了不断的完善。20 世纪五六十年代以来西方人才测评思想和方法日新月异，开发了名目繁多、内容丰富的测评技术。

在我国，人才测评服务应用广泛，既可以用于国家公务员录用，党政领导干部选拔、考核及评价，也可以用于企事业单位人员晋升、提拔、考核及培训，还可以用于毕业生就业指导，在职人员工作调动、职位变换、择业，企业领导班子经营业绩的评价、考核等。随着中国各种组织机构对人才测评的社会价值认识及应用的深入，人才测评的市场前景和发展潜力巨大，人才测评将逐步成为推动各组织机构实现战略性人力资源管理的重要手段。

（三）猎头服务

猎头服务又称高级人才寻访服务，是人才服务领域的新兴业务，指为客户提供咨询、搜寻、甄选、评估、推荐并协助录用高级人才的一系列服务活动。

自世界上第一家猎头公司迅迪克·迪兰于 1926 年在美国创立以来，猎头行业已走过了几十年的发展历程。目前，全球 70% 的高级人才流动是由猎头公司协助完成的；90% 以上的跨国公司和所有的世界 500 强企业均使用猎头招聘高级人才。猎头公司以成熟的人才渠道、专业化的手段，承担了企业招募“将才”中最困难的环节，已成为发达国家不可缺少的专业服务机构。

随着职业经理人市场的日渐成熟，中国的猎头服务迅速发展，国内各大城市开始出现数以百计的猎头公司，在上海已超过 300 家，在广州、深圳也分别有近 150 家和 80 家。进入中国市场的外资企业一般都会寻求专业的猎头公司为其提供适合企业的人才，根据调查显示，有超过80%的外资企业都使用过猎头公司提供的人才服务。

（四）人力资源管理咨询服务

人力资源管理咨询是运用人力资源开发与管理的理论和方法，对企业人力资源开发与管理进行分析，找出薄弱环节，并提出切实可行的改善方案，以促进企业合理有效地开发人力资源，使企业的人力资源管理能够充分配合企业发展战略，从而为企业提供持续的竞争力。

人力资源管理咨询旨在为企业构建完善的人力资源管理体系，主要包括人力资源规划、组织结构设计、薪酬激励咨询、绩效考核咨询、招聘甄选设计、职业生涯咨询、企业文化咨询、培训体系设计等一系列内容（见图32-2）。

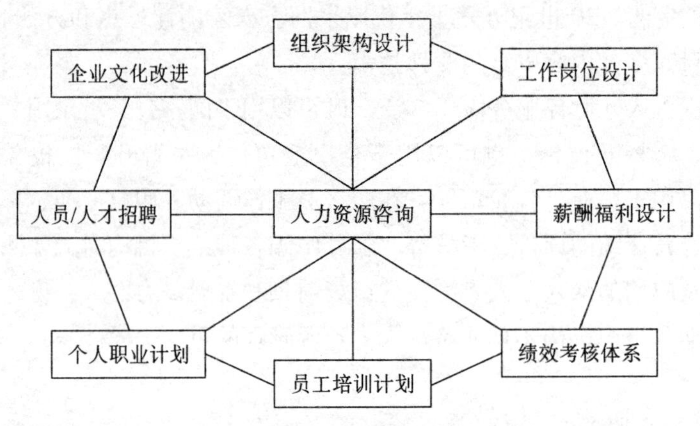

图32-2 人力资源咨询的内容

国外人力资源管理咨询服务业起步很早，十分发达，以麦肯锡为典型代表的国际跨国公司，以其丰富的经验和优秀的人才资源等优势成为国际人力资源管理咨询服务业的市场主体。据统计，麦肯锡、安达信、罗兰贝格等国际知名咨询公司，占据了人力资源管理咨询业50%以上的市场份额。在西方发达国家，人力资源管理咨询已成为企业实现人力资源管理创新、提高企业竞争力的重要助推力量。世界500强企业都多次接受过人力资源管理咨询服务，50%以上拥有自己长期合作的管理咨询机构。

伴随着中国企业对人力资源管理咨询认知度的提高和需求的旺盛，北京、上海、广州、深圳等地出现了一批优秀的本土管理咨询公司，已经能够独立为内地大型企业提供全面优质的人力资源管理咨询服务，逐步形成了更符合中国企业的理论和方法，并初步具备了与跨国管理咨询公司进行竞争的实力。从营业规模上看，国内正在不断涌现出一批年营业收入亿元以上的大型管理咨询公司。但是中国管理咨询业的发展存在许多“堪忧”之处，主要表现在水平良莠不齐、竞争行为不规范、高素质专业人才供应缺口大、行业发展区域差别大等问题。更重要的是，中国的高端客户基本被国际咨询公司垄断，中国本土还未真正形成具有国际竞争能力的专业化国际型大公司。

（五）人力资源外包服务

人力资源服务外包指的是企业为了降低人力成本，实现效率最大化，将人力资源事务中非核心部分的工作全部或部分委托第三方人才服务专业机构管（办）理。一般来说，人力资源外包包括人事服务外包、人力（劳务）外包和人力资源专业管理外包三种，具体内容包括：人力资源外包、人力资源管理外包、薪酬外包、薪酬管理外包、福利外包、社保公积金代缴、个税代缴、人事外包、人才派遣等。

国外很多企业已纷纷将部分人力资源工作进行外包管理，从而使得企业摆脱了繁琐的人力资源管理事务性工作，将更多的注意力集中在核心工作之上。人力资源外包服务在国外市场非常普遍，欧洲大约有60%～70%的企业进行人力外包，美国大概有85%企业进行人力外包。

改革开放以来，随着外商投资企业的进入，人力资源外包在我国逐步发展起来。一些城市成立了外企人力资源服务公司，绕过传统的体制障碍，为外资企业、外商驻华代表机构和国际组织提供专业化人力资源服务。但从总体上看，我国的人力资源外包目前还处于起步阶段，大部分本土企业尚未接受人力资源服务外包这种模式。但随着中国本土企业对外包服务认知度的提高，外包服务的需求也将大幅增加，特别是经济发达地区的企业管理者，其思想更开放，愿意尝试并接纳新的管理模式，这对我国人力资源外包服务的发展将带来不可忽视的推动作用。

（六）人力资源软件服务

人力资源软件服务是指组织或社会团体运用系统学理论方法，采用先进的技术手段，对企业的人力资源管理方方面面进行分析、规划、实施、调整，提高企业人力资源管理水平，使人力资源更有效地服务于组织或团体目标的服务。人力资源管理软件原来仅为企业的人力资源（HR）部门使用，现在已发展成为企业全局的管理系统，包括人力规划、人事管理、薪酬、保险、考勤、招聘、培训、考核、计件等各个功能。

国外人力资源软件服务行业十分发达，外资人力资源管理软件（e－HR）供应商在全球市场拥有强势的全球品牌优势，存在精细化分工、重视品牌建设、门户功能提升、更加关注集成性、面向战略管理层面、功能提升与技术进步以及行业间相互渗透的特点。

我国人力资源软件行业从2004年开始进入快速成长期，中国e－HR企业增多，使中国人力资源软件供应商之间的竞争进入白热化状态。本土软件存在环境优势，在产品方面更加贴近中国企业发展的现状，对中国企业的发展特点有着较为精确的把握，随着行业的不断发展和成熟，人力资源软件呈现综合性和专业化趋势。

（七）档案管理服务

档案管理服务是为用人单位或者工作者提供工作档案的更新、保管、查阅与送审等劳务工作的一种服务项目。国外档案管理服务比较多样化，如由专门的档案管理机构代管多家企业档案，其形式既有企业集团内成员企业之间的档案协作管理，也有行业内的档案协作管理。有的企业不愿或无力保管自己的档案，又有保存档案的需要，只需通过支付一定的费用，便可将档案交由公共档案机构或社会中介机构代管。在我国，只有像国企和事业单位这种具有人事权的单位才可以保存和管理档案，而大多数单位都是没有人事权的，其员工的档案只能由人才中心代为保管及管理。目前我国各级政府直属的各种人才服务中心与人力资源服务中心，都从事档案管理服务。在有些国家级、系统内与省级的公共人才服务机构中，档案管理的服务是其主要服务项目与经营业务。

（八）人才培训服务

人才培训服务作为一种新的管理模式首先在西方发达国家中兴起，许多企业尝试着将内部培训的部分或全部活动，以招投标和合同制的方式委托给专业的培训服务商来完成，并对外包活动进行监控与评估，以达到预期的培训目标，从而达到节约成本、专注核心业务及增加培训的灵活性。

在国外，政府和其他组织都十分重视人才培训，培训已成为员工教育重要的一部分。政府以立法的形式筹措培训经费，并且公款用于培训已成为合法的举措。在1958年以前，在美国使用联邦政府的资金进行培训工作是受到禁止的，但该年《政府职工培训法》和其后的修正案通过以后，公款培训合法化，一些政府机构增设了培训部门。随着信息社会的到来，知识、技能的飞速更新，人们已经认识到培训不是一种特权或权力，而是一种需要，培训工作更是备受重视，无论是理论上还是实务上都得到了迅速发展。

从目前的发展情况看，中国的人才培训服务行业已初具规模，但仍有待进一步发展。就企业培训来说，目前中国企业培训业的市场规模有近500亿元，并且以每年30%的速度增长，市场前景十分广阔。我国目前专业培训机构已有上万家，但规模大、市场影响力强、具有国际市场竞争力的机构还屈指可数，并且各培训机构的服务标准不一、质量参差不齐、缺乏行业规范，这都是我国企业培训服务业亟待解决的问题。相比于企业培训，我国的政府培训服务则相对落后，市场上缺乏专门针对政府培训服务的专业机构。现在许多政府部门的培训一般是与高校合作，由高校设计培训项目，对员工进行短期培训，这种方式针对性不强，培训效果差强人意。

（九）其他服务

除了上面提到的八种人才服务形式，行政类人才服务机构还提供公共职业介绍服务、相关行业政策咨询、毕业生就业指导、就业协议鉴证、改派、办理就业手续等服务。

其中，公共职业介绍服务是指非营利性人才服务机构为用人单位招用人员和劳动者求职提供的一种免费中介服务。比如美国人事署下属的联邦政府工作信息中心及散布在全国各地的多个子中心免费向社会提供招聘信息，为寻找工作的人提供参考。在我国，由各级劳动与保障部门以及人事部主办的职业介绍机构承担着公共职业介绍服务的职能。

第三节 人才服务机构的类型

现有的人才服务机构可以分为营利性和非营利性两种，营利性机构主要以市场上各类人力资源服务公司为代表；非营利性机构以政府背景的公共服务型事业单位及行业自律协会为主。

一、营利性人才服务机构

营利性人才服务机构主要是指相关主体投资创办的各类人才服务公司，通常为企业法人，以人力资源服务公司为代表，包括各类猎头机构、人力资源外包公司、人力资源管理咨询公司、人才测评公司和专业培训机构。

（一）人力资源服务公司

国际上比较知名的人力资源服务公司有万宝盛华、光辉国际、翰德国际、安德普翰、任仕达集团等，国内比较知名的人力资源服务公司有中智集团、上海外服、北京外企（FESCO）、北京双高人才等。

万宝盛华集团（Manpower Group）成立于1948年，总部位于美国威斯康星，主营业务为人才派遣，是全球开创性的人力资源解决方案的领导者，帮助客户达成其商业和人力资源目标，同时提升竞争力。万宝盛华年营业额达220亿美元，为雇主提供涵盖整个雇佣周期和商业周期的一系列服务，包括人才寻访与甄选、合同派遣服务、员工测评和筛选、培训服务、转职推荐服务、外包和咨询服务等。万宝盛华拥有全球人力资源服务行业最大的服务网络，通过全球80个国家或地区将近3 900家分支机构，每年满足超过400 000家客户的需求。万宝盛华于1994年首次将业务拓展至大中华区。目前，其在中国内地地区拥有超过3 500家跨国企业和本土企业的客户，及超过50万经过筛选的中高级紧缺人才。

光辉国际成立于1969年，总部设立于美国洛杉矶，主营业务为招聘，是全球最大的猎头公司，在40个国家有近80个办事处。光辉国际于1978进入中国，设立了香港、北京、上海及广州四家分公司，是中国加入世界贸易组织后第一家在国内开展业务的外资人力资源咨询公司，拥有超过300名由中国本土员工、海归及外籍员工组成的顾问团队。此外，作为全球最大的人才管理咨询公司之一，光辉国际获准在上海和广州独资运营。时至今日，光辉国际的服务体系已涵盖高管搜寻、人才管理与领导力咨询，以及招聘外包、中层人才招聘等一整套解决方案。

翰德（Hudson）成立于1967年，总部位于美国纽约，主营业务为招聘，是全球领先的招聘管理、人才签约以及人才管理服务供应商。翰德为客户提供从单一招聘到全套外包服务等各类人事解决方案，并通过为公司评估、招聘、培训及挽留优秀人才等，帮助公司达到更高的组织绩效。翰德在全球20多个国家拥有近2 500名专业人士，为客户及求职者提供服务。翰德是亚太地区最大的专业招聘公司之一，在北京、上海，广州、香港和新加坡都设有分支机构，并拥有翰德全球资源的强大支持。在亚洲地区，翰德拥有三大核心业务，包括专业招聘、招聘外包业务解决方案以及人才管理。

安德普翰成立于1949年，总部位于美国新泽西，主营业务为人力资源服务外包，是世界最大的业务外包解决方案提供商之一，年收入近100亿美金，在全球拥有570 000家客户。凭借近60年的资深从业经验，安德普翰可以提供业界最全面的人力资源、薪酬、税务及福利管理解决方案。安德普翰同时也为全球汽车行业提供世界领先的集成化计算机信息解决方案。2006年，安德普翰进入中国市场，通过Global View® 和Auto line® 开始为在华企业提供人力资源外包服务和经销商服务。2009年，安德普翰成功收购China Link，旨在为中国市场带来更全面的本土化人力资源外包解决方案。

任仕达集团成立于1960年，总部位于荷兰阿姆斯特丹，主营业务为人力资源服务外包，是在纽约证券交易所上市的一家公司。50年来，任仕达致力于为企业、政府以及其他机构客户提供灵活的雇佣和其他综合人力资源专业服务，其核心业务包括：招聘与猎头、弹性用工、专业人士派遣、驻点服务以及综合解决方案，目前在超过40个国家设有4 100多个分支机构。任仕达集团于2006年进入中国，目前在北京、上海、广州、深圳、苏州等城市设立了分支机构，每年为中国企业成功招募超过数千名以上的高级经营管理人才，并管理数万人的派遣和外包员工。2011年，全球营业额达到225.60亿美元，位列2012财富世界500强。

中国国际技术智力合作公司（简称中智），注册资金1亿元人民币，是中央直接管理的国有重点骨干企业，也是央企中唯一一家专业从事人力资源服务的全国性集团公司，由国务院国资委监管，主营业务为人力资源外包服务。中智总部设在北京，在境内外设立了137家分支机构，在76个国家和地区开展经济技术人才合作。中智服务于来自全球的31 000家企业（其中包括全球500强中157个品牌下的379家企业），为1 000 000名中高级技术管理人员和雇员提供派遣或外包服务，客户覆盖外企、国企、民企等多类实体，横跨石化、金融、保险、通讯、电子、IT、汽车、医药、地产、建筑、物流、制造、商贸、传媒、教育、环境、餐饮、快速消费品等诸多领域，规模效益持续处在行业领军地位。中智在员工关系服务、福利服务、财务外包服务、招聘服务、商务服务、IT 外包服务、员工培训服务等人力资源外包服务方面积累了丰富了经验，同时在人力资源管理咨询服务方面也居国内领先地位，包括组织规划、诊断调查、员工关系维护、职业培训、人才评荐体系、薪酬绩效设计等。

上海市对外服务有限公司（简称上海外服）成立于 1984 年 8 月，隶属于东浩集团，是专门为国内外企业和外商驻华代表机构提供人力资源服务以及商务代理、人力资源咨询等延伸服务的综合性企业，面向中国雇员、外籍雇员和企业提供专业的一站式服务。上海外服作为中国人力资源服务行业的旗舰企业，目前服务于 30 000 多家外商驻华代表机构、三资企业和国有、民营企业，并服务于全国 100 万位雇员。上海外服在人才派遣、人才招聘、薪酬管理、福利管理、人才培训、人力资源管理咨询等方面拥有 20 多年的专业服务经验。

北京双高人才发展中心（简称北京双高）成立于 2000 年 1 月，是北京市属唯一面向高端人力资源市场提供人力资源开发与咨询服务的专业机构。在此基础上，于 2004 年 9 月和 2007 年 4 月，又分别组建了“北京市领导人才考试评价中心”和“北京市企业经营管理人才开发与评价中心”，从而形成了以市场需求为导向和政府支持的“双高人力资源开发与管理服务体系”。2008 年 12 月，北京市委、市政府建立海外人才服务机构“北京海外学人中心”，与北京双高合署办公。作为北京市海外人才引进的重要窗口和主渠道，“海外学人中心”主要服务于留学归国人才、港澳台人才、外籍华裔专家以及外国专家。北京双高通过人才测评、管理咨询、管理培训、人才寻访服务、人事代理、人才派遣、国际交流、北京公招网八种模式，为不同需求的客户提供专业化的人力资源开发与管理技术服务。

二、非营利性人才服务机构

非营利性人才服务机构主要是指经各级政府机构编制管理部门批准设立的人才服务机构，以政府背景的公共服务型事业单位及行业自律协会为主，主要包括各级各类人才服务中心、人才服务行业协会以及专项人才基金会。

（一）人才服务中心

人才服务中心是由政府批准成立的非营利性人才服务机构，是深化人事制度改革的产物。它在人力资源从统包统配模式向发挥人才市场基础性作用模式的转化中逐步成长壮大，开辟和发展了各项为人才服务的业务。目前国内许多省市，如北京、上海、大连、广东、山东等，均设立了人才服务中心，为当地提供人事代理服务。其中，北京、上海、大连等地的人才服务中心发展较为成熟。

北京市人才服务中心是经北京市市委、市政府批准成立，由市委组织部、市人力资源和社会保障局共同领导的综合性人才市场社会化服务机构。其前身是 1984 年 6 月成立的北京市人才交流服务中心，1993 年 9 月，为进一步健全功能，完善组织机构，为发展人才市场提供全方位服务，扩建为北京市人才服务中心，成为具有人才交流、开发、评价、保障、贮备等综合功能的社会化服务机构。为顺应社会各界对人才素质测评工作的需要，北京人才服务中心于 1997 年成立了北京市人才素质测评考试中心，多年来依靠其员工队伍优势、测评经验优势、测评技术优势和测评软件工具优势，逐步发展成为一个以人才素质测评为龙头、多种人才资源开发技术并举的专业机构。为了加快人才市场的建设，充分利用现代化的网络手段为人才工作服务，中心于 1999 年初创建了北京人才网，旨在以网络技术为手段向社会提供大量真实可靠的求职招聘信息和全面系统的人事人才服务。人才中心还于 2002 年成立了北京五湖四海人力资源有限公司，以人才派遣为核心业务，面向各类机构开展包括策划、招聘、测评、档案、保险等有关人力资源管理的全程服务，并开展异地人才派遣业务。

上海市人才服务中心，是经政府主管部门批准、从事非营利性人才培训等业务的行业专业平台和社会公益性组织，具有市场化、国际化、信息化与社会化为一体的培训行业综合服务功能，旨在认真贯彻中共中央和国务院《关于进一步加强人才工作的决定》，推动上海乃至全国人才培训（市场）的逐步成熟与发展，为努力建设创新型国家和人力资本强国做贡献。中心主要从事国际教育合作、境外留学、学历继续教育、职业资格培训、择业指导、教育咨询、人才交流、人才服务、人才评价、人才培训等业务。上海市人才服务中心本着“和谐建造文明古国、培养教育专业人才、服务文明社会”的原则，与政府机构、知名院校和国际名牌大学建立了良好的合作关系，汇聚成全国的教育、培训及就业服务网络渠道。2007 年 10 月，上海市人才服务中心与国家留学基金管理委员会留学预科学院建立了合作，联合成立了“上海国际教育交流合作推进办公室”，主要从事美国留学生招生面试和于各高级中学设立“出国人才选拔基地”等事务。

大连市人才服务中心成立于1993年9月，是大连市人力资源和社会保障局所属的副局级“参公”管理事业单位。该中心主要负责对审批范围内人力资源服务机构举办的人才招聘会进行审批；全市人力资源市场相关信息调查、统计分析及对外发布；企事业单位和流动人员委托保管人事档案管理及流动人员党员管理；全市人才公共服务网络信息化平台建设；全市各类人事考试工作及公务员录用考试和事业单位招聘工作人员考试的考务工作；全市专业技术人员职称评审、人才素质测评工作；专业技术人员继续教育项目实施和专业知识培训工作；全市重点经济项目、重点行业企业人才需求信息征集、人才配置服务和人才公共服务的项目实施；留学归国人员招聘引进和各项管理服务工作；高校毕业生就业手续办理、就业服务与指导工作等。目前，大连市人才服务中心建立起了“大中心”的服务模式，成为集人事代理、毕业生就业指导、人才交流、人才引进、人才测评、人才培训、人才猎头、人才网站等服务功能于一身的人才服务机构。

（二）人才服务行业协会

人才服务行业协会是另一种具有政府背景的非营利性人才服务机构，是某一地区人才服务的行业自律组织。作为行业协会，它不仅承载着服务人才、成就伟业的时代使命，而且在国家加强和创新社会管理的战略要求下，更是肩负着管理自律、引导发展、营造良好行业文化环境和氛围的职责。近年来，人才服务行业协会在宣传行业政策、反映行业诉求、促进行业自律等方面发挥着重要作用。我国比较有代表性的人才服务行业协会是北京和上海的人才服务行业协会。

北京人才服务行业协会成立于1996年10月18日，是我国首家省级人才服务行业协会。它是北京地区人才服务管理的行业组织，具有法人资格。协会的宗旨是：诚信服务，自觉自律，团结会员，组织、协调开展各项活动，推动彼此之间的合作和交流，维护行业的合法权益，同时起到行业管理的作用，规范行业行为，促进行业健康有序发展，为首都的经济建设和社会发展服务。北京人才服务行业协会目前由人才服务机构和人事经理两个专业工作委员会组成，另外设有特聘专家组，其领导机构是协会理事会和常务理事会，理事会是协会的最高权力机关。现在协会有48个理事单位，22个常务理事单位；领导班子设顾问、名誉副会长、会长、副会长、秘书长、副秘书长。协会还设有监事会和自律委员会，规范和监督协会会员的行为。协会常设机构是秘书处，在秘书处的领导下负责协会的日常工作。

上海人才服务行业协会成立于2002年4月9日，为上海市人力资源服务机构行业企事业单位自愿组成的跨部门、跨所有制的非营利的行业性社会团体法人。上海人才服务行业协会作为一家新型的行业协会，在政府"不派员、不干预、不拨经费"的情况下，积极探索创新，充分发挥"服务、自律、代表、协调"的职能，服务行业发展壮大。协会现有各种所有制会员单位331家，理事单位110家，市场覆盖面广，服务专业、规范。其会员单位在整个人才服务行业中都具有较强的代表性和明显的优势。上海人才服务行业协会以"立足上海，服务全国，走向世界"为宗旨，以做大、做强人才服务产业为目标，以"上海一流、全国领先、国际接轨"为努力方向，维护人力资源服务机构的合法权益，加强会员之间的协调和自律，规范业务活动，维护市场秩序，促进了上海人力资源服务市场的健康发展，营造了良好的行业发展环境。

（三）专项人才基金会

根据目前我国基金会建立的政策规范来看，基金会必须为特定的公益目的而设立。因此，设立人才发展基金会是一种典型的非营利性人才服务模式。在我国，人才发展类基金会大多是有一定政府背景的公募基金会，比较有代表性的基金会有中国金融教育发展基金会、西部人才开发基金会、中国留学人才发展基金会。这些基金会一般都有特定的受助人群及受助对象，主要以在基金会下设立专项基金的方式，专款专用展开项目，进行项目的资助。关于这些基金会的介绍，将在本篇的第四章详细展开。

近年来，随着我国人才强国和人才发展战略的重要性日益凸显，以及《国家中长期人才发展规划纲要（2010～2010年）》的出台，各地陆续发布了一系列人才政策，各市级以上地方政府也积极引导设立政府性人才发展专项基金，人才专项基金如雨后春笋般迅速发展起来。比较有代表性的是上海市人才发展基金、天津市人才发展基金以及台湾杰出人才发展基金。

上海市人才发展基金是由上海市人事局主管的政府性基金，资金纳入人事局部门预算，由政府按财政资金管理的有关规定拨付资金。上海人才发展基金旨在通过资金资助，选拔和培养优秀专业技术人才，优化科技创新和自主创业环境，为上海市经济、科技和社会发展提供智力支持和人才保证。基金主要用于资助各类人才开展国内外交流合作与研修培训、文献资料费用、处理知识产权事务、改善工作生活和医疗保健条件以及企事业单位引进优秀创新人才，解决优秀创新人才科研、工作和生活方面的特殊困难等。

天津市人才发展基金是天津市政府主导成立的基金，专项用于人才的奖励、培养和引进。主要用于资助全市高层次党政人才、企业经营管理人才和专业技术人才培养；资助进入国家重大人才培养工程的高层次人才；资助培养、引进重点技术领域、重点行业、重点学科以及重点企业技术中心发展急需的高层次人才；资助引进中国科学院院士、中国工程院院士以及国家重点学科、重点实验室、重大科研项目负责人；资助引进海外高层次人才等。

台湾杰出人才发展基金是由台湾诺贝尔奖得主李远哲倡导，向工商界和社会各界人士呼吁发起创办的，目标是通过补助来吸引和鼓励海外台湾人回台湾服务，以及奖励已在台湾努力奋斗的各个专门领域的杰出学术研究人才。台湾杰出人才基金的长远目标是每年能支持约一百位杰出人才，在各学术研究领域发挥最大才能和领导作用，以促进台湾科学文化的深化基础和快速发展，并推动实现台湾在科学与人文的某些领域提升到世界先进国家的水准。

此外，政府还积极推动企业设立人才发展基金。其中，海邦人才基金是在浙江的成功海归企业家在 2011 年 1 月正式创办的，是国内第一支带有公益性质的以“成功老海归帮扶新海归创业”为主题的创新型风险投资基金，是浙江省将风险投资与“千人计划”相结合的一项重要工作创新。海邦人才基金通过各类引才渠道主动与众多海外高层人才、行业专家建立联系沟通，动员他们回国创新创业。此外，基金会还为每一个新海归创业团队配备专职导师，协助团队适应国内创业环境，提供技术引进、人才推荐、行业及政府资源嫁接等服务，扶持一批有自主创新能力的海归成功创业。海邦人才基金在成立短短两年的时间里已经在项目投资、人才引进、人才服务等方面取得了一系列不俗的成绩。

总体来看，设立人才发展基金会，成立政府性人才发展专项基金等已经成为社会转型时期服务人才发展、落实人才强国战略行之有效的做法。

第三十三章

境内外非营利性金融人才服务机构概览

金融是现代经济的核心，金融业的发展状况标志着一个经济体的经济深度和广度。与其他行业相比，金融业的国际化程度更高，其人才竞争也更加激烈。能否吸引和培养足够多的高水平金融人才对于金融行业的发展至关重要。为此，许多国家和地区纷纷成立了专门的非营利性金融人才服务机构，以期为金融行业储备足够的人才资源。新加坡于2008年成立了“联系新加坡”办事处，旨在吸引全球人才齐聚狮城；加拿大也于2009年设立了金融服务业人才教育中心，为建设多伦多国际金融中心吸引和储备人才；2013年初，香港成立金融发展局，明确提出要促进香港金融人才队伍建设。而国内对于金融人才的培养也十分重视，中国人民银行早在20世纪末便成立了旨在培养银行业高级管理人才的金融干部管理学院，后更名为中国人民银行北京培训学院（对外称中国金融培训中心），主要开展银行业人才的培养工作。2012年底，中国证监会成立中国资本市场学院，旨在为资本市场的发展提供人才支持。除此之外，上海和北京也成立了专门的金融人才服务机构，为建设国际金融中心储备人才资源。

第一节　境外非营利性金融人才服务机构概况

一、加拿大——多伦多金融服务业人才教育中心（Centre of Excellence）

（一）多伦多金融人才概况

多伦多是加拿大最大的城市，北美第五大城市，是加拿大的经济中心。金融是多伦多的支柱产业，占城市20%以上的经济总量。目前，多伦多已经发展成为北美地区第二大、全球第七大的金融中心。大约有22万多伦多人直接受雇于金融业公司，另外还有30万人受雇于与金融相关的服务行业。多伦多金融行业雇员比例大幅超出了加拿大全国平均水平。由于加拿大婴儿潮的退休，生育率下降，众多新移民无法立刻就业等问题，导致本地人才数量下降，多伦多金融业遭遇严重人才危机。多伦多金融服务联盟（TFSA）主席珍妮特·艾克尔（Janet Ecker）曾提出："如果不能尽早创造一个令人震撼的多伦多金融业来吸引更多的人才的话，本市金融行业将面临严重人才危机。"

对于加拿大，新移民是人才的重要来源之一，但是目前新移民就业存在很多障碍。有研究指出，多伦多要吸引全球人才难度很大，首先必须消除一些负面形象：加拿大在生活消费、交通和生活方式等方面都存在不利因素。美国来加拿大应聘者指出工作待遇、医疗保健、个人发展的限制是多伦多吸引力被削减的重要因素。多伦多金融业回报不够丰厚，不足以吸引国际性人才。高额税收也使得多伦多很难引到海外人才。虽然多伦多是不少国家诸如中国、印度、巴基斯坦、韩国、菲律宾移民的首选地，但是不完善的移民政策和工作经验认证机制，限制了多伦多吸引国际人才的机会。因此，对于多伦多而言，成立一家机构来促进多伦多金融行业人才的引进对于多伦多未来的发展具有重要的意义。

（二）多伦多金融服务业人才教育中心简介

多伦多金融服务业人才教育中心是多伦多金融服务联盟旗下的人才发展组织。多伦多金融服务联盟（Toronto Financial Services Alliance，TFSA）成立于2001年，是一家公私合营机构。TFSA由政府、金融服务业和学术界三个层面合力运作，旨在增强多伦多作为全球主要金融中心的竞争力（见图33－1）。TFSA的一个重要使命便是充分发掘和提升本地区人才质量。

金融服务业人才教育中心（Centre of Excellence in Financial Services Education，简称CoE）是在City of Toronto的支持下，由安大略省政府注资400万美元于2009年设立的，TFSA负责其管理运营。CoE的宗旨是强化多伦多的金融人才输送体系，以应对来自需要人才的公司、寻找工作的学生、金融教育者各方面的需求，从而吸引更多优秀的人才来到多伦多地区，其使命是成为发展壮大多伦多地区的金融服务业人才库的催化剂。为此，CoE和来自各个行业的部门机构合作，从事大量重要的研究和组织工作。

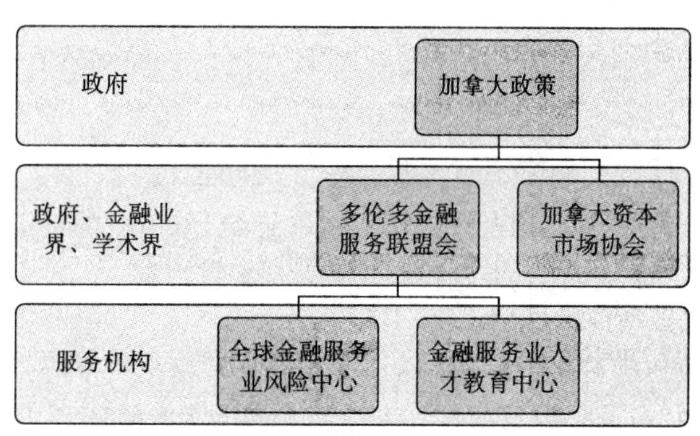

图 33－1　多伦多金融服务业人才教育中心介绍

（三）人才教育中心（CoE）的主要职能

CoE 在 2009 年、2010 年推出了人才需求报告、市场推广计划等一系列研究报告，并于 2011 年上线职业生涯咨询师网站（Career Advisor）。CoE 的目标是提供多伦多地区金融服务业的就业和教育信息，并成为联系公司和人才之间的纽带。

1. 不同机构在 CoE 中扮演的角色

（1）政府部门的角色。

省级政府：为 CoE 的发展提供财政支持，并为发展本地区的商业提供资金来源。

联邦政府：以研究津贴的形式为 CoE 的发展提供支持。

随着 TFSA 的发展壮大，政府扮演的角色也越来越重要；政府非常重视跨部门的利益相关者的合作，例如业界和教育机构的合作。

（2）教育机构和协会的角色。积极参与和行业和政府之间的合作，根据行业对人才的需求提供相应的教育和培训项目。

（3）行业内公司的角色。提供政府需要的关于金融业人才发展趋势的关键信息；参与为满足其人才发展需要而提供的教育和培训项目；充分披露他们现在和将来可能面临的人才方面的挑战。

2. CoE 的具体职能

CoE 的职能主要包括：

第一，汇总本地区人才和教育优势等相关信息，供求职者、教育机构、用人单位和政府使用。

第二，促进金融服务业用人单位和教育机构之间的合作，提升教育的质量。

第三，就建立人才和教育优势提出跨行业的建议。

第四，通过与相关机构合作，在当地和全球开展有效的营销战役，宣传本地区金融服务业的多样化就业选择以及人才和教育力量，以吸引本国和国际上的高端人才。

CoE 同时为个人和企业提供服务。具体而言，该中心可以在以下两个方面提供帮助：

一方面为求职者搭建求职平台。CoE 通过两个渠道来匹配金融行业人才的供求：人才吸引和人力资源研究。对于人才吸引，CoE 建立了子网站：金融服务业职业生涯顾问（Financial Services Career Advisor，http：//www. explorefinancialservices. com/）。该网站汇集了多伦多金融服务行业内关于人才需求、职业生涯发展、教育等各个方面的信息，是一个互动式的网站，可以帮助求职者规划一条在金融行业发展的最佳路径。对于人力资源研究，其目的是研究大多伦多地区金融业人力资源发展现状和未来趋势，以便针对性的提供服务和政策建议。

另一方面为公司在多伦多开展业务提供服务。CoE 可以为将在多伦多开展业务的公司提供多方面的帮助，包括分享多伦多地区高水平的金融行业专家的信息，对从加拿大主要金融机构获取贷款提供建议等。

（四）总结与启示

在当前经济低迷、金融机构受重创的全球大背景下，加拿大金融服务行业却能够独善其身，持续稳定发展，为加拿大整体经济的增长提供坚实基础。2008 年金融危机爆发后几年内，多伦多已跃升为北美的第二大金融中心（以就业率计）。根据英国全球金融中心指数显示，多伦多现在已经位列世界十大金融中心。多伦多金融行业的迅速发展，与当地政府部门的大力支持密不可分。CoE 的设立也为多伦多地区金融人才的引进提供了极为便利的条件和支持，对其金融行业的高速发展做出了重要的贡献。

目前，我国金融行业迅速发展，已经成为了我国经济重要的支柱之一。未来，随着我国金融行业更进一步的发展和对外开放程度的提高，对金融人才特别是高端金融人才的需求将越来越旺盛。能否吸引顶尖金融人才加入我国资本市场人才队伍对我国资本市场的发展至关重要。因此，有必要建立一个资本市场人才服务中心，为资本市场人才队伍的建设和发展提供服务。

二、新加坡——“联系新加坡”联盟（Contact Singapore）

（一）新加坡金融服务业现状

新加坡是亚洲重要的金融、服务和航运中心之一，是继伦敦、纽约和香港之后的第四大国际金融中心。英国伦敦智库 Z/Yen 集团发布的 2013 年最新一期“全球金融中心指数”（目前全球最具权威的国际金融中心地位的指标）报告显示，新加坡继续和伦敦、纽约一起保持着全球领先地位。而且，一些国际金融界人士认为，新加坡的国际金融中心地位在今后将变得更加重要。

作为世界领先的国际金融中心，新加坡目前拥有 600 多家本地和外国金融机构。金融服务业提供的金融服务范围在过去数年中急剧扩大，涵盖了财富和资产管理、股票、债券、外汇、金融衍生产品市场等领域。新加坡目前是亚太地区最成熟的资本市场之一，同时也是亚洲地区（日本除外）最大的房地产投资信托基金市场。

随着全球财富管理和基金管理的迅猛发展，新加坡现已成为亚洲最大的新兴市场货币交易中心。此外，这里也是全世界发展最快的国内债券市场之一，同时还是亚洲地区进行金融衍生品场外交易的领军者。作为亚太地区领先的资产管理中心，新加坡目前管理着总额高达 1 兆元新币的资产。2013 年 5 月，新加坡正式启动人民币清算服务，由中国工商银行新加坡分行担任清算行，确立了其除香港之外的人民币离岸中心的地位，为新加坡成为区域乃至世界重要金融中心迈出了坚实的一步。

随着亚洲财富的快速积累，人们对私人银行、资产管理、理财和保险服务的需求日益强烈，这为新加坡带来了大量的金融岗位就业机会，也使得行业对中高端金融人才的需求越来越大。

（二）新加坡人才发展状况

新加坡是典型的“人才立国”的国家，政府高度重视人力资源的开发和利用，致力于用本国及世界各国最优秀的人才来管理国家，为新加坡的腾飞提供强有力的人才和智力支持。在做好人才大文章、建设人才强国方面，新加坡积累了许多的成功经验，一方面制定各种优惠政策大力吸引海外人才，另一方面加大培训力度，不断提升本国人才综合实力。

1. 引进来——大力吸引海外人才

新加坡政府制定政策，以优厚待遇吸引和留住外来人才。新加坡对于人才的引进、移民实行相对灵活的政策，将“效率”作为海外人才引进工作的考核要素，从而聚集了大批精英，为国家建设提供了人才支撑。为了鼓励企业招纳国外优秀人才，新加坡政府规定：招聘、培训外来人才方面的支出以及为外来人才提供高薪和住房等福利待遇的支出可享受减免税，并通过调低个人所得税、出资为在新加坡工作的外籍人员提供培训机会等方式，提高对人才的吸引力。为了留住人才，新加坡政府近年来每年批准约3万外国人成为新加坡永久居民，并允许部分外籍专业人才成为新加坡公民。吸引外国留学生到新加坡留学是新加坡政府招揽人才的另一手段。在新加坡大学生中，外国学生占22%，他们入学前一般要签署协议，承诺毕业后为新加坡服务5~6年。招收的硕士生、博士生毕业后，只要找到用人单位，就可获得就业准证，留在新加坡。目前，新加坡全部人口中有大约1/4是拥有专业技术专长的外国人。

2. 人才培训——提升本国人才实力

新加坡政府大力投入人才培训，积极培养本地人才。就金融业来看，新加坡已经建成了高级金融人才培训网络，着重向金融从业人员提供各种培训。此外，新加坡还设立了金融业发展基金，以提高金融高级管理人员的专业水平与技能。金融业发展基金（Financial Sector Development Fund）隶属于新加坡金融管理局。金融业发展基金在多所大学设立金融奖学金，目的在于培养一批有助于新加坡作为国际金融中心长期发展的专业人士。

（三）新加坡“官方猎头”——“联系新加坡”（Contact Singapore）

1. 简介

2008年，新加坡人力资源部和经济发展局联合成立了人才服务机构——“联系新加坡”（Contact Singapore），该机构的定位是与海外新加坡人和国际人才建立联系，并且协助其到新加坡工作、投资和生活。一方面，吸引全球优秀人才来新加坡工作、投资和居住；另一方面，吸引海外新加坡人回国就业，以补充本地劳动力市场，进一步推动国家经济发展。“联系新加坡”是新加坡吸引海外人才的最重要的机构，被认为是新加坡的“官方猎头”，同时它也是一个专门提供各种有关前往新加坡旅游、工作、生活、学习等资讯的服务机构。它所提供的服务内容包括：向各国人士提供有关新加坡的介绍资料；接受就业机会咨询，协助外国求职者寻找适当的雇佣机构并转送简历，提供签证、工作许可、永久居留权、公民身份等移民法规的咨询服务；帮助新移民在短期内适应新环境，在居住、教育、工作方面提供便利服务。

目前，“联系新加坡”的官方网站可以提供简体中文、繁体中文、英语、日语等四种语言的界面服务，网站囊括了政策、求职、学习、生活、娱乐、置业和投资等各方面的综合信息，为有兴趣到新加坡探讨职业发展的优秀毕业生和专业人士提供有关到新加坡工作、生活和休闲的最新信息。

2. “联系新加坡”的主要职能

（1）在全球构建人才服务网。“联系新加坡”在全球设立了 12 个机构，除新加坡总部之外，在印度的钦奈、孟买，英国的伦敦，德国的法兰克福，澳大利亚的悉尼，美国的波士顿、纽约、旧金山，中国的北京、上海，韩国的首尔均设立了派出机构，构建起一个庞大的全球服务网络。通过以上全球服务网络，“联系新加坡”对本国的海外引进人才政策和行业发展状况进行宣传，并为有意寻求新加坡的职业发展机会的全球精英以及到新加坡投资或开拓全新商业活动的个人和企业家提供一站式的服务。通过各种海外活动、人才招聘会及提供各行业的最新资讯等方式，将新加坡雇主和全球的人才联系起来；为新加坡的投资和商业发展机会创造便利条件，进一步优化新加坡的企业生态环境和行业发展环境；同时，为有志于在新加坡发展的各类人士提供详尽的生活资讯。“联系新加坡”除了提供有关新加坡就业机会及行业发展的最新信息，还建立平台为海外新加坡人才和国际人才与新加坡雇主牵线搭桥，也为有意到新加坡投资的人士提供服务，涉及行业包括生物医药科学、化工、清洁能源、工程服务、互动数字媒体、医药等。

（2）为新加坡企业组团招聘。2012 年 8 月，“联系新加坡”启动了首届面向全球的新加坡电子行业网络招聘会，携手博通、英飞凌、英特尔等全球知名电子企业，为有意赴新发展的人才提供与知名企业高级工程师和招聘负责人在线交流机会。而早在 2011 年，“联系新加坡”在上海举办过多次行业招聘活动，涉及包括电子、金融和房地产在内的三大行业，其中有不少新加坡知名的公司和机构都向来自中国的人才打开大门。例如，松下亚太有限公司位于新加坡的研发中心是其在亚洲除日本以外的唯一一家拥有从规划、设计到市场营销一应俱全的研发中心，160 名工程师中有 28 名来自中国。而新加坡金融管理局，此前也曾经通过“联系新加坡”向中国人才开放了近 40 个中高级管理职位，其中包括大型投资集团部副总监、国际金融部总监助理、国际经济部高级经济师等重要职位①。

此外，“联系新加坡”同样关注尚在校内的优秀人才，2010 年推出了“研究生奖学金项目”（Graduate School Project），旨在为那些希望以新加坡为研究议题的研究生提供资金，资助其赴新加坡考察、收集相关研究信息。这项由新加坡政府提供资金的奖学金项目，申请学生不限专业，均可以以小组为单位，自由选题提交计划书申请，研究内容必须以新加坡发展的任何关键领域为议题、与促进新加坡的经济发展有关。

（3）举办系列活动

新加坡每年都会举办的一些常规活动，包括 Careers@ Singapore：通过订阅电子邮件形式发布新加坡重点发展行业的最新招聘企业与职位需求；Experience@ singapore：主要针对海外人才设立，参与者可同新加坡公司高级管理层直接交流，还有机会参观新加坡经济发展中至关重要的基础设施项目；Insights@ singapore：“联系新加坡”邀请新加坡各领域的专家，与活动参与者分享他们在各自领域的知识和专长。

例如在中国，“联系新加坡”已经举办了包括行业推介会、人才招聘会及体验新加坡（Experience @ singapore）等各种活动。“Experience @ Singapore”体验新加坡的中国行活动是由“联系新加坡”主办和组织的针对中国顶级学府的本科生及研究生的活动系列，旨在向优秀学生展示新加坡相关行业的活力及新加坡丰富的生活。通过这类活动，参与的学生能够与立足新加坡的国际企业高级管理层进行面对面的深入交流、参观重大基础设施项目进程、了解新加坡几大支柱产业的发展态势。

2009 年，20 名来自清华大学、复旦大学、上海交通大学、浙江大学、电子科技大学等中国名校的研究生参加了“Experience @ Singapore”体验新加坡的活动，通过为期 5 天的参观和访问，深入了解新加坡的增长产业以及由此产生的职业机会。2010 年 7 月，“联系新加坡”主办了顶级商学院 MBA“体验

---

① 张新燕．新加坡：官方猎头全球挖人，高品质生活使其真正融入．东方早报，2013 年 6 月 4 日。

新加坡”活动，甄选了中国内地、香港地区、韩国及菲律宾等地区重点院校的26名优秀学生，开展了为期四天的亲身体验新加坡活动。其中，中国内地的学生共有12名，分别来自中欧国际工商学院、北京大学、复旦大学、香港中文大学几大名校的金融专业。通过参观新加坡华侨银行、星展银行、大华银行和渣打银行等金融机构，并与机构管理人员及在当地银行就业的中国金融业人才的交流，参观学生对新加坡的金融机构有了初步的了解和认识。另外，参观学生还与新加坡金融管理局的代表人员，“联系新加坡”署长纪依桦女士进行了交流，并与新加坡管理大学经济系教授一同探讨了金融行业的热点问题。

（四）总结和启示

新加坡的核心竞争力在于其对人才的强大吸引力。由于其移民社会的特性，新加坡政府在海外人才引进政策和引进人才配套措施方面给予了大力支持，这也成为新加坡能够吸引大量海外优秀人才移民或定居的主要原因。根据国际人力资源服务机构Hydrogen近日发布的《2013全球专业人才移居动态报告》，新加坡在资深专业人才的移居目的地排名中，位居全球第四。“联系新加坡”作为其“官方猎头”，在新加坡的人才引进中发挥了非常重要的作用。

新加坡作为国际金融中心离不开大量的人才支撑，其中海外人才为新加坡的发展做出了重要的贡献。随着我国金融业的不断发展，我国资本市场也取得了长足的进步，在全球的地位也逐步提升。而未来资本市场的进一步发展依赖于人才，特别是国际型高端人才的力量，因此，如何吸引到更多的国际顶级人才对于我国资本市场的发展意义重大。从新加坡的经验可以发现，政府或监管机构这只“有形的手”应当充分发挥作用，从人才引进的政策层面，到引进人才之后的后续配套措施及如何更好地适应当地文化和生活等方面均提供优质的政策和服务。另外，新加坡将人才引进和对外宣传推介有机结合起来，利用“联系新加坡”作为吸引人才和宣传推介新加坡的平台，更好地为本国金融服务行业及其他行业稀缺高端人才的引进提供优质服务。

三、香港金融发展局

（一）香港金融业的发展现状

金融服务业是香港四大支柱产业之一，近年来占本地生产总值比重保持在

16%以上，是推动香港经济发展的主要动力，既创造了可观的税收，又直接雇用超过22万名人员。金融行业蓬勃发展，也推动专业服务和其他相关行业增长，创造更多就业机会；与此同时，金融行业在配合市民的理财需要之外，还支持了实体经济和本地企业的发展。

香港金融业具备强大的国际竞争力，各重要国际金融中心排名指数都一致将香港评为亚洲顶尖金融中心和全球主要金融中心之一。2009年至2011年，在香港联合交易所（简称香港联交所）首次公开招股的集资总额高居全球榜首。而人民币作为一种新兴的国际贸易和投资货币，其最大的离岸资金池也位于香港。香港具备完善的金融基础设施，是内地理想的金融平台，有利于推动外来投资和对外投资，促进新兴金融业务增长，推行人民币国际化相关措施。同时，亚洲人口日趋富裕，也为香港资产管理业务带来前所未有的发展契机。此外，中央政府宣布推出一系列支持香港发展成为国际金融和资产管理中心的政策和措施，也为香港增添了发展所急需的源源动力。

随着全球经济重心逐渐向亚洲特别是中国转移，香港的金融服务业既有巨大的发展空间，同时也面对区域内以至全球的激烈竞争。

（二）香港金融人才发展状况

人才向来是香港金融业赖以成功的要素，培育和吸纳人才是香港继续保持国际金融中心地位的关键。长期以来，香港特区政府对强化本地金融人才制定了系统性的措施：一方面，从正规教育着手，培养本地的金融人才；另一方面，通过与业界及大专院校的紧密联系，鼓励金融机构提供在职培训和从业人员的持续进修，集中响应市场对金融业人力资源的需求。此外，政府在2000年成立财经界人力资源咨询委员会，为政府、大学、金融业界和监管机构以及培训机构的代表定期就财经界人力资源发展交换意见提供平台。

（三）香港金融发展局

为加强香港的国际金融中心地位，促进香港金融服务业发展，香港于2013年1月成立金融发展局（简称金发局）。金发局共任命22位成员，由曾任中国证监会副主席的史美伦获任金发局主席一职，其他成员有财经事务及库务局局长陈家强和20名非官方人士。

香港金发局的成立是为了与现有机构组织和行业团体互补合作，进一步推动金融业发展。香港金发局定位为咨询机构，是为业界提供高层次的跨界平台，集思广益，向政府就金融业及金融中心的发展提出建议。该局没有行政功能或权力，不是政策局或监管者，更不是主权基金，是《防止贿赂条例》下的公共机构，受该条例监管和约束。

香港金发局的使命是提升、加强和巩固香港作为全球影响力国际金融中心的竞争力，促进香港金融服务业的持续发展。为实现该项使命，金融发展局的工作目标是：就开拓金融市场和加强香港国际金融中心竞争力向政府提供咨询意见和建议；为相关利益方发表意见提供渠道，并为金融服务界争取权益；支持金融服务界提升从业人员的核心竞争能力和专业技能；以及在内地和海外推广本地金融服务业和香港的国际金融中心优势。

金发局的职能范围包括：进行政策研究和业界调研，制订建议供政府和监管机构参考；与监管机构和行业团体共同探讨金融服务业持续多元发展的机遇和掣肘；与内地和海外相关机构保持沟通，支持香港金融服务业开拓新市场和新业务；与教育培训机构、行业团体和业界合作，提升从业人员的技巧和专业知识；通过举办研讨会、印发刊物等积极活动，在内地推广香港的金融服务功能。

具体而言，金发局的职能可以概括为：

1. 向政府提供意见

金发局的主要职能，是向政府提供意见，提升香港金融服务业的竞争力，进一步推动本地金融市场发展。金融市场日趋复杂，政府有必要在讨论、制订、落实政策的各个阶段充分考虑市场发展的需要。金融发展局的参与，有助于政府和监管机构深思熟虑、科学决策、强化香港竞争优势、把握市场机遇。此外，金融发展局可以作为一个覆盖面广的跨界别咨询组织，就整个金融领域的相关事宜向政府提供意见。

2. 业界发表意见的平台

金发局可提供有用的平台，集结金融服务业内各领域的专才和代表，就香港金融行业的发展发表见解。金发局还可以积极促进政府和监管机构与业界之间的沟通，当政府和监管机构拟推行新措施（特别是影响整个业界的措施）时，可通过该局了解业界的反应。在制订改革措施或处理个别议题的过程中，该局可以作为一个主要的平台，让政府和监管机构与业界更有效、更及时地进行沟通。

3. 人力资本服务

充足的高素质金融专才是整个金融基础建设的关键环节，同时也是建立国际金融中心的一个重要支撑。充分发挥金发局的人才服务职能，为香港金融人才体系的建设和发展壮大提供专门的服务平台，是保证香港金融业持续健康发展和保持香港国际金融中心地位的重要因素。香港金发局计划成立专门的人力资源委员会来执行包括金融人才培育，实务课程开发、协助研究金融业人力供求关系等人才服务职能。

金发局的人才服务职能方面，主要是协助收集金融业的人力资源供求关系，包括职位类别和专业知识，反映业界对于培训教育的相关意见，配合业界常变常新的需要。同时，为政府提供有关金融人才发展情况的报告，帮助政府评估人力资源需求，并建议采取相应的教育和入境措施以满足相关需求。金发局计划联系本地大学和其他教育培训机构，促进业界和这些机构的合作，设计与金融相关的课程，并鼓励金融机构提供培训和实习机会。

4. 宣传推广

宣传推广与品牌形象对各个行业都十分重要，金融业也不例外。全球金融业竞争激烈，已超乎产品或公司之争，而是金融枢纽之间的竞赛。为求成效，宣传工作应有效协调，有的放矢，推广从专门到全方位方案的多元化金融服务，以迎合不同市场的多样化需求。香港金发局力求成为在本地和海外推广香港金融业的倡导者和推动者，整合各方面的力量，策划统一的金融服务策略和品牌，以配合政府及宣传机构、监管机构和市场参与者向内地和海外推广香港的金融服务。

四、境外金融人才服务机构业务模式分析

通过对上述境外金融人才服务机构的分析，可以发现，其为本国金融人才队伍的建设和发展做出了巨大贡献。但各人才服务机构在业务范围、服务对象、组织形式上有所差异（见表 33－1）。

（一）业务范围

总体来看，三家金融人才服务机构的主要业务均是为本国或本地区金融行业的发展储备人才，尤其是高层次人才。但除吸引人才之外，加拿大金融服务业人才教育中心和香港金发局均提供咨询服务，即通过对本地区人才发展情况

表 33-1　　境外金融人才服务机构对比分析

	加拿大	新加坡	中国香港
机构名称	金融服务业人才教育中心	"联系新加坡"联盟	金融发展局
业务范围	人才培训 人才引进 人才政策咨询	人才引进	人才培训 人才政策咨询
服务对象	本地区工作或有意在此工作的金融人才	海外新加坡人和国际人才	香港地区 金融人才
机构性质	公私合营机构	政府部门	政府担保的有限公司

的分析出具相关研究报告，为政府部门的决策提供参考；而"联系新加坡"则主要负责海外高水平人才的引进，属于政策的执行机构。此外，加拿大金融服务业人才中心和香港金发局都通过促进金融机构和教育机构的合作，为本地区的金融人才提供培训，以提升其职业技能；而"联系新加坡"则不提供培训服务。通过在全球设立办事处的方式，"联系新加坡"在吸引海外人才方面做得更为出色，被誉为新加坡的"官方猎头"。相比较而言，"联系新加坡"的业务范围单一，但专业性更强；而加拿大金融服务业人才教育中心和香港金融发展局的人才业务覆盖范围较广。

(二) 服务对象

尽管三家人才服务机构的主旨都是为本国或本地区的金融业储备人才资源，但其服务对象略有差异。加拿大金融服务业人才教育中心和香港金发局的服务既面向海外高水平人才（人才引进），也面向本土的金融人才（人才培训）；而"联系新加坡"的服务对象则主要为海外新加坡人和国际人才（人才引进）。

(三) 组织形式

首先，三家金融人才服务机构均以服务本国（地区）金融行业的发展为己任，均属于非营利性机构。但具体组织形式则有所不同。加拿大金融服务业人才教育中心由安大略省政府出资设立，由 TFSA 负责管理运营，属于政府部门、行业和学术界共同组成的公私合营机构；"联系新加坡"由新加坡人力资源部和经济发展局联合成立，属于政府机构；香港金融发展局则属于"半公共部门"，没有行政功能或权力，其定位为咨询机构，以担保有限公司的形式设立，由香港政府为其担保，最初资金来自政府拨款，随着业务的不断开展将过渡为实行自负盈亏。

第二节 境内非营利性金融人才服务机构概况

近年来，随着我国金融行业的迅速发展壮大，金融行业在我国经济体系中扮演的角色也越来越重要。而目前我国金融人才的发展远远不能满足金融业的发展需要，成为制约金融业快速发展的瓶颈。为了解决中高端金融人才紧缺、金融人才总量不足、人才结构不平衡的现状，我国近年来在北京、上海、深圳等金融中心城市逐渐成立了相关金融人才发展服务机构，以期为金融人才的发展提供专业服务和支持。

早在 2003 年，北京市双高人才发展服务中心便在市委金融工委、市政府金融办的支持下创办了北京国际金融人才服务中心，主要开展人才测评、猎头、招聘服务、人才培训、人才引进及人事代理服务等业务，拟通过市委、政府有关部门、高级人才服务机构和金融企业界联手合力的形式构建金融人才通道，更好地服务首都金融发展。然而，根据相关资料显示，该金融人才服务中心近几年未能充分发挥作用，并没有形成一个预期的功能完善的金融人才服务体系。2013 年初，北京市金融发展促进中心成立，作为北京市金融工作局所属正处级全额拨款事业单位，承担首都金融信息网络、金融数据库和金融人才服务平台的建设及运行维护工作以及承担金融业务知识培训、金融从业人员教育培训和金融人才发展的相关服务工作。

国内金融人才服务机构发展相对成熟的是 2009 年上海成立的上海市金融发展服务中心，负责承担服务金融机构与金融人才的具体工作，促进上海国际金融中心的建设。除此之外，中国人民银行早在 20 世纪末便成立了旨在培养银行业高级管理人才的金融干部管理学院，后更名为中国人民银行北京培训学院（对外称中国金融培训中心），主要开展银行业人才的培养工作。2012 年底中国证监会着眼于资本市场整体布局成立了中国资本市场学院，该机构定位为高层次、市场化、国际化的研究、教育、培训机构，致力于为中国资本市场创新发展提供智力支持和人才支持。

一、上海金融发展服务中心

（一）简介

2009年9月，在中共中央、国务院关于上海“两个中心”建设的意见出台半年后，上海市金融发展服务中心应时而生。上海金融发展服务中心由上海市金融服务办公室主管，是属于市级事业单位独立法人机构。

上海金融发展服务中心成立后承接了上海市金融办在金融管理和金融服务方面的职能，负责服务金融机构与金融人才的具体工作，实现了行政管理和社会服务的分离。上海金融发展服务中心的成立，同样也是拓展公共服务，提高人才服务专业化水平的需要，在政府的大力主导下，倡导金融机构广泛参与，并且调动行业协会、社会中介、科研所等社会各方资源共同推动搭建了资源整合平台，更好地为推进上海国际金融中心建设提供服务。

上海金融发展服务中心的主要职能是承担建设上海国际金融中心的有关事务性工作，为驻上海市金融机构和金融人才提供公益性服务，具体内容主要包括：提供融资政策咨询及服务，向在沪金融机构、金融中介机构提供政策信息、国内外合作交流咨询及服务，建设金融从业人员和财经人才智库，为金融人才引进、职业培训等提供公益服务。

（二）部门设置

上海金融发展服务中心目前下设四个部门：综合管理部、培训服务部、信息管理部、人才服务部（见图33-2）。

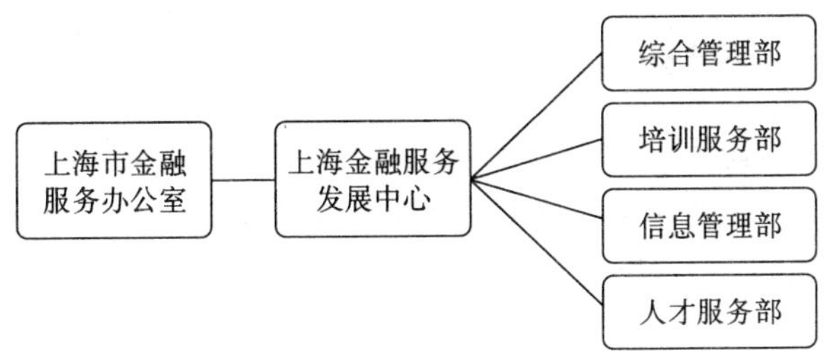

图33-2　上海金融发展服务中心介绍

综合管理部主要职能是日常行政、对外联络、财务管理、公文收发、市金融发展服务中心工作总体规划与推进等，并为其他各部门开展各项工作提供综合支持与服务工作。

培训服务部主要职能是根据上海金融服务办的要求和金融行业需要，推进培训服务工作体系建设，落实“十二五”金融人才发展规划，开展各层次金融人才培训服务工作。

信息管理部主要职能是推进上海市金融发展服务中心信息化工作规划与建设，配合落实上海金融服务办信息化工作。

人才服务部主要职能是推进金融人才综合服务工作体系建设，根据上海金融服务办的要求、金融行业需要和实际条件许可，开展金融人才招聘、医疗、户籍、子女入学、政策咨询等各项服务工作。

（三）具体职能

上海金融发展服务中心的具体职能包括：

（1）在沪中外资金融机构、新型金融机构、金融中介机构发展政策咨询及服务。

（2）本市产业经济与区县域经济建设发展金融政策咨询。

（3）面向本市小微企业融资政策咨询及服务。

（4）金融人才引进、职业教育培训服务。

（5）金融高技能执业资格培训基地建设及培训服务。

（6）金融人才补充医疗保险管理服务。

（7）国内外金融界合作交流咨询服务。

（8）金融专家智库建设。

（9）国际、国内宏观经济及财经政策信息服务。

二、上海市金融发展服务中心业务梳理

上海市金融发展服务中心主要有政策咨询和人才业务两部分职能，其中以人才业务为主，现阶段主要开展人才培训和相关人才服务。具体业务框架见图33－3。

1. 人才培训

上海市金融发展服务中心的人才培训工作极具特色，既有面向高级金融管理人才的研修班，也有旨在培养具备一技之长的高技能金融人才培训，以充分发挥高技能金融人才在金融创新和服务中的主体作用。

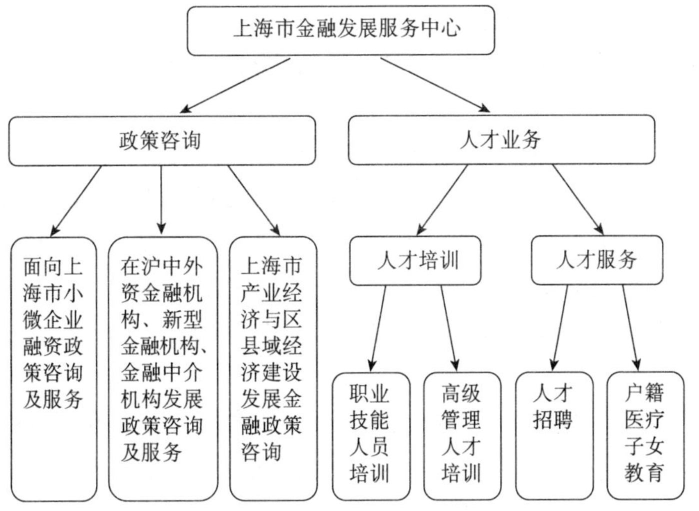

图 33－3　上海市金融发展服务中心业务流程

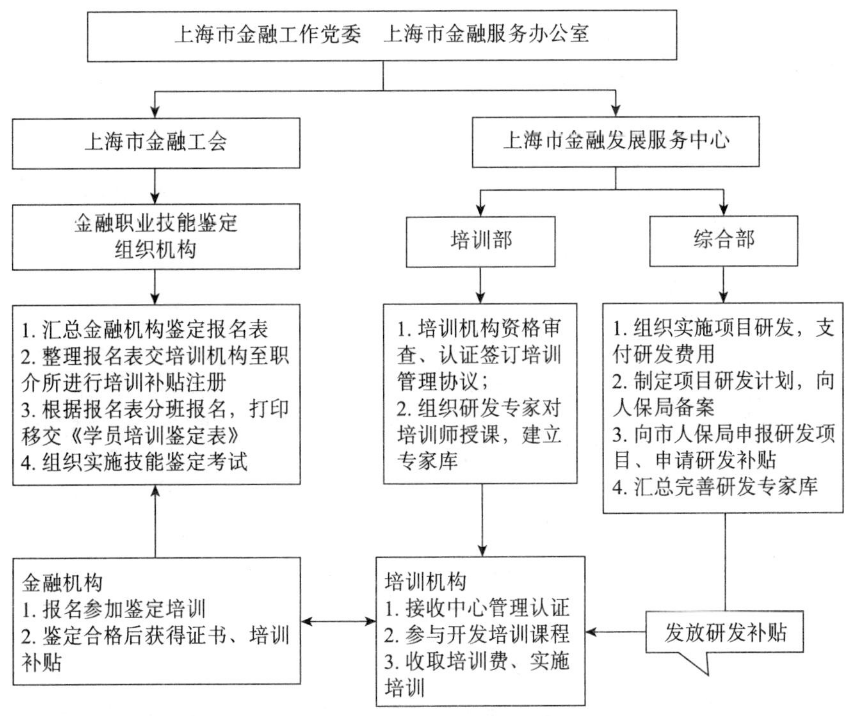

图 33－4　上海市金融发展服务中心金融高技能人才培养工作流程图

（1）培养金融职业技能人员——面向低中端人才。上海金融发展服务中心承担着部分金融相关职业技能鉴定项目，为参加金融职业技能鉴定考试的人员提供专业培训。但上海金融发展服务中心并不直接组织培训，而是由其培训部主导审核出一部分符合认证培训的外部培训机构，并组织培训机构共同参与开发培训课程，给予相关培训机构一定的研发补贴，鼓励由中心管理认证的培训机构为相关人员提供鉴定培训。目前高技能人才培养基地已开发并实施鉴定的项目包括“银行柜员”三级、四级，“呼叫服务员（金融银行客服）”三级，“保险理赔员（车速定损）”四级、五级等三个项目五个等级。

（2）着重培养金融高级管理人才——面向高端人才。截至目前，上海市金融发展服务中心已先后成功举办了多期面向高级金融管理人才的培训课程，以期培养具备国际化视野和较强创新能力的高级金融人才（见表33－2）。

表33－2 上海金融发展服务中心培训课程汇总

项目名称	主办单位	面向对象	课程内容
金融管理人才高级研修班	上海金融党委干部人事处指导，金融发展服务中心和上海交通大学、上海高级金融学院联合承办	市金融服务办、中央、市属和兄弟省市金融机构中层以上领导干部	中国宏观经济政策 中国证券市场投资实践
“金融管理人才高级研修项目”赴美国哥伦比亚大学商学院培训团	上海市金融党委组织、金融发展服务中心承办	在沪金融市场、金融机构及有关政府金融服务部门的中层以上领导或关键岗位专业人才	“美国与世界经济分析”、“全球外汇系统分析”、“价值投资理论”、“美国债券市场”、美国与全球经济展望、如何发现企业投资价值、改变管理观念的有效途径等

2. 人才服务

金融发展中心提供的人才服务内容主要包括两方面：一是开展金融人才招聘工作，通过其网站发布相关金融企业招聘需求，为求职者提供真实可靠的招聘信息平台；二是提供人才政策咨询服务，包括医疗、户籍、子女入学、优惠政策咨询等各项服务工作。

目前，上海市金融服务中心开设了两个门户网站：上海金融服务中心（http：//www. shfdsc. com/index. jsp）和上海金融人才网（http：//www. shfhr. com/sub. jsp？ main_ colid = 152&top_ id = 152），通过以上两个网站发布相关人才招聘系信息、人才服务资讯，并均设立了户籍服务政策、税收服务政策、医疗服务政策、子女就读服务政策等板块，为来沪工作的金融人才提供全方位的服务。此外，为了满足金融人才的不同需要，网站设立了网上办事、互动平台等板块。这些措施极大地便利了在沪就业和有意来沪就业的金融人才的需要。

三、中国金融培训中心

（一）简介

中国金融培训中心是中国人民银行总行直属正司局级事业单位，对内又名中国人民银行北京培训学院。其主要职能如下：

（1）根据人民银行干部培训总体规划，承担人民银行总行机关人员培训。

（2）承担分行（营业管理部）处级以上干部、中心支行行长培训。

（3）承担总行及分支机构高级专业人才培训。

（4）根据总行授权，开展金融培训方面的国际学术交流活动。

（5）按照远程教育发展长期规划和实施计划，承担人民银行远程教育培训具体实施工作。

（6）组织开展金融英语证书考试。

（7）为金融系统和社会提供培训和咨询服务。

中国金融培训中心的培训师资主要由人民银行总行领导、司局级和处级干部，其他相关部委领导和司局级干部，金融机构知名专家，高校和研究机构知名专家学者组成。

（二）机构设置和各机构主要职能

中国金融培训中心下设综合处、培训一处、培训二处、国际合作处、远程教育处和北京培训学院代管机构（见图 33 –5）。

综合处：负责制定和修订学院办公、办文、行政管理等规章制度并组织实施；组织安排办公会议，参与学院各种重要会议、重要活动的组织，负责公文及重要事项的检查督办；拟定学院年度、季度工作计划；负责公文运转等有关

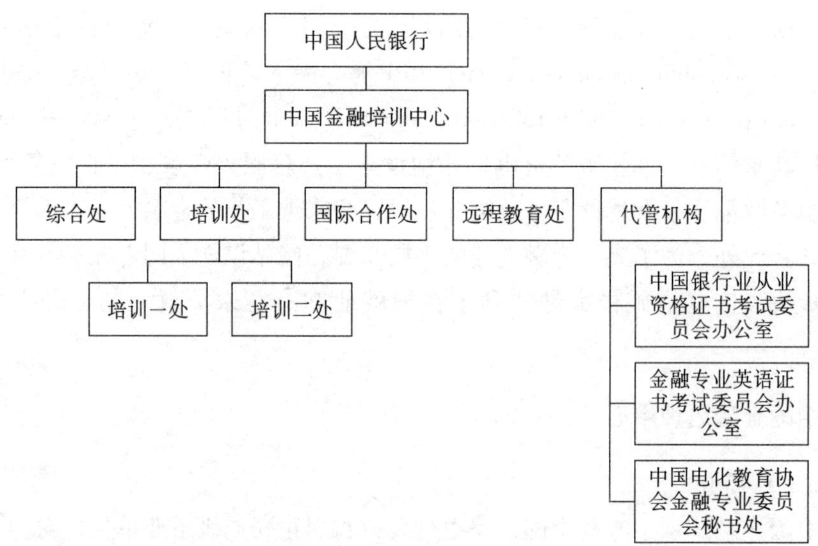

图 33－5　中国金融培训中心介绍

工作；编辑内部刊物《北京培训学院简报》、《北京培训学院专报》等。

培训处：按照培训对象不同分为培训一处和培训二处，一处负责人民银行总行、分行（营业管理部）副厅局级以上干部、中心支行行长及分行处级干部的培训任务；二处负责人民银行总行机关副厅级以下人员的培训任务。培训处根据培训任务，拟订培训规划和年度培训计划；拟订教学计划，组织编选教学大纲和教材；负责培训教师的选聘和培训工作；对培训进行评估；根据金融改革发展和培训工作的需要，开展课题研究，开发、设计新的培训课程和专题培训项目等。

国际合作处：负责建立和扩展国际金融专家网络；组织开展金融培训方面的国际学术交流活动；组织编译国外最新银行业务培训教材；负责组织实施国际合作培训项目；协助有关部门开展国外专业人才引进项目，组织国际金融发展调研等。

远程教育处：即中国人民银行电化教育中心，是一套班子，两块牌子。主要负责拟定人民银行远程教育发展规划和管理办法并组织实施，负责远程教育培训网络建设；及时发布各种干部教育培训信息，为人民银行系统各级各类培训提供培训内容、师资、教材等方面的咨询服务，同时开发并组织实施面向市场的培训项目。

此外，北京培训学院代管三家委员会的办事机构，分别是中国银行业从业资格证书考试委员会办公室（中心）、金融专业英语证书考试委员会办公室、及中国电化教育协会金融专业委员会秘书处（该秘书处设在中国人民银行电化教育中心）。

（三）主要项目

除承担人民银行总行及分支机构高级专业人才培训和部分商业银行从业人员培训之外，中国金融培训中心还承担了一部分的国际合作培训项目。下面列举了中国金融培训中心近几年的部分代表性培训项目，以承办中国人民银行总行国际合作项目为主（见表33－3和表33－4）。

表33－3　　承办总行国际合作项目

时间	项目名称	培训对象	培训人数	培训天数	备注
2006	银行与基金管理国际研讨班	商业银行、人民银行业务骨干	30人	4天	中欧金融服务合作项目
2006	金融衍生工具－欧洲的实践及经验国际研讨班	商业银行、人民银行业务骨干	49人	4天	中欧金融服务合作项目
2006	商业银行高级管理人员战略管理模拟研讨班	商业银行、人民银行业务骨干	35人	5天	中欧金融服务合作项目
2006	反洗钱专题国际研讨班	商业银行、人民银行业务骨干	45人	4天	Inwent技术支持项目
2009	次贷危机专题国际研讨班	人民银行业务骨干	33人	3天	德国中央银行合作项目
2010	宏观经济与货币政策国际研讨班	商业银行、人民银行业务骨干	36人	4天	德国中央银行合作项目

表33－4　　中国金融培训中心自主开发国际合作培训项目

时间	项目名称	参训机构	培训总期数	培训总人数	项目合作机构
2005～2007	商业银行战略管理模拟培训项目	中国建设银行	12人	480天	德国储蓄银行国际合作基金会
2006～2007	银行风险管理培训项目	商业银行 人民银行	3人	120天	德国国际培训和发展协会（Inwent）
2010年至今	管理能力发展培训项目	中国银行	7人	210天	比提司咨询公司（BTS）

（四）远程培训

远程培训是中国金融培训中心近年来新推出的培训方式，目前课程有《反假币理论与实务》、《银行业反洗钱操作与实务》等，采用培训示范班和远程培训相结合的方式，分三期对各地市中心支行全体员工开展相关业务培训。

四、中国资本市场学院

（一）学院简介

中国资本市场学院是由中国证监会直接管理的非营利性事业单位，于2012年底正式成立，致力于为中国资本市场的创新发展提供智力支持，培养高端人才。该学院定位为高层次、市场化、国际化的研究平台、特色教育平台、高端培训平台，以及在此基础上衍生的咨询顾问平台、设计开发平台、信息智库平台，集研究、教育、培训于一体。

中国资本市场学院注重自身特色和品牌打造，强调高起点、高标准、高质量、严要求，在整合资源能力、课程研发设计和系列化、中国资本市场案例中心建设、研究课题的过程管理及深化应用、培训项目的精细化流程化管理、国际双向交流、业务模式创新、信息技术的应用等方面逐步形成特色和优势。该学院自开办以来已举办了部分培训活动，主要有监管系统处级干部任职培训、证券公司风险管理培训、资本市场产品创新研讨班、中小板上市公司管理人员并购重组研讨班等高层次培训活动。

（二）学院特色

1. 定位高端化

标准、起点、层次高。注重培训内容、研究成果的前沿性、高层次、高质量。

2. 理念市场化

以市场需求为导向制定发展目标和工作计划，具有开放、合作、包容的意识，做好系统内外、市场内外、国内外优质对口资源的发掘、利用和整合，形成完整的产品和服务链，推动产品的系列化、标准化，以及管理理念与服务方式的市场化。

3. 管理科学化

把握教育培训的特殊规律和特点，以课题研究为先导，以贴近实用为要求，实现研究、教育、培训、传播推广、应用、后台支持的一体化，高度重视现代信息技术的应用，构建以精细化、标准化、流程化为核心的科学管理体系。

4. 平台国际化

适应资本市场国际化的进程，利用深圳毗邻香港的优势，在师资、学员、课程内容和合作机构等方面体现国际化特色。

（三）培训对象及培训内容

资本市场学院的定位是“高端化”和“特色化”，主要面向证券监管干部、地方政府金融干部以及证券、基金、期货、上市公司、拟上市公司、创投等资本市场主体的高级管理人员与专业人士开展相应的培训。重点研发了五大类课程，即产品创新课程、上市公司治理课程、并购重组课程和证券监管系统干部、地方政府领导干部课程。

1. 产品创新课程

深入研究境内外产品创新最新发展与热点问题，探讨产品创新中的关键环节与难点，分享产品创新的案例与经验教训、心得体会，帮助解决产品创新中的经验不足、信息不对称、行业分割的问题。

2. 上市公司治理课程

紧扣当前中国上市公司实际情况与需求，突出当前公司治理中的典型案例与核心要素，就上市公司治理的国内外最新发展趋势、基本理念、董事会的有效运作、家族企业治理与传承、上市公司的财务治理等进行研讨，旨在帮助学员研讨并领悟企业的治理之道，避免治理风险。

3. 并购重组课程

结合并购重组市场的最新发展与上市公司实际需求，解读并购重组法规要求与监管新趋势，通过典型案例分析海内外并购重组的基本趋势、主要方法与关键事项，剖析并购成败案例。

4. 证券监管系统干部课程

结合资本市场改革创新的重点领域和关键环节，研讨改革创新背景下的监管理念、政策的新变化及未来趋势、发展战略，探讨市场监管的工作重点、新问题、新措施。根据监管业务内容与领域开设不同的培训班。

5. 地方政府金融领导干部课程

深入了解国内外金融市场改革创新及金融发展的最新形势和政策，探讨利用资本市场推动地方金融支持体系构建的战略与思路，并将金融创新、多层次资本市场建设与地方经济转型紧密结合，增强现代金融意识，促进地方经济的科学发展。

五、我国金融人才服务机构业务模式分析

我国现有金融人才服务机构在业务范围、运作模式上均有所不同，我们对几家机构进行了对比分析，得出以下几点结论（见表33－5）。

（一）业务范围有所不同

上海市金融发展服务中心是在上海大力推进国际金融中心建设的背景下设立的。国际金融中心建设不仅需要政府大力主导、金融机构广泛参与，而且需要调动社会各方资源共同推进。上海市金融发展服务中心的成立，是搭建资源整合平台、形成服务合力的需要。因此，上海市金融发展服务中心的业务范围囊括了人才培训、人才引进政策、人才招聘服务等全方位的人才服务，目的是为上海市的国际金融中心建设储备足够的金融人才。

中国金融培训中心又称中国人民银行北京培训学院，是中国最早的专门从事金融培训的机构之一，最初是中国人民银行为了储备后备干部资源而设立的。到目前为止，中国金融培训中心的业务范围主要以银行业人才培训为主，且主要面向人民银行和商业银行的中高层管理人员。

中国资本市场学院是2012年底新设立的培训学院，其设立的初衷是根据资本市场快速发展的需要，着眼于资本市场整体布局，致力于为中国资本市场的创新发展提供智力支持。因此，从整个资本市场的需要出发，学院定位为高层次、市场化、国际化的研究平台、特色教育平台、高端培训平台，以及在此基础上衍生的咨询顾问平台、设计开发平台、信息智库平台，集研究、教育、培训于一体。

从以上分析可以看出，由于政策导向不同，这几家金融人才服务机构的业务重点也不尽相同：上海市金融发展服务中心侧重于为上海市引进、储备人才，立足于区域发展；中国金融培训中心专注于银行业人才培训，立足于本行业且业务单一；中国资本市场学院则着眼于资本市场的教育培训和研究，专注领域较为单一。

（二）服务对象各有侧重

由于三家金融人才服务机构设立的初衷不同，因此其服务对象也各有所侧重。上海金融发展服务中心以促进上海国际金融中心的建设为使命，其服务对象也是在沪工作或有意在沪工作的金融从业人员；中国金融培训中心是人民银行成立的旨在为银行业储备干部人才的培训机构，其服务对象为人民银行以及商业银行的从业人员；中国资本市场学院以推动中国资本市场发展为己任，其服务对象为证券监管机构和资本市场的参与者（券商、基金及上市公司等）。

（三）业务运作方式有所差异

尽管三家金融人才服务中心均属于事业单位，但其业务运作方式仍然有所差异。以人才培训为例，人才培训在三家金融人才服务机构中都属于主营业务，但培训的内容、对象、方式均有所差异（见表 33－5）。上海金融发展服务中心开展的人才培训业务分为专业技能人才培训和高端人才培训两个部分。前者的培训方式为技能培训，具体方式为中心与培训机构合作，短期内集中对参训人员进行培训并考核；后者的培训则是由上海市金融办牵头，中心与相关高校合作，以研讨班的方式进行，周期跨度较长。中国金融培训中心和中国资本市场学院的培训则均主要面向高级金融人才，其中前者面向银行系统，培训方式多为授课与实务模拟相结合，时间多为 3～5 天；后者面向资本市场主体，培训方式多为研讨班、培训会的方式进行，时间多为 1～3 天。

表 33－5　　我国主要金融人才服务机构对比分析

对比项＼机构	上海市金融发展服务中心	中国金融培训中心	中国资本市场学院
业务范围	人才培训 人才引进政策 人才招聘服务	中高层管理人员培训	创新研究 特色教育 高端培训
服务对象	在沪工作或有意在沪工作的金融从业人员	人民银行及商业银行从业人员	证券监管机构及资本市场的参与主体
业务运作模式（人才培训）	短期培训班和研讨班	授课与实务模拟相结合	研讨班、培训会
特点	短期培训与长期培训相结合	短期培训（3～5 天）	短期培训（1～3 天）

第三节 经验总结与借鉴

一、境外金融人才服务机构的经验借鉴

从对境外金融人才服务机构的分析和研究来看，其在促进本国（地区）金融行业发展方面发挥了巨大作用，产生了良好的影响力。对于我国金融人才服务机构的建立和发展有以下启示。

（一）与当时本国（地区）的行业发展阶段紧密结合

纵观三个金融人才服务机构成立的历史时机，均与本国（地区）的金融行业发展情况紧密结合。加拿大金融服务业人才教育中心成立于2009年末，时值金融危机肆虐。但由于加拿大银行业等行业一贯的稳健经营，受到金融危机的冲击较小，多伦多也一跃成为全球十大金融中心之一。为了巩固多伦多作为全球金融中心的地位，为本地区金融业的发展提供足够的人才支持，加拿大金融服务业人才教育中心应运而生。“联系新加坡”设立于2008年，是在新加坡国家人才战略的背景下成立的。随着亚洲财富的快速积累，人们对私人银行、资产管理、理财和保险服务的需求日益强烈，这就带来了大量的金融岗位就业机会，也使得行业对中高端金融人才的需求越来越大。“联系新加坡”的成立则对于缓解人才紧缺大有裨益。中国香港金发局属于2013年初正式成立，其成立背景是全球经济重心逐渐向亚洲特别是中国的转移，香港的金融服务业既有巨大的发展空间，同时也面对区内以至全球的激烈竞争。为了更好地抓住机遇，迎接挑战，有必要成立一家专门的机构促进香港金融业的发展，为其发展储备更多的人才资源。

（二）政府部门的大力扶持

人才是金融行业发展的关键，而金融人才的培养具备非常明显的外部性和社会性。如果仅仅靠私人培训部门以商业动机来培养行业所需要的人才，远远不能满足整个金融行业发展的需要。因此，对于金融人才的培养需要政府部门的大力支持。以加拿大为例，其金融服务业人才教育中心（CoE）的发展便得

到了政府部门的大力扶持和政策支持。在其成立之初，安大略省政府便注资400万美元，而联邦政府也以研究补贴的形式提供资金来源。而CoE的成立也充分发挥了政府、市场和学术界通力合作的整合效应，大大促进了多伦多地区金融人才队伍的培育和金融业的发展。

（三）各方资源的有效整合

人才的培养是一个系统性的工程，仅依靠某一个行业或部门往往难以完成既定目标。同样以加拿大为例，CoE充当了联系政府、业界和学术界之间的纽带，提高了不同职能部门之间的沟通效率，有效促进了人才教育中心的业务发展。具体表现在政府部门负责出资和统筹安排，行业协会提供市场所需要的技能信息和人才信息，教育机构则提供有针对性的定制培训计划，三方各司其职使得行政效率和业务效益最大化。CoE的设立将政府部门、行业协会及教育部门等多个业务关联、利益相关者联系起来，整合各方资源和优势，通力合作共同促进了多伦多地区金融教育业的良性发展，这也是多伦多能够保持其金融中心地位的重要优势。

（四）以人为本的一站式服务

随着全球化的不断推进，国际间的人才流动越来越频繁。而作为全球化程度最高的几个行业之一，金融业的人才国际间流动更是频繁。人才的流动将不可避免地涉及一系列问题，如子女教育、养老、移民、娱乐等。从国外的经验看，无论是加拿大CoE还是“联系新加坡”均提供了一站式的服务，在其官方网站上列有详细的说明和专门的咨询模块，免除外来人才的后顾之忧。此外，CoE还专门开发了“职业生涯咨询”（Career Advisor）网站，为有意在当地就业的求职者提供职业咨询。

二、我国金融人才服务机构的经验借鉴

通过对上海市金融发展服务中心、中国金融培训中心、中国资本市场学院等金融人才服务机构的分析，可以发现我国现有金融人才服务机构具备以下共同特点。

（一）以政府背景为依托，不以营利为目的

上海市中心由上海市金融服务办公室主管，属于市级事业单位独立法人机

构；中国金融培训中心是中国人民银行总行直属正司局级事业单位；中国资本市场学院则是由中国证监会直接管理的非营利性事业单位。这些金融人才服务机构的成立多有政策指引，属于事业单位性质，以促进我国资本市场发展和国际金融中心建设为己任，而非以营利为目的的市场化培训机构。

（二）服务紧密结合现实需求，注重监管层和市场的结合

目前我国金融人才服务机构在开展业务时，都非常注重与现实需要相结合，紧密联系当前我国金融市场发展前沿，针对市场需要提供相应的人才服务；在开展培训时，授课师资多为监管部门相关领导和行业内专家，为监管层和市场的沟通提供了良好的条件。

（三）注重高层次人才队伍的建设，侧重高端专业人才的培养

培训服务多以高端人才培训为主，涵盖的人群相对有限。除上海金融发展中心设有相关职业技能培训及认证之外，其他机构主要以金融业高级管理人才的培训为主。

（四）服务范围较窄，业务链条未能涵盖整个人才服务体系

我国金融人才服务机构在设立时，大多是为了满足特定的政策需要，因此其服务范围均有所侧重，服务面较窄，多以人才培训为主，未能涵盖整个人才服务链条。一般认为，完整的人才服务链条主要涵盖人才招聘（含人才引进）、人才培训、人才测评、人事管理咨询、高级人才寻访、人才派遣、人才网站等项目。而从我国已有的金融人才服务机构来看，其业务主要关注其中某一个或某几个环节，且各自关注的领域不同。上海金融发展中心注重区域人才引进和人才培训；中国金融培训中心主要从事银行业人才培训；中国资本市场学院则侧重于资本市场的人才教育和人才培训发展。上述几家金融人才服务机构均未形成完整的、综合性人才服务体系。

从国内外金融人才服务机构的实践经验来看，各服务机构的设立均与当时的政策背景以及行业发展阶段紧密相连，并且拥有有效的资金来源渠道和政府相关部门的大力支持，而这些人才服务机构的设立也对当地金融人才队伍的壮大和促进金融行业的良性发展做出了巨大贡献。相对于境外的金融人才服务机构而言，我国现有金融人才服务机构存在形式单一、范围较窄，关注领域集中等问题，尚未建立起一个完善的综合性资本市场人才服务体系。因此，有必要建立一个能够着眼全局、业务覆盖范围较广、实力雄厚的资本市场人才服务机构，为资本市场人才队伍的建设和发展提供全方位的服务。

第三十四章

人才发展基金会概览

第一节　基金会概况

基金会被认为是“社会发动机”、“社会创新启动者”、“社会解决方案提供者”、“社会行动实践者”、“社会资源整合者”、“社会伙伴倡导者”以及“社会成效的管理者”。全世界对于基金会的定位和作用虽然没有一个完全统一的定义，但对于基金会在社会发展中的作用却是高度认同的。美国著名的基金会中心主席弗兰克·埃默森·安德鲁斯对基金会给出了最确切、最权威的定义，即“公益基金会是一种非政府、非营利的组织，拥有自己的资本金，由自己的受托人或理事负责管理，其设立的目的是维护或资助服务于公共福利的社会、教育、慈善、宗教或其他类似的活动。”

我国的《基金会管理条例》对基金会的定义是指利用自然人、法人或者其他组织捐赠的财产，以从事公益事业为目的的非营利性法人。公益基金会的宗旨是通过无偿资助，促进社会的科学、文化教育事业和社会福利救助等公益性事业的发展。我国基金会萌芽时期以官方背景的官办基金会为主，如今，随着社会经济的不断发展和人们社会责任感的愈渐增强，越来越多的企业和商界人士介入到公益领域，各类基金会由此更广泛地进入人们的视野。

一、基金会的基本类型与特点

基金会作为一种非营利性的公益法人，按照不同的分类标准，可以进行若干种不同的分类。

（一）公募与非公募基金会

1. 基本划分

公募与非公募的划分是我国独有的基金会分类方式。2004 年国务院颁布的《基金会管理条例》（以下简称《条例》）首次以法规的形式对基金会进行了分类，即根据资金来源方式不同将基金会分为公募基金会和非公募基金会两种形式。

公募基金会和非公募基金会的本质区别在于，前者属于公共筹款型的基金会，它主要依靠向社会募集的资金来从事公益性的资助活动；而后者则属于独立基金型的基金会，它主要依靠自有资金的运作增值以及发起人自身或者其亲友的捐助资金而获得从事公益性活动的资金。

2. 基金会两种类型在管理上的区别

公募与非公募基金会之间存在着根本性差别，《条例》针对它们有着不同的管理规定，对二者在设立条件、利益冲突规则、资产的使用和管理等方面进行了区别对待，主要有以下不同：

（1）对公募基金会实行分级登记管理的原则，对非公募基金会实行属地等级的原则。全国公募性基金会，由民政部负责登记和管理。在地方区域内募捐的公募基金会登记为地方性基金会，由当地省级人民政府民政部门负责登记和管理。这样规定是为了对公募基金会的募捐活动进行严格管理，使其只能在登记地的区域内进行募集资金，以保证募捐活动的有序和社会资源的合理分割；防止基金会蜂拥至个别发达地区筹资，影响当地社会、经济秩序。

对非公募基金会实行属地登记，原则上由发起人在省、自治区、直辖市人民政府民政部门登记。由于非公募基金会不能开展募捐活动，因此它的活动以资助公益事业为主，不存在向社会募捐涉及的一些社会问题。

非公募基金会的属地登记原则有两种情况例外：第一，非中国内地居民担任法定代表人的非公募基金会，必须到国务院民政部门登记。第二，原始基金数额超过 2 000 万元人民币，当事人可自愿选择到国务院民政部门登记。

不论是公募基金会还是非公募基金会，或是在哪一级民政部门登记，其公益活动均不受地域的限制。

（2）对公募基金会规定较高的原始基金门槛，对非公募基金会适当降低了原始基金标准。公募基金会中全国性的原始基金门槛为800万元人民币，地方性的为400万元人民币，而非公募基金会只规定了200万元的最低原始基金标准。借此一方面达到控制公募基金会数量，整合有限资源，防止过多过乱的目的，另一方面则可以有效鼓励非公募基金会的发展。

（3）根据两种不同类型的基金会的特点，确立了不同的公益事业支出比例：公募基金会每年用于从事章程规定的公益事业支出，不得低于上一年总收入的70%；非公募基金会每年用于从事章程规定的公益性事业支出，不得低于上一年基金余额的8%。这是根据不同基金会开展公益活动所需资金的来源的不同而有针对性设立的。

此外，对利用私人资金设立的非公募基金会，允许有近亲属关系者同时在理事会任职，但不得超过理事总数的1/3。而对其他基金会，则不允许有近亲属关系者同时在基金会理事会任职。

3. 亚类划分

公募基金会按照募捐的地域范围，分为全国性公募基金会和地方性公募基金会。非公募基金会又可以依据捐赠来源而区分为独立基金会与共同基金会。独立基金会是指由一个企业或个人独立捐赠成立的非公募基金会，共同基金会则是由多个企业或个人共同捐赠成立的非公募基金会。

（二）按照基金会的资金使用方式分类

1. 资助型基金会

基金会将筹集到的资金主要用于资助其他组织运作公益项目，基金会只负责对资金使用的监督，而不是自己运作公益项目，不直接开展具体的公益活动。其主要功能是通过提供资金支持，资助一些专门致力于某种特定公益项目的组织去开展项目。

2. 运作型基金会

基金会使用自己筹集到的资金靠自身的力量运作公益项目，开展各项活动。

3. 混合基金会

基金会既为其他机构提供资金支持，同时基金会资金也开展活动，或参与项目实施。

（三）按照资金捐赠主体分类

1. 私人型基金会

资金一般来源于个人，由个人或家族对自己的私人财产进行捐赠而成立的基金会。

2. 企业型基金会

以企业的资产为基础而发起成立的基金会。

3. 社区型基金会

其最主要的特征为它是为社区建设与改善服务的，理事会成员来自于能代表社会公众利益并熟悉社区情况的公民组成。而其资金来源则可以多样化，有个人捐赠的，也有其他机构和公司捐赠的，也可来源于社区募捐和地方政府提供的公共资金。社区型基金会可以是资助型或运作型基金会。

4. 政府资助或政府创办的基金会

产生于公共服务外包或很大程度上享受公共部门捐赠及其运作成本支持的基金会。

（四）按照捐赠者的多寡分类

1. 独立基金会

相当于非公募基金会，其捐赠来源于独立并特定的捐赠人，包括独立并特定的个人、家庭、企业或其他社会组织。由于捐赠人及其委托权具有很强的独立性乃至排他性，因此，捐赠人和受托人分离程度不高，委托权对受托权形成一定控制，受益权更多体现捐赠人的意愿。受益主体因捐赠人的意愿而有不同，通常为较具体且特定的社会阶层。

2. 共同基金会

相当于非公募基金会，其捐赠来源于特定多数的捐赠人，包括特定多数的个人、家庭、企业或其他社会组织。由于捐赠来源于特定多数的捐赠人，共同捐赠所形成的公益财产有多个特定的捐赠人，并形成相应的委托权。共同委托权通过捐赠人之间的协商机制达成共识。

3. 公众基金会

相当于公募基金会，其捐赠来源于不特定多数的捐赠人，包括不特定多数的个人、家庭、企业或其他社会组织。由于募捐面对的是不特定的社会公众，由公众捐赠所形成的公益财产出现了大量分散且不特定的捐赠人及其相应的委托权。公众委托权难以通过协商或其他方式达成一致，一些制约机制实际上是在募捐的过程中，通过基金会的宗旨与公信力而产生出来的。

二、基金会的治理结构

基金会属于公益性的非营利法人组织。但基金会的治理问题，远比公司治理复杂得多。一般而言，商业公司如果治理不善，所导致的最坏结果是公司倒闭或破产；对于基金会而言，治理不善将最终导致损害公众的信任，危及公民社会的健康成长。就非营利组织的治理机制而言，包括董事会监事会制度、信息揭露、内部控制三大主轴，其精髓在于设法使董事会的监督功能发挥最大的效能，并有效平衡基金会与捐赠者之间的信息不对称及利益冲突，并降低非营利组织的经营危机与管理舞弊发生的几率。而对于非营利组织治理机制的探讨，国际上普遍认同将其分为两大主轴，即内部治理系统和外部治理系统。

（一）基金会的内部治理

1. 法人治理结构

我国2004年颁布的《条例》中，对基金会的组织结构进行了新的规定，明确指出了基金会的治理结构，主要包括理事会、监事会、执行机构及其各自的职责和相互关系。有些基金会还成立了专门的委员会和顾问委员会。

基金会与企业类似，决策权力机构是理事会或董事会，董事会或理事会是基金会合法的、拥有受托人职责的治理主体。理事会是基金会受社会捐赠者委托，实现公益资产和公共责任的代言人，也是基金会的最高决策机构。理事会对基金会的使命、资源、监管以及对外沟通负有全部的责任，是基金会公信力和透明度的标志。

为了监督和制衡权力，基金会的治理主体还包括监事会，由它来监督基金会的决策和运营。监事会主要是代表受益人的利益对受托的资产进行监督，当发现受托人违背受托目的处理资产或受益人的利益受到损害时，为受益人的利益实施制约行为。

执行机构主要包括秘书长和秘书长直接指导的工作部门。秘书长是组织中的核心，由理事会选定专职人员，并对理事会负责，同时承担具体工作的执行责任，包括开展项目活动的决策和管理权、理事会决议的执行权、内部组织机构设置拟定权、基本管理制度与规章制定权、重要工作人员的人事权等。

顾问委员会和专业委员会主要负责监督和指导基金会的管理和运营，并提供专业资源支持。

基金会治理结构见图 34－1。

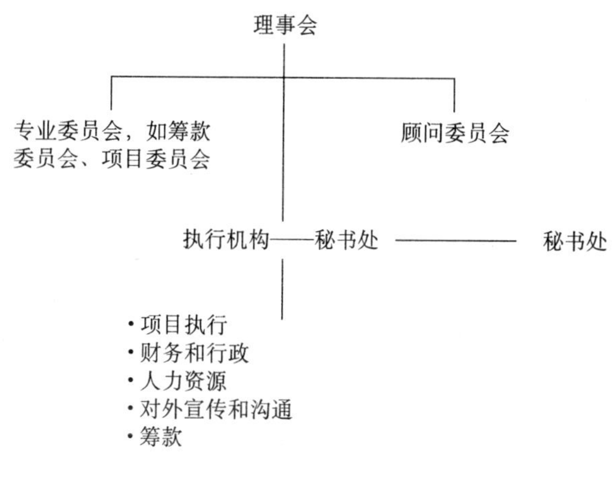

图 34－1 基金会治理结构

2. 信息披露方面

理事会构建对利益相关者的透明机制：对公众要有公信力、对政府要有财务报告，参加定期年检；对捐赠者要有资金使用和项目评估报告；对受助人要有服务描述和满足他们需求的方式。

3. 管理模式

目前，我国对基金会的登记管理主要依据《基金会管理条例》，实行业务主管单位、民政部两方面负责的管理体制，即业务主管单位同意、民政部门登记注册。

（二）基金会的外部治理

基金会的外部治理是指基金会的监督机制，将在下面做详细介绍。在我国现阶段，对基金会的外部治理主要是其运作过程中的监督和评估。

三、基金会的监督机制

监督是一种实施控制的行为方式，它是指组织的利益相关者针对组织的活动过程、行为或决策所进行的一系列客观而及时的审核、监察与督导行动。监督机制则是指监督的主客体之间相互联系和作用的制约关系及调节功能。良好的监督机制是基金会有效运转、实现善治的必要条件之一。我国的《基金会管理办法条例》对基金会的监督管理单独列章节进行了规定，形成了内部治理层、登记管理机关、业务主管单位、税务和会计主管部门以及社会公众、捐赠人于一体的，比较全面和完善的监督管理体系。

一般来说，基金会的监督机制包括内部监督和外部监督两种。

（一）内部监督

基金会内部治理的监督机制包含监事会、理事会、组织规章制度的监督和组织信念、使命的监督等几个层次。

监事会的职责以财务活动的监督为重点，主要是督促基金会严格执行各项财务管理制度和规定，同时对理事会及管理者的行为进行有效的监督，这是内部监督的一个重要方面。

其次是理事会的监督，理事会最重要的职能在于战略决策以及选择和监督管理者及执行者。由于在法律上的重要地位，理事会对管理者的监督也是非常重要的。理事会对管理者的任免有最终的决定权，从这一点来说，理事会的监督也是强有力的。

再次是项目的开展、实施、管理活动中制定的规章制度的监督。项目监督是对基金会开展的各种项目的适当性、效益、社会影响、持续性等进行监督。基金会可以通过筹款管理制度、办事程序等预防违规行为。例如，中国青少年基金会在希望工程中就实施了比较完善的监督制度与办法。希望工程的内部监督机制建设包括监察、监督机构等组织的设立、“五透明、五不准”基本原则的确定、《希望工程实施管理规则》、《希望工程监察巡视员制度实施办法》等20余项规章制度以及计算机管理信息系统技术保障等多个方面①。根据“温洛克民间组织能力开发项目”的评估标准，对基金会的项目评估主要涉及以下问题：项目能反映利益相关方，尤其是受益人的需要；组织与利益相关方商谈有关问题，如政策、倡导、筹款、需求评估、项目设计、执行和效果评估等；关于组织的项目和服务，组织欢迎受益人和其他利益相关方提出建议和意见；管理层定期阅读关于受益人的反馈报告，考虑是否需要据此调整项目和服务；

① 李莉，陈秀峰．试论中国公益基金会的监督机制及完善．社会学视野网。

利益相关方对组织的项目和服务感到满意；能清楚有效地对内对外传达本组织的信息，有较成熟的沟通方案以宣传组织本身和组织的工作；通过外界媒体、政府以及公众有效地提高组织声誉；努力使其他有关组织、决策者和公众理解并支持组织的受益人；与和工作内容类似的非营利组织开展良好的合作等。

基金会的信念和使命的监督虽然是无形的，但它是基金会的灵魂，明确、崇高的公益使命可以对组织的各个方面起到巨大的监督作用，这种自律的监督，构成了基金会内部监督的核心。通过使命的监督可以确保基金会的领导者以事业感、使命感和社会责任感为支撑，形成一种“道德驱动的自律”，促使组织高效、廉洁地用于公益目标。

（二）外部监督

基金会的外部监督主要有以下几个方面：

一是政府及相关部门的监督。政府及相关部门是唯一具有法律权威，可以强行对公益基金会进行监督的组织，政府在基金会监督方面负有不可推卸的责任。

二是独立的第三方评估。为弥补政府监督机制的不足，现在各个国家越来越重视独立的第三方评估的监督。例如全国慈善信息局是美国最早成立的民间评估机构之一，它提出了 9 条监督评审标准，其中涉及董事会管理智能、目标、项目、信息、财政资助、资金使用、年度报告、职责和预算，以帮助捐款人掌握慈善组织全面的信息，使捐助者更明智地捐款。

三是行业互律。即全国的基金会联合起来形成一个全国性协会或者行业性社团，制定一个共同遵守的道德标准和行为规范，以共同维护基金会的社会形象。

四是媒体监督。媒体的监督是指互联网、报刊、广播电台等新闻媒体进行的监督，由于媒体是公众获取信息的主要渠道，普及范围广、影响大，具有导向作用和威慑作用，具有及时、全面、影响大的特点，因此它也是一种重要而有效的监督形式。社会媒体的监督和揭露不仅可以成为政府和司法机构的主要资料来源，媒体的“曝光”还会影响公众态度和行为，对公益基金会形成巨大压力，因此构成了对基金会实施社会监督的重要手段。

五是社会公众的监督。社会公众包括捐赠者、志愿者、受益者和其他各种利益相关者，这些群体所代表的是作为整个社会的公共利益，他们通过查询、跟踪、调查、上网、投诉等对基金会进行监督，从而促进基金会在道德与法律方面承担应有的公共责任。

内部监督和外部监督的有效配合是基金会建立完善的监督约束机制的条件。基金会的内部监督主体具有信息优势，具有较强的监督能力，通过组织内部的专门机构进行监督，避免了个人之间的利益冲突，同时监督主体也具有法定的监督权，执行起来有法可依。外部监督的主要特点是参与者众多、监督面广。但两者各有不足，因此，从辩证的角度看，内部监督机制需要与外部监督机制有机结合、相互补充，建立起内部监督与外部监督相结合的综合监督机制。

第二节 境外基金会发展状况概述

由于分类方式的差异，境外基金会没有按照所关注领域划分形成专门的人才发展类基金会。但很多基金会所关注的领域中均涉及个人潜质发掘及人才发展等方面，因此，本节介绍了境外基金会的整体发展状况，并突出与人才发展相关的境外基金会运作情况。

一、境外基金会的发展现状

境外基金会的雏形可以追溯到希腊人和罗马人对修道院、大学、医院和其他慈善机构的资助和捐赠。随着人类社会的进步和立法制度的逐步完善，慈善事业已难以维系以往零散的、非组织化的运行方式，现代意义上的基金会应运而生。

（一）美国基金会

美国公益基金会的现代治理模式发展源于20世纪初，以1910年洛克菲勒基金会获取联邦许可证和1911年纽约卡内基基金会的创立为标志。1990年美国只有18家基金会，在1909年到1919年间，基金会数目的增长超过了1倍。1956年，美国基金会中心首次发表的统计数字表明美国已经有基金会12 259家，共有资产1 000万美元，其中89%是1950年之后新建立的。根据现有公开可得的数据，至2010年，美国的基金会总数达75 595家，资产总额达5 649亿美元，捐赠额达到514亿美元。其中，独立基金会的数目达68 000家，占到了基金会总数的89%①。美国基金会分为私人独立基金会、社区基金会、公司基金会和运作型基金会，由个人或家族捐资或遗赠设立的私人独立基金会是美国历史悠久、也是最重要的一种基金会形式。美国最大的几家著名基金会，如福特基金会、洛克菲勒基金会、卡内基基金会、比尔与美琳达·盖茨基金会等都属此类。在发达国家上百年的公益发展长河里，基金会关注的范围日益扩展，除了关注传统的扶贫、教育、环境、医疗、公共事业等领域外，还扩展到全球发展、精神、个人潜质发掘等方面。其中著名的比尔和梅琳达盖茨基金会的捐赠范围为全球发展、健康、教育；易趣Ebay创始人奥米迪亚夫妇的基金会则是积极支持个人潜质发掘；怀特基金会则将主要精力放在古代研究、艺术、人文科学上。

（二）英国基金会

英国可以说是西方基金会的诞生地，其慈善事业已有几百年的历史传统。早在中世纪时期，罗马天主教会势力庞大，天主教会的主要捐赠收入用于救济穷人并向穷人提供一些基本的服务。到了16世纪，随着英国皇室对教会的不满，开始减少对教会的捐赠，直接转向对贫困的救济和教育的捐赠。

到了17世纪，1601年由伊丽莎白女王颁布了《慈善使用方法法案》，这项法案明确了“慈善的定义、慈善组织的基本规范和制度框架”。而17世纪，由于新兴的商人阶层剧增，英国的慈善事业进入了蓬勃发展时期。当时的商人广泛参与到慈善事业中，捐赠的范围包括了救济院、医院、管教所、贫民习艺所、初级学校、大学、市政改善等②。

18世纪英国慈善事业的关键词是联合慈善事业。联合慈善事业的发展是志愿组织的源头。最能代表联合慈善事业的是慈善学校活动，慈善学校主要是由各种志愿者捐赠而建立起来的，捐赠人可以通过推荐受益人的方式来实施赞助，这种形式满足了捐赠人的社会声望。

19世纪，对英国慈善事业影响最大的是1834年议会通过《济贫法（修正案）》。该法取消“斯皮纳姆兰制”的家内救济，改为受救济者必须是被收容

① 陶传进，刘忠祥．基金会导论．中国社会出版社2011年版，P54。

② 王名，李勇，黄浩明．英国非营利组织．社会科学文献出版社2009年版，P25。

在习艺所中从事苦役的贫民。新济贫法的通过以及英国人口的膨胀和工业化、城市化的快速发展进程，为英国的慈善事业和志愿活动提供强劲的动力。

20世纪，政府开始通过各种法案以支持社会福利的发展，进入21世纪，英国慈善法经过400多年的多次修订，于2006年最终修订完成并于2008年4月生效。根据慈善法的制度规定，英国慈善组织可以享受三个主要好处：收支一律免税；可向政府和各种基金申请资助；可合法向社会公众筹款。此外，英国政府逐步简化对慈善组织的相关登记管理规定，自从2007年起凡年度经费低于5 000英镑的慈善组织不再需要注册登记。

根据现有公开可得的数据，截至2010年6月，在英格兰和威尔士经登记的慈善组织总计有162 194家，其中注册登记的有150 072家，没有注册登记的有12 122家，约有60万受薪专职人员，92万名志愿工作者①。

（三）加拿大基金会的发展

加拿大有依赖非营利组织提供公共服务的悠久历史。加拿大于1917年《所得税法案》规定，“凡捐助加拿大红十字会或其他‘爱国’基金会者，可以享受所得税的无限减免”。随后，加拿大于1921年在温尼伯建立了第一个社区基金会②。目前，加拿大人大多依靠慈善机构来提供卫生、教育、社会服务、社区发展等公共服务，慈善机构为加拿大人的生活质量提高做出了切实的贡献。

现今，加拿大的慈善组织主要有三种类型：私人基金会、公共基础、慈善组织，且以私人基金会为主流力量。根据现有公开可得的数据，截至2010年初，加拿大的慈善机构总数为80 699家，其中公共基金会的总数为4 690家，私人基金会的总数是4 546家，慈善组织71 463家。从总资产看，公共基金会的总资产为166亿美元，私人基金会的总资产是173亿美元③。

（四）日本基金会的发展

日本的国家与社会关系与中国有某些类似，也是政府主导型的社会，非营利组织长期以来与政府有着密切的关系，其登记管理制度也与中国的基金会管理方式相近。日本基金会又称公益财团法人，是以政府为主导的公益组织，享

---

① 陶传进，刘忠祥．基金会导论．中国社会出版社2011年版，P57。
② 陶传进，刘忠祥．基金会导论．中国社会出版社2011年版，P54。
③ 陶传进，刘忠祥．基金会导论．中国社会出版社2011年版，P55。

有明显的税负优惠。从基金会资助方向来看，以研究类占大多数，继而是奖学金类；从资助事业类别看，科技和教育最高，是医疗保健等领域的两倍。日本财团法人实行双重管理制度，即向业务主管官厅申请管理，在法务省（主管事务所）进行登记，按照规模要求不同，可分为中央登记和地方登记两种形式。

二、境外基金会的特点——以美国为例

美国是世界上基金会最为发达的国家，不论是基金会数目还是资金规模在全世界都是首屈一指。因此，以下以美国为例进行具体分析。

（一）独立性

由于美国基金会大多拥有固定的资产（基金），董事会或理事不以公众选举为条件，也不附属于具有共同的利益股东（如营利的股份公司），因而具有很强的独立性，无须受到来自任何方面的强制性影响，可将赠款自由地运用符合自己宗旨的社会公益事业。正如美国一份关于基金会的报告中所描述的："在开始发动新的未经实验的带有冒险性的思想、行动和科学实验方面，在与占优势地位的态度持异议的方面，在行动的迅速性和灵活性方面，基金会都具有独特的唯一的资格。"

（二）稳定性

美国基金会的稳定性主要体现在三个方面：一是有稳定的法律保障和税收优惠政策，使人们对基金会的捐赠有动力支持。二是美国社会公众有为慈善事业捐赠的习惯，据统计全美国 75% 的家庭都对慈善事业有某种程度的捐赠，平均每年每个家庭捐赠 900 美元，占家庭总收入的 2%。成年人中有一半人为公益事业捐献时间，平均每人每周 4 个小时。三是基金会有稳定的基金作后盾，又遵循"慎重投资"的原则，因而较少受经济波动的影响。

（三）前瞻性

基金会起源于个别的、零散的捐赠行为，且基本上是救济性的。后来，捐赠的财富越来越多，而且愈来愈面向公众，作用于长远，需要国家及社会的保护、促进和监督，就产生了现代意义的基金会。现代意义的基金会有较高层次的专业人员管理，他们目标远大，认识到财富的有限，对"慈善"的认识也从感

性上升为理性，称为“科学的慈善”，即要对产生社会问题的根源发挥作用。因此，基金会赠款不多（美国每年100亿美元），但它所关注、资助的项目大多具有根本性和前瞻性，如科研、教育、环保、人才等领域，所产生的作用巨大而长远。

（四）公众性

由于美国法律确立了基金会非营利机构的资格，并可享受免税的优惠，因而基金会一成立，其资产就具有公共性质，即私人的捐赠为了公共的目标（利益），因而也有基金会的“股东”是公众的说法。所以，美国的基金会受到公众的广泛关注和严格监督。基金会不但要接受国税局的管理和审查，每年填报有关表格，而且这种报表每个公民都有权查阅，传媒对基金会的运作也很关注。此外，还有一种专门对基金会进行评估的机构，如美国慈善信息局，这是一个民间的非营利机构，它制定了衡量基金会好坏的9条标准，一年公布4次对全国几百家基金会的测评结果，具有较高的权威性。公众往往根据它的公报，决定给哪个基金会捐款。

（五）国际性

有不少美国的基金会和捐赠者对国际问题感兴趣，特别是大型的基金会，如福特基金会、洛克菲勒基金会、卢斯基金会等。美国有一个对国际问题感兴趣的基金会的联合组织——公民和社区世界联盟（CTIZENS），由六大洲的18个国家成员组成，每年举行一次年会，共同研究国际性的问题①。

由于美国基金会的以上特点，它在美国社会发展中作用突出。美国是典型的“小政府、大社会”。因此，许多社会问题是由非营利机构去解决的。基金会作为非营利机构，其资产来自私人的捐赠，捐赠用于公益事业，并接受政府和公众监督。这是两个需要（私人捐赠的需要和发展社会公益事业的需要）的产物，是对社会资源（包括有形和无形）的有效开发利用。而政府所起的作用只是通过立法和税收优惠政策保护、监督和促进非营利机构（包括基金会）的发展。有时，政府也向基金会拨款，支持它们解决政府关注的重要社会问题。美国政府通过免税来刺激非营利机构包括基金会的发展，实现资源的重新配置，有效利用一部分社会资源投入到公益事业的发展，解决部分社会问

① 王厚辉．美国基金会的发展及运作监管经验的借鉴．厦门大学，2007年，P13－15。

题和矛盾，可谓事半功倍。

三、境外基金会的运作模式——以美国为例

目前，美国的基金会从种类上看，通常主要分为四大类，即：社区基金会、公司或企业基金会、营运型基金会与独立个人基金会，其中以资助型的私人独立基金会为主，从数量上和资产总额上其均占美国基金会 80% 以上。

（一）社区基金会

社区基金会主要产生并坐落在大城市里。自从第一个社区型基金会——克里芙兰基金会于 1911 年创立以来，美国的各主要大城市里都已建有这类基金会。它们通常是由热心公益的社区居民们特别是银行家们组织领导并出资建立的，捐赠来源比较多元化，其中可能包括企业、个人、政府机构等，由地方政府、金融界、教育界以及其他方面共同推选出来的委托人负责管理，捐助款项也一般都用在地方福利事业上，属于一种公募基金会。公共基金会必须不断寻求多元的资金来源，以保持其公共性的地位，其主要职责是调查和发现本地区的需要，在资金供需方之间起桥梁作用，并代为管理和使用资金。

（二）公司或企业基金会

近年来，这类基金会不论在数目上、还是资金规模上都是发展最快的。其资金来源为公司、企业的捐赠或年度资助，或是两者兼有。这类基金会的主要作用在于，当国内经济不景气，公司、企业利润下降，或遇到其他什么经济困难、急需资金援助时，该基金会就会伸出救援之手，以稳定受资助公司、企业的经营状况，这在客观上对整个国民经济的稳定有一定效果。该类基金会一般由出资组建基金会的公司或企业的管理人员负责管理，其资金也大多用在与组建本基金会的公司企业有密切利益关系的项目、社区、公司和工厂的建设。基金会由公司创立和资助，主要通过捐款来进行资助，此外，发起公司还可给予公益基金会实物捐赠，如办公场地、办公设备等。基金会作为独立机构进行运作，其设立多数为一般公益性目的，但不排除与公司业务利益有关的考虑。值得一提的是，由公司成立的公益基金会与发起公司在内部管理运行和财务运作上是相互独立的，以此确保基金会的资金安全。但其成员可以是发起公司的成员兼任，也可以是独立在外的成员。发起公司可通过公司基金会宣传企业，提升企业的形象和

知名度，扩大企业的销售量，从而促进公司基金会的发展，两者相辅相成。

（三）营运型基金会

营运型基金会指那些拥有自己的雇员并能独立完成其工作任务的基金会，简而言之，它们用自己的资金付给其工作人员工资，不论是专职的还是临时工，这些工作人员则能够独立完成基金会的工作，或者用基金会的自有资金支付一座图书馆、博物馆或是其他这类设施的维护保养费用。这类基金会与一般意义上的研究机构、图书馆、博物馆的差别在于，它是向整个社会提供服务的、为每一个人谋利，而不是只为其自身的管理人员、雇员谋取“个人”的利益。而且，其资金的来源也只能由该类基金会自己承担，而不是从每一个受益的个人身上取得的回报。另外，该类基金会有时由于托管人管理上的原因，可能会在性质上转变为其他类的基金会。例如，“卡内基国际和平基金会”与“卡内基华盛顿会社”，就曾经在一段时期里，主要从事对一些组织与个人的捐助性活动。而目前，它们则又回到营运型基金会范围里，严格地把自己的活动集中在了由自己的雇员担负的社会福利性项目与计划上，或者是图书馆、实验室以及其他科研性设施的保养、营运上。这类基金会中具有典型代表性的例子，就是与中国社会科学院有着密切项目合作关系的“凯特林基金会”，该会已经 4 次自费组团来中国社会科学院访问，与中方学者、退休官员探讨中美关系问题，每次返美都形成研究报告，就中美经贸关系、留学生问题等等，向美国有关部门提交建议，以实现所谓“以民促官”的目的①。这类基金会一般不对外资助，其资金来源多为单一的私人或家庭，其主要目的是利用自身资源进行研究、组织和直接实施有关教育、科研及其他服务于社会公益的活动。运作型基金会有关项目的决策由自身的独立委员会做出，本身可以享受比独立基金会更大的免税优惠。

（四）独立个人基金会

从历史上看，美国的主要基金会都属独立个人基金会。与上述三种基金会相比，其最大的特点在于，一般都是由某个家族中的几个成员创建的，它较少受外界的控制影响，因此，常被美国人称为“家族基金会”。它大多以家族的姓氏为名字，而且一个家族或个人可拥有几个彼此相关的基金会，同时，家族

① 刘鹏辉．美国的基金会和社会福利事业．世界经济与政治，1995 年。

的成员也多出任这类基金会的领导职务。这类基金会往往带有明显的目的性与个人色彩，诸如用于建立某种纪念馆，用于教育、医学等某个项目等。独立个人基金会的数量和资产都占美国所有基金会总资产的80%以上，是所有公益基金会中影响最大、最深远的一种基金会。其资金来源大多数是个人或家族，通常以捐赠者或创立者的名字或者家族姓氏命名，如福特基金会等。独立个人基金会多以资助的形式运作，主要给各种机构的项目捐款，因而又被称为捐赠型基金会。这类基金会往往带有明显的个人色彩，较少受到政府和企业的影响，最富有独立性。

第三节 我国基金会的发展状况概述

一、我国基金会的发展现状

自1981年以来，我国基金会行业从无到有，发展迅速。在这30多年间，基金会发展经历了三个重要历史时期：

第一阶段：自1981年至1995年间的缓慢发展期。随着改革开放大潮的推进，1981年，全国成立了7家基金会，其中6家同为关注妇女儿童发展的公募基金会，另外一家为非公募的“华侨茶业发展研究基金会”。但是，此后，我国基金会行业发展缓慢，组织数量处于低速增长期。

第二阶段：自1995年至2004年的平稳过渡期。1995年，中国人民银行下发了《关于进一步加强基金会管理的通知》，确立了对基金会从严审批和严格管理的政策，拉开了1997~2000年的对民间组织进行清理整顿和重新登记工作。大多数基金会在此阶段几乎处于停顿状况。

第三阶段：2004年以后的加速发展期。进入到2004年，国务院颁布了《基金会管理条例》，首次以法规的形式对基金会的性质、筹款方式、基金的使用和管理等一系列事项做出了规定，明确提出根据资金来源方式不同将基金会分为公募基金会与非公募基金会的分类方式。由此，我国迎来了民间公益基金会的新的历史阶段。从2004年开始，我国的基金会数量开始出现高速增长（见图34－1）。截至2013年8月，全国共有3 263家基金会，其中非公募基金会1 910家，公募基金会1 353家，非公募基金会占全国总数的58.5%，较公募基金会占比高 17 个百分点①。非公募基金会逐渐在数量上超越公募基金会成为目前中国基金会的主流形式。

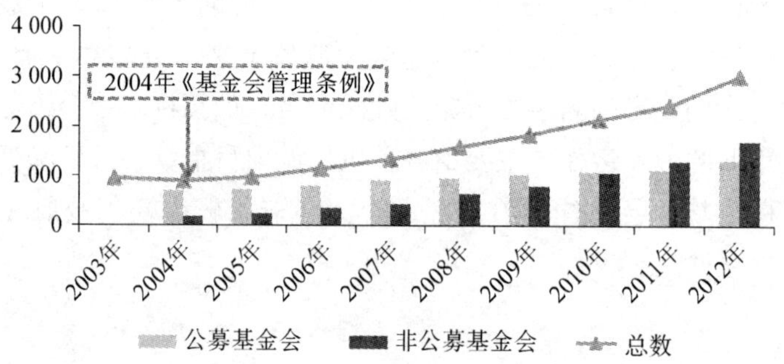

图 34－1　我国基金会数量发展趋势

来源：基金会中心网数据，截止日期：2012 年 12 月 31 日。

在关注领域方面，教育、科学研究、文化、扶贫助困、医疗求助为基金会最关注的五项业务。从数据来看（见图 35－2），相对于公募基金会，非公募基金会重点关注教育领域，占总体比例的 59%；亦有部分非公募基金会关注科学研究、扶贫助困、文化、医疗救助和老年人等领域；而关注见义勇为、动物保护、妇女、法律实施、心理健康和侨务等领域的非公募基金会数量均不足 10 家，其中对见义勇为领域的关注程度和公募基金会有着较大的差异。

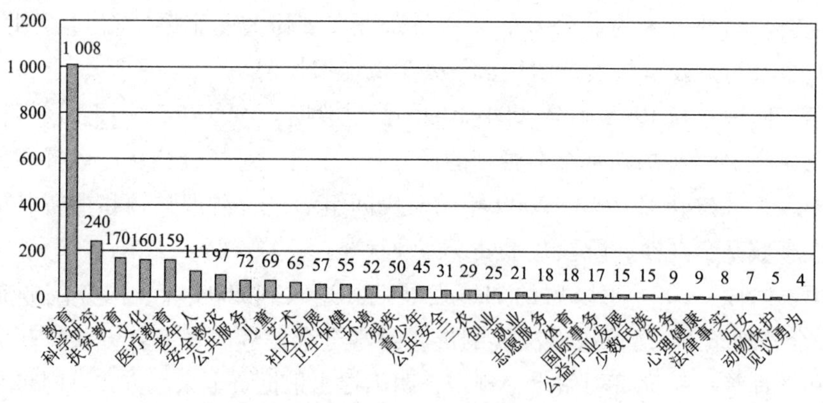

图 35－2　非公募基金会关注领域分布

来源：基金会中心网数据。

① 资料来源：中国社会组织网统计 http：//www. chinanpo. gov. cn。

由此可见，随着社会经济的不断发展，非公募基金会所涉及的行业领域趋于多样化发展，除了以各大高校教育基金会为代表的教育领域之外，非公募基金会在人文关怀、科学研究、社区发展、环境保护等领域亦有所涉及。基金会活动领域的多样化也是公益慈善领域的整体趋势，其重要作用是有助于在各个领域，特别是在小众领域中发挥政府与市场无法发挥的社会服务功能。这是实现民主社会下社会公平的重要基础。同时，众多基金会在活动价值取向上的不拘一格，也为某些特殊群体提供了开展活动的空间。

二、我国基金会的特点

伴随改革开放进程，中国的基金会从无到有，走过了一条在探索中不断发展壮大的成长之路，形成了基金会发展的中国特色，呈现出自上而下、公益导向、聚财为主、项目主导、规模零散五大特点[①]。

（一）自上而下

即基金会从发起成立和资源动员，一直到活动开展和组织运作，大都依托党政机关，凭借政治和行政权力自上而下强力推动，并发动官方媒体开展大规模舆论造势，形成自上而下的正统性、权威性和知名度，建立起基金会生存发展所不可缺少的社会公信力。党政机关对基金会的支持形式包括投入注册资金、给予财政补贴、提供办公场所、配备编制、安排人事、布置捐款任务等等，这使得基金会对相应的党政机关特别是业务主管单位高度依赖，独立性不足。

（二）公益导向

即基金会从一开始就有着非常明确和高度一致的公益宗旨，面向处在极端困境并具有典型性的弱势群体，大力倡导和弘扬慈善精神，通过激情感召和自上而下的大力推动形成广泛的群众运动，提倡人人参与的全面公益行动。公益导向的特点使得中国的基金会能够更多关注弱势群体，得到全社会的广泛参与和支持，从而集全社会之力开展面向弱势群体的公益救助活动。但同时也使得基金会成为媒体和公众高度关注的对象，基金会的公信力和公众形象成为高度敏感和脆弱的地方。

---

① 王名，徐雨珊．基金会论纲．社会学视野网，2010 年 5 月 7 日。http：//www. sociologyol. org。

（三）聚财为主

即基金会主要通过广泛募集社会捐赠开展群众性公益活动。与美国和世界许多国家的基金会不同，中国基金会并不是从物质到精神，而是从精神到物质。在基金会起步阶段往往只有很少的捐赠，但是因为有着强烈的公益宗旨和感召力，加之自上而下的强力推动，能够形成覆盖全国城乡的聚财体系，形成"众人拾柴火焰高"的公益财产集聚态势，从而解决基金会发展中的资源动员难题，确保资金来源。这一重要特点使得中国基金会从一开始就避免成为少数富人的"游戏"，而是带有全民动员性质的公益慈善行动，成为聚集财富开展群众性公益活动的社会组织。

（四）项目主导

即基金会的活动集中在开展大型公益项目上，通过品牌项目宣传造势、募集资金、扩大影响并实施公益救助，如中国儿童少年基金会开展的救助贫困女童复学的"春蕾计划"，中国青少年发展基金会开展的救助贫困地区失学儿童重返校园的"希望工程"，中国人口福利基金会开展的救助贫困母亲的"幸福工程"，中国妇女发展基金会开展的资助贫困山区饮水设施建设的"母亲水窖工程"，中国扶贫基金会开展的救助贫困产妇的"母婴平安 120 项目"等等。这些项目大都在全国范围乃至国际范围内开展活动，为期长达数年至十多年，成为基金会生存发展的主要社会资本与核心竞争力，作为基金会的经典项目不断传承与发展。然而，项目主导模式使得绝大多数中国基金会将其主要精力集中在具体的项目运作上，难以形成巨大规模，并与其他大量民间自发的草根项目组织形成竞争态势，难于发挥资助中心和支持中心的作用。

（五）规模零散

即基金会规模不是很大，且绝大多数基金会受制于资金不足和能力不足的现实困境，难于发展壮大。从总体上看，虽然中国的基金会呈现快速发展的趋势，但整体数量不多，且规模不大，无法形成公益财产的集中优势。规模零散在一定程度上限制了中国基金会开展公益活动的领域、空间和能力，难于在一些突发事件和重大社会问题上发挥积极的影响，也难于将中国基金会的公益空间拓展到国际活动中。

三、我国基金会的运作模式

我国现代意义上的基金会始于上世纪八十年代，大多数以运作型为主，即基金会利用所筹资金自行运作公益项目。但近年来，特别是随着众多商界人士加入后，基金会的劝募、捐助越来越呈现出企业化特征。一些活跃的基金会不仅积极开拓专项活动、纪念品销售、新媒体等筹款渠道，也致力于通过市场营销改进劝募的技巧；在治理结构上，通过投资与运作部门的分离，基金会正向提升运作效率与透明度转变；中国传统的运作型基金会（Operating Foundation）也开始引入项目招标制，向资助型基金会（Grant - making Foundation）转型；另一些基金会则变身 VC 或 PE，孵化民间公益组织，并引入救助者接力助人的机制，让慈善链条化。到目前为止，国内基金会运作模式主要有：

（一）设立专项基金或事业基金

不少企业选择在知名公募基金会名下设立专项基金或事业基金（二者区别在于是否有定向用途）来从事相关公益活动，一些明星发起的基金即如此，譬如李连杰发起的“壹基金”曾在中国红十字总会的架构下独立运作。这些基金由此也可以面向公众募捐，如招商银行除捐资与中国青少年发展基金会（简称“青基会”）合作设立“我和我的2008”专项基金外，还通过短信、网银、网络竞拍号召该行信用卡用户捐助。针对专项基金，一些基金会也有具体要求，如宋庆龄基金会规定，专项基金的协议捐赠金额应在 500 万元现金以上。也有非公募基金会尝试以专项基金方式筹款，如南都公益基金会名下设立了由许京骐夫妇捐助 10 万元的“许左群爱心基金”，其增值部分用于新公民学校的师生奖励①。

（二）运作型逐渐向资助型过渡

在中国，传统的基金会往往以运作型基金会为主，即基金会利用所筹资金自行运作慈善项目。然而，作为一个复杂的实体，运作型基金会更容易受到公众的质疑。因此，在美国，这类基金会总数不到 6%，相比之下，通过资助其他民间组织运作项目的资助型基金会数量越来越多。国内基金会也逐渐向这一

---

① 刘凌云．商业理念改变慈善基金会运作模式．新财富，2008（9）。

方向转变，部分大型基金会开始尝试以公开招标的形式开展公益资助，如中国残疾人福利基金会明确提出，要逐步由运作型转为资助型为主，通过公开招标或购买服务等方式实施公益服务，以提高项目的运作效率。

项目招标制是资助型基金会的主要运作模式，中远慈善基金会、南都公益基金会、友成基金会等均采用这一方式。2008 年 6 月，红基会也宣布拿出 2 000万元，面向全国公益组织招标①。项目招标制通过选择符合基金会方向的公益项目展开招标，引入“项目听证会”和专业人士“陪审团”等制度进行项目评估，并且对项目运作的整个过程进行把控，如在项目实施过程中对资金的发放和使用等进行监控，在项目结束后对实施效果进行考察和评估等。

四、我国基金会设立的相关法律法规要求

国务院颁布的《基金会管理条例》（以下简称《条例》）是指导我国基金会相关工作的主要法规，《条例》对基金会的性质、筹款方式、基金的使用和管理、基金会申请设立的程序和登记注册后的管理运作等事项做出了相应的规定。

（一）基金会的性质

基金会是利用自然人、法人或者其他组织捐赠的财产，以从事公益事业为目的的非营利性法人。根据能否向公众开展募捐活动，我国基金会分为公募基金会和非公募基金会。公募基金会可以直接面向公众募捐，并负有组织募捐活动的披露义务，包括拟开展的公益活动和资金的详细使用计划、开展公益活动的成本支出情况等；非公募基金会不可面向公众募捐，基金主要来源于特定组织或个人的捐赠，不负有募捐方面的信息披露义务。

（二）设立登记的条件

设立基金会，应当具备以下条件：为特定的公益目的而设立；有一定的原始基金，且为到账货币资金（全国性公募基金会的原始基金不低于800 万元人民币，在民政部注册的非公募基金会的原始基金不低于 2 000 万元人民币）；有规范的名称、章程、组织机构以及相应的专职工作人员；有固定的住所；能够独立承担民事责任。

---

① 刘凌云. 商业理念改变慈善基金会运作模式. 新财富，2008（9）。

满足以上条件即可向民政部提出申请设立全国性公募基金会或非公募基金会，提交相关申请材料，经民政部审查并报国务院备案后，办理登记注册手续。

（三）业务主管单位的确认

根据《条例》第一章第七条的规定：向民政部申请登记注册的基金会，需由国务院有关部门或者国务院授权的组织作为其业务主管单位。基金会业务主管单位的监督管理职责主要有：一是负责基金会筹备申请、成立登记、变更登记、注销登记前的审查；二是指导、监督基金会依据法律和章程开展公益活动；三是负责基金会年度检查的初审；四是配合民政部及其他执法部门查处基金会的违法行为。

（四）运作的具体要求

公益性方面，基金会章程必须明确基金会的公益性质，不得使特定自然人、法人或其他组织从中受益。基金会应当按照合法、安全、有效的原则实现基金的保值、增值；公募基金会每年用于从事章程规定的公益事业支出，不得低于上一年总收入的70%；非公募基金会每年用于从事章程规定的公益事业支出，不得低于上年基金余额的8%。基金会工作人员的工资福利和行政支出不得超过当年总支出的10%。

治理结构方面，基金会需设立理事会、监事会和执行机构，理事会是基金会的决策机构。根据《条例》第三章第二十条、第二十三条的规定：基金会应设理事长、副理事长和秘书长，上述人员均从理事中选举产生，且不得由现职国家工作人员兼任。其中，理事长是基金会的法定代表人，不得同时担任其他组织的法定代表人；秘书长需是基金会专职工作人员，并签订专职承诺书。基金会理事一般由业务主管单位、发起人及重要出资方的相关人员构成。另外，基金会需设监事会，负责检查基金会财务和会计资料，监督理事会遵守法律和章程的情况。

（五）基金会的监督制度

基金会须遵循公开、透明的原则，并严格执行相关信息公开制度。按照《条例》规定，除民政部和业务主管单位的监督外，基金会的财务和税务还需接受国家税务部门和会计主管部门的监督。此外，作为公益性组织，基金会需接受社会公众的监督以及捐赠人对捐赠资产管理、使用情况的查询，并需在年检报告中公示业务活动、捐赠收入、资金使用情况及重大项目收支明细表等信息。

第四节 我国主要人才发展类基金会介绍

我国的人才发展类基金可以分为两大类：一类是具有独立法人资格的人才基金会，是经过国务院民政部或各地方民政部门登记注册的法人实体；另一类是人才专项基金，一般以协会下设或省市财政部及企业内部设立，不具有独立法人资格，不得独立开展活动。具有独立法人资格的基金会拥有更多的自主权和投资权，更有利于维护基金的规范管理和良好运作，促进基金资产的保值增值。

一、中国金融教育发展基金会

（一）机构简介

1. 建立背景

中国金融教育发展基金会成立于1992年，是经中国人民银行批准、在民政部登记注册，业务由中国人民银行主管的具有独立法人地位的全国性公募基金会。该基金会的原始基金为1 000万元，来源于国内政府部门、金融机构、其他法人组织的捐赠，主要用于推动中国金融教育事业的创新与发展。2012年主要捐款人是上海新世纪资信评估投资服务有限公司、中国建设银行股份有限公司、浙商银行股份有限公司、中国农业银行股份有限公司、北京金融培训中心。

2. 宗旨

中国金融教育发展基金会的宗旨是：为提高金融从业者素质和向民众普及金融知识，依靠社会各界尤其是金融系统的支持捐助，发挥公益组织优势，大力开展与金融教育相关的公益活动，以此推动金融教育事业的发展。

3. 业务范围

中国金融教育发展基金会的业务范围：面向金融系统和金融院校以及社会宣传教育机构，开展先进集体、先进工作者评选奖励和优秀研究成果评审奖励活动；面向欠发达地区和家庭困难的在校学生，设立助学金和奖学金；为提高金融从业队伍素质，与国内外金融机构和行业协会以及高等院校开展合作，组织有关培训，举办讲座、研讨会；为提高国民金融知识水平，开展形式多样的金融知识普及教育。

4. 组织架构

基金会设理事会和监事会，理事会设理事长、教育委员会、副理事长、专家委员会，秘书长负责专项项目部、综合项目部、培训部、办公室、财务部。

（二）财务状况分析

1. 收入分析

中国金融教育发展基金会的收入来源有四种类型，分别是：

（1）捐赠收入。捐赠收入是中国金融教育发展基金会的重要收入来源，但捐赠收入在总收入中所占的比重大体呈现出一定的下滑趋势。

（2）提供服务收入。服务收入也是中国金融教育基金会总收入的重要组成部分，特别是在 2007 年和 2008 年服务收入的规模甚至超过基金会捐赠、投资收益以及其他收入的规模。

（3）投资收益。随着基金会运作愈来愈规范，基金增值收入在中国金融教育基金会总收入中所占比重大致呈现上升趋势，特别是 2011 年和 2012 年，投资收益达到其总收入的一半。

（4）其他收入。

中国金融教育发展基金会历年收入见表 34 –1，历年经营情况见图 34 –3、图 34 –4、图 34 –5 和图 34 –6。

表 34 –1　　中国金融教育发展基金会历年收入　　单位：元

年份	总收入	捐赠收入	服务收入	投资收益	其他
2005	3 929 829. 28	1 950 000	1 216 580	749 062. 08	14 187. 2
2006	10 605 612. 45	8 890 242. 88	1 435 359. 8	255 394. 17	24 615. 6
2007	6 766 150. 95	885 000	4 721 878. 2	1 144 071. 44	15 201. 31
2008	5 092 629. 12	750 000	2 999 675	1 307 281. 65	35 672. 47
2009	10 275 151. 25	7 201 884	2 314 646. 93	744 126. 25	14 494. 07
2010	6 217 106. 42	2 571 300	1 815 672. 64	1 820 258. 98	9 874. 8
2011	5 647 883. 92	2 756 259. 26	153 616. 26	2 647 301. 43	90 706. 97
2012	6 916 567. 73	3 827 750		3 038 813. 32	50 004. 41

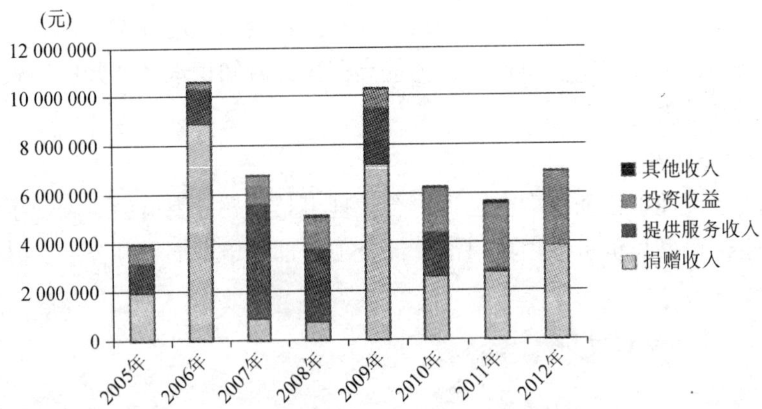

图 34－3 中国金融教育发展基金会历年收入结构

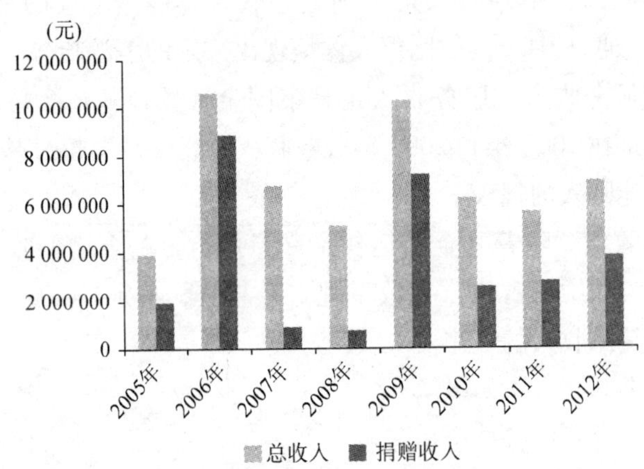

图 34－4 中国金融教育发展基金会历年总收入与捐赠收入规模

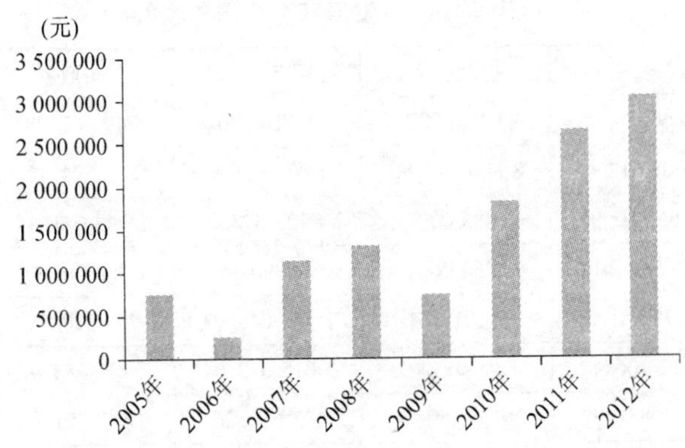

图 34－5 中国金融教育发展基金会投资收益规模

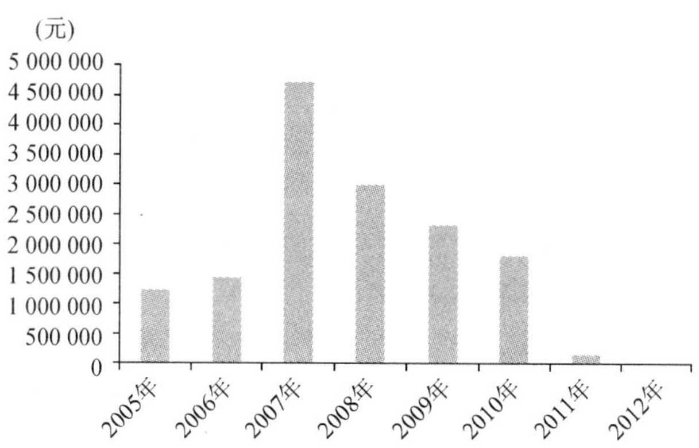

图 34－6 中国金融教育发展基金会服务收入规模

2. 支出分析

中国金融教育基金会近年来公益支出比例基本上达到民政部对公募基金会的要求，员工工资福利与行政支出比例基本上控制在 10% 以内，2012 年，公益支出占上年度总收入比例为 72.16%，员工工资福利与行政支出占总支出比例达到 13.11%（见图 34－7、图 34－8、图 34－9）。

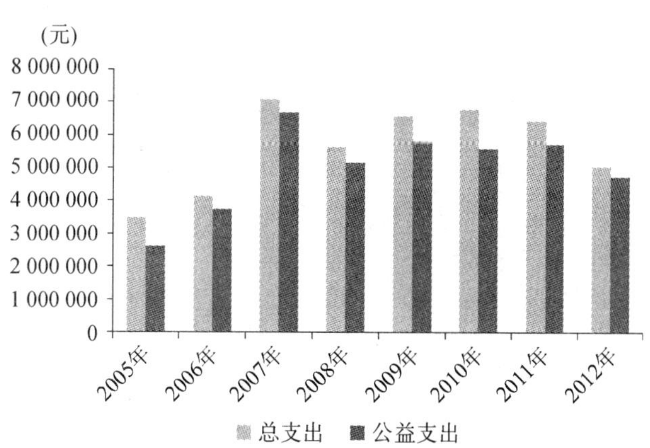

图 34－7 中国金融教育发展基金会历年总支出及公益支出规模

3. 净资产规模

近年来，中国金融教育发展基金会资产规模呈稳定增长的趋势，截至 2012 年底，其净资产规模达到 4 376.7 万元（见图 34－10）。

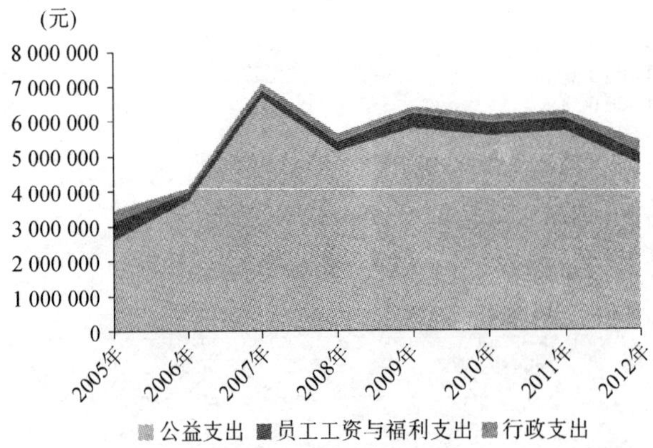

图 34－8 中国金融教育发展基金会支出结构

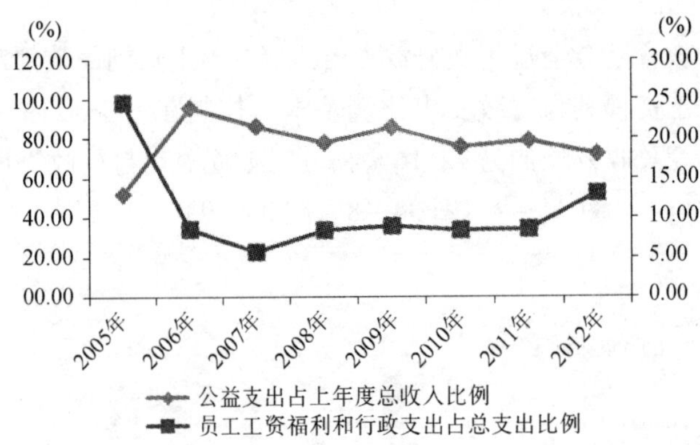

图 34－9 中国金融教育发展基金会公益支出以及工资行政支出比例

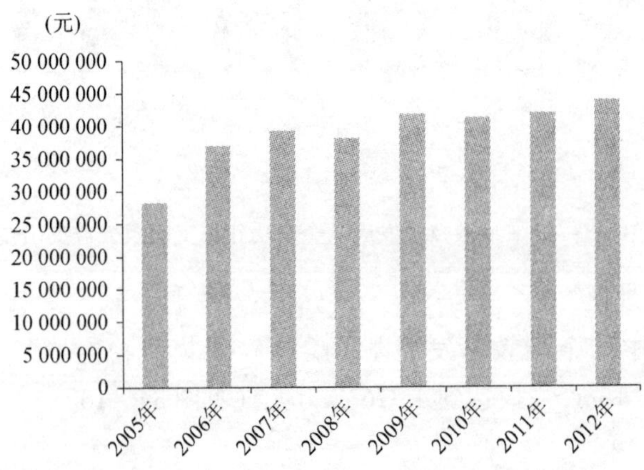

图 34－10 中国金融教育发展基金会历年资产规模

（三）人力资源分析

目前，中国金融教育发展基金会共有7名专职工作人员，员工平均年工资4.3万元左右，而志愿者数目达到了2 014名（见表34－2）。

表34－2　　　　中国金融教育发展基金会工作人员情况

年份	专职工作人员数（名）	志愿者数（名）	员工平均年工资（元）
2005	8		
2006	8		
2007	8		
2008	9	83	
2009	8	395	
2010	15	1 509	52 710.97
2011	5	1 837	41 745.98
2012	7	2 014	43 427.74

（四）经验借鉴

1. 多样化基金会收入，保证资金来源的可持续性

中国金融教育发展基金会各部分收入来源分布较为均衡，投资收益、提供服务收入在其收入来源中占据着非常重要的部分，避免了资金来源渠道的单一化。资金是基金会运作的血液，因此基金会在运作中也要以多样化的渠道丰富资金的结构。特别是作为公募基金会，由于公众募捐的款额是不可控的，所以要保证资金的可持续性需要在一定程度上保证投资、提供服务收入的安全性和回报率。

2. 汇聚志愿者力量

基金会最重要的目的之一是营造公益氛围，中国金融教育基金会目前有2 014名志愿者，在这方面值得借鉴和学习。通过鼓励和吸引志愿者加入公益活动中，有利于宣传基金会，提升基金会公益项目的知名度和社会的关注度。

二、中国西部人才开发基金会

（一）机构简介

1. 背景

中国西部人才开发基金会成立于2006年，是由国务院西部开发办、上海

展望发展进修学院等发起设立的，业务主管单位是国家行政学院。该基金会的原始基金数额为人民币800万元，资金来源于发起人的捐助及社会捐赠，主要用于西部地区人力资源的开发、人才的培养以及国内外人才交流与合作。2012年该基金会的主要捐赠单位包括中石油、国家开发银行、财政部等。

2. 宗旨

中国西部人才发展基金会的宗旨是：服务西部大开发，支持西部地区和为西部地区服务的人才培养与培训，支持科学研究和政策咨询研究，为西部大开发提供人才和智力支持。

3. 业务范围

中国西部人才发展基金会的业务范围是：组织实施符合其宗旨和捐赠人意愿的公益项目，组织开展和资助开展有益于西部人才开发的活动；为实施人才培养、培训项目和重大研究课题等提供经费支持；开展和支持国内外人才交流与合作；支持西部地区人才开发所需基本条件，包括人才发展环境的改善，基层学校、医院、道路等建设，以及西部人才开发基地建设；为社会各界开展的与实施西部人才开发相关的公益性活动提供咨询和服务；表彰和奖励为西部大开发做出贡献的杰出人才，以及在政策咨询和学术研究方面做出贡献的人员；开展符合基金会宗旨的其他公益性活动。

4. 组织架构

该基金会设理事会、顾问和监事会。理事会是基金会的决策机构，由5~25名理事组成。理事会设理事长、常务副理事长各1人，名誉理事长、副理事长各若干人。顾问由理事会聘任。监事会设监事2人。基金会设秘书处，秘书处是基金会的日常执行机构，设秘书长1人，副秘书长1~3人。基金会内部机构设有：办公室、基金管理部、项目开发部、宣传与筹资部。

（二）财务状况分析

1. 收入分析

西部人才发展基金会的资金收入主要有以下五种来源：

（1）捐赠收入。捐赠收入是西部人才发展基金会最主要的收入来源，主要来源于西部人才发展基金会理事单位、基金会战略合作伙伴的捐赠。其中，2012年大额捐赠人有：泛海公益基金会、国家开发银行、中国石油天然气集团公司、成都尚德商业管理有限公司等机构。对比往年大额捐赠人可以发现西部人才发展基金会在资金募集上有比较稳定的捐款来源，同时也积极扩展筹资渠道。

（2）政府补助收入。2012 年，西部人才开发基金会的收入中有 60 万来自政府补助，尽管该收入在总收入中所占比重很低，但这是该基金会首次从政府获得补助。

（3）提供服务收入。2008 年，基金会有 18 万收入来自提供服务取得的收入，这也是该基金会成立以来唯一一次收入来源于服务收入。

（4）会费收入。基金会成立之初，有 1.3 万元左右收入来自会费，但此后，基金会不再收取会费。

（5）其他收入。

西部人才开发基金会历年收入及其结构见表 34－3、图 34－11 和图 34－12。

表 34－3　　西部人才开发基金会历年收入　　单位：元

年份	总收入	捐赠收入	政府补助	服务收入	会费	其他收入
2007	4 725 575	4 555 000			13 080	157 495
2008	10 705 952. 7	10 301 619. 86		180 000		224 332. 84
2009	3 859 638. 26	3 600 000				259 638. 26
2010	25 864 785. 75	25 750 000				114 785. 75
2011	33 680 495. 86	33 360 000				320 495. 86
2012	23 082 150. 03	21 560 110. 26	600 000			922 039. 77

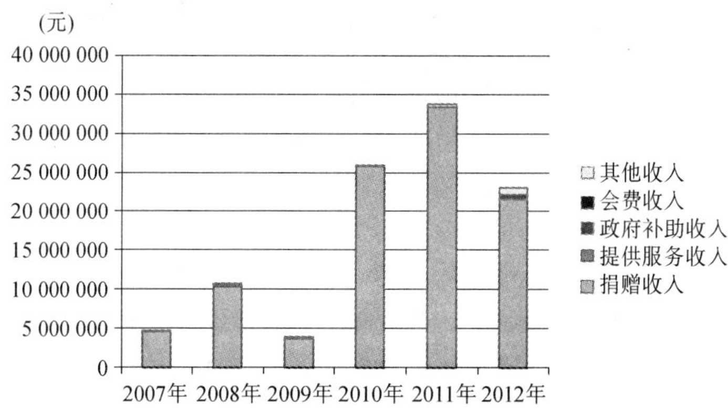

图 34－11　西部人才开发基金会历年收入结构

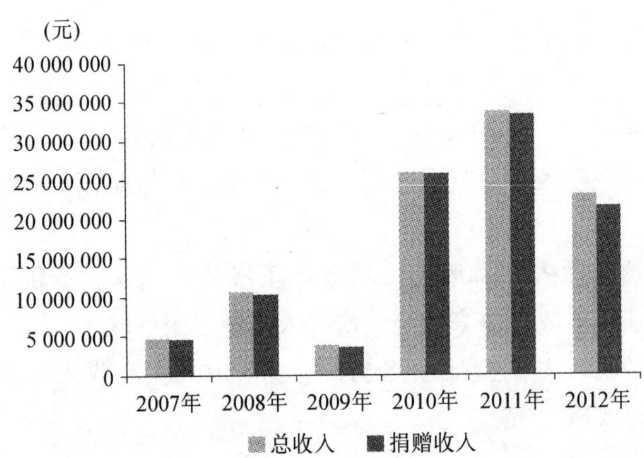

图 34-12 西部人才开发基金会历年总收入与捐赠收入规模

2. 支出分析

西部人才发展基金会自2007年成立以来，不论是公益支出、还是员工工资福利和行政支出都严格满足《基金会管理条例》，公益支出占上年度收入比例呈现逐年下降趋稳的态势，至2012年年底，基金会公益支出占比为70.74%，员工工资福利与行政支出占比为5.23%。2007~2012年支出情况见图34-13、图34-14和图34-15。

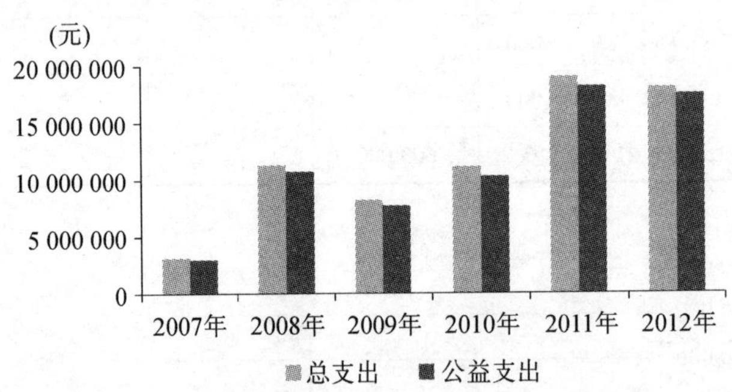

图 34-13 西部人才开发基金会历年总支出与公益支出规模

3. 净资产规模

西部人才开发基金会的净资产规模从2009年起呈迅速增长的态势，至2012年底，其净资产规模约4 249.4万元（见图34-16）。

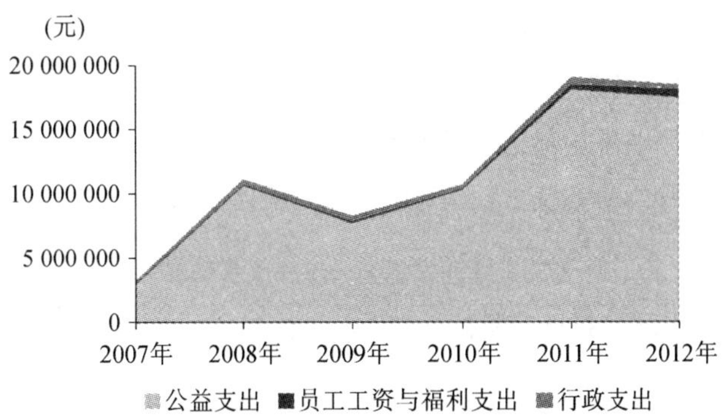

图 34－14 西部人才开发基金会支出结构

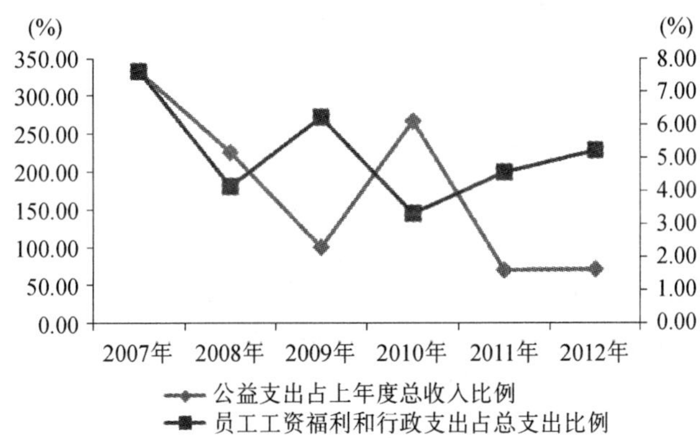

图 34－15 西部人才开发基金会公益支出及工资行政支出比例

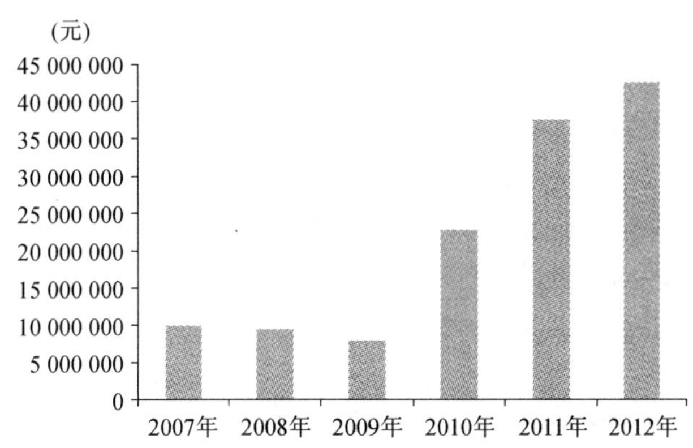

图 34－16 西部人才开发基金会历年净资产规模

（三）人力资源分析

目前，西部人才开发基金会共有9名专职工作人员，4名志愿者，员工平均年工资达到7.9万元左右，较2011年有大幅度提升（见表34－4）。

表34－4　西部人才开发基金会工作人员情况

年份	专职工作人员数（名）	志愿者数（名）	员工平均年工资（元）
2007	5	2	
2008	6	0	
2009	6	1	
2010	9	15	27 609.44
2011	9	16	37 587.78
2012	9	4	79 282.92

（四）经验借鉴

1. 基金会定位要清晰

西部人才开发基金会的定位非常清晰，该基金会不仅仅简单做扶贫项目，而且把着力点放在中高端人才的领导能力的开发。基金会对西部人才开发的定位也符合人才强国的战略。因此，基金会定位要清晰，要明确服务对象和服务内容。

2. 培育品牌项目，保证项目实施的长期性

西部人才发展基金会成功开展了一系列规模大、影响好的品牌项目，例如，由泛海集团资助的“泛海扬帆——大学生创业行动”已经成功实施了两期，该项目通过资助大学生创业，带动了近千人就业，取得了良好的社会效益和经济效益。因此，在基金会的运作中，要注重打造品牌项目，不能追求项目短期效应，而且要保证项目进行的持续性，这样一方面能保证宣传推广力度，同时与资助人达成长期协议，保证资金来源稳定性。

3. 积极寻找战略合作伙伴

中国石油天然气集团公司、中国新时代控股集团是西部人才开发基金会的重要的战略合作伙伴，同时也在资金来源上提供了新的渠道，所以基金会在筹资过程中要注重积极寻找战略合作伙伴。

三、中国留学人才发展基金会

（一）机构简介

1. 建立背景

中国留学人才发展基金会是面向中国内地、中国香港、中国澳门、中国台湾和世界各地公众，专为中国留学人员事业服务的公募基金会。2007 年由欧美同学会和中国留学人员联谊会发起，是为积极推动全面建设小康社会和构建和谐社会的伟大工程、推进我国“人才强国”战略的深入实施、促进留学人员事业的健康发展而设立，业务主管单位是中共中央统战部。该基金会的原始基金数额为人民币 800 万元，来源于社会团体、企业与个人捐助。例如，2011 年的主要捐款人是广州市时代地产集团有限公司、北京搜房网络技术有限公司、中荣盛世（北京）国际投资有限公司、甘肃海天房地产开发有限公司等企业。

2. 宗旨

中国留学人才发展基金会的宗旨是：争取海内外企业、团体和人士的支持，组织募捐，接受捐赠，促进留学人员事业健康发展；协助政府有关部门开发和利用海内外人才资源与人才市场，积极吸引我国留学人员回国服务，支持留学人员自主创业，发挥桥梁纽带作用，为实施人才强国战略和留学人员工作服务。

3. 业务范围

中国留学人才发展基金会的业务范围是：支持海外优秀留学人员回国创业或以多种形式为国服务；推进海内外高级专业人才培养和交流，支持国内优秀高级专业人员赴国（境）外留学、进修与培训，提供与国际人才交流相关的咨询中介服务；聘请国（境）外具有世界先进技术和管理经验的专业人才来华工作，支持国外智力成果的引进、推广和人才培养示范基地建设，支持高新技术产业的研究与开发；支持和奖励为留学人员事业做出贡献的团体与个人，奖励海外学成回国创业、为国服务并做出杰出贡献的留学人员。

4. 组织架构

该基金会主要分为理事会和监事会两层架构。理事会现设有理事长 1 名，副理事长 6 名，秘书长 1 名，理事 19 名。理事会的职责包括：出席理事会，参与本基金会重要决策并赋有表决权；监督基金会章程实施情况；监督理事会决议执行情况。监事会目前设有监事 1 名，监事的职责包括：依照章程规定的程序检查基金会财务和会计资料，监督理事会遵守法律和章程的情况；列席理事会会议，有权向理事会提出质询和建议，并应当向登记管理机关、业务主管单位以及税务、会计主管部门反映情况。

（二）财务状况分析

1. 收入分析

留学人才发展基金会收入来源主要三种类型，分别是：

（1）捐赠收入。捐赠收入是留学人才发展基金会收入的主要来源（见表34－5），其中2011年度大额捐赠人有：广州市时代地产集团有限公司、北京搜房网络技术有限公司、中荣盛世（北京）国际投资有限公司、甘肃海天房地产开发有限公司。与2010年度基金会大额捐赠人（北京中瀚海联资产管理有限公司、香港伍时畅慈善基金、万敏、北京市太极华英信息系统有限公司）相比可以看出留学人才发展基金会的捐赠人不具有稳定性，也反映了捐赠收入的不连续性，这可以从其历年捐赠收入规模看出。

（2）投资收益。投资收益也是留学人才发展基金会的收入来源之一。除了2010年外，留学人才发展基金会每年投资收益绝对额基本保持着递增趋势，所占总收入的比重每年有所变动，但仍非常小。

（3）其他收入。

表34－5　留学人才发展基金会历年收入　单位：元

年份	总收入	捐赠收入	投资收益	其他收入
2007	11 387 188.3	11 180 000	160 062.5	47 125.84
2008	6 118 830.49	5 888 488.8	192 500	37 841.69
2009	501 276.76	300 000	185 850	15 426.76
2010	15 453 384.1	15 435 830		17 554.06
2011	50 795 314.5	49 670 093.93	20 000	1 105 220.54

2. 支出分析

留学人才发展基金会支出规模逐年递增，公益支出规模也逐年递增，公益支出占上年度总收入比例在2009年才达到公募基金会公益支出70%的比例要求，到2011年公益支出比例已高达86%，员工工资福利与行政支出占总支出的比例严格满足10%的政策规定。2007～2011年历年收支情况见图34－17、图34－18、图34－19、图34－20和图34－21。

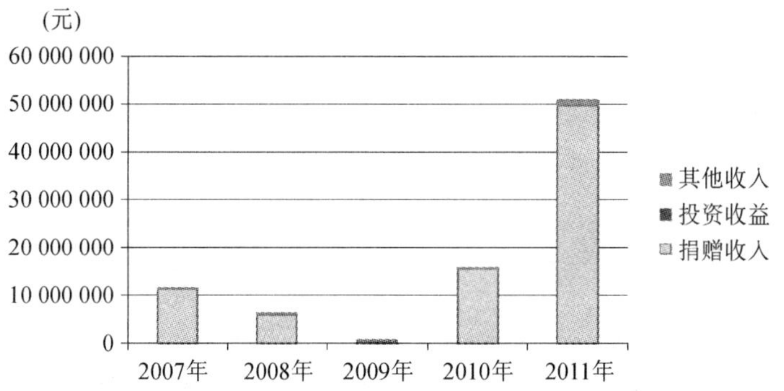

图 34－17 留学生人才发展基金会历年收入结构

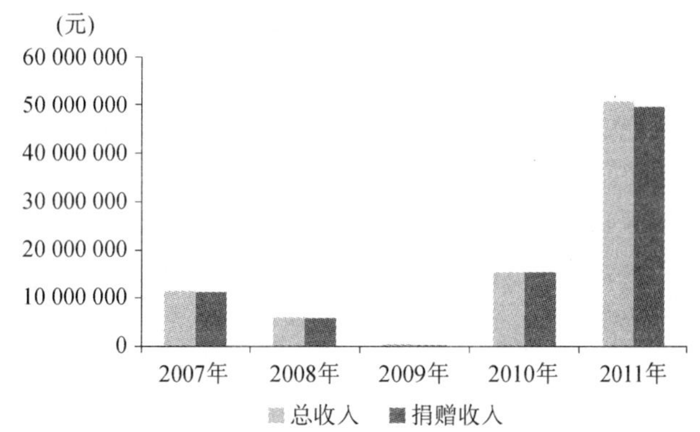

图 34－18 留学人才发展基金会历年总收入与捐赠收入规模

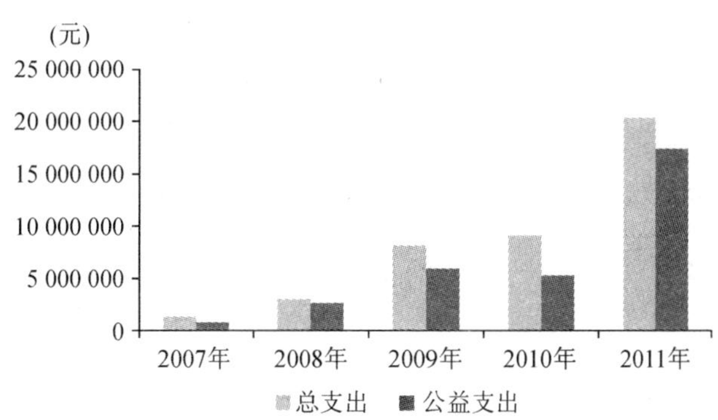

图 34－19 留学生人才发展基金会历年总支出及公益支出规模

3. 净资产规模

近年来，留学生人才发展基金会的净资产规模呈稳定增长的趋势，并且在 2011 年实现了井喷式的增长，增幅超过 300%（见图 34－22）。

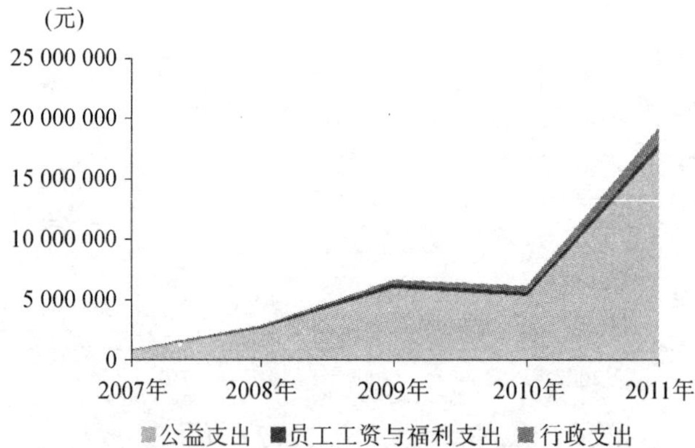

图 34-20 留学生人才发展基金会支出结构

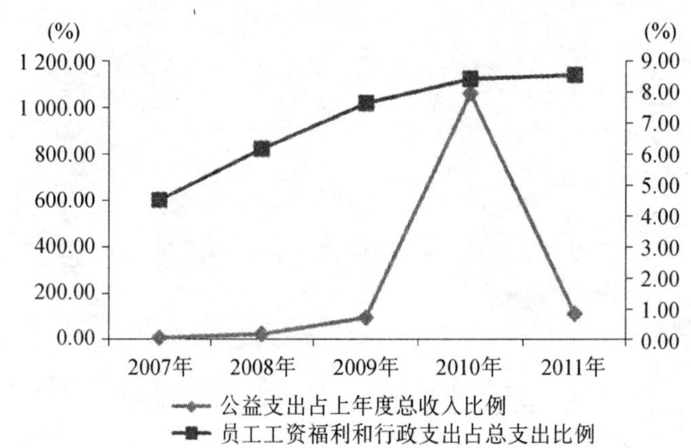

图 34-21 留学生人才发展基金会公益支出以及工资行政支出比例

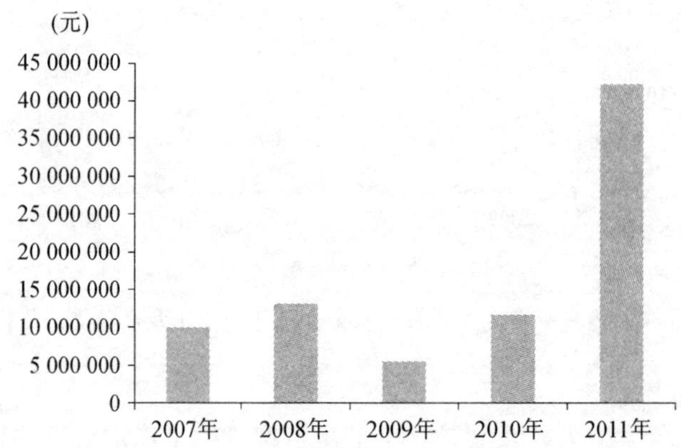

图 34-22 留学生人才发展基金会历年净资产规模

（三）人力资源分析

目前，留学人才发展基金会共有9名专职工作人员，员工平均年工资达到6.8万元左右（见表34－6）。

表34－6　　留学人才发展基金会工作人员情况　　单位：元

年份	专职工作人员数（名）	志愿者数（名）	员工平均年工资（元）
2007	10	10	
2008	10	30	
2009	8	5	
2010	9	11	59 085.07
2011	9	8	67 701.99

（四）经验借鉴

1. 以专项基金开展公益项目

随着经济社会财富的上升，不少企业或个人在公募基金会名下设立专项基金。截至目前，中国留学人才发展基金会下设的专项基金（专项活动）有：国际教育与文化交流发展专项基金、蓝海智库公益发展专项基金、数字城市公益专项基金、中国留学人才发展基金会听力语言专项基金（专项活动）、中国留学人才发展基金会国际公益事业宣教专项基金（专项活动）、中国留学人才发展基金会人才学学科建设专项基金（专项活动）、中国留学人才发展基金会民族和谐发展专项基金（专项活动）、中国留学人才发展基金会地球守护者专项基金（专项活动）、中国留学人才发展基金会红烛老区公益专项基金（专项活动）、中国留学人才发展基金会广州时代公益专项基金（专项活动）、中国留学人才发展基金会搜房公益专项基金（专项活动）、中国留学人才发展基金会海天教育专项基金（专项活动）、中国留学人才发展基金会益彩基金（专项活动）、中国留学人才发展基金会生命科学研究发展专项基金（专项活动）、中国留学人才发展基金会中华妈祖文化发展公益专项基金（专项活动）、中国留学人才发展基金会新媒体文化产业公益专项基金（专项活动）、中国留学人才发展基金会院校合作专项基金（专项活动）、中国留学人才发展基金会广厦同心援藏公益专项基金（专项活动）。以公募基金会名下专项基金运作公益事业，一方面有助于捐款企业或个人形象建设与业务发展，有助于基金会资金募集，另一方也保证了基金会资金专款专用，值得借鉴。

2. 注重基金会投资收益

根据《基金会管理条例》的规定，公募基金会每年公益支出不得低于上年总收入的70%，非公募基金会每年公益支出不得低于上年基金余额的8%。这意味着，公募基金会手中仍握有30%的募款，如果能够将其投资增值，无疑有利于扩大行善范围；对于非公募基金会，如果不希望基金缩水，其资产每年也需增值8%，这尚未计入通胀因素。由此看，即使作为非营利机构，基金会的投资仍相当必要。合理投资、获取回报、部分收益用于慈善、剩余收益和本金继续投资，也是海外基金会的基本运作模式。从留学人才发展基金会历年收入来源来看，其投资收益额呈现递增趋势，这一点尤其值得借鉴。

四、金融人才发展基金

（一）机构简介

1. 背景

金融人才发展基金由中国人才研究会金融人才专业委员会（简称中金会）发起设立，资金来源于中金会新增部分会费和培训收入及会员单位、热心于金融人才事业的其他中外资金融机构、企业和社会各界人士以各种形式的捐赠和赞助。中金会是经原人事部和民政部批准，于1995年5月正式成立的全国性非营利社团组织，在业务上接受中国人才研究会的指导。中金会作为金融机构的战略合作伙伴和金融人才培养与交流的互动平台，其致力于发展成为独具特色的金融人才开发与培养的专业社团组织和现代金融从业人员业务及管理能力提升与再造的专业培训机构。

为进一步鼓励和支持金融人才发展事业，加强金融人才的培养与交流，中金会于2010年设立了金融人才发展基金，该基金用于奖励为金融人才发展事业做出突出贡献的业内管理者、专家、学者或专业人士；资助优秀金融人才的境内外学术交流和高端专业培训；赞助大专院校优秀金融人才的培养；资助境内外金融人才及金融机构间的交流与合作；资助培养、交流和引进优秀金融人才时的其他方面支出。基金采用专项基金、专项管理的管理办法，基金的使用情况定期向中金会理事会报告，由中金会理事会行使基金的监督管理职责。

2. 宗旨

中金会的宗旨是：为适应社会主义市场经济发展的需要，深入研究金融理论、金融实务和金融政策，积极开发人力资源，培养造就具有创新精神和开拓能力、适应国内改革和国际竞争需要的金融人才，为推动我国金融现代化和国际化服务。

金融人才发展基金的宗旨是：鼓励和支持金融人才发展事业，支持金融人才理论与实务的研究，发现和培养优秀金融人才，助力优秀金融人才成长；促进有价值的智力成果或人才发展成果在金融行业流转，使其最大效益地回馈社会。

3. 业务活动

作为金融人才发展基金的管理机构中金会的中心任务是：根据国家经济和金融行业发展的需要，开展金融业务培训，提高金融从业人员素质；开发和交流金融人才；注重金融人力资源管理理论与实务研究，举办专题研讨；注重学术交流，举办重要的经济、金融研讨活动；加强与国外金融机构的联系、开展双边或多边金融人才交流与学术交流活动，研究和引进国外金融机构人才培养与管理的先进经验。而金融人才发展基金的主要业务活动也是围绕以上中心任务展开。

4. 组织架构

金融人才发展基金组织架构见图 34－23。

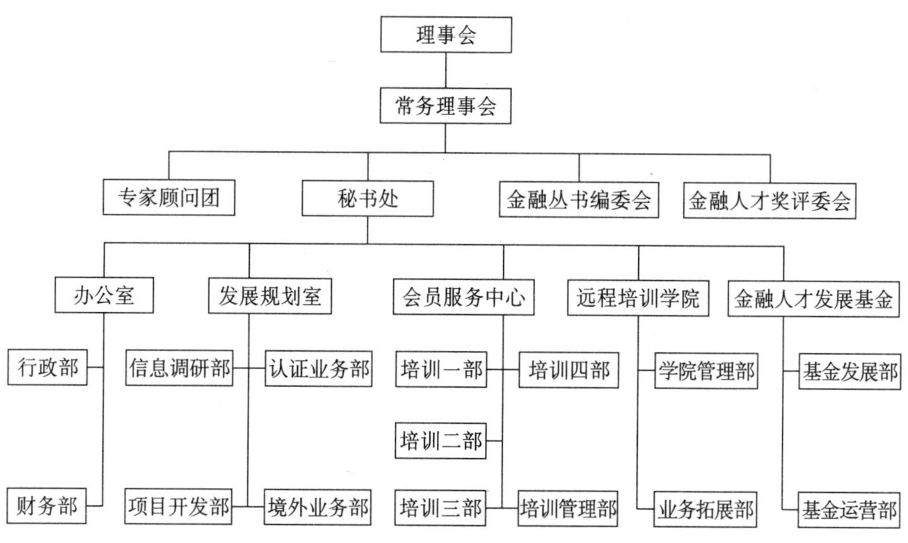

图 34－23 金融人才发展基金组织架构

（二）经验借鉴

中国金融人才发展基金成立以来主要以资助举办或协办行业公益活动为主，同时与国家外国专家局、国内外知名高校建立合作，共建人才培训基地等人才培养项目。专业培训方面，配合中金会举办包括认证培训、会员单位常规培训、中高层人才境外培训、院校短期研修和培训等培训形式，既为促进我国金融行业人才培养提供平台，同时也为中金会带来一定的经济收益和社会效益。

中国金融人才发展基金发展的几点启示：一是基金奖项评选对优秀金融工作者有较强的激励作用；二是拓展相关认证培训业务可作为基金会的持续经营模式；三是运用市场化的机制和模式促进证券期货行业人才开发与培养工作，搭建监管系统和行业内信息沟通和经验交流的平台。

五、经验总结与借鉴

（一）资金来源多样化

多样化的基金会收入，保证资金的可持续来源，是基金会良好运营的基础。资金是基金会运作的血液，是保证基金会项目顺利开展的基石。因此，基金会在运作中要以多样化的渠道丰富资金来源的结构，建立政府财政支持、定向持续捐赠、项目筹资、投资保值增值等形式的多样化综合性筹资渠道，保证资金的可持续性。

（二）定位清晰，培育品牌项目

基金会务必定位清晰，这关乎基金会的长远发展。以西部人才开发基金会为例，其定位非常清晰，该基金会不仅仅简单做扶贫项目，而是把着力点放在中高端人才领导能力的开发和专业人才的培养。在定位清晰的同时，要开发培育品牌项目，保证项目实施的长期性。一系列规模大、影响好的品牌项目，会带来良好的社会效益和经济效益，扩大基金会的影响力，从而吸引更多的资金来源。

（三）注重投资收益

合理的投资行为可以促进基金会资金的保值增值，维护基金会的持续运作。从我国的实践中来看，通过稳定的投资收益来促进资金保值增值对于基金会的良好运作具有积极的推动作用。以中国金融教育发展基金会为例，稳定增长的投资收益是其资产规模不断扩大的重要原因，其投资收益额呈现递增趋势，在整个基金会收入结构中的比重也逐年上升。

（四）以专项基金开展公益项目

专项基金的使用范围是由资助人和基金会约定，专门用于资助符合基金会宗旨、业务范围的某一项事业的基金，专款专用，不得挪作他用。中国留学人才基金会就是专项基金运作较为成功的典范。专项基金的项目运作方式既保证了公益项目的顺利实施，也有助于吸引更多的企业和个人参与到其所关注的公益领域。

第三十五章

我国资本市场人才发展现状分析

第一节　我国资本市场人才发展现状

中国证监会为贯彻落实中央关于人才工作的一系列重大部署，加强行业人才队伍建设，促进我国资本市场改革发展，根据2010年全国人才工作会议的精神，《国家中长期人才发展规划纲要（2010~2020年）》和《金融人才中长期规划（2010~2020年）》，结合证券期货行业人才工作实际制定了《中国证券期货行业人才队伍建设发展规划（2011~2020年）》。《规划》总结出我国资本市场行业人才队伍建设取得的成绩，也对人才队伍的发展提出了新的发展目标。

一、资本市场从业人员人才队伍现状

（一）人才队伍现状

一是人才资源总量快速增长。目前，我国证券期货行业从业人员达到34万余人，比“十一五”初期增长近4倍；通过证券、期货从业资格考试的人员超过30万人，为行业发展储备了较充足的人才资源；在证券、期货相关中介服务机构、各类高校等科研机构中，也聚集了大量证券期货相关人才，为资本市场繁荣发展发挥着重要作用①。

二是人才制度创新步伐加快。市场对人才资源的优化配置功能进一步强化，行业内普遍采取公开招聘、中介推荐等市场化引才模式，逐步建立起体现

① 资料来源：中国证券期货行业人才队伍建设发展规划（2011~2020年）。

现代人才管理理念的岗位聘任制度和收入分配制度。

三是人才发展环境日益改善。行业对人才队伍建设发展的重视程度不断提高，投入力度显著加大；行业内培养人才、吸引人才、开发人才、用好人才的良好氛围日益浓厚，逐步形成了一流人才、一流业绩、一流待遇的市场导向。

（二）目前存在的问题

我国资本市场人才队伍建设取得了显著的成效，与此同时，也存在高层次从业人员比例偏低，监管人员数量不足等突出问题，主要表现为：

一是我国资本市场从业人员人才队伍与我国资本市场的发展极不匹配。

与世界其他市场经济国家相比，资本市场从业人员绝对数量不少，但是相对于我国资本市场快速发展和改革创新的需要，规模仍然偏小。根据有关资料统计，金融人才在中国市场的获得难度是美国的3倍，高层管理者的获得难度是美国的2.5倍。从我国经济金融改革和发展的态势看，资本市场从业人员的总体规模仍需要一个较大幅度的发展。

二是我国资本市场人才结构虽然不断改善，但高层次、复合型、国际型人才匮乏。

目前，在我国资本市场人才队伍中突出的表现为“五多五少”。主要是：一般性人才多，高层次人才少；操作性人才多，创新性人才少；单一行业人才多，跨行业的复合型人才少；产品营销人才多，能从事产品开发、定价和风险管理的人才少；熟悉国内资本市场和业务的人才多，熟悉国际资本市场和业务的人才少，特别是目前具有国际执业资格的高端金融资本市场人才短缺①。根据证券业协会的统计数据：截至2012年6月底，在27万注册证券从业人员中，本科学历人员占比为49%，大专学历占比为29.3%，中专以下学历占9%，硕士及博士学历人员仅占从业人员总数的2.3%左右。在六类证券从业资格中，一般证券从业资格人员占比达75%左右，相对专业的证券分析师，全国仅有2 100人左右，占从业总人数的0.7%②。高学历人才比重偏低，尤其是中高端专业人才匮乏，这是制约我国资本市场进一步发展的瓶颈之一。

三是资本市场上的各金融机构对人才培训方面投入不小，但针对性不强，

---

① 对我国证券期货行业人才队伍建设的几点思考．证券时报，2010年11月9日。

② 吕东．资本市场中高端金融人才培养迫在眉睫．中国经济网——《证券日报》，2012年8月7日。

培训效果不明显。

由于缺乏科学规范的培训需求分析，没有针对不同培训对象设置不同的培训课程体系，国外培训教材没有本土化，参加培训的行业人才往往表示培训未能契合需求。同时，由于没有建立普遍的培训评估机制，培训效果不足。此外，各机构专业人才培训成绩与职务晋升薪酬福利严重脱节，不利于调动专业人才参加培训的积极性。

二、资本市场监管人员人才队伍建设现状

伴随着资本市场的快速扩张，我国迫切需要建设一支能够满足监管需要、熟悉国内外资本市场发展前沿、能够引领我国资本市场发展的监管队伍。作为资本市场的监管机构，中国证监会积极探索干部竞争性选拔、引进国内外市场人才、专业职位聘任等选人用人创新机制，不断充实监管队伍力量，改善监管队伍结构，为资本市场改革发展和监管工作质量有效提升提供了可靠的智力支持和人才保障。尤其是2008年底全球金融危机爆发以后，中国证监会坚持贯彻中央“千人计划”的工作部署，扎实推进海外高层次金融人才引进工作，在近半年多的时间里，先后从美国等地引进了20名不同层次的金融人才，为证监会系统人才队伍建设积蓄了可持续发展的动力。

深入分析发现，虽然中国证监会在资本市场监管人员人才队伍建设方面做了许多卓有成效的工作，取得了不俗的成绩，但目前来看仍然存在一定的问题。根据中国证监会研究中心发布的《证券期货监管系统人才队伍建设研究》，证券监管系统人才队伍建设面临着监管资源（编制、职数、经费）不足、高端人才缺乏、目前薪酬水平难以吸引和留住人才、干部成长空间不足等困难。目前，我国资本市场监管系统仍然没有脱离传统干部的“身份管理”模式，包括用工关系、行政关系、薪酬管理等基本上沿用了计划经济体制下的做法，在操作层面上影响了公开、公平、竞争择优用人机制的顺利进行。部分机构的人事管理也仍然在旧的模式下运行，尤其对主要管理人才的选拔、任用，没有真正地结合现代化模式，具有浓厚的行政级别色彩。同时，人才退出渠道不通畅，缺乏严格规范的退出机制，一定程度上阻碍了优秀监管人才的晋升通道和发展空间。

《中国证券期货行业人才队伍建设发展规划（2011～2020年）》提出要适应监管业务拓展和监管水平提升的需要，使证券期货监管系统人才资源总量进

一步提升，队伍结构进一步优化、管理体制进一步完善。如何切实解决证券监管系统人才队伍建设面临的困难，贯彻落实人才规划的目标，监管系统的人力资源管理面临着严峻的挑战。

第二节 加快资本市场人才发展的必要性

一、我国资本市场人才队伍的建设远远落后于资本市场快速发展的速度

从2002年到2012年，随着我国经济的跨越发展和市场化改革的不断推进，我国资本市场也实现了蓬勃发展。10年来，我国资本市场发展日新月异，不仅取得了规模的扩张，也实现了质量和结构的提升。股票、期货、债券等各子市场在实现规模跨越式发展的同时，初步形成多层次的资本市场框架，承载能力大幅提升，服务实体经济功能逐渐发挥，日益深刻地影响着我国国民经济和社会发展。截至2013年9月底，我国债券市场规模29.1万亿元，成为世界第三大、亚洲第二大债券市场，仅次于美国和日本，其中，国债余额8.47万亿元，企业债余额2.27万亿元，地方政府债余额0.8万亿元。我国股票市场总市值24.13万亿元，世界排名第四，其中A股市价总值23.96万亿元，B股市价总值1 676亿元；流通市值19.99万亿元，其中A股流通市值19.83万亿元，B股流通市值1 608亿元①。相对于我国资本市场的快速发展，我国资本市场人才队伍的建设却较为滞后，资本市场人才发展整体水平与发达国家相比仍有较大差距，与中国经济金融发展的需要相比还有许多不相适应的地方。特别是资本市场人才结构不平衡，基础性人才相对饱和、熟练性人才相对不足、高层次人才十分紧缺的现状以及资本市场监管系统存在的人员紧缺、手段不足、供需匹配度较弱的问题，也在制约着我国资本市场的健康发展。所以迫切需要开展人才发展业务，提升我国资本市场人才发展水平，为进一步完善资本市场人才队伍结构、推动中国资本市场向国际化方向发展提供坚实的人力资本保障。

---

① 资料来源：wind资讯2013年10月。

二、开展人才发展业务是贯彻全国人才工作会议精神和“证券期货行业十年人才规划”的重要措施

全国人才工作会议指出了建设人才强国的战略目标和“服务发展、人才优先、以用为本、创新机制、高端引领、整体开发”的指导方针，并做出了人才优先发展的战略布局，提出做好人才工作、促进人才发展的重要任务。为了学习贯彻中央会议精神，加强我国资本市场人才核心竞争力，中国证监会制定了一系列政策以推动资本市场各类人才队伍建设。《中国证券期货行业人才队伍建设发展规划（2011～2020年）》的提出明确了“力争到2020年行业内入选中国工程院院士人数实现零的突破；在证券期货监管、证券发行与承销、资产管理、产品创新、风险管控、投资研究等关键业务领域，培养出200名左右在国际上有一定影响力的高层次专业人才”等人才发展要求。另外，中国证券业协会也表示协会将在从业人员管理体系、胜任能力测试范围及“两库建设”等方面进行改进，为专业金融人才的培养创造有利条件。而设立专门的人才服务平台，开展资本市场人才发展业务正是贯彻中央人才工作会议精神和落实证券期货行业十年人才规划的重要举措。

三、开展人才发展业务是证券期货行业持续发展的实际需要

现代人力资源理论和实践证明：员工素质和技能的提升是边际生产力增长的支撑点。这就对资本市场人才资源的开发与管理提出了更高的要求，也为加强资本市场人才队伍的建设和发展奠定了理论基础。目前，我国资本市场人力资本投资渠道单一，人力资源开发主要依赖于岗位培训和职务晋升等传统手段，虽然近几年引进了部分海外高端人才，但是由于磨合期较长，引进人才如何更好地适应本地环境也是随之而来的新问题。以上人才发展的现状，极大降低了人力资本的边际效率和经营效益，难以适应行业的可持续发展。

面对我国资本市场改革发展的新形势、新任务、新要求，必须大力推进资本市场人才队伍建设，努力开创资本市场人才发展的新局面。为了实现这一目标，就需要有专门的人才发展机构来开展针对资本市场人才队伍建设和发展的相关业务，这是新形势下资本市场健康持续发展的内在要求。另外，在人事管理方面，证券监管系统面临着监管队伍日益庞大、人事管理职能繁杂和人事管理资源缺乏的矛盾，也存在从外部寻求人力资源方面的支持与服务的客观

需求。

基于当前形势的市场发展现状，通过积极探索建立资本市场人才发展新模式，为资本市场人才队伍建设和发展提供服务支持，是实现贯彻中央人才工作计划和落实证券期货行业十年人才规划的重要措施，有助于强化市场监管力度，有利于行业创新业务的展开，更有利于推动我国资本市场的改革发展。

第三十六章

资本市场人才发展模式构想

资本市场在复杂的市场环境中不断完善壮大，离不开人才这一基本要素。近年来，我国资本市场发展迅速，为我国经济发展提供了巨大的支撑。但随着市场的进一步发展，高层次、复合型人才不足已经成为制约我国资本市场发展的瓶颈之一。在这样的背景下，加快资本市场人才发展，探索人才发展的新模式，既是我国证券期货行业现实及未来发展的需要，也是适应经济发展转型，促进行业发展转型的必然要求。目前，我国正逐渐形成一个多层次的人才服务体系。随着我国人事制度改革的进一步深化和人才资源配置的逐渐优化，人才服务机构作为人才服务业的主体，逐渐成为建设人才公共服务体系的运行平台和人才资源优化配置的有效载体。

根据以上的研究分析，我们认为，为更好地服务我国资本市场人才发展，落实行业人才发展规划，一方面可以引导创建一个有一定规模和实力、能够承接监管系统部分公共服务职能的非营利性人才中介服务机构；另一方面可以以设立人才发展专项基金会的形式，统筹整合各方资源，保证人才发展的优先投入。

据此，本章对开展资本市场人才发展业务可行性进行了分析，并提出资本市场人才发展的新模式。

第一节　资本市场人才发展业务的可行性分析

资本市场具有人才密集型和知识密集型的特征，人才发展已经成为市场改革发展的决定性因素。为提高监管系统和行业人才队伍的专业化水平和国际化水平，解决人才流失的现状，亟须建立完整的人才服务体系和人才发展投入保障机制，以满足资本市场发展对人才的多样化需求。当前，是大力推进资本市场人才发展的难得机遇期。

一、良好的政策支持

2010年全国人才工作会议提出“要坚持人才投资优先保证，树立人才投入是最好的投入的理念；加大人才发展资金投入”的人才优先发展战略布局。中国证监会发布的《证券期货行业人才队伍建设发展规划（2011～2020年）》也将建立人才投入保障体制作为人才工作的一项重点任务。为贯彻中央会议精神，落实行业人才发展规划，实现四支人才队伍建设发展目标，就需要整合系统内外资源打造专门的平台以统筹协调资本市场人才引进与交流、人才培训、人才表彰等相关工作，同时提供资金支持和人力资本支持。

二、人才队伍发展的现实需要

当前，我国资本市场发展正处于“新兴加转轨”阶段，正在加快形成多层次的市场体系，这就对人才的专业化素质和国际化水平提出了更高的要求，尤其是对高素质、专业化监管人才和国际化行业经营管理人才、创新型专业技术人才、实用技能人才这四类人才队伍的需求更为迫切。

三、监管系统职能转变的要求

根据国务院机构职能转变动员电视电话会议精神，以及中国证监会主席肖钢就证监会系统如何转变职能的指示，转变职能将作为证监会系统当前和今后一段时期头等重要的工作，证监会的工作重点将转移到加强监管执法、保护投资者合法权益上来。转变职能将不可避免地涉及证监会系统职能空间的拓展、职能配置的调整以及部分职能的下放，尤其是与市场基础性建设和公共服务相关的职能。这就要求设立专业的人才服务机构承担起为我国资本市场人才队伍建设和发展提供服务的职能，进一步整合各类资源，增加资本市场人力资本存量，促进人才结构合理化，从而促进我国资本市场的良性发展。

四、适宜的法律环境

根据《人才市场管理规定》的相关规定和人力资源和社会保障部公布的

《设立人才中介服务机构及其业务范围审批》的办事指南，企业法人或其他组织均可申请设立人才服务机构，只要符合一定的条件，由县级以上政府人事行政部门审批，并且根据不同的组织形式在工商行政管理部门或民政部门办理登记注册手续即可。其中，由部级审批设立的人才中介服务机构可以以企业法人、事业单位法人、社会团体法人等形式存续。另外，根据我国《基金会管理条例》的规定，设立具有独立法人资格的基金会，只要有业务主管单位的审批和符合一定的设立条件，即可登记注册开展相关公益活动，并享受公益事业相关的税收优惠。

基于以上几点，我们认为目前开展资本市场人才发展业务，并且设立人才发展机构承担相应职责，服务于资本市场人才队伍建设和发展是积极可行的，是与我国资本市场发展阶段相适应的。

第二节 资本市场人才发展业务的思路建议

为了更好地适应资本市场人才发展的需要，我们建议成立以提供公共服务为主的非营利性人才服务机构，整合资本市场监管系统内外资源，集中各方优势，打造一个统一、开放、全方位的资本市场人才发展服务平台，可考虑成立人才服务中心和人才发展基金会两家独立法人机构，各取所长，为整个资本市场人才队伍的建设和发展提供专业的服务支持和有力的投资保障。

具体业务内容可涵盖人才引进、人才培养、人才奖励、人才服务、人才测评、人才政策研究、人才交流等一系列人才服务链条中的各项工作。其中，人才引进和人才培养是核心职能，由人才服务中心和人才基金会共同承担，具体模式为基金会以立项的方式提供资金支持，人才服务中心进行具体运作；人才测评、人才服务、人才政策研究等基础性服务由人才服务中心承担；人才奖励、人才交流等保障性工作由人才基金会以项目的形式运作（见图 36－1）。

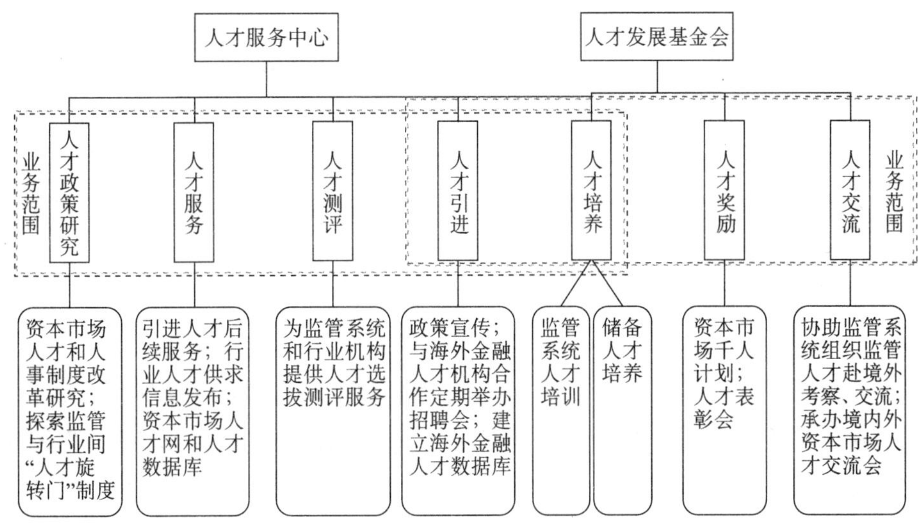

图 36－1 资本市场人才发展业务的思路建议

第三节 资本市场人才发展具体模式构想

人才服务中心和人才基金会相互补充，形成合力，共同搭建资本市场人才综合服务工作体系，以服务和保障资本市场人才队伍建设和发展。人才发展服务中心是具体开展资本市场人才服务业务的平台，用于推进资本市场人才综合服务工作体系的搭建，并为人才发展基金会的运营提供业务支持和人力资源支持；人才发展基金会的设立主要为资本市场人才队伍建设和发展提供资金支持，承担着建立人才发展投入保障体系的职能，用于保障我国资本市场在人才引进、人才培养（储备与培训）和人才奖励方面的资金投入。

一、人才服务中心的发展设想

人才发展服务中心是提供人才公共服务的非营利性服务机构，既具有人才引进、人才培养、人才服务、人才政策咨询等传统服务职能，也具有人才测评等现代化、市场化服务职能，通过公共服务和市场化服务双轮驱动、协调发展，共同促进我国资本市场人才服务体系的建设。

（一）建立宗旨

人才发展服务中心旨在搭建资本市场人才综合服务平台，将国际先进、成熟的人力资源管理理念和体系引入国内，为我国资本市场的人才发展提供专业化的咨询服务和信息服务，同时开展资本市场人才现状及需求趋势的调查和分析，形成有价值的研究报告，为国家有关部门和行业机构提供决策依据和参考。

（二）业务职能

根据资本市场人才发展规划，定位于监管和市场的需要，在引进人才、培养人才、人才状况统计调查分析、人才环境建设和行业文化建设等方面发挥作用（见表36－1）。

表36－1　　人才服务中心职能

人才引进	人才培养	人才服务	人才测评	人才政策
• 海外高层次金融人才引进政策宣传	• 人才培训 ➢ 监管人才	• 中国资本市场人才网 ➢ 宣布行业人才政策 ➢ 发布人才供求信息	• 建立政府机构人才选拔测评体系	• 人才和人事制度改革研究
• 海外金融人才信息库	• 储备人才培养 ➢ 资本市场人才培养合作班 ➢ 建立行业与高校交流机制			
• 定期举办海外招聘会		• 中国资本市场人才数据库 ➢ 建立数据共享机制	• 提供专业人才测评服务	• "人才旋转门"制度
• 引进人才费用支出		• 引进人才的配套服务		

1. 人才引进

推动完善海外人才引进的配套保障机制，促进建立相对完善的海外人才引进配套措施和保障机制，明确引进人才在户口、税收、子女入学、配偶安置、住房等方面一系列的政策优惠。在协助监管部门持续做好国内资本市场高端人才集聚的基础上，以海外高层次、紧缺人才引进、使用、服务为重点，积极创新工作方法，组建专门的团队，建立人才引进长效机制，提高引进人才使用效能，使引进人才为推动我国资本市场改革发展创造更大的价值。另外，建立专项资金管理引进人才的各种费用，包括薪资福利、培养经费等，保证人才“引得来、留得住、用得好”，进一步增强国内监管系统和资本市场对海外高端人才的吸引力。

（1）推动建立引进海外优秀人才长效机制。服务中心拟于海外金融人才机构、华人金融协会等建立合作，定期举办海外招聘会，通过综合运用组团招聘、网络招聘、市场招聘、定向猎取等方法，构建多形式、常态化的海外人才引进机制，为监管系统和行业机构提供海外招聘服务。

（2）组建海外金融人才信息库。通过与海外知名猎头公司及金融社团建立合作和联系，及时掌握海外优秀金融人才的流动信息，对有回国意向的华人精英和有意来华工作的海外人员进行相关信息收集整理，组建起海外金融人才信息库，为今后的持续招聘工作打下基础。

（3）加强引进海外高层次金融人才的政策宣传，及时发布行业及各地方人才引进相关政策及资本市场监管政策，同时提供相关政策咨询服务，为海外引进人才开辟专门的咨询通道，提供详尽的政策咨询服务。

（4）由人才发展基金会资助建立海外人才专项资金，确保引进人才的各种费用支出，进一步完善海外人才引进保障机制。

2. 人才培养

人才培养包含人才培训和人才储备两方面，分别从现有人才持续培养的角度和未来人才储备的角度出发，共同促进资本市场人才队伍整体素质的提升和发展。

一方面，针对行业四支人才队伍建设中监管人才队伍总量提升、结构优化的需要，配合证监会下属各协会，帮助启动实施监管人才素质能力提升工程。通过对监管队伍结构的分析，制定相对应的培训计划和培训方式，并提供培训相关费用支持。除了举办传统的定期专业研讨、业内座谈交流、短期培训等培养方式，着力于运用现代化的人力资源理论和开发方式，针对不同层次监管队伍的不同特点，开发一系列完整的培训体系，实现提高监管人才的政治素质和监管能力的目标，促进各类各专业人才平衡有序发展。

另一方面，根据行业各重点领域未来人才的需要，通过以基金会专项项目运作的形式，联合国内外知名高校组建“资本市场人才合作培养班”，建立起人才培养的制度基础，切实为我国资本市场培养一批实用型未来人才。同时，建立起行业和高校有序交流机制，并鼓励行业各经营机构积极参与，提供大量机会并创造便利条件，吸引和帮助高校优秀学生到行业内实习和调研。

3. 人才服务

人才服务职能包括“一网一库”的建设以及提供引进人才后续服务等内容。

（1）“一网一库”，即建立“中国资本市场人才网”和“中国资本市场人才数据库”。随着网络信息技术的迅速发展，人才服务网站蓬勃兴起，成为人才公共服务的重要媒体和手段。因此，创建人才网站，建立统一规范的网上人才服务体系，整合网上人才服务信息资源是人才服务中心提供人才公共服务的重要媒介。另外，整合资本市场人才数据库，为监管层准确把握行业人才队伍发展状况和趋势，科学制定行业人才战略规划和政策提供数据服务和决策支持。以“一网一库”为载体，形成面向社会、辐射整个资本市场的人才公共信息服务网络，提高人才信息化服务水平。

“一网”：通过人才网面向国内外宣传行业人才政策，体现政策传导服务功能；发布行业各类人才供求信息和人才服务信息，通过评估资本市场人才需求状况，为行业各单位选人用人及各类人才的有序流动提供有效的信息平台和配套服务。

“一库”：以现有的行业协会从业资格管理和高管资格管理平台为基础，整合现有行业信息库，逐步建立数据完备、功能完善、全市场覆盖的人才档案公共管理服务系统；定期对行业人才状况进行统计分析，并提供分析报告；建立数据共享机制，为行业人才发展工作提供数据和信息支持。

（2）完善海外引进人才的服务措施。建立海外引进人才回访、跟踪和沟通机制，对引进人才实施“点对点”服务，重点在子女教育、医疗保障等方面提供优质的咨询服务，做好引进人才的后续服务工作。同时，定期组织海外引进人才交流会，通过建立学习交流平台、信息服务平台等多种途径，帮助引进人才尽快熟悉适应国内资本市场和当地环境。

4. 人才测评

协助监管系统有关部门建立政府机构人才选拔测评体系，开发一套符合监管系统特殊需求的人才评价体系，为监管系统和行业机构提供人才选拔测评工具和中高级人才推荐及后备干部素质测评的专业服务。

5. 人才政策研究

开展人才和人事相关制度改革研究，探索如何将现代化人力资源管理理论和机关事业单位人事管理制度更好地结合；探索建立监管和行业间的“人才旋转门”制度，通过构建人才流动的合理机制，一方面可以吸纳富有资本市场专业经验的高素质人才到监管系统中来，另一方面有助于解决监管干部的出口瓶颈问题。

同时，为了充分发挥引进人才的使用效能，人才服务中心拟定期组织行业机构相关人力资源负责人或分管高层人员交流沟通，鼓励和支持行业机构积极创新人才管理制度，探索建立适合海外高层次人才特点的使用、培养、管理、考核和激励等机制。鼓励企业结合自身战略发展需要，聘任海外引进人才担任高级管理岗位或关键业务岗位，为海外引进人才搭建工作平台，提供业务开展所需要的资源，并配备专业化的工作团队，充分发挥海外高层次人才专业性强、熟悉国际规则等优势，为其营造良好的事业发展和价值创造环境，增强海外引进人才的归属感。

此外，人才服务中心也为监管系统和行业机构提供人力资源法律咨询服务，服务内容包括：提供劳动法律法规管理咨询；提供新出台的劳动法律法规等文件资料；为企业的人力资源管理制度、合同等提供法律咨询意见等。

（三）组织形式

人才服务中心是在中国证监会指导下，发起设立的非营利性社会组织，其组织形式可以是社会团体法人①，也可以是民办非企业单位②。

（四）发展规划

成立初期，人才服务中心以做好人才引进的有关职能为首要任务，集中资源和力量开展目前迫切需要实施的人才项目。待条件成熟之后再逐步拓展业务

---

① 社会团体是指中国公民自愿组成，为实现会员共同意愿，按照其章程开展活动的非营利性社会组织。国家机关以外的组织均可以作为单位会员加入社会团体。

② 民办非企业单位是指企业事业单位、社会团体和其他社会力量以及公民个人利用非国有资产举办的，从事非营利性社会服务活动的社会组织。

范围，建立起“中国资本市场人才网”作为人才服务中心的门户网站，宣传国内外行业人才政策，并及时发布行业各类人才供求信息，为行业各单位选人用人和各类人才有序流动提供优质服务。同时，协调整合“资本市场人才数据库”，实现数据共享，为行业人才发展工作提供数据和信息支持。

二、人才发展基金会的设立构想

（一）基金会的宗旨

为提高我国资本市场人才队伍的专业化水平和国际化水平，缓解人才流失的现状，亟须建立完整的人才发展投入保障体系，以满足资本市场发展对人才的多样化需求。设立资本市场人才发展基金会，根据监管和市场需要，为资本市场在拓展人才引进渠道、丰富人才交流方式、完善人才培养模式、优化人才成长环境等方面提供专项的资金支持和项目支持，是贯彻中央会议精神，落实资本市场行业人才发展规划，保障行业人才队伍建设和发展的重要措施，具有现实意义。

资本市场人才发展基金会的定位是：在中国证监会指导下，由相关部门牵头，各行业协会、各交易所共同参与，旨在为系统和整个行业人才队伍建设和发展提供服务的公益性组织。

基金会的宗旨：鼓励和支持资本市场人才队伍建设和发展事业，服务监管系统和资本市场人才队伍建设和培养；支持资本市场理论与实务研究，促进有价值的人才发展成果或理论研究成果在资本市场的顺利转化，使其最大效益地回馈市场和社会。

（二）筹资方式

基金会筹资模式主要有以下几种形式：

（1）发起人每年的定额资助。

（2）基金运作和投资收益。

（3）国家财政和有关部门的资助。

（4）各相关机构及其他组织和个人的自愿捐赠和资助。

（三）业务活动

人才发展基金会可通过资助项目运作的方式开展相关业务，以资金支持和项目运作的形式配合监管系统、行业各自律协会以及人才服务中心的各类人才服务活动。具体包括：引进和培养各类中高端人才；开展人才国际交流项目；开展境内外培训等人才发展项目；支持监管系统和资本市场人才和人事制度改革研究；资助监管系统创新课题研究项目；定期开展学术交流活动，举办高端论坛和学术交流会；设立“中国资本市场年度人才奖”、“特别津贴”等人才表彰和奖励活动等。

初步分析，可考虑资助和开发的项目包括以下几类：

1. 资本市场“千人计划”

“我国资本市场高层次人才千人计划”（简称“资本市场千人计划”）是基于中央“海外高层次人才引进计划”（简称“千人计划”）的理念，根据我国资本市场人才发展的现实需求而提出的。

（1）资本市场千人计划的目标：落实人才强国战略，贯彻证券期货行业10年人才规划，加强资本市场人才队伍建设，促进资本市场的良性发展。具体目标是在2014年至2020年，用5年左右的时间，通过引进、培训、合作培养的方式，奖励一批切实对中国资本市场建设和发展做出突出贡献的各类人才，并发展一批具有扎实专业知识功底和丰富行业实习经验的实务型后备力量。初定人数是1 000人，每年奖励约150~200人。

（2）目标人群：①海外引进人才。我国资本市场引进（包括拟引进）的海外高端人才；曾在海外金融机构担任高级职务的经营管理人才和专业技术人才等。另外，对于已经入选中央“千人计划”的引进人才进行双重奖励。②国内高层次人才。为我国的资本市场建设做出特殊贡献的监管人才；切实推动我国资本市场创新实践、在业界引起较大反响的市场人才。③优秀储备人才。有志于从事资本市场相关工作，具备扎实的专业基础知识的国内外知名高校的优秀青年学子。

（3）运作模式。资本市场千人计划旨在支持和鼓励能够切实对我国资本市场的建设和发展做出贡献的海内外人才，更是为了吸引更多高层次人才加入我国资本市场人才队伍，因此，需要坚持高标准、严要求的评选原则，组建专业权威的评审团队，制定明确的申报流程，并且在人才发展中心的官方网站及时更新申报信息和评审结果。初步设想如下：①海外引进人才。用人单位与海外高层次人才达成初步意向后，由用人单位相关部门按程序向人才服务中心提出申报；待评审团队对申报人选进行评审之后，基金会对于符合标准的引进人才予以批准并进行公示。②国内高层次人才。由候选人所在单位推荐或候选人自荐，经评审团队出具意见后纳入资本市场千人计划。③优秀储备人才。与国内顶尖的金融院校合作，采取学校（学院）推荐、学生自荐的方式，优先选择"资本市场合作培养班"的优秀青年学子，经人才服务中心相关项目组进行评审后，基金会对符合标准的后备人才予以批准并进行公示，逐步建立起后备人才档案库。并且为后备人才提供实践机会，对于理论和实践课程考核合格的学员，优先提供在证券监管部门和行业市场机构实习的机会。

（4）资金来源。整合系统内各项人才专项资金、申请国家财政支持以及资本市场人才基金会的赞助。

2. 资本市场"扬帆计划"

基金会将与中国证券监督管理系统携手共同实施"资本市场扬帆计划"。资本市场"扬帆计划"是根据我国证券期货行业十年人才规划，进一步贯彻落实人才强国战略、加强资本市场人才队伍建设的现实需求而提出的。

（1）资本市场"扬帆计划"的目标：有效推动资本市场的良性运转，全面支持我国经济转型与结构调整，为我国资本市场未来的发展培养一批高层次专门人才。该项目着眼于培养证券、期货、基金以及监管体系的高层次人才，通过与高校、实务界强强合作，以理论学习、实践实习的方式联合培养一批有志于中国资本市场的后备军。项目初定培养人数是每年 100 人。

（2）目标人群：全国 211 财经类高校优秀的应届毕业硕士生、博士生。

（3）运作模式：与监管机构、国内顶尖的金融院校及市场主体合作，联合培养，采取学校（学院）推荐的方式，待所有理论、实习课程考核合格后，由中国证券监督管理委员会、基金会联合颁发"资本市场后备人才培养结业证书"。学生结业后，审核优秀的学生将由基金会优先向证券监管系统、上市公司、证券公司、期货公司、基金公司进行就业推荐。

（4）资金来源：整合系统内各项人才专项资金、资本市场人才基金会的赞助。

3. 资本市场人才表彰会

资本市场人才表彰会是为激励和鼓舞我国资本市场从业人员、营造良好的资本市场环境氛围而设立的。

（1）人才表彰项目的目标：通过定期遴选表彰一批站在市场发展前沿、对行业做出突出贡献的优秀人才，给予一定物质和精神奖励，加大对各类优秀人才（包括监管人才、业内经营管理人才、专业技术人才等）的表彰和宣传力度，营造兼顾物质、精神需求的人才发展环境。

（2）目标人群：针对证券期货行业四支人才队伍建设的需要，启动实施资本市场监管人才、经营管理人才、专业技术人才、实用技能人才的表彰会。

（3）运作模式：初步设想的运作方式是每年开展一次，资本市场各参与主体按评选办法的要求和标准，逐层评选推荐。各机构的申报材料，将先经基金会工作组审核，再由基金会理事会审议通过。对评选出的先进个人，基金会将在中国资本市场人才网以“光荣榜”的形式或开展“资本市场年度杰出人才颁奖典礼”等活动对外公布，同时受表彰的人才将纳入资本市场千人计划。

4. 资本市场人才交流项目

近年来，中国资本市场发展迅速，国际化程度不断提高。与资本市场“引进来”和“走出去”相对应，资本市场人才队伍“请进来”和“走出去”的机制也需要逐步完善。通过基金会开展“资本市场人才交流”项目，积极与境外监管机构、交易所和相关金融机构开展人才交流与合作。

（1）人才交流项目的目标：通过支持监管人才和行业高端人才积极参与国外学术交流、考察访问、深入了解国际资本市场创新业务，学习先进的监管理念和经验，为引进国外人才以及我国资本市场人才参与国际交流创造良好的环境，切实有效提升监管队伍的业务水准和国际化水平。

（2）目标人群：资本市场监管人才、行业高端人才。

（3）运作模式：一方面，基金会根据监管现实需求定期支持可资继续培养的监管人才积极参与国外学术交流、博士后研究、考察访问、挂职境外实习，提供一线“实战”锻炼机会，引导国内资本市场监管人才“走出去”，深入了解国际金融市场创新业务，学习先进的监管理念和经验。另一方面，协助监管机构定期举办境内外资本市场交流活动，吸引和鼓励周边国家资本市场监管者和从业者到中国资本市场学习交流，扩大中国资本市场的国际影响力。

（4）资金来源：基金会下设专项人才交流基金。

5. 课题研究项目

设立专项课题研究资金，资助监管系统内和行业专家创新研究项目，赞助高校相关科研项目，并建立研究成果评价奖励机制及落地转化机制。

（1）课题研究项目的目标：资助系统内外行业主要业务前沿领域创新课题的深度研究，配合建立系统内及会管研究机构课题联合研究机制。

（2）目标人群：业内专家、相关课题研究人员。

（3）运作模式：建立系统内单位联合课题研究机制，划拨专项课题研究资金，针对行业主要业务前沿领域的创新研究课题进行资助。在此基础上重点开发人力资源领域的人才发展创新课题，例如行业和监管系统职称序列、职务序列研究，公务体系竞争性干部选拔等课题，研究如何将先进的人力资源理念与传统的公务人员选拔制度相结合。同时，建立研究成果评选奖励机制，成立专家评定小组对创新研究课题成果进行评选，对优秀成果予以奖励，同时探索建立优秀研究成果转化机制，促进研究成果向市场实践转化。

另外，基金会还可从事其他相关公益活动，例如推出资本市场人才发展高端论坛；资助与资本市场人才发展相关的各类活动等。

（四）组织架构

基金会的业务主管部门是中国证监会，可成立理事会、监事会、秘书处、投资发展部、项目管理部、财务部、行政部等部门。各部门按照相关法律法规规定及基金会内部治理要求履行相应职责，具体职责如下：

理事会：基金会的决策机构，负责制定、修改基金会章程，明确基金会使命目标；决定重大业务活动计划，包括资金的募集、管理和使用计划。

监事会：依照章程规定的程序检查基金会财务和会计资料，监督理事会遵守法律和章程的情况。

秘书处：按照理事会授权、决议和基金会使命目标开展工作；负责制定和实施内部业务管理规章制度；实施基金会年度预算内的各项日常工作，及时有效地向理事会、监事会、主管部门和社会公众披露。

投资发展部：在理事会授权下，对基金会未来可持续发展提出全面规划；制定多元化的资金投资方案，实现基金会资金的保值、增值。

项目管理部：负责专项基金运营项目的具体策划与实施。

财务部：负责基金日常核算管理工作和会计基础规范化工作；基金会各类银行账户资金的收、付款审核，大宗资助划款申请书拨付信息的复核、编制会计分录工作；负责项目执行机构的财务管理和检查、内部审计工作；负责接待审计主管部门的定期审计工作。

行政部：负责基金会日常行政事务工作。

（五）监督机制

基金会需严格按照《基金会管理条例》的监管要求和信息公开要求，接受业务主管单位、登记管理机构及其他有关机构、捐赠人和社会的监督。

（六）发展规划

基金会成立初期，需通过深入调研，借鉴国内外运作较为成功的基金会治理结构、运作方式、项目设计及筹资模式等对基金会进行规范管理与合理运作，扩大基金会的影响力及社会认可度。

第七篇

迈向“注册制”

——新一轮新股发行体制改革探析

第三十七章

新股发行体制改革引言

党的十八届三中全会出台《中共中央关于全面深化改革若干重大问题的决定》，决定中明确指出要完善金融市场体系，推进股票发行注册制改革，多渠道推动股权融资。这为新时期我国金融体系的健康稳定发展指明了方向。为响应改革的号角，中国证监会于2013年11月30日发布《关于进一步推进新股发行体制改革的意见》（下称《意见》）、《上市公司监管指引第3号——上市公司现金分红》、《关于在借壳上市审核严格执行首次公开发行股票上市标准的通知》等一系列强有力的资本市场改革措施。本轮资本市场改革的总体原则是：坚持市场化、法制化取向，综合施策、标本兼治，进一步理顺发行、定价、配售等环节的运行机制，发挥市场决定性作用，加强市场监管，维护市场公平，切实保护投资者特别是中小投资者的合法权益。这其中的关键点就是推进股票发行从核准制向注册制的过渡。

面对被一些学者称为“二次股改”的注册制改革，中国证监会肖钢主席直言此举“牵一发而动全身”，是还权于市场、还权于投资者的重大改革，还将涉及《证券法》修法、中介执业能力、民事赔偿制度改革等实实在在的重大问题。为配合发行注册制度改革，中国证监会计划将按照注册制的法律规制要求，整合形成证券发行与承销管理、兼重大重组管理、信息披露指引等相关规章，形成与注册制相适应的法律法规体系，建立以信息披露为中心的监管理念，注重对于投资者权益的保护。

新股发行改革多年来“翻烧饼”式地反反复复，始终停滞不前，究其原因十分复杂，其困难的核心就是行政权力和市场的边界划分。实行注册制改革，最核心的就是要真正的还权于市场，还权于投资者。在注册制体制下，中国证监会对于新股发行的审核将重在合规性审查，企业价值和风险则交由投资者和市场自主判断，经审核后，新股何时发、怎么发，将由市场自我约束、自主决定，发行价格将更加真实地反映供求关系。

但如何使市场各主体适应新股的注册发行制度，如何对新股发行进行有效的监督，如何保护投资者的利益都是需要仔细研究的问题。本篇通过回顾我国新股发行制度的发展历程，分析了在我国顺利推进注册制的条件和前提，在借鉴国际发达资本市场新股发行体制经验的基础上，对本轮的新政进行解读，思考注册制推进过程中对于各市场主体的影响；并结合本书内容，对于如何推进新股注册发行体制改革、实现监管转型，从提高信息披露质量、强化市场约束、提高市场活力等方面进行了探讨，以期为实行股票发行注册制提供支持。

第三十八章

我国资本市场新股发行体制发展历程

改革开放以来，中国资本市场获得了迅速发展，短短20多年的发展历程，却经历了发达经济体数十年甚至上百年的市场发展轨迹。从20世纪80年代初开始恢复国债发行，到20世纪90年代初沪、深两个证券交易所相继开业，中国资本市场的发展一直备受关注。随着中国经济的快速发展和综合国力的不断提升，中国资本市场在发展规模、发展速度以及市场发育成熟度等方面都有了明显进步，资本市场在提高经济增长质量与效率、科技创新和产业结构调整等方面起到了极其重要的作用，已经成为中国市场经济体系中的重要组成部分，是中国经济发展的重要推动者①。

资本市场的主要功能之一是作为投、融资双方的媒介和平台进行社会资源的优化配置，新股发行制度直接体现资本市场的资源配置功能，包括对拟发行企业的选择机制、信息披露机制、发行方式、发行法律、发行规章和发行监管机制等一系列要素。完善的、公正的、有效率的发行制度，对保障投资者的利益，提高上市公司的质量，促进证券市场的健康发展具有十分重要的意义。一个国家采用何种新股发行制度，是由其法律基础、证券市场发展的成熟程度以及文化传统等多重因素所决定的，其产生原因和制度变迁与融资制度具有紧密的联系。判断新股发行制度是否有效率，与其是否有效体现资源配置功能密切相关。作为证券市场的基础制度，中国的新股发行制度在20多年的发展历程中，也顺应市场发展的需要经历了多次改革和优化，由行政主导向不断市场化发展，经历了从无到有，从审核制、核准制向注册制过渡的变迁过程。

---

① 周宇．中国资本市场发展经验与启示．河北学刊，2012（06）。

第一节 我国新股发行制度的形成过程

一、我国资本市场萌芽期

（一）萌芽阶段历史背景

我国新股发行制度的产生背景离不开20世纪80年代股份经济试点和深化。20世纪80年代早期农村股份合作经济的成功实践，对20世纪80年代中期城市经济体制改革做出了示范。以城镇为主体的股份经济是在股份合作经济基础上逐步发展起来的一种新型经济形式。与股份合作企业设立不同的是，20世纪80年代我国设立股份制企业需要经过严格的限制和审批。在股份制试点未规范前，审批股份制企业的部门有地方政府、行业主管部门等，1985年起，股份公司的设立的审批权力逐渐统一转到各地和中央负责经济体制改革的专门机构——国家经济体制改革委员会（以下简称体改委）。省市自治区和计划单列市的体改委负责当地股份制企业的设立审批，国家体改委负责中央企业的股份制改革。

1980年至1986年是我国股份经济的初步试点阶段。如何搞股份制，在当时的中国尚处于初期探索阶段，中央政府并未做出明确规定。这一阶段设立的股份公司数量较少，设立和运作也很不规范。1987年至1990年期间，我国股份经济开始深化试点。这一阶段各地股份制试点的范围扩大、内容深化，通过多种形式设立了大量的股份制企业。20世纪90年代在沪深交易所上市的股份制企业中，有86家是1987年至1989年设立的股份制企业，达到1980年至1986年设立的股份制企业数的4.3倍①。

我国股票发行市场经历了一个由企业发起、政府推动、居民响应的过程。改革开放后，部分企业逐步成为独立的利益主体，完全通过国家银行的信贷体系分配已不能满足企业的经营需要和扩张冲动。受获取潜在利润而进行自发制度创新的强烈利益驱动，一些企业开始尝试以股票方式直接向社会筹资。1984年11月18日，公开发行了中国第一批股票。随后，国内其他地区也初步形成

---

① 胡继之.20世纪80年代股份经济的回顾和总结. 深圳证券交易所研究报告（深圳综研字第0026号），P10。

了分散、萌芽状态的股票发行市场。民间的股票发行迅速引起了政府首先是一些地方政府的重视。1985 年，国家银根紧缩，企业资金困难，股票作为向社会集资的一种制度创新，有利于地方经济的发展，其潜在收益开始为地方政府所认识，理论界也开始探讨股份制的问题，提供了推广股份制的知识和技术。这时的中央政府尚未制定统一的股票发行制度，地方政府开始逐步推动本地股份制企业的股票发行。

（二）萌芽阶段股票发行监管模式

我国的新股发行制度正是萌芽于 20 世纪 80 年代中期由中国人民银行部分地方分行以及部分地方政府、行业主管部门所陆续颁布有关股票发行的规定。由于当时股份经济为新生事物，除了考虑对股票发行要实施管理以外，股票选择机制、股票发行方式、股票发行信息披露机制以及股票发行监管机制都还无从谈起，我国最早期的新股发行制度实质上就是新股发行的监管制度。1984 年，中国人民银行上海分行发布的《关于发行股票的暂行管理办法》应当是最早对新股发行的条件、程序进行规范的文件；1986 年，深圳市发布了《深圳经济特区国营企业股份制试点的暂行规定》；此后陕西、北京、广东、福建、厦门、吉林等多个省市陆续发布了相应的新股发行管理规定，上述规定为股票发行市场创造了制度环境，孕育了发行市场的萌芽。

随着经济体制改革的深入，国务院于 1987 年下发了《关于加强股票、债券管理的通知》，对发行股票债券的企业范围、有关审批权限和程序作了明确规定，并由中国人民银行统一负责管理。该通知试图通过中央政策来限制公开发行股票企业的类型，控制股票市场的发展规模：第一，股票发行主要限于在少数经过批准的集体所有制企业中试行，全民所有制企业不得向社会发行股票，只能发行债券；第二，新建企业的合作各方可以试用股票形式互相投资、合股或参股，未经中国人民银行批准，不得向社会发行股票；第三，企业发行债券必须经中国人民银行批准，并通过中国人民银行合同国家计划、财政等部门制定年控制额度进行宏观调控①。由此，股票发行逐步向规范化方向迈进。

20 世纪 80 年代虽无明确的新股发行监管机构，但是大部分企业新股发行都需经有关部门严格的审批，负责股份公司新股发行审批的机构主要为中国人

---

① 董炯等．公法视野下中国证券管制体制的演进．行政法论丛，2002。

民银行以及股份公司行业归口部门或地方政府。中国人民银行为当时股份公司发行新股的主要审批机构，由其各地分支机构行使具体权力。如上海市、深圳市的股份公司发行新股，则分别由中国人民银行上海市分行、中国人民银行深圳经济特区分行审批。由于当时各地人民银行受中国人民银行总行和当地政府的双重领导，中国人民银行各分支机构在审批本地股份公司发行新股时，大都照顾了地方的要求和利益，使得各地分支机构审批新股发行的标准有所不同。股份公司的行业归口部门或地方政府审批新股发行主要出现在 1987 年国务院颁布《关于加强股票、债券管理的通知》以前，这种由行业归口部门审批企业发行新股的做法后来被认为是不规范的，一般在 20 世纪 90 年代初由中国人民银行各地分支机构重新发文确认。

在我国新股发行制度的萌芽时期，虽然各地政府和行业部门对新股发行的简约立法确立起具有地方特色的发行监督管理方式，有利于企业吸收社会流动资金、促进地方经济发展，但是这种既有中央政府又有地方政府、既有金融监管机构又有政府综合部门和行业主管部门的分散审批体制，导致审批机构责、权、利不明确，各审批机构都或多或少存在着重审批、轻监管的问题①。同时，20 世纪 80 年代的新股发行方式的含义较为狭窄，还局限于对选择由股份公司自行面向投资者发行股票，还是由金融机构代理发行或由证券公司承销发行的探讨，尚未涉及发行定价方式问题。由于股份制和资本市场的概念尚未深入人心，早期的股票发行靠行政手段摊派，不仅价格很低，许多公司的股票以面值发售，而且还附带最低收益率保证，投资者多把股票视为另一种储蓄方式，金融投资意识极为淡薄。这一时期监管机构和发行公司着眼点更多的是将股票顺利发行出去，发行定价明显低于公司价值，发行抑价程度严重，远远高于目前新股发行抑价水平②。

二、新股发行制度的形成

随着股份制在全国的影响不断增强，在 20 世纪 80 年代后期，股票开始显现出其巨大收益率，股票发行市场也逐步活跃起来。为避免地方政府因短期目标而产生的不规范行为影响股票市场的发展，中国人民银行于 1990 年 12 月 4

---

① 董炯等．公法视野下中国证券管制体制的演进．行政法论丛，2002 年。

② 梁石．股权分置改革的成效——基于 IPO 定价影响因素的实证分析．西南财经大学硕士论文，2007 年。

日颁布《中国人民银行关于严格控制股票发行和转让的通知》，规定股票发行只限于深圳、上海试点，由此产生了深、沪地方政府对股票发行的措施及地方性试验，国务院办公厅1990年12月26日发布《关于向社会公开发行股票的股份制试点问题的通知》，要求除已批准上海、深圳两市向社会公开发行股票的试点外，凡由地方政府批准实施，但未经中央有关部门审批的，需上报国家体改委、国家国有资产管理局、中国人民银行重新履行审批手续。与此相应，上海市、深圳市分别于1990年、1991年颁布《上海市证券交易管理办法》、《深圳市股票发行与交易管理暂行办法》。

自1991年开始，中央政府对新股发行的控制力度越来越强，国务院各部委在职能范围内制定的股份制企业管理办法，进一步细化了新股发行管理的各项规则，强化了中央政府对新股发行的控制能力。国家体改委等部门于1992年5月颁布《股份制企业试点办法》规定，“进行向社会公开发行股票的股份制试点的省、市、自治区，其股票发行办法和规模必须经中国人民银行和国家体改委批准，并经国家计委平衡后，纳入国家证券发行计划”，奠定了股份制试点的法律基础及审批程序。作为此规章的配套“文件”，《股份有限公司规范意见》、《股份制试点企业宏观管理的暂行规定》分别对股份公司设立、股份公司发行股票规模、股票结构做出了较为详细的规定。此类规章的出台表明着我国新股发行体制已初具雏形。

1992年初邓小平的“南巡”讲话和同年深圳“8·10”认购抽签表事件表明，旧有的制度模式已不能适应股份经济的迅速发展，迫切需要一个能够与股份经济发展速度相匹配的新股发行制度，对新股发行进行统一管理。

1992年10月，对证券市场进行统一宏观管理的主管机构国务院证券委员会（简称证券委）及其监管执行机构中国证券监督管理委员会（简称中国证监会）宣告成立。证券委的主要职责为：“负责组织拟订有关证券市场的法律、法规草案；研究制定有关证券市场的方针政策和规章，制定证券市场发展规划和提出计划建议；指导、协调、监督和检查各地区、各有关部门与证券市场有关的各项工作；归口管理证监会。”中国证监会则由有证券专业知识和实践经验的专家组成，按事业单位管理，主要职责为：“根据证券委的授权，拟订有关证券市场管理的规则；对证券经营机构从事证券业务，特别是股票自营业务进行监管；依法对有价证券的发行和交易以及对向社会公开发行股票的公司实施监管；对境内企业向境外发行股票实施监管；会同有关部门进行证券统计，研究分析证券市场形势并及时向证券委报告工作，提出建议。”代表国务院对证券市场实施统一管理的证券委及证监会的成立，初步实现了证券市场监管权力由地方政府向中央政府集中①。

从规范证券市场的立法建构过程来看，专门规范股票发行市场的行政法规与行政规章出台正是在1992年这一监管体制建立之后。这些行政法规与行政规章，除证券委或证监会独立起草的行政规章之外，多为证券委、中国证监会与相关部门联合起草。这些行政法规与行政规章为建设一个公平、公正、公开的证券市场提供了最低程度的制度性框架。

当股票市场的基本模式在局部培育起来并得到多方认可后，各地地方政府也就强烈要求在这种模式下获得公平待遇。因此，1993年起，中央政府把股份制试点工作扩大到全国范围，促使股市快速由地方性市场扩展为全国性市场，这便迫切需要有统一正式的发行审核制度来加强管理。在这一阶段，中央政府作为制度供给的主体，出台了一系列的法规条例，1993年4月22日，国务院发布《股票发行与交易管理暂行条例》，这是我国第一部正式的全国性股票市场法规，标志着股票发行制度正式建立起来。

第二节 我国新股发行制度的历史变革

随着经济体制从计划经济不断向市场化改革，新股发行体制也经历了由行政主导不断向市场化发展的过程。20多年来，我国的新股发行体制一直处于不断的改革、探索和完善之中（见图38-1）。以新股发行审核制度的历史变革为视角，新股发行制度由最初的审批制发展到了目前的核准制。回溯新股发行制度的演变，每一阶段的制度都有其历史局限，但都适应了当时经济环境及经济发展的需求，对特定时期的国民经济发展做出了巨大贡献。

一、审批制阶段

（一）审批制概述

1993年国务院发布的《股票发行与交易管理暂行条例》明确规定我国的

① 董炯等．公法视野下中国证券管制体制的演进．行政法论丛，2002年。

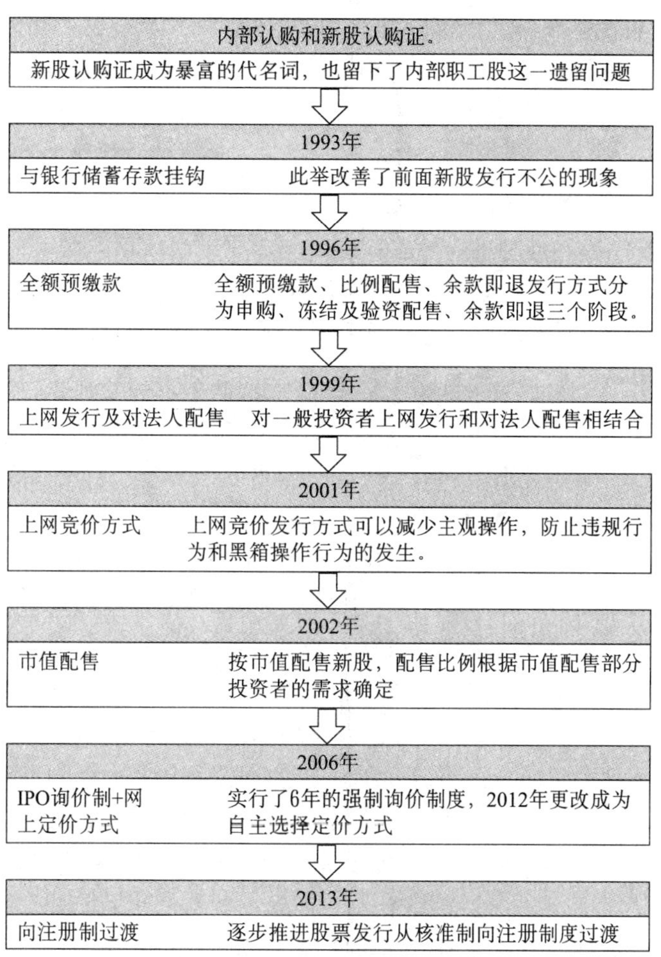

图 38－1　新股发行制度的历史变革

股票发行实行审批制，由国家规定每年的股票发行规模。审批制也称严格实质管理主义，即在证券发行实质管理的内容中加入计划管理的因素，证券发行不仅要满足信息公开的各项条件，而且还要通过在计划指标前提下更为严格的实质性审查。这一阶段共确定了 555 亿股发行额度，分四次下达，1993 年下达 50 亿股、1995 年下达 55 亿股、1996 年下达 150 亿股和 1997 年下达 300 亿股。由省级政府或行业主管部门给选定的企业书面下达发行额度，然后再分配给各省市的企业。获得发行额度的企业向中国证监会报送发行申请，经批准后即可发行。这一阶段共有 900 多家企业发行，通过上市共筹集资金 4 400 多亿元。1999 年 7 月 1 日开始实施《证券法》之后，虽然不再确定发行指标，但是

1997 年指标的有效性一直延续到 2001 年①。

审批制虽带有较浓厚的行政干预色彩，但是这种制度的产生与我国当时经济环境和市场结构具有密切的关系，是同当时我国的具体国情相适应的。

（二）审批制产生背景

第一，我国经济对股份制与证券市场经济效用的认识伴随着传统经济体制向市场经济体制转化而逐步实现与深入，因此，在现实经济生活中，计划经济管理思想仍存在。政府审批企业股份制改造，计划新股发行数量和规模，审批企业的发行和上市，甚至运用行政手段干预证券市场的运行，这些都是在过渡经济中计划与行政力量的集中体现，是一种过渡期经济模式所导致的管理模式。对于这种独特的时代背景的理解有助于看清发展的趋势和设计理想的制度。

改革开放后，证券市场刚刚起步，作为一个新兴的资本市场，其发展还很不成熟。首先，萌芽阶段的 A 股市场，其社会资源有效配置、市场主体优胜劣汰的自我调节能力仍未充分具备，有必要通过行政监管对其发展速度、方向及规模进行干预；其次，市场信息不对称，不同投资者在信息获取的全面性、及时性方面差异明显；再次，投资者在专业知识、投资理念、风险意识和损失承受能力方面相对薄弱，需要投入大量的投资风险宣传及投资者教育；最后，当时的股票市盈率较高，公司的股票一旦上市就意味着可获取巨额融资，使得大量企业一哄而上，都急于挤入上市公司之列②。在这种背景下，为使供给扩容与需求扩容相协调，采取审批制行政干预新股发行的数量与规模是十分必要的。

第二，发展证券市场及股份制在试点初期即被赋予解决国有大中型企业改革的重任。由于国有企业改组设立股份公司并公开发行股票必须征得其所在地方政府或者中央企业主管部门得同意后才能进一步实施。对于改组中对国有资产证券化的问题，为了维护国家在公司拟发行股本总额中持有的股份比例，避免国有资产流失嫌疑，必须将国有资产折股方案等国有股权管理事项报送同级或上级国有资产管理部门审查批准；改制过程中需要国家提供资金或者其他条件的固定资产投资项目，必须获得国家计委或国家经贸委同意固定资产投资立

---

① 宁文昕．保荐代表人、证券监管与保荐质量的提高．山东大学博士论文，2012 年。

② 周友苏主编．证券法通论．四川人民出版社 1999 年版，P180。

项的批准文件[①]；需要将土地使用权折价入股的公司，必须将评估结果向省级或国家土地管理部门申请确认[②]。因此，为了保证较多的国有大中型企业发行上市，只有通过审批制，才能对发行企业在一定程度上根据所有制性质进行区别对待。

第三，我国地区之间经济发达程度各异，借助额度分配制度，能适当照顾中西部地区、民族地区的企业发行上市，促进当地经济的发展；另外，面对当时各地方政府、企业通过股票市场筹资的强烈需求，资本市场发展初期有限的场内资金，额度配给制度便于调节地区间社会资金的供求关系。

（三）审批制阶段新股定价方式

新股定价方面，1994 年以前，拟上市公司发行股票基本均按面值发行，定价没有相应规章制度可循，其价格由发行人与承销商协商确定，并报中国证监会批准，采用的是固定价格定价方式。自 1994 年开始，中国证券市场进行发行价格改革，试行竞价发行。哈岁宝、琼金盘 A 股、厦华电子和青海三普四家公司试行的竞价拍卖发行方式，完全按市场化原则确定新股发行价格，该机制之缺陷在于投资者易于产生“搭便车”行为，并且参与申购的投资者人数会存在较大的不确定性；加之当时股票市场规模较小，股票供给予需求不平衡，中小投资者对各种股票的价值缺乏正确和合理的判断，在市场过热的情况下容易出现非理性的申报价格，产生较大投资风险[③]。厦华电子和青海三普公司股票上市后即跌破发行价，此后，中国证监会取消了该种发行方式。1996 年起，监管部门主要采用限制市盈率（不超过 15 倍）的方式对发行定价进行管制，在具体实施过程中，采用何种口径的税后利润及具体市盈率限制标准曾做过多次调整。1998 年《证券法》颁布，其中明确规定“股票发行采取溢价发行的，其发行价格由发行人与承销的证券公司协商确定，报国务院证券监督管理机构核准。”为配合《证券法》的实施，1999 年 2 月，中国证监会发布了《股票发行定价分析报告指引（试行）》，明确由发行人和承销商协商确定发行价格，逐步放开了对市盈率的行政管制。具体操作上，发行人及其承销商根据

---

① 国家国有资产管理局．《关于公开发行股票公司国有资产折股等问题的复函》，1993 年 8 月 13 日。

② 国家土地管理局，国家体改委．《股份有限公司土地使用权管理暂行规定》．1995 年 1 月 7 日。

③ 周哲．行为金融学视角下的新股发行定价机制改革．河南大学硕士论文，2009 年。

要求向中国证监会报送定价分析报告，作为核准发行价格的重要依据。定价方面开始尝试引入询价机制，发行人及其承销商可以通过配售对象推介会等方式了解需求，确定最终发行价格。

（四）审批制阶段新股发行方式

从新股发行方式来看，该阶段的新股发行采取了包括“无限量发售认购抽签表”、“与储蓄存款挂钩”、“全额预缴款”、“上网竞价发行”、“上网定价发行”等五种方式。在五种发行方式中与储蓄存款挂钩方式、全额预缴款方式和上网定价发行方式成为这一阶段的主流，前两者的优势在于既能激活人气，又可以吸引游资，活跃当地资金市场，容易得到当地政府支持和鼓励。但存在发行环节多、认购成本高、社会工作量大、效率低的缺点；后者则快捷高效，从1995年起被多数公司采纳，它大大降低了发行的成本，也提高了投资者的参与程度①。

（五）审批制阶段性发展历程

1. “额度管理”阶段（1993~1996年）

1992年12月公布的《国务院关于进一步加强证券市场宏观管理的通知》规定，1993年各省、自治区、直辖市及计划单列市可各选一两家经过批准的股份制企业公开发行股票。这就是面向全国的“总量控制、额度分块”的新股发行额度管理制度。具体做法是国务院证券管理部门根据国民经济发展需求及资本市场实际情况，先确定总额度，然后根据各省级行政区域和行业在国民经济发展中的地位和需要进一步分配总额度，然后再由省级政府或行业主管部门来选择和确定可以发行股票的企业（主要为国有企业）。

根据国务院1993年颁布的《股票发行与交易管理暂行条例》第12条规定，申请公开发行股票，按照下列程序办理：

（1）申请人聘请会计师事务所、资产评估机构、律师事务所等专业性机构，对其资信、资产、财务状况进行审定、评估和就有关事项出具法律意见书后，按照隶属关系，分别向省级政府或者中央企业主管部门提出公开发行股票的申请。

（2）在国家下达的发行规模内，地方政府对地方企业的发行申请进行审

---

① 王志国．我国投资银行IPO项目风险管理研究，山东大学硕士论文，2008年。

批，中央企业主管部门在与申请人所在地地方政府协商后对中央企业的发行申请进行审批；地方政府、中央企业主管部门应当自收到发行申请之日起 30 个工作日内做出审批决定，并抄报国家证券委员会。

（3）被批准的发行申请，送中国证监会复审；中国证监会应当自收到复审申请之日起 20 个工作日内出具复审意见书，并将复审意见书抄报证券委；经中国证监会复审同意的，申请人应当向证券交易所上市委员会提出申请，经上市委员会同意接受上市，方可发行股票。

由于在证券监管机构审核前企业已经过了地方政府或行业主管部门的“选拔”，这种审批制度实质上是证券监管部门对政府部门所决定进行的又一次审查，因此对发行人只需作一般性信息披露要求，其发行定价也体现了较强的行政干预特征。

实行额度管理的初衷是考虑到股票市场刚刚建立，市场参与各方缺乏对市场规则、权利义务及投资风险的深刻认识，由政府部门对拟上市企业进行初步遴选并对发行数量及规模进行控制是资本市场发展初期的必然选择，是防止企业一哄而上的过度投资的合理手段。但另一方面，由于额度管理只限规模、不限家数，导致各级地方政府、部委在面临众多企业上市需求时采取限制企业发行规模进行平衡，造成上市公司打量增加的同时呈现小型化特征。另外，地方政府根据区域行业优势推荐企业，导致产业结构合理性缺失；部分地方政府甚至通过推荐企业上市，甩掉亏损企业包袱。上述现象导致了标的上市公司良萎不齐，市场供给失衡等负面影响。

2. “指标管理”阶段（1996～2000 年）

为改变这种局面，1996 年国务院下发《关于 1996 年全国证券期货工作安排意见》[①]，其中第二部分规定，“1995 年下达的股票发行计划，还有一部分未发行上市，今年要继续做好有关工作，今年下半年，将根据宏观经济发展情况，编制新股发行计划，针对目前新股发行中存在的问题，今后下达新股发行计划，改为‘总量控制，限报家数’的管理办法，即由国家计委、国家证券委共同制定股票发行总规模，中国证监会在确定的总规模内，根据市场情况向各地区、各部门下达发行企业个数，并对企业进行审核”，也就是由国务院证券管理部门确定在一定时期内应发行上市的企业家数，然后根据经济运行的总

① 国务院证券委员会. 关于 1996 年全国证券期货工作安排意见. 1996 年 8 月 1 日。

体情况和各行业、各地方发展的需求向省级政府和行业管理部门下达股票发行家数指标，省级政府或行业管理部门在上述指标内推荐预选企业，证券主管部门对符合条件的预选企业同意其上报发行股票正式申报材料并审核。

1996 年 12 月 26 日中国证监会《关于股票发行工作若干规定的通知》规定："为了扩大上市公司的规模，提高上市公司的质量，1996 年新股发行采取'总量控制、限报家数'的管理办法。各地、各部门在执行 1996 年度新股发行计划中，要优先考虑国家确定的 1 000 家特别是其中的 300 家重点企业，以及 100 家全国现代企业制度试点企业和 56 家试点企业集团。"

1998 年 5 月 29 日发布的《中国证监会股票发行审核工作程序》明确将人民币普通股的发行审核分为预选和审批两个阶段。政府有关部门和中国证监会等行政管理部门在整个过程中起着关键性的作用，行使实质审批权，审核委员会在很大程度上只具有形式上的意义。

（六）审批制实施效果

综合看来，审批制是我国由计划经济向市场经济转轨阶段的产物，带有明显的计划经济色彩，在当时我国证券市场起步较晚、投机气氛较浓、民营经济尚不发达、企业急于上市融资的情况下，对于避免市场扩容过快、扶助国有大中型企业改制脱困稳定国家经济局势、协调地区间经济发展、尽快建立一个全国性的证券市场发挥了重要的作用。

但审批制带有明显的国家干预色彩，就其本质而言仍然是一种计划经济的管理模式。无论是 1996 年以前"额度管理"还是 1997 年开始实行的"指标管理"，均没有改变按部门和行政区划切块分割指标的状况。证券监管部门试图以行政手段代表市场选择，不仅决定着证券发行的审批，还决定着证券发行的数量、价格和方式，导致了证券发行人和承销商没有多少自主权，市场的灵活度极小。随着我国经济从计划经济向市场经济的转轨，这种证券发行审核制度越来越显现出其内在的缺陷，具体来说：

第一，在审批制下，证券发行实行计划管理，违背了市场经济优胜劣汰的规律，改变了国家利用证券市场对国有大中型企业进行股份制改造的目的。由于发行计划的完成必须考虑股票流通市场的状况，往往在遇到股票市场熊市时，计划额度就难以完成从而引起结转到下一年度，而遇到股市牛市时，计划额度又供不应求从而追加额度或提前下达下一年的计划额度，在随意的结转和追加中，年度规模实际上名存实亡。有一些企业隶属于部委或其总公司的同时受当地政府领导，可以从两方面获得额度满足其发行规模的需要，形成额度分配方式上的条块分割，从而势必造成某些部门和地区具备条件的公司不能发行股票，而另一些部门和地区的条件相对较差公司却可以发行上市，违背了市场优胜劣汰的规律。不仅使优质民营企业难以获得发行股票的机会，在一些市场经济发育较好的地方，许多优秀的国有企业也因额度限制不能发行上市，而有的地方虽然缺乏好的企业，但分配的额度使其可以把一些勉强合格甚至不合格的企业推上市，行政管理机关行使实质审批权并没有起到根据国家产业政策筛选发行企业的效果，资源的配置效率大打折扣。同时，这种机制也造成上市公司的质量难以保障，许多上市公司的财务状况呈逐年下降趋势。

第二，在审批制下，由于发行额度有限，证券发行审核中权力寻租的空间扩大。发行额度作为一种稀缺资源，获得发行额度就相当于取得了资金，于是企业多将注意力集中于追逐发行额度上，反而忽视了对企业自身的规范建设，致使上市公司的质量难以保障①。为了获得发行额度，一些企业为获取发行额度而动用大量资源进行游说、贿赂有关官员，滋生了不正之风和腐败行为，造成社会资源的浪费，不利于社会经济的健康发展。

第三，在审批制下，证券市场的运行状况受到政府政策的影响。立法对于股票发行的审批规定了较严格的程序，任何拟发行股票的股份有限公司，不仅须取得发行额度许可，在发行前还须取得行政管理机关和证券监管部门的批准，由发行审核部门对发行人的申请进行实质审查。此时证券市场的发展取决于政府部门的计划性，与经济增长对资本市场的内在需求相脱节。政府对证券发行的行政干预几乎面面俱到，如股票发行额度的确定和分配、上市公司的审查、股票的发行方式、企业债券的发行数量、债券利率等，在相关的法律法规还不完善的情况下，政府的政策指导和监督起到决定作用，政策的频繁变动增加了证券市场的不稳定性。

二、核准制阶段

（一）核准制概述

核准制是指拟发行股票的公司按照中国证监会发布的有关股票发行核准程

---

① 李东方．证券监管法律制度研究．北京大学出版社 2002 版，第 121 页。

序等规定进行申报，发行审核委员会按照规定进行审查，符合条件的由中国证监会核准发行，不符合条件的不许发行，没有计划和额度的限制。核准制的主要特点：一是在选择和推荐企业方面，由主承销商培育、选择和推荐企业，增加了承销商的责任；二是在企业发行股票的规模上，由企业根据资本运营的需要进行选择，以适应企业按市场规律持续成长的需要；三是在发行审核上，将逐步转向强制性信息披露和合规性审核，发挥股票发行审核委员会的独立审核功能，发审委表决通过的，中国证监会即发文核准，否则中国证监会不予核准。从 1998 年起，有关管理部门颁布了一系列法律法规来推行从审批制到核准制的变迁。

（二）核准制产生背景

1999 年前后我国宏观经济运行出现了新特征和新问题，促使我国宏观经济政策发生重大改变，即从过去的压缩总需求向扩大内需方向转变，但是产权改革问题、资本市场发展问题和技术创新问题不解决将会严重阻碍总需求长期稳定增长，所以国家在此时做出了重大制度安排的调整和鼓励技术创新的决定。作为影响新股发行制度外生变量的变化促使制度主体的供求关系发生变化，核准制在这种背景下应运而生。

1998 年 12 月 29 日颁布的《证券法》第十条规定“公开发行证券，必须符合法律、行政法规规定的条件，并依法报经国务院监督管理机构或者国务院授权的部门核准或审批；未经依法核准或者审批，任何单位或个人不得向社会公开发行证券”，由此确立了核准制的法律地位。

1999 年 9 月 16 日中国证监会发布《中国证券监督管理委员会股票发行审核委员会条例》规定，中国证监会设立股票发行审核委员会，发审委由中国证监会专业人员和所聘请的证监会以外的有关专家以及社会知名人士组成。此条例以规章的形式，确定了股票发行审核委员会的法律地位，其目的一是为了与核准制的推行相适应，以保证核准工作的质量；二是通过吸收证券监管机构以外的专家参与，增加工作质量和透明度。

1999 年 12 月 2 日中国证监会发布《关于成立证券发行内核小组的通知》，证券公司成立内核小组的职责是：负责对拟向中国证监会报送的发行申请材料的核查，确保证券发行不存在重大法律和政策障碍；负责代表发行人和公司与中国证监会发行监管部进行工作联系，组织对有关反馈意见的处理等。

2000年3月修订后的《中国证监会股票发行核准程序》公告，标志着股票发行正式由审批制过渡到核准制。该程序表明，证券监管部门将统一按程序对发行公司股票进行核准，对于符合条件的发行公司核准其股票上市，从而取消了对股票发行额度的控制。中国证监会不再对各省下达"额度"或"家数"，实行"成熟一个，推荐一个"。此外，中国证监会还要求企业必须通过改制，运行一年后才能申请发行股票，保证了证券发行的规范性。为了与发行核准制相配置，发行企业的资格由政府审批改为证券公司推荐，即只要发行申请人在得到省一级政府或国务院相关部门的批准后，由主承销商推荐并向中国证监会申报。同月，中国证监会发布了《股票发行上市辅导工作暂行办法》，规定主承销商负有辅导申请发行公司的义务，在主承销商报送申请文件前，应对发行人进行为期一年的发行上市辅导，并出具承诺函。从2001年3月中旬开始，股票发行核准制正式推行，符合条件的企业在核准制程序下报送申请文件。

（三）核准制阶段新股定价方式

这一阶段，在发行定价方面，由于2001年下半年国有股减持等因素导致股市大幅下挫并持续低迷，频频出现新股跌破发行价的情况。为控制市场风险，监管部门对新股发行重新采用限制发行市盈率上限的方法（不超过20倍市盈率）指导发行定价。承销商和发行人在事先确定的价格区间内通过累积投标询价，并考虑募集资金的总量来确定股票的发行价格。2005年后，根据法律调整和市场环境的变化，监管部门对新股发行体制进行了重大改革，推出了询价制度，采用向基金公司等六类合格机构投资者累计投标询价的方式确定新股发行价格，监管部门不再对新股价格进行核准，仅在必要时进行适度的指导。[①] 首次公开发行股票询价制度从2005年1月1日起试行。按照中国证监会的规定，首次公开发行股票的公司及其保荐人应通过向询价对象询价的方式确定股票发行价格，标志着我国首次公开发行股票市场化定价机制的初步建立。2006年9月11日，中国证监会审议通过《证券发行与承销管理办法》，该办法细化了询价、定价、证券发售等环节的有关操作规定。

（四）核准制阶段新股发行方式

在发行方式上，1998年《证券法》、1999年3月《股票发行定价分析报

① 商文．我国新股发行体制的发展与演进．上海证券报，2009年5月25日。

告指引（试行)》的颁布标志着我国股票发行方式在不断去行政化的道路上走了更远的一步。1999 年 7 月，中国证监会公布了《关于进一步完善股票发行方式》，引入了法人配售机制。2000 年 4 月，中国证监会公布了《关于修改〈关于进一步完善股票发行方式的通知〉有关规定的通知》，放宽了法人配售的范围。2000 年 2 月 13 日中国证监会颁布《关于向二级市场投资者配售新股有关问题的通知》，在新股发行中试行向二级市场投资者配售新股的办法。但在实际操作过程中，加之技术原因，这种方式并未彻底解决一、二级市场的失衡问题，溢价问题依然没有得到有效缓解，从而在 2000 年底，中国证监会取消了基金认购新股的特权，并取消了向二级市场投资者配售的政策。此后，发行方式多集中于"上网定价发行"、"网下询价、上网定价发行"、"网上网下累计询价发行"几种发行方式。2006 年 5 月 20 日，深、沪证券交易所分别颁布了股票上网发行资金申购实施办法，股份公司通过证券交易所交易系统采用上网资金申购方式公开发行股票。2008 年 3 月，在首发上市中首次尝试采用网下发行电子化方式，标志着我国证券发行中网下发行电子化的启动。

（五）核准制阶段性发展历程

1. "通道制" 阶段（2001 ~ 2004 年）

2001 年 3 月，发行审核体制正式实施以"通道制"为核心的核准制。发行人发行股票不再需要各级政府的审批，只要符合《公司法》和《证券法》的要求即可经证券公司推荐申请发行上市。我国的证券公司也是从此时开始正式发挥金融中介机构的作用。"通道制"是指由证券监管部门根据各家证券公司的实力和以往业绩，直接确定其拥有的推荐申报通道数量（规模较大的证券公司拥有 8 个通道，规模较小的证券公司拥有 2 个通道)，证券公司按照发行一家再上报一家的程序来推荐上市公司的制度。具体运作如下：各家证券公司根据拥有的通道数量遴选符合条件的拟发行公司，协助拟发行公司进行改制、上市辅导和制作发股申报材料，经证券公司内部设立的"股票发行内部审核组"审核通过后，申报至证监会待核准；中国证监会接受拟发股公司的发股申请后进行合规性审核，经发审委审核通过，再由证监会根据股票市场的走势情况下达股票发行通知书；拟发股公司在接到股票发行通知书后，与券商配合实施股票发行工作①。这一阶段共有 200 多家公司上市，共筹集资金2 000多亿元。

通道制改变了过去行政机制遴选和推荐上市公司的模式，使得主承销商在一定程度上承担起股票发行的风险，获得了遴选和推荐股票发行的权利，提高了市场机制对股票发行的影响力度；证券公司对发股公司申报材料的内部审核制度也逐步严格完善，在股票发行中的作用逐渐凸显出来；通道制较为有效地保障了发行审核委员会的功能落实，促使发审委提高工作质量，公正评判功能大大强化。

通道制虽有其积极作用，但这种核准制作为中国股票发行制度从审批制向核准制转变初期的过渡性措施和阶段性产物，是建立在以政府干预为特点的集中性管理体制上，未摆脱计划干预的影子。存在的问题有：第一，通道制下公司的上市数量仍由中国证监会掌握，行政审批的特点仍然鲜明，股票发行“名额有限”的特点未变，并不能真正解决有限的上市资源与庞大的上市需求之间的矛盾，无法根本改变中国资本市场深层次结构性失衡的问题。第二，通道制带有平均主义的色彩，导致投行业务中的优胜劣汰机制难以在较大范围内发生作用，抑制了券商之间的有效竞争。第三，通道制对主承销商的风险约束仍然较弱，对券商的责任追究缺乏可操作的具体制度，不能有效地敦促主承销商勤勉尽责。一些证券公司把主要精力用在帮助企业“包装”上市上，对企业上市后能否规范运作和持续发展不够关心，出现了一些上市公司发行上市当年就发生业绩大幅下滑、频繁改变集资金用途等情况。

2. “保荐制”阶段（2004 年至今）

进入 21 世纪后，我国宏观经济开始实现高速增长。这种情况在 2003 年达到一个新的高峰。2003 年，我国 GDP 增长率在 1996 年经济软着陆后首次突破 9%，固定资产投资增长率高达 26.7%。从国际证券市场来看，2002 年前后，中国香港和美国相继爆发了欧亚农业、安然、世通等上市公司财务造假案，全球证券市场都为之震惊，投资者不断呼吁政府加强对证券市场的监管。在此形势下，各国证券监管当局和证券交易所开始对包括券商、会计师事务所在内的中介机构的诚信水平和保荐能力进行全面质疑和检讨。2002 年和 2003 年，美国和中国香港陆续采取系列措施加强政府对中介机构的监管。根据这一时期国

---

① 中国证券业协会．关于证券公司推荐发行申请有关工作方案的通知．2001 年 3 月 29 日。

内和国际的经济及证券市场形势，我国政府意识到健康发展的证券市场对宏观政策的作用机制和效果具有重要的影响；同时，包括机构投资者、普通投资者、中介机构、上市公司以及广大的拟上市公司都希望证券市场能够恢复其自身应有的各项功能。在这样一个背景下，保荐制于2003年12月正式出台。

2003年12月28日中国证监会发布《证券发行上市保荐制度暂行办法》，规定2004年2月1日起证券发行实行保荐制度。即由保荐机构负责发行人的上市推荐和辅导，核实公司发行文件中所载资料的真实、准确和完整，协助发行人建立严格的信息披露制度，保荐机构不仅承担上市后持续督导的责任，还将责任落实到个人。也即让券商和责任人对其承销发行的股票，负有一定的持续性连带担保责任。保荐制度的实施，是资本市场市场化改革的重要一步。保荐制对发行上市的责任体系进行了明确界定，建立了责任落实和责任追究机制，意在降低发行风险，减少行政监管干预发行市场的行为，提高股票发行效率。

在实践操作中，首先是由证券监管部门规定既定的发行条件，发行人经保荐机构保荐向中国证监会报送申请材料，提交发行申请；证券监管部门受理后，先由内部职能部门进行初审，形成初审意见提交发审委审核；发审委以投票方式对股票发行申请进行表决，提出审核意见。发审委未通过的，中国证监会不予核准；发审委审核通过的，中国证监会核准其发行，由发行人聘请承销商组织股票的定价销售。

与通道制相比，保荐制对承担股票发行工作的证券公司提出了更为专业化的要求，要求设立保荐机构专门从事优选上市公司的工作。保荐机构推选上市公司的数量不再受限于中国证监会分配的上市通道，而是取决于机构拥有保荐代表人的数量。保荐制度设计的核心内容在于：要求保荐代表人和保荐机构承担与保荐质量相关的连带责任，通过责任连带的约束使保荐人通过尽职调查选择符合条件的公司推荐上市。为应对上市公司业绩变脸的问题，券商的上市保荐工作不仅是优选上市公司，在整个股票发行上市全过程，以及上市后的两到三个会计年度也要履行持续督导的责任。这对于保证上市公司质量，保护投资者利益和提高股票发行市场效率都具有积极的作用。

从审核机构来看，虽然中国证监会仍然是法律规定的新股发行的核准机构，但是具体行使审核权力的发审委被揭开了神秘的面纱，根据2003年12月颁布的《中国证监会发审委工作细则》，发审委委员名单在每次发审委会议前必须向社会公布，当委员与被审企业有关联关系时，必须申请回避。这一针对事前监管方面的改革，使得核准制下最为核心的发审委审核环节核准机构的权力开始接受公众的监督。同时，根据《证券发行上市保荐制度暂行办法》，保荐机构和保荐代表人被赋予了更多推荐企业发行股票的权力和责任，具体表现为对企业的持续督导责任、对其他中介机构的管理责任等。保荐制下，新股发行保荐、审核分工趋于科学化、专业化。

（六）核准制实施效果

核准制，尤其是保荐制度的实施不仅规范了证券公司的证券发行与承销行为，对证券发行审核制度以及证券市场的发展都起到了相应的积极、促进作用。然而，随着市场运行机制的完善，市场内在约束机制逐渐增强；多层次资本市场的逐步建立进一步拓展了市场的广度和深度；市场主体的成熟发展，使其自身逐渐具备了风险鉴别能力和承受能力。以行政手段遴选企业、帮助投资者判断企业价值，规避投资风险的做法，已经越来越成为阻碍市场有效配置资源的障碍。因此，现行的保荐制下，同样存在着一些影响市场效率发挥的问题。

1. 积极的作用

（1）有助于推动证券市场诚信建设，增强投资者的信心。实施保荐制度，把责权落实到了市场主体的公司和个人，并建立了具体、明确、具有可操作性的责任追究机制，督促其做到诚实守信和勤勉尽责，从而逐步实现市场主体自觉诚信。

（2）有助于促进证券市场运行效率的提高。保荐制度对证券发行人、上市公司的信息披露提出了全面性、真实性和时效性的基本要求，有助于健全我国证券市场的证券发行与上市的信息披露制度以及持续信息披露制度，增强市场的透明度，提高市场运行效率。同时，将保荐机构、保荐代表人的保荐资格与被保荐的发行人或上市公司的经营行为和业绩相挂钩的做法，使保荐机构为防范保荐风险，提高投资银行业务或承销业务收益，势必将有限的保荐资源尽可能的投入资信良好、管理规范、业绩优良的发行人，从而推动优质的公司发行上市和再融资，优化证券市场资源配置的作用。

（3）有助于完善证券市场的准入机制。保荐制度对保荐机构和保荐代表人的市场准入限制有助于改善上市公司的市场准入机制，建立市场力量对证券发行上市进行约束的机制，提高证券中介机构的职业操守和执业水准，增强证券市场对投资者的吸引力。

（4）有助于证券公司综合实力的提高。在保荐制度下，保荐机构和保荐代表人的保荐责任不仅覆盖整个发行上市过程，保荐机构若想在证券市场的竞争中不被淘汰出局，必须提高专业能力，并注重自身信誉的维护和提升。保荐人只有提高行业和公司价值判断能力，才能提高保荐绩效，并最终在投资银行业形成竞争优势。

2. 存在的弊端

（1）拟发行上市公司对自身经营业绩的过度粉饰、包装。由于监管层在审核过程中对公司经营业绩等方面的严格限制，对于本身绩效不理想的拟上市企业形成了很大的压力。某些企业为达到发行条件，甚至不惜铤而走险，为通过审核而粉饰资本结构、资产回报率、利润率、利润增长率等财务指标以及非财务指标，导致新股发行定价显著偏离公司的真实价值，加大了投资风险。

（2）利益群体相互合谋，影响公平、公正的发行效率。虽然核准制已不像审批制对发行总量进行严格控制，但是依然作为稀缺资源的上市资格一直备受各利益群体的关注。承销商可以获得大量的承销费用，发行人和私募机构可以在高价发行之后进行套现。

（3）保荐、审核效率不足。过高的门槛、严格的审核使一些高成长、创新型企业被挡在市场之外。企业从申请到最终发行股票程序烦琐，且费用极高。有很多企业为避开申请发行，另辟途径选择借壳上市，这也是导致我国“壳”资源价格昂贵的重要因素。从企业角度看，上市代价高昂；从社会角度分析，资源浪费巨大。

（4）行政干预限制了市场机制的发展完善。由于监管部门实质上拥有对申请发行股票公司的决定权，使投资者萌生依赖的心理，往往忽略投资风险。这种情况增加了政府责任，使市场形成对政府的行政依赖，限制了投资者的独立判断能力，也分散了监管部门的精力。

三、我国新股发行制度改革趋势

我国新股发行监管方式的演变，总体上看是一个管制不断放松，从审批制、核准制向注册制转变的过程；审核方式则由实质性审核向形式审查逐渐过渡。在此次注册制过渡改革之前，无论是审批制还是核准制，我国新股发行审核都未能摆脱证券监管部门对拟上市公司投资价值判断及是否符合上市要求的实质性判断。新股发行始终没有离开政府主导行政审批的范畴，仅仅是对审核强度及责任进行调整。

2009 年 6 月，中国证监会拉开了新股发行体制改革的序幕，公布《关于进一步改革和完善新股发行体制的指导意见》，这次改革继续了市场化改革方向，紧紧围绕定价和发行承销方式的两个关键环节，完善制度安排。强化市场约束。改革的方向是通过完善制度进一步强化市场约束，推动发行人、投资者、承销商等市场主体归位尽责，重视中小投资者的参与意愿，使新股价格更能反映市场选择，市场主体的行为更加慎重自律，促进长期理性投资。在具体事实上，按照分步实施，逐步完善的原则，分阶段逐步推出各项改革措施。其中，第一阶段改革主要推出四项改革措施，包括完善询价和申购的报价约束机制，形成进一步市场化的价格形成机制；优化网上发行机制，将网上网下申购参与对象分开；对网上单个申购账户设定上限；加强新股认购风险提示，提示市场参与主体明晰市场风险。

2010 年 10 月中国证监会发布了《关于深化新股发行体制改革的指导意见》，该阶段的改革措施实行发行体制改革的组成部分，也是第一阶段改革措施的延伸和继续。这一阶段的改革主要是在其改革的基础上，进一步完善询价过程中的报价和配售约束机制，促进新股定价进一步市场化；增强定价信息透明度，强化对询价机构的约束，合理引导市场；进一步增加承销与配售的灵活性，理顺承销机制，完善回拨机制和终止发行机制，强化发行人、投资者、承销商等市场主体的职责。

2011 年以来，中国证监会陆续发布了一系列关于股利分红、加强招股书预报披露制度改革方面的意见和通知，深化发行制度改革。2011 年 11 月，中国证监会发布《关于创业板拟上市公司分红要求》，要求创业板拟上市公司在招股说明书中细化回报规划、分红政策和分红计划，并作为重大事项加以提示。2011 年 12 月 30 日，中国证监会发行部、创业板部联合发布了《关于调整披露时间等问题的通知》，要求发行人将于披露时间提前到反馈意见落实之后、初审会之前。

2012 年 4 月 28 日，中国证监会制定了《关于进一步深化新股发行体制改革的指导意见》。改革的主要内容是，在过去两年减少行政干预的基础上，健全股份有限公司发行股票和上市交易体系，推动各市场主体进一步归位尽责，促使新股价格真实反映公司投资价值，实现一级市场和二级市场均衡协调健康发展，切实保护投资者的合法权益。

2013 年 11 月 15 日，党的十八届三中全会《中共中央关于全面深化改革若干重大问题的决定 》中提出“使市场在资源配置中起决定性作用；健全多层次资本市场体系，推进股票发行注册制改革，多渠道推动股权融资，发展并规范债券市场，提高直接融资比重”。

2013 年 11 月 30 日，中国证监会《关于进一步推进新股发行体制改革的意见》贯彻党的十八届三中全会决定中关于“推进股票发行注册制改革”的要求，进一步推进新股发行体制改革，厘清和理顺新股发行过程中政府与市场的关系，加快实现监管转型，提高信息披露质量，强化市场约束，促进市场参与各方归位尽责，为实行股票发行注册制奠定良好基础。改革的总体原则是：坚持市场化、法制化取向，综合施策、标本兼治，进一步理顺发行、定价、配售等环节的运行机制，发挥市场决定性作用，加强市场监管，维护市场公平，切实保护投资者特别是中小投资者的合法权益，使 A 股市场上有机会迎来新一轮巨大的改革红利。

2013 年 12 月 13 日，中国证监会就《优先股试点管理办法（征求意见稿）》公开征求意见。该办法是中国证监会贯彻落实党的十八届三中全会精神，加快推进资本市场改革创新的一项重要举措，是落实《国务院关于开展优先股试点的指导意见》的重要配套文件。《优先股试点管理办法（征求意见稿）》坚持三项原则：保护投资者合法权益，充分考虑普通股和优先股两类股东权益的平衡；坚持市场化原则，在制度设计上预留空间以满足不同发行人和投资者的需求；坚持平稳起步原则，从信息披露较充分、公司治理较完善的上市公司和非上市公众公司开始试点。

2013 年 12 月 13 日，中国证监会修订并发布了《证券发行与承销管理办法》，落实新股发行体制改革要求，改革和规范定价与配售方式，进一步提高新股发行的市场化程度。修订主要包括五个方面：取消行政限价手段，引入主承销商自主配售机制，提高定价和配售的市场化程度；提高网下配售比例，调整有效报价投资者家数的限制，发挥公募基金、社保基金定价作用，加强对定价和配售的市场化约束；调整回拨机制，改进网上配售方式，尊重网上投资者认购意愿；提高发行承销全过程的信息披露要求，强化社会监督；完善行政处罚、监管措施、自律监管、记入诚信档案等多层次的监管体系，进一步加强监管，强化事后问责。

2013 年 12 月 14 日，国务院发布了《关于全国中小企业股份转让系统有关问题的决定》，对全国股份转让系统的定位、市场体系建设、行政许可制度改革、投资者管理、投资者权益保护及监管协作 6 个方面进行了原则性规定。为了贯彻落实《国务院关于全国中小企业股份转让系统有关问题的决定》，中国证监会制订、修改相关业务规则和工作流程，积极推进全国股份转让系统建设。2013 年 12 月 26 日，中国证监会发布了《关于修改〈非上市公众公司监督管理办法〉的决定》。

2013 年 12 月 27 日，国务院发布了《关于进一步加强资本市场中小投资者合法权益保护工作的意见》。中国证监会指出其重要内容有：健全投资者适当性制度，优化投资回报机制，保障投资者参与权和知情权，强化中小投资者纠纷解决和赔偿补助，以及强化中小投资者教育和完善投资者保护组织体系。同日，为贯彻落实《国务院关于全国中小企业股份转让系统有关问题的决定》，中国证监会以“简便、透明、快捷、高效”为原则，制定了相应的配套规则：修改《非上市公众公司监督管理办法》；明确审核要求，解决历史遗留事项；明确行政许可流程。各项政策进一步夯实了资本市场发展的基础，提高资本市场内在质量和运行效率，提升市场投资价值，优化市场资源配置，这是市场长期稳定健康发展的根本保障。

第三十九章

国外发达资本市场新股发行经验借鉴

第一节　美国资本市场新股发行体制介绍

一、美国资本市场的生态环境①

（一）证券市场分层体系

美国拥有完备的证券市场分层体系，具有很强的借鉴意义。美国的多层次证券市场在金融工具风险等级、交易组织形式、地理空间三个维度上同时展开，形成了四层次的“金字塔”型证券市场体系②。

第一个层次：位于“金字塔”的最上端的是纽约证券交易所（NYSE）和纳斯达克证券市场（NASDAQ）。纽约证券交易所是全球性的蓝筹股市场，NASDAQ 市场面向成长型企业。NYSE 的起源可以追溯到 1792 年，1863 年改为现名，是世界上最具影响力的交易所之一，其上市公司总市值常年保持在全球第一，大约有超过 2 800 家来自全球各地的公司在 NYSE 上市交易。NASDAQ 由全美证券交易商协会（NASD）创立并负责管理，于 1971 年在华盛顿建立的全球第一个电子交易市场。NASDAQ 的特点是交易速度非常快，平均有 15 个做市商对一家上市公司做市；给投资者提供最好的交易价格；电子平台获得 ISO9000 认证，可靠性达 99.97%，并通过全球新闻网向世界的各个角落传递纳斯达克市场的每个数据。根据不同的上市标准，NASDAQ 市场内部进一步区分为不同的层次：Global Select Market、Global Market 和 Capital Market。

---

① 陆岷峰，周慧琦．美国资本市场生态环境建设与中国的借鉴．山东工商学院学报，2009（12）。

② 王丽，李向科．美国资本市场分层状况及对我国的启示．中国金融．2006（3）。

此外，美国还有六家区域性的交易所，基本上没有上市功能，主要作为 NYSE 和 NASDAQ 市场的区域交易中心，因而已算不上一个独立的层次。

第二个层次：公开报价系统。公开报价系统包括信息公告栏市场（OTCBB）和粉单市场（Pink Sheet）。其中，OTCBB 是全美证券商协会（NASD）管理的一个电子报价系统，为 3 400 多只场外交易股票提供实时报价、最后一笔成交价和成交量等信息。OTCBB 市场和 NYSE、NASDAQ、AMEX 都是美国全国性的交易市场，受美国证券委员会（SEC）监管，OTCBB 的挂牌公司都必须是向 SEC 会报告信息的公司。它的交易管理方法与 NASDAQ 基本一致，均是做市商制度、电子系统交易。OTCBB 由于自身的特点被称为 NASDAQ 或其他交易市场的预备学校，每年都有一批企业经过在 OTCBB 市场的培育，成熟壮大后，转向 NASDAQ 甚至 NYSE 市场。粉单市场是由一家私人公司（全美报价事务公司）运营的，为 2 400 余家公司提供交易信息服务。粉单市场不仅包括公众公司，也包括私募公司，但私募公司股份转让必须遵守 SEC 的 R144 相关规则规定。

第三个层次：地方性柜台交易市场。有超过 10 000 家小型公司的股票仅在各州发行，并且通过当地的经纪人进行柜台交易。这些公司根据《美国证券法》D 条例中的发行注册豁免条款发行股份。

第四个层次：私募股票交易市场。全美证券商协会还运营了一个 Portal 系统，为私募证券提供交易平台，参与交易的是有资格的机构投资者。机构投资者和经纪商可通过终端和 Portal 系统相连，进行私募股票的交易。该市场是根据美国证券交易委员会 R144A 规则建立的一个专门市场，是专门为合格机构投资者交易私募股份的专门市场。

（二）完善的市场法规

美国资本市场具有严密完善的法律制度，作为证券市场法律基石的就是《证券法》和《证券交易法》。《证券法》又称《证券真实法》，于 1933 年通过，旨在通过建立公开的信息披露制度加强对股票交易的管制，制止证券市场的投机活动。《证券交易法》于次年发布，旨在通过建立规范的市场交易机制，限制投机性信贷数量，规范证券市场中交易商和经纪人的行为，确保大多数公众能获得有关市场活动的完备证券交易信息，杜绝因信息不公平和关联交易，维护整个资本市场的健康发展。此后，美国国会又先后颁布了一系列与证券相关的法律，从各方面强化对资本市场的监管，其中主要有《1935 年公用事业控股公司法》、《1940 年投资公司法》、《1940 年投资顾问法》、《1970 年证券投资者保护法》、《1978 年破产改造法》等。进入 20 世纪 90 年代，美国又增加了《证券实施补充与股票改革法》、《市场改革法》、《证券法 1990 年修正案》、《1999 年金融服务现代化法案》。2002 年，主要针对“安然”等上市公司会计丑闻，国会又通过了《索克斯法案》。除联邦法律之外，各州的《公司法》、《银行持股公司法》、《破产法》、《国内收入法》等地方法律也对美国资本市场产生了较大的影响。全球金融危机后，美国政府相继出台一系列法案，规范和刺激证券市场有序发展，例如有 2012 年 4 月出台的 JOBS 法案，旨在通过适当放松管制，完善美国小型公司与资本市场的对接，鼓励和支持小型公司发展。

美国资本市场对于法律责任的要求是严厉明确的。法律对违法事实都进行明确界定，并且详尽规定了各上市公司、董事、负责会计报告审计的注册会计师等相关市场主体的法律责任，一旦违法事实成立，不仅要负民事赔偿责任，还可能负刑事责任。

（三）分层次的监管体系

美国证券市场实行分级监管，与证券市场体系相呼应，也形成了一座金字塔形的监管体制。在这座金字塔的顶部，SEC 对整个市场进行监督，享有法定的最高权威；各州也设有监管机构，在其辖区范围内对证券业进行监督。在金字塔的中部是各个自律组织——包括纽约证券交易所、其他交易所、全美证券交易商协会、各清算公司等，它们共同监测市场的交易并监督其成员的活动。而上市公司的监督部门、证券中介机构及社会舆论构成这座金字塔的基础，监督公司与公众的交易并调查客户申诉。

第一，美国的证券市场来自政府层面的监管由 SEC 来负责。根据美国 1934 年《证券交易法》规定，证券交易委员会具有一定的立法权和司法权，拥有很大的权威和影响，其工作宗旨是：寻求最大的投资者保护和最小的证券市场干预，建立一个投资信息系统，一方面促成投资者做出正确的投资选择、引导投资方向；一方面利用市场投资选择淘汰劣质的证券。SEC 执行委员会由 5 名成员组成，均由美国总统任命、参议院批准，任期 5 年。委员为专职，不得兼任其他公职。SEC 直接对国会负责，每年须向国会报告当年证券市场情况和证券法规的执行情况。SEC 管理和控制着联邦级的证券交易所，在各主要证券交易所派驻监督官员。此外，联邦级的证券交易所和美国全国证券交易商协会，也起到一些行业管理作用。美国证券商协会是一个半官方半民间的非营利组织，负责全权管理美国全国场外交易市场的所有证券交易活动，吸收场外交易者，包括证券公司、投资机构和个体经纪人为会员。

第二，交易所的自我约束和监管。证券交易所对证券市场的管理分为证券交易所会员管理和证券交易制度管理。交易所的监管趋势是将监管业务外包，例如组约证券交易所承担运营和监管任务的是两家各自独立运作的公司，两家公司签订委托合同，将对运营公司的市场监管业务委托给监管公司。纳斯达克市场也是采取类似的委托合同方式把监管业务外包，这样有助于交易所专注盈利业务的发展。

第三，行业组织的自律监管。美国金融业管理组织（Financial Industry Regulatory Authority，简称 Finra）于 2007 年 7 月成立，是将原纽约证券交易所和全美证券业协会（NASD）对证券经纪代理商的监管职能合并后新成立的一个非政府性质的行业自律组织。Finra 受 SEC 监管，不仅承担着对证券经纪代理商的监管职责，还承担着 OTC 场外交易市场和场外交易行为的监管。

总体来讲，美国对不同层级市场的监管方式和严密程度是不同的。其中对证券交易市场的监管最为严格；对于场外交易市场的监管，来自政府部门的监管力度要小很多，主要由行业自律组织进行监管；而对于私募股权交易市场，来自外部的监管则更弱。

（四）严格的信息披露制度

美国资本市场信息披露制度依赖的法律体系主要分为美国国会和地方议会颁布的有关法律；SEC 制订的关于证券市场信息披露的各种规则或规定；各证券交易所、NASDAQ 和全国证券业协会（NASD）制订的有关市场规则，这些法律和规范构成了一个严密的信息披露监督系统。在美国资本市场信息披露监管法律体系中，最重要的法律是《证券法》和《证券交易法》。信息披露是美国资本市场法律监管体系的监控重点，通过强化以会计信息披露为主的信息披露，建立公开信息披露体系，达到保护投资者利益、维护资本市场有效运转的目的。此外，为了切实实施对资本市场的有效监管，SEC 还在联邦法律的框架下针对各种不同的监管对象制订了大量详尽而严格的信息披露规则或规定，并出台各种文告解释法规、指导执行，其中主要有《财务信息披露内容与格式条例》、《非财务信息披露内容与格式条例》和其他指导性解释性文件。而各交易所、NASDAQ 和 NASD 也根据法律和 SEC 的披露规则制订了相应的市场规则。这类规范体现了信息披露体系系统而详尽的特点，规范的范围不仅包括财务信息，也包括对上市公司估值有影响的相关非财务信息，还包括一些技术性的要求，不仅使美国的资本市场处于有效的监管之下，也使资本市场参与者能获得真实、可靠、可比和有用的信息。具有美国特色的新股注册发行上市制度正是在严密的信息披露制度基础上建立起来的。

二、美国新股发行上市制度

（一）发行上市审核

美国新股发行和上市的审核主体有很多，包括联邦范围内的 SEC、每个州各自的证券监管部门以及各个证券交易所。这些部门的监管权责和范围各有不同。SEC 审核在所有地区发行的证券，各个州的监管部门只负责审核在本州发行的证券，各个交易所则只负责审核在本交易所上市交易的证券。

每个部门对于证券发行上市审核的相应法律依据也有所不同。SEC 的法律依据主要是联邦政府法案，包括 1933 年颁布的《证券法》、1934 年颁布的《证券交易法》，2002 年颁布的《萨班斯—奥克斯利法案》，2010 年颁布的《多德—弗兰克法案》以及 2013 年颁布的 JOBS 法案。美国的各个州由于历史和文化等原因，形成了差异较大的证券发行审核原则。各个州证券监管部门对于证券发行监管的早期依据主要是各州颁布的证券监管法案，这些法案被统称为《蓝天法》（Blue - Sky Law），仅对州内发行的证券有效。这给某些全国范围内发行的证券的流通和交易造成了麻烦。在 1996 年，为了解决每个问题，美国颁布了《国家证券市场改进法》（National Security Improvement Act），规定了某些在全国市场发行的证券不受各州证券监管部门监管。

而每家交易所对证券上市审核的原则是根据它们自己确立的规定而定的。此外，有些公司的证券发行可以获得一些审核的豁免。例如，1996 年颁布的《国家证券市场改进法》就规定了在 NYSE、NASDAQ、AMEX 等全国性的交易场所上市的公司，以及国债、市政债等可以取得州一级审核的豁免权。而 1933 年的《证券法》则规定仅在一个州交易的证券、交易额比较小的证券以及交易者范围仅限于某些机构的证券不需要受到 SEC 的发行审核。这一套发行的审核体系避免了很多重复手续，简化了程序。

（二）发行上市要求

SEC 对新股发行和上市审核主要依据的是"披露原则"，也就是说，SEC 原则上不对公司的盈利、管理等实质性内容设置门槛，而仅着眼于公司"是否披露了所有投资者关心的信息"。这种审查制度的施行是与美国高度发达的资本主义市场经济分不开的。这种原则下的新股发行审核制度被称为"注册制"。同时，美国采用双重注册制度，即股票发行公司要在证券交易委员会注册，同时也要在证券交易所进行注册。注册制度实际上是一种发行证券的公司要履行的信息公布制度，要求发行证券的公司提供证券发行本身以及与证券发行有关的一切信息，并要求其对提供的信息的真实性、准确性承担法律责任，并向证券主管机关申请注册。公司股票的发行权无需由国家授权，证券主管机关只对申请文件的全面性、真实性、及时性作形式审查。美国股票发行所遵从的规则有：充分宣述规则，即发行公司必须公开宣述一切能影响证券价值的资料；禁止从事证券欺诈活动的规则；禁止操纵行为的规则；"限制内幕人士"证券活动规则等。不但在证券交易所公开挂牌上市的证券发行必须向证券交易委员会和证券交易所进行发行注册，对在场外交易市场上进行的证券发行，只要发行公司的资产超过 100 万美元，股东人数超过 500 人，也需要向证券交易委员会办理发行注册。发行注册的审查期限为 20 天。若 20 天内，发行公司未收到证券交易委员会的修改通知，登记报告就自动生效，公司则可发行股票。

州级层面的发行监管会对发行上市公司的实质性内容做出某些要求，主要目的是预防欺诈和非法交易行为，例如一些州会对"招股书中对未来盈利和股东收益的预期"做出规定。

外国公司也可以申请在美国证券交易所上市，既可以在满足美国公司的上市标准时按美国公司的标准上市，也可以按照非美国公司的上市标准上市。如纽约证券交易所实行发行注册制度，申请上市的公司只要满足其交易所证券上市最低标准即可向交易所提出申请，经批准后发行上市。各个交易所对上市确立的审核原则主要是根据它们各自的战略而定的（见表 39 –1），在每个交易所上市的公司都必须满足这个交易所的要求，这些要求可以包括公司信息披露以及公司的盈利、销售额、利润增长状况等。

表 39-1 美国三大证券交易所上市标准表

	NASDAQ 小型资本市场	NASDAQ 全国市场	纽约证券交易所	美国证券交易所
有形资产净值	400 万美元或	600 万美元或	4 000 万美元或	N/A
市值	5 000 万美元或	N/A	N/A	N/A
净收入	75 万美元	N/A	N/A	N/A
税前收入	N/A	100 万美元	250 万美元	75 万美元
股本	N/A	N/A	N/A	400 万美元
公众流通股数	100 万股	110 万股	100 万股	50 万股
流通股市值	500 万美元	800 万美元	1 800 万美元	N/A
买方最小报价	4 美元	5 美元	N/A	3 美元
做市商数量	3 个	3 个	N/A	3 个
公众持股人数	300 个	400 个	5 000 个	400 个或 800 个
经营年限	1 年或市值 5 000 万美元	N/A	N/A	N/A
公司治理	有要求	有要求	有要求	有要求

美国所有股市的挂牌条件完全透明，虽然不同交易所的上市标准存在差别，但符合条件的企业可以随时申请转换挂牌的交易所。这个过程通常由企业的律师及证券公司出面策划，在符合挂牌意向交易所条件的前提下，通常在 90 天内可以不同交易所间的转板上市，非常灵活。

（三）上市流程

美国的证券发行注册分三个阶段：第一，注册文件送达阶段，即证券发行人依照法律规定提交申报文件。申报文件分为两部分：一部分是为投资者准备的招股说明书，注册生效即向广大投资者公布；另一部分是存放于 SEC 以供投资者查询的文件。前者为公布文件，后者为备置文件。第二，注册生效等待阶段，注册文件交由 SEC 审核，如果 SEC 未提异议的，审核自提交申请 20 日后，或由 SEC 决定的更早的日子自动生效；SEC 认为注册文件有不充分不确切之处，可以向申报人提出补充、修订的要求，申报人应进行补充、修订；如果 SEC 认为提交的文件有重要事项，有虚假记载等情形时，可以发出生效终止令。当然，申报人如能进行按照要求进行了修订，SEC 可以解除终止令。第三，正式发行阶段，注册生效后，发行人需将印刷好的招股说明书散发给广大投资者，证券销售正式开始。

美国一个 IPO 所需的时间一般在 15~20 周左右。具体的时间框架大致可以分为：

第 1 周：开展组织会议和启动尽职调查。

第 2~5 周：开展尽职调查，包括业务、财务、法律和会计四个方面，草拟注册申请和招股书，向 SEC 提出注册申请。

第 6~8 周：完成注册申明，并向 SEC 申报，同时公司还要向计划上市的证券交易所进行上市申请。

第 9~16 周：SEC 审阅申报材料。SEC 的审核主要内容是企业在招股说明书中是否公布所有投资者感兴趣的信息。根据 SEC 网站的信息，SEC“只检查公开的内容是否齐全，格式是否符合要求，而不检查公开的内容是否真实可靠和公司经营状况的好坏，坚持市场经济中的贸易自由原则，认为政府无权禁止一种证券的发行，不管它的质量有多糟糕。”审核的具体流程是企业和承销商向 SEC 提交注册登记书，一个独立的审计者要向 SEC 提供一份审计报告。SEC 根据企业的性质组织一个审核小组进行审核。审核小组通常由律师、会计师、分析师以及专业从业人员组成。在此过程中，拟上市公司需要根据 SEC 的意见修改申报材料。SEC 一般会在 30 天内，根据审核情况向企业出具意见函（Letter of Comments），超过规定时间即认为默许答复。一旦拟上市公司的承销商和律师认为 SEC 不会对注册申明提出重大变动要求是，公司即可公开申报注册申明，印刷初步的照顾书，着手开展发行的营销和路演。一般从最初的保密申报到交易完成需要 6~8 周的时间。对于所有 SEC 提出的问题以及注册申报材料的确定生效须在 IPO 定价前完成。同时，承销商还要跟进对于交易所的股票上市申请，收到交易所关于股票上市交易的批准。

第 17~19 周：印刷招股书。在得到美国证监会的上市回复之后，公司就可以准备路演，进行招股宣传和定价，最终定价一般是在招股的最后一天确定，主要由券商和公司两家商定，其根据主要是可比公司的市盈率。对于 IPO 的定价分为两部分：首先通过合理的估值模式估计上市公司的理论价值；其次通过选择合适的发行方式来体现市场对于股票的预期估值，最终确定股票价格。

第 20 周：定价结束后就可向机构公开招股，若干工作日后股票就可以挂牌交易。

（四）发行参与方

1. 公司及其董事

拟上市公司及其董事的职责包括聘请保荐机构和其他发行服务机构、准备及修订盈利和现金流量预测、批准招股书、签署承销协议，参加路演推荐活动向投资者解释和推荐股票等。

2. 保荐机构

保荐机构的职责包括安排整体的发行上市时间表、担任整体的协调顾问工作、与监管机构做好沟通，准备招股书草稿和发行上市注册申请、评估和建议股票的定价等。

3. 申报会计师

职责包括完成拟上市企业的审计业务，申报内容包括复核盈利及营运资金预测等。

4. 律师

拟上市公司的律师负责安排公司的重组、复核等相关法律确认书，对于公司签署的各类文件进行审核，确定承销协议。保荐机构的律师负责考虑拟上市公司的组织结构，审核招股书、编制承销协议。

（五）美国对于小型公司新股发行体制的改革

资本市场的发展是在改革中不但前进的，即使发达资本市场也需要不断变革来提高自身效率。2012 年 4 月，美国证券市场出台了 JOBS 法案，该法案旨在通过适当放松管制，完善美国小型公司与资本市场的对接，鼓励和支持小型公司发展①。最近十几年，美国宏观经济形势和国内资本市场制度的变化越来越不利于其国内小型公司与资本市场的有效对接，小型公司在金融危机后的间接融资渠道收窄，在资本市场融资规模也在下降。美国小型公司实施 IPO 的“性价比”太低，主要体现在：

1. 小型公司实施 IPO 的负担较重

首先，小公司通过 IPO 的申请注册过程太复杂，这意味着大量的费用支出和时间成本。其次，IPO 受到的限制太多，不利于小型公司 IPO 的宣传与定

① 鲁公路，李丰也，邱薇．美国新股发行制度改革：JOBS 法案的主要内容，2013 年。

价。再次，IPO 之后的信息披露义务太繁重。

2. 随着美国资本市场的发展变化，小型公司通过 IPO 得到的利益在逐渐减少

首先，网上经纪的产生减弱了市场对小型公司的关注。随着信息网络的兴起，出现了大量的网上经纪公司，投资者可以直接在网上下单，因此零售经纪力量不断消退，小公司股票失去了大量的推荐机会。其次，美国证券市场高频交易的兴起使得小型公司股票受冷落。因为流动性的需求，高频交易更倾向于选择大公司，小公司受到忽略。再次，投行分析师和机构研究报告对小型公司的关注不足，大公司股票更受青睐。投资者越来越注重公司的短期收益和财务状况，这方面大公司更占优。

在市场结构变化和监管体制日益严格的情况下，近十几年来美国小型公司的 IPO 数量急剧下降，随着每次监管法案的出台，小型公司的 IPO 数量都会下降。这是因为在监管日益严格的情况下，信息披露成本以及合规成本对小型公司的影响远远高于大型公司。相比于经过复杂的 IPO 过程上市并花费大量成本保住上市资格，很多小型公司选择不通过 IPO，而是通过并购成为大型公司，或通过其他融资方式进行较为缓慢的增长，在规模较大时再选择上市。

综上所述，在外部环境和内部制度的双重压力下，美国出台了 JOBS 法案，主要包含两大部分内容：一是 IPO“减负”。JOBS 中有大量新的条款出台旨在为“发展阶段的成长型公司”（Emerging Growth Companies，简称 EGC 公司）IPO 过程“减负”，并减轻其公开披露负担，同时使 EGC 得到更多的关注。二是非公开融资改革。JOBS 的一系列改革措施旨在降低私人公司融资的规则限制，同时提高了私人公司成为公众公司、需要强制公开披露的门槛，并提出了新的公众小额集资（Crowdfunding）方案。其中，EGC 公司的 IPO“减负”法案简化和降低了这类公司实施 IPO 和公开披露的相关要求和标准。主要改革内容为：

①简化和优化 EGC 公司的 IPO 流程。首先，EGC 公司 IPO 申请材料的要求有所降低。在 JOBS 出台之前，拟上市公司需要向 SEC 提交公司在 IPO 之前 3 年的经审计的财务报告，同时需要提供之前 5 年的经审计的特定财务指标报告，而改革之后，财务报告只需提供发行前两年的，而特定财务指标报告只需提供当年的。其次，JOBS 尽可能减轻 EGC 公司在注册和信息披露方面的负担，EGC 公司被允许向 SEC 秘密递交 IPO 注册报告书，减少信息公开对公司

竞争的不利影响，有助于打消小型公司实施IPO的顾虑。再次，允许拟上市公司与潜在投资者在IPO之前进行沟通。JOBS法案规定，在向证监会递交招股书之前或之后，EGC公司或其授权代表可以与合格机构购买方（QIB）或被作为合格投资者的机构进行口头或书面交流，以判断此类投资者是否对拟议中的证券发行有兴趣。最后，JOBS法案放松了投行对EGC公司研究报告的限制，允许投行在EGC公司IPO和其他形式的发行前发布研究报告；要求FINRA废除关于禁止研究员、投行工作人员与EGC公司就IPO进行的三方会议；要求FINRA废除关于禁止特定时期研究报告的发布。

②减轻EGC公司的信息披露负担。首先，EGC公司无须提交审计师对公司内部控制的证明报告，减轻了审计费用负担。其次，降低高管薪酬的披露标准。再次，EGC公司无需按照GAAP会计准则进行信息披露，此项改革措施减轻了EGC的信息披露负担。最后，EGC公司豁免于美国公众公司会计监督委员会（PCAOB）要求强制轮换审计师事务所以及在审计报告中提供关于发行人审计和财务报表的补充信息的规定，极大地减轻企业负担。

在JOBS法案执行后，一个EGC公司年平均合规和信息披露费用将比改革前降低40%～50%，这将会大大促进和鼓励符合EGC标准的公司实施IPO，重新实现与资本市场的高效对接。

第二节 香港资本市场新股发行体制介绍

香港证券市场经过100多年的发展，在国际资本市场的舞台上，扮演了越来越重要的角色。截至2013年11月，香港证券交易所凭借31 130.6亿美元的市值，位居全球股市市值排名第6位，并被列为MSCI发达市场指数中的24个市场之一，与此同时，其债券市场的规模和集资额也不断扩大，目前，已发展成为亚洲最主要的债券市场之一。在中国的改革开放中，香港起到了重要的作用，促进了中国企业国际化的进程，为中国和中国企业走向国际市场架起了一座桥梁。

一、香港资本市场生态环境

（一）证券市场的特征

中国香港证券市场比较成熟和规范，作为小型、开放的自由经济体，拥有全方位的金融服务体制，同时具备高度严格、规范的监管法律体系，明显强于其他市场，有效地保护了广大投资者及中小股民的权益。

投资品种丰富，资金流动自由，汇集了来自全球的资金，停牌制度灵活，交易实行 T+0，无涨跌停板限制，有灵活的做空机制，在新股的公开配售和认购过程中，比较照顾中小投资者。

中国香港股市是一个开放的国际金融市场，投资者不仅仅可以买卖香港股市的所有股票，还有香港市场的债券、基金、认股权证和其他衍生工具；在香港以外的市场不仅包括深圳 B 股、上海 B 股市场，还可以投资新加坡、伦敦、纽约及纳斯达克等其他海外市场。

参与市场的企业及个人税率低，同时，虽然香港上市费用比 A 股高，但时间周期较短，时间成本较低，而且再融资快捷和方便。

香港与内地独特的政治、经济和监管合作关系，在人民币资本账户还未完全开放的情况下，为缓解高额外汇储备及对人民币造成的压力，提供一个可控的离岸市场的缓冲区，避免了直接面对国际金融市场的风险，进而为中央政府宏观调控及人民币国际化提供服务。

（二）市场概况

中国香港是一个多元化市场，可容纳不同规模的企业。截至 2013 年 11 月，共有 1 615 家公司在港交所上市，其中主板上市公司 1 425 家，创业板上市公司 190 家，其中内地企业占 48%，香港企业占 46%，其他国家企业占 6%[①]。在香港主板挂牌上市的企业可被归类为 11 个行业，其中金融业所占市值最大，约达 31%，其次便是地产建筑业、消费品制造业、电信业[②]。

---

① 资料来源：香港交易所，2013 年 11 月。

② 香港证券市场介绍．方正证券．2011 年。

二、香港的新股发行上市制度

（一）双重存档制度

香港的发行和上市是不可分割的，也就是说，在香港发行股票必须要在香港联交所上市。因此，每个发行证券的主体都会受到两个主体的审核：香港证监会和香港联交所。

2000年，香港联交所由会员制转变成为私人拥有的企业并且上市。香港证监会与香港联交所签署备忘录，规定了香港证监会对香港联交所规定的上市程序进行监督。香港《证券及期货条例》规定了香港证监会可以对上市申请进行审核，但香港证监会签署文件，将上市审核权转回给香港联交所，不过香港证监会仍保留否决权。

香港证监会监管的依据是香港《证券及期货条例》。主要监管原则类似于"披露原则"，着重于发行人是否披露了所有投资者可能感兴趣的信息。如果证监会批准公司的发行和上市申请，则出具无异议函（No Comment Letter）。若不同意，则行使否决权，拒绝公司的首发上市申请。

香港联交所的监管依据是其制定的《上市规则》。《上市规则》对拟上市公司的业务、盈利、管理、市值和股票数量等做出了许多具体的规定。如果企业无法达到这些实质审核的要求，则无法在香港联交所上市，也就无法在香港发行证券。所有对《上市规则》所作的修订及需要强制执行的政策决定，均须获得证监会批准。

香港的双重存档制度也保证了每个证券的发行和上市都会经历实质审核。

（二）上市条件

1. 香港交易所主板上市条件[①]

香港交易所主板上市条件见表39-2。

① 香港上市介绍，2013年3月。

表 39-2 香港交易所主板上市条件

<table>
<tr><td rowspan="1">财务状况（满足1～3项其中一个标准）</td><td>1. 利润标准
• 年利润在2 000万港元以上
• 最近2年合并净利润不低于3 000万港元</td><td>2. 市值/收入/现金流要求
• 上市市值应不少于20亿港元
• 最近一年收入至少5亿港元
• 过去3年正现金流至少1亿港元</td><td>3. 市值/收入
• 上市市值至少40亿港元
• 过去一年收入不低于5亿港元
• 上市后至少有1 000位股东</td></tr>
<tr><td>业务、管理层及股东</td><td colspan="3">• 业务被认为合适上市
• 有连续3年营业记录
• 上市公司管理层至少最近3个年度、控股东至少最近一个年度保持其连续性</td></tr>
<tr><td>最低资本</td><td colspan="3">• 上市时市值不低于2亿港元（如果通过利润标准要求）
• 上市时至少应有5 000万港元的市值由公众持有</td></tr>
<tr><td>公众持股量</td><td colspan="3">• 一般要求公众持股量达到25%
• 对于市值超过100亿港元的发行人，联交所可能会同意其公众持股量降低到15%至25%之间
• 分散的股东基础：①至少有300名股东，②最大的3家公众股东上市时持有不超过50%的公众持股量
• 上市公司中非关联人士所控股份若在10%以下，该部分股份根据主板定义，以公众持有股份</td></tr>
<tr><td>股东数量</td><td colspan="3">• 盈利测试或市值/收入/现金流量测试：至少300名股东
• 市值/收入测试：至少1 000名股东</td></tr>
<tr><td>发行锁定</td><td colspan="3">• 申请售股时指定为控股人的一方（持有已发行股份30%以上者）不得在上市后的前6个月内出售或转让其所持有任何股份
• 锁定解除后的头6个月内，控股人所能出售的股份份额不能使其丧失控股人地位
• 除非有例外情况，上市条例禁止在上市后的头6个月内出售新股份。上市前已签署的协议中规定的售股，必须在上市申请中给予披露</td></tr>
<tr><td>会计准则</td><td colspan="3">• 须按香港、国际会计准则
• 经审计后财务报表不得超过招股书刊发日期6个月</td></tr>
</table>

续表

主营业务	• 公司本身可能经营不同业务，但必须实际上拥有核心业务 • 主营业务必须达到利润要求
发行审批机关	• 香港交易所、香港证监会、中国证监会
发行估值	• 没有限制，具体情况取决于公司的基本因素和市场情绪
后续融资能力	• 在首次上市之后的6个月内不允许。如获股东授权，可增发已发行股份的20%给独立人士而无需股东批准
注册地要求	• 中国香港、百慕大、开曼群岛、中国内地，任何其他能为股东提供保障至少相当于香港提供的保障水平的司法地区

2. 香港创业板上市要求

香港创业板上市要求见表39－3。

表39－3　　创业板上市要求

财务状况	• 没有特殊的要求
经营历史、管理和所有者权	• 最低2年（或1年，如果满足一定的市值和公众持股要求的话）
最低要求市值和股东数量要求	• 无特殊要求，但一般不低于4 600万港元
公开发行量	• 公众持股不低于25%，最低3 000万港元。如果上市时市值超过40亿港元，可以减少至20%或10亿港元（两者取孰高者）
24个月业务追踪	• 上市前24个月有关业务进展和业绩的详细信息（或至少12个月，如果申请人在过去12个月营业额或总资产达到5亿港元，或市值不低于5亿港元；还有更严格的公众持股要求，每股价格不低于1港元）
经营目标说明	• 从上市起2个会计年度内公司的经营目标，达到目标将采取的重要手段、收益的使用都必须详细说明
强大的公司治理结构	• 包括上市后2个会计年度内连续的保荐人辅导

（三）发行人上市申请的流程

在主板还是在创业板上市，主要由申请上市公司的经营规模和成熟程度以及该企业所在的行业决定。主板市场主要面向符合利润和市值要求的所有行业的企业，当然也有例外，特别是该公司必须开业已3年。创业板市场主要面向所有行业的具有成长潜力、但不符合利润要求的公司，该公司的开业可以只有

2 年。

一家公司的股票在香港证券交易所上市前必须完成很多程序。除了选择合适的保荐人、会计师及其他顾问外，申请上市的公司必须进行尽职审查，还要准备上市材料，以便投资者能够评价该公司的业务和发展潜力。另外，一家公司在上市前需要进行业务、组织架构和股权结构方面的重组。所有这些工作要谨慎进行以确保符合法律、会计和有关上市的规定，还应聘请专业的顾问对重组过程进行评估认定。

发行人上市申请的流程如下：

1. 准备阶段（3 ~5 个月）

委托保荐人及其他中介机构—拟定重组方案—筹划上市时间表—尽职调查—审计—物业评估—内控评估—准备上市申请资料—编写招股章程。

2. 审批阶段（2 ~3 个月）

向香港交易所申请排期—呈交文件供交易所审阅—回复所有交易所提问—上市科推荐上市申请—上市委员会进行聆讯。

3. 销售阶段（1 ~2 个月）

回答所有交易所提问后即可组成承销团—编制研究报告—公关培训—在上市委员会聆讯后进行投资者教育/路演—接受传媒访问—刊发正式通告及公开招股—股份正式挂牌及开始买卖。

（四）发行配套设施

1. 香港预托证券

2008 年 7 月 1 日起，香港交易所推出可让发行人通过香港预托证券在香港上市的市场设施。预托证券是由存管人所发行、代表着一家发行人存放在存管人或其指定托管人的证券。上市的主体为预托证券所代表的普通股股权。投资者（预托证券持有人）可根据预托协议的条款购买预托证券。存管人以发行人代理人的身份，充当预托证券持有人与发行人之间的桥梁。预托证券是向目标市场（东道市场）的投资者发行，其交易、结算及交收均是遵照东道市场的程序以东道市场的货币进行。一张预托证券会根据预托证券的比率而代表某个数目的正股（或单一股份的一部分）。存管人会将股息兑换为东道市场的货币，在扣除其收费后支付给预托证券持有人。存管人亦负责将其他权益及发行人的公司通讯传递给预托证券持有人，并将预托证券持有人的指示传达发行人。发行人、存管人及预托证券持有人的权利及责任载于预托协议。

香港预托证券的交易、结算及交收安排将与股份的现行安排相同。

一方面，此举便利了海外公司到香港上市的程序；另一方面，香港预托证券对香港投资者而言亦十分方便。若发行人发行香港预托证券上市，香港预托证券持有人（即投资者）所须遵守发行人所属司法权区的投资规定等事宜，一切均由存管人（被联交所接纳为可推出香港预托证券及担任发行人代理的金融机构）协助处理。香港预托证券以港元交易、结算及支付股息（若发行人选择美元亦可），所有关于货币兑换以及向投资者发送公司资料及公司行动详情等事宜亦将由存管人代表发行人处理。

2. “披露易”计划

“披露易”电子呈交系统是香港交易所于 2001 年 10 月推出的网上信息收发系统。上市发行人及其代理（如投资顾问和法律顾问）可通过该系统递交数据于交易所审阅或在其网站刊载。在“披露易”计划正式实施后，发行人必须利用电子呈交系统递交公告以刊载于交易所网站。

发行人资讯主要包括以下三类资讯：上市公司公告——最新公告、招股章程等；股权披露——权益披露、中央结算系统持股纪录查询服务；发行人相关资料——有关长时间停牌公司之报告、股份购回报告。

3. 上市委员会

上市委员会的成员由联交所董事会根据上市提名委员会的提名委任，包括香港交易所 3 名非执行董事、证监会主席及两名执行董事。

上市上诉委员会成员包括 3 名香港交易所董事会成员：香港交易所主席担任委员会主席；主席委任的一名董事担任委员会副主席，任期至其离任作为香港交易所董事止；以及在需要召开上诉委员会审议个案时，由主席委任的一名成员。有关决策包括：批准新股上市申请；批准取消上市；对《上市规则》违规行为做出裁决并施加纪律制裁或补救条件；通过、更改或修订上市科的决定以及（在某些情况下）上市委员会的决定（如有人申请复核上市委员会的决定）；批准特定类别的规则豁免；通过重要政策及《上市规则》修订。

委员会主要通过举行有足够法定人数的会议来运作。委员会的会议分下列几个：一般每周召开一次的例会；复核会议，以复核委员会或上市科的决定；纪律聆讯会，以研究上市科建议的纪律处罚，也包括纪律复核会议（委员会在会上复核委员会纪律会议所作的决定）；以及讨论政策事项的政策会议。委员会的会议须有至少5名成员亲自出席方符合法定人数的规定。为规范上市委员会有关程序，《上市规则》条文还载有关于处理利益冲突的特别规定。

三、经验借鉴

香港证券市场的发展历史较长，国际化程度高，其发展的理念、模式和经验对发展国内证券市场，尤其是推动发行注册制改革具有很好的启示和借鉴意义。

一是完善证券市场监管法律规范。立法立规要有前瞻性，要能够引导证券市场的发展方向，有利于金融创新；法律规范体系要层次分明，注重各层次条例规则之间的相辅相承和互相补充，并在立法的同时重视实际的执行程序；法律规范的制定要能适应变革的需求，中国的改革开放仍在进行，接下来仍然要有经济体制和政治体制的改革，法律规范要不断适应新形势的变化[①]。

二是严格证券市场刑事责任，加大执法力度。香港立法会2002年通过的《证券及期货条例》中规定刑事责任的条款就超过100个，这令习惯于所谓自律的市场人士似乎有点不寒而栗。虽然，内地证券市场对擅自设立证券交易所、期货交易所、证券公司、期货经纪等公司；伪造、变造国库券或者国家发行的其他有价证券；内幕交易、泄露内幕信息；利用未公开信息交易；编造并传播证券、期货交易虚假信息；诱骗投资者买卖证券或期货合约；操纵证券、期货市场；挪用资金罪、挪用公款等行为认定为违法，情节严重的，也被认定为是犯罪。以上犯罪，除了第一项是不对行为有情节的要求的。其他都是要达到一定严重程度才认为是犯罪，未达到相应程度的不会受到刑事追究。另外一方面，我国内地刑法对罚金的数额规定得比较低。证券市场的违法行为其目的主要就是为了获取经济利益，如果犯罪之后对相关责任人的处罚过轻的话，难以抑制从业人员在巨大的经济利益面前“舍生取利”的冲动。

三是构建权责清晰的监管构架，加强监管主体的监督和制约。首先，完善监管主体的内部治理，充分利用机构内部部门的相互制约，科学设置工作的流程，合理设置职权的配置，做到有权必有责，设立严谨的内部治理机制，严格落实操守准则；其次，加强来自外部的制约，包括其他国家机关的制约和公众舆论的监督：建立健全独立的对监管机构的投诉处理机制。

---

① 马金儒．香港证券市场监管中的法律问题研究及借鉴意义．2012年。

四是完善证券市场的监管模式，加强和推动自律监管模式的发展。逐步从政府主导转向市场主导，从行政色彩较浓的集中监管模式转向集中和自律相结合的监管模式，逐步加大对证券交易所的监管授权，赋予证券交易所和其他自律机构更多的自主权，减少各种许可和审批程序，完善自律组织的治理结构，充分合理配置自律监管组织职权。加强政府监管与自律监管之间的协调。在进一步推动监管内容市场化的同时加强对市场参与者的监管，大力强化信息披露责任，进一步强化信息披露制度。

第三节　英国资本市场新股发行体制介绍

一、英国资本市场的生态环境

英国伦敦作为欧洲最大的国际金融中心，在国际证券市场体系中扮演着重要的角色。英国的证券市场是完全开放的国际市场，外国上市公司在伦敦交易所占有相当大的比重，英国的国际证券交易量居世界首位。

（一）多层次的市场体系

英国伦敦是全球最重要的证券交易中心之一，为需要筹集资本的公司提供了多层次的市场体系。

1. 全国性集中市场（主板市场）

伦敦证券交易所（LSE）是目前世界上最大的证券交易所之一。LSE 在国际竞争中不断变革发展，2001 年，经改制后在其主板市场上市，成为一家上市公司。

2. 区域性市场

英国其他地区性交易市场，如伯明翰、曼切斯特、利物浦股票交易所等。它们交易地方企业股票，但同时也能交易 LSE 所挂牌的股票。

3. 全国性的二板市场 AIM

AIM 是英国政府于 1995 年为协助众多中小企业特别是中小型高科技企业通过证券市场获取资金而在 LSE 内设立的专门的证券市场。AIM 直接受 LSE 监督和管理，运行相对独立，并由交易所组成的专人负责经营。

4. 全国性的三板市场（未上市证券市场）

三板市场是主要为更初级的中小企业融资服务的未上市公司股票交易市场（OFEX）。OFEX 与 AIM 相似，但是其市场的准入门槛更低，层次更初级。OFEX 是由在 LSE 所承担做市商职能的一家公司创办的，属于非正式市场。随着 OFEX 的发展壮大，从 2002 年起，被正式纳入英国金融监管局的监管范围内。

（二）法律制度

《2000 年金融法》是英国金融业的基本法，实际上也是一部金融监管法，其详细规定了监管机构、监管业务活动、资格认证、准许从事监管活动、发行上市、监管规章和准则、金融服务赔偿计划等有关金融监管的各个方面。《2000 年金融法》为金融监管提供了一个单一的法律框架，取代了原来的多个监管机构进行金融监管所依照的金融法律，成为英国金融史上最重要的一部金融法律。该法的一个重要思想就是：要将英国所有的金融监管权力转移到金融监管局（FSA），以便改善当时英国负责的金融监管架构。《2000 年金融法》在规定 FSA 监管目标的同时，也规定了其工作内容，及制定有关规章、起草和发布准则以及制定相应的金融监管政策。

（三）证券市场监管制度

根据《2000 年金融法》成立的 FSA 作为英国单一的金融监管机构，负责监管金融、证券、保险等金融服务业。FSA 是一个独立的非政府机构，注册为一个担保有限公司，其资金来源不是公共部门或国家税收，而是向整个金融行业收费。英国的金融监管模式应当属于政府主导模式，主要原因一是 FSA 的监管权力主要来自政府；二是 FSA 向政府机构即财政部负责，FSA 必须每年向财政部汇报其法定职责的完成情况，而且 FSA 的董事会成员是由财政部指定的。

2013 年 4 月起，英国金融服务业的监管方式发生了改变，英国金融服务管理局（FSA）的职能被金融行为监管局（Financial Conduct Authority，FCA）和审慎监管局（Prudential Regulation Authority，PRA）分别承担，其中证券市场的监管主要由 FCA 负责，此外，由 FSA 作为英国上市主管机关行使的职权也由 FCA 继续行使。

FCA 的主要宗旨是保护和增强对英国金融系统的信心，FCA 的职责包括确保投资者受到适当程度的保护、健全英国的金融体系、提供证券市场效率。FCA 宣称将采取相对于 FSA 更加主动和强硬的监管方法，降低对风险的容忍度，对风险金融服务进行适当的干预。

FCA 除监管、执法和市场维护外，其与行政许可相关的职能主要包括：

1. 企业和个人注册授权

从 2010 年起，英国证券市场的企业就被要求向 FCA（之前的 FSA）进行在线注册，申请金融行业从业类别许可证，相关从业人员必须得到 FCA 的确认。企业和个人只有在取得 FCA 的授权后才能在英国从事金融服务活动。企业被要求按照其金融许可证的类别从事证券交易活动，如改变业务类别则需要再次提出申请。企业在注册授权后，将根据规定定期向 FCA 进行汇报。如果企业出现不符合 FCA 规定的情况，FCA 将要求企业停止经营活动。

2. 金融服务产品登记

FCA 对证券市场的金融服务产品（包括银行账户、投资产品、抵押贷款、保险和养老金计划）进行登记审核，为金融机构和金融咨询人员制定行为准则，监督金融产品的合规性、可靠性和真实性，确保投资者能活动金融产品相关的必要信息披露。

3. 证券市场监督

FCA 监管金融服务市场，确保市场运作良好并保持竞争力，维护市场公平，保护投资者利益。对于股票的上市，FCA 设有上市监管部 UKLA，与伦敦证券交易所一同对企业的上市进行监管。发行公司必须将招股说明书以及其他文件交伦敦证券交易所及 UKLA 审核，经审核后才能在报纸上公开刊登，并抄送一份招股说明书给 UKLA 备案，由其进行股票发行登记。对于非上市股票的发行而言，公司只需向 UKLA 进行注册登记，就可以向公众发行股票。UKLA 的审核是根据两个规则进行的：上市规则（Listing Rules）和招股说明书规则（Prospectus Rules）。上市规则主要是针对公司本身是否符合上市的要求，这其中包括对公司规模、盈利、管理等的要求。而招股说明书规则是对招股说明书本身的格式和披露的内容做出审查。

二、英国新股发行上市制度

英国的发行与上市审核制度比较特殊。在英国，发行和上市是分离的。如果一个公司仅想发行股票而并不想让其股票在交易所交易，那么它就不需要进行实质性审核。如果一个公司希望其股票在交易所上市，那么它就要受到英国上市委员会（UKLA）和伦敦证券交易所的双重审核。这两重审核都包含了实质审核的内容。也就是说，英国上市委员会和伦敦证券交易所都会对公司的盈利、行业前景、管理等提出要求和门槛。如果通过了双重审核，则可以在伦敦证券交易所上市。

（一）政府机构的审核

对于上市股票而言，发行公司需要得到伦敦证券交易所或者 UKLA 的上市许可。发行公司必须将招股说明书以及其他文件交伦敦证券交易所 / UKLA 审核，经审核后才能在报纸上公开刊登，并抄送一份招股说明书给公司注册署备案，由其监管股票发行的登记。对于非上市股票的发行而言，公司只需向公司注册署进行注册登记，就可以向公众发行股票。

UKLA 的审核是根据两个规则进行的：上市规则（Listing Rules）和招股说明书规则（Prospectus Rules）。上市规则主要是针对公司本身是否符合上市的要求，这其中包括对公司规模、盈利、管理等的要求。而招股说明书规则是对招股说明书本身的格式和披露的内容做出审查。

（二）伦敦证券交易所的审核

伦敦证券交易所的上市分成主板和 AIM 板。主板主要为具备一定规模、盈利良好、通过 UKLA 上市审核的公司服务，而 AIM 板主要是为中小企业提供服务。所有在伦敦证券交易所交易的股票都必须符合其“准入标准”（Admission Standard）和“披露标准”（Disclosure Standard）。“准入标准”主要是对证券本身交易规则、交易手段的标准，包括证券必须可以电子交易、可以自由议价、遵守交易所的交易流程等。“披露标准”则要求每个证券符合其相应监管机构规定的披露标准。

由于在伦敦证券交易所 AIM 市场交易的股票为非上市股票，因此，申请至 AIM 挂牌交易的公司无须报经 UKLA 核准，仅须经伦敦证券交易所同意即可。对这些公司，伦敦证券交易所全权进行审核，其审核要求包括了形式审核和实质审核。申请公司除须指定辅导公司以协助其完成申请程序外，亦须指定一名股票经纪商，并递交申请文件（包括董事背景、发起人、主要营业及财务状况等)，伦敦证券交易所通常于收件后72小时内完成审核工作。

第四节 小 结

实施注册制除美国外，较为成功的例子是日本和中国台湾，但其历史渊源和发展路径并不相同。日本1948年《证券交易法》确立的注册制，是在第二次世界大战后在以美国为首的盟军统治下，颁布的《1933年证券法》和《1934年证券交易法》。但2006年“活力门事件”引发系统风险后，日本监管理念也面临一定的检讨与反思。

新兴市场的注册制转型的例子是中国台湾。中国台湾证券市场由单一核准制、核准制与注册制的混合制，到2006年修订后的“证券交易法”正式实行注册制，监管当局走过了几十年目标明确、过程坚韧的历程。随着金融体制的利率、汇率自由化、金融机构自由化和证券市场国际化进程加深，注册制终于瓜熟蒂落，水到渠成。

转轨国家的注册制改革教训则值得回味。以俄罗斯为代表的一些国家曾采取激进的市场化改革，结果剧烈的秩序更迭造成证券市场几近崩溃。与此相反，波兰进行了温和渐进的国企私有化和金融自由化改革，实现了平稳过渡的“软着陆”。

除了美国、日本、中国台湾之外，全球其他主要成熟市场则普遍实行核准制，典型如欧洲大陆的大部分国家，英国、中国香港，以及美国《蓝天法》下有些州，等等。在制度变迁和路径选择的背后，是不同国家和地区迥异的法制传统、市场结构以及地缘文化。在准则主义传统法思想一脉相承的欧洲大陆，多数国家实行核准制。其逻辑在于，通过国家立法的方式，将质量差的公司排除在准入市场之外。英国和中国香港市场，证券发行需要得到政府批准或授权，法律对证券发行具有实质性条件，因此属于核准制范畴。但政府通过对交易所授权的方式，由伦敦交易所，香港联交所这两个比政府监管机构更有悠久传统和市场地位的自律组织行使审核权，是高度市场化的核准制。

施行注册制的成熟资本市场的普遍特征是具备相应的完善配套机制，这包括：(1) 拟上市公司和中介机构群体的诚信意识和自我约束机制；(2) 对交易所对上市申请的实质遴选机制；（3）严格、通畅的强制性退市机制；（4）机构投资者的价值投资和“股东积极主义”机制；（5）无所不在的集团诉讼机制、“苍蝇不叮无缝的蛋”的做空机制，以及“亡羊补牢”、“事后补网”式的救济制度。

由此可见，只有法制、监管及市场机构都成熟的资本市场才有条件实行新股的注册发行，新兴市场或转轨市场在实行注册制前要充分打好基础，完善各方面机制体制建设，建立对“真与假”、“实与虚”、“好与差”的识别、过滤和淘汰机制，循序渐进开展注册制发行。鉴于此，推进“股票发行注册制改革”的关键点，不在于股票发行审核制度本身，而在于促使上述市场主体的功能发育和归位尽责。发展市场、规范市场，才能依托市场，这是中国注册制改革的唯一正确和可行路径。

但是，注册制并非放之四海而皆准的金科玉律，更为“一针见效”的治市妙药。良好的制度施行必须与现实具体情况相适应。部分成熟市场也实行核准制，就是考虑到其具体的市场状况以及历史因素。因此，在推行注册制时应该因地制宜，灵动变通，探索出一条适合我国资本市场具体情况的新股发行体制。

第四十章

新一轮新股注册发行体制改革

第一节 注册制概论

一、注册制的概念

注册制是指证券发行申请人依法将与证券发行有关的一切信息和资料公开，制成法律文件，送交主管机构审查，主管机构只负责审查发行申请人提供的信息和资料是否履行了信息披露义务的一种制度。其最重要的特征是：在注册制下证券发行审核机构只对注册文件进行形式审查，不进行实质判断。

拟上市公司在符合公开发行上市相关要求信息披露公开全面的情况下，证券管理机构不得以发行证券价格或其他条件非公平，或发行者提出的公司前景不尽合理等理由而拒绝注册。注册制主张事后控制。注册制的核心是只要证券发行人提供的材料不存在虚假、误导或者遗漏，即使该证券没有任何投资价值，证券主管机关也无权干涉，因为自愿上当被认为是投资者不可剥夺的权利。

注册制是在市场化程度较高的成熟证券市场所普遍采用的一种发行监管方式，以美国较为典型。美国注册制包括由内而外的三个层面：第一层面是美国证监会的发行审核，核心是“审”（严格审核），但不“否”（不因质量优劣而否决申请）；第二层面是交易所的实质审核，核心是“双否”，即对首次上市和维持上市地位（反面即退市）运用实质判断和行使否决权；第三层面是作为证券准入市场整体的注册制，包括占市场主导地位的理性投资者队伍，无处不在的集团诉讼、无孔不入的做空机构、有效到位的民事救济等。

注册制的本质包括：

（1）证券发行是发行人的固有权利，无须经过政府批准或者特别授权，在发行人提交申请的法定期限内，如果监管机构不提出反对意见，则注册生效；

（2）证券发行同时还是一项普遍权利，无论公司规模大小、绩优绩差，只要履行法定披露义务，即可任意发行。

但是，在证券发行的信息不对称和“买者自负”原则下，投资者天然居于弱势地位。因此，保护投资者利益，防范证券市场出现系统性风险，就成为公权力介入证券准入市场的基本出发点。但政府介入的目的并非代替投资者做出商业决策，而是通过强制信息披露，确保信息的真实、准确、完整。因此，注册制下政府监管行为可以归纳为：着重一“抓”一“放”，即严格对信息披露的审查，放弃对发行质量的把控。

因此，作为证券准入市场的注册制，需要其依托于以高度自治的市场经济为依托，在高度自由化的金融体制中，恪守契约精神的商业传统，从而建立起注册制的市场生态系统绝非朝夕之功。

二、注册制改革的意义

我国是目前实行的新股发行体制为核准制而非注册制，它是在一定的历史背景和现实原因下，由监管理念、市场分布、控制层次等多方面因素共同作用的结果。

在核准制下，企业能否上市取决于政府行政权力。如管理效率低下，监控缺失易产生寻租现象；且行政垄断造成最直接的后果就是 IPO 离开了市场的判断，以行政喜好为导向而不是市场投资者的喜好。在核准制下，上市公司数量少，资金渠道流向有限，是造成 A 股市盈率偏高的因素之一。从该角度看，如果实行注册制，中国资本市场对国内经济的带动作用将会得到更大的体现。首先，将核准制下政府对定价、交易干预过多、由行政手段控制发行节奏、上市门槛过高等这些不利于市场价格发现、融资、资源配置这三大基础功能充分发挥到资本市场中，从而，让发行人成本更低、上市效率更高、对社会资源耗费更少。注册制改革的意义是资本市场可以快速实现资源配置功能。

三、注册制与核准制的区别分析

注册制并非让公司 IPO 不必经受实质审核而直接上市。事实上，从美国的双重注册制审核中可以看出，注册制充满了实质审核事项。注册制与核准制的区别见表 40－1。

表 40－1　　核准制和注册制的比较表

比较事项	核准制	注册制
发行指标和额度	无	无
发行上市标准	有	有
主要推荐人	中介机构	中介机构
对发行做出实质判断的主体	中介机构、证监会	中介机构
市场化程度	逐步市场化	完全市场化
发行效率	低	高
制度背景		市场化程度高，金融市场更加成熟、制度更加完善，监管主体严格有效、发行人和中介机构更自律，投资者素质更高

注册制和核准制的区别在具体政策层面的差别并不大，来自于市场成熟度和监管侧重点方面的因素主要造成了核准制市场与注册制市场的区别。因此，应该认识到，在注册制下，监管部门仅对发行企业进行形式审查，确保发行人信息披露的准确、全面、及时性，但不对其投资价值和持续盈利能力进行判断，审核程序简化，发行效率更高。此外，发行企业进行充分的信息披露即可上市，由投资者给出合理的上市定价，市场化程度更高。

（一）注册制的本质

注册制较审核制相比，容易产生审查放松和管理简便的想法。然而，通过深入研究那些实行注册制的市场，会发现注册制的本质是在于：如何界定政府监管机构、交易所平台和其他市场中介的职责和义务，如何保证企业能够完整、准确、充分地披露相关信息。在这样的制度下，有些审查比实行核准制的市场要求更严格和细致。

（二）对审核时间的长短差异

现阶段，我们看到美国注册制下审批速度快于中国核准制，实际产生该情况有若干外部性因素。

1. 暂停新股发行

中国证券市场20余年，发生过7次超过3个月的新股发行暂停。其背后是证监会作为监管者和发展者的“双重角色”时有冲突。对于股指涨跌，监管者本不应干预，但维护证券市场持续稳定健康发展又是监管职能的题中之意。尤其在行情低迷之际，供需结构化矛盾突出之时，“维稳”就成了优先考虑的权宜之计。

2. 配合国家其他管理部门的需要

发行审核承载了过多功能，包括符合国家经济结构调整和产业政策需要、支持西部开发提供发审绿色通道、执行房地产融资限制政策、发改委和环保局文件作为前置程序等。

3. 规范运作和信息披露问题对审核期间的占用

部分在审企业存在出资瑕疵问题、股权明晰性问题、关联交易及价格的公允性未充分披露、同业竞争问题未消除等。如果上述问题在改制辅导期间未以规范，必然导致在审期间整改和修改披露文件的时间占用。在这方面，美国、中国香港经验是预沟通制度，尤其发行人涉及复杂的法律、会计或披露问题时，预沟通可以有效减少对正式审核时间。但目前国内发行审核体制因为《行政许可法》限制，排队审核的拟上市企业数量众多及禁止“私下接触”等规定，推行预沟通制度条件仍不具备。

4. 监管博弈

如审核期间的公关现象，在美国也存在类似情况，美国证监会的做法是“不介意与发行人就意见函中的问答‘耗’下去”，并得心应手地使用“冷淡对待”等“弹性”处罚措施。

中国证监会《关于进一步推进新股发行体制改革的意见》（以下简称《意见》）中，采用以下方式缩短审核周期，减少企业上市预期的不确定性：

（1）在《意见》）中，提出过会后即给核准批文，监管机构对发行节奏的调控还给市场。

（2）《意见》提出要求：在审预披露期间，财务数据不得随意更改，信息披露不得存在自相矛盾、前后表述实质性差异，否则证监会将中止审核，视为改制不规范、信息披露不完整、答复反馈意见对审核资源和审核时间的占用。

（3）建立事前审核与稽查的联动机制，对于“涉嫌信息虚假记载、误导性陈述或重大遗漏”等情节严重的，即移交稽查立案。

（三）审查内容以持续盈利能力及相关风险披露为重心

资本市场新股发行募集说明书核心章节，都聚焦于风险因素、业务与技术、管理层讨论与分析等方面的披露。美国证监会的公司融资部配备300多名审核人员，包括会计、法律和行业专家，分成12个行业办公室进行审核，其中最富有“技术含量”的工作，无疑就是对持续盈利能力及相关风险因素的审核。证券估值理论上的证券投资价值，是其未来持续产生的现金流的风险折现值。对股票发行来说，投机价值即是看发行人的持续盈利能力及相关风险。为保证信息披露反映了“投资者感兴趣的全部实质性信息”，必须对持续盈利能力及相关风险严格审核。

无论哪种发行审核制度，都是以发行人的持续盈利能力及相关风险作为审核和披露的重心。只是在注册制下，证监会只“审”不“否”。而在核准制下，证监会依据法定条件，对明显不符合持续盈利能力条件的发行申请做出不予核准的决定。

（四）审核方式的变化

现阶段实施的核准制在审核的部门设置、职能分工、人员配备、审核流程、审核方式以及招股说明书的内容与格式等方面，充分地将技术性、程序性的制度发挥出来。

注册制的完全披露原则，即涉及证券投资价值的、与投资者决策相关的所有实质性信息都应当进行披露。美国证监会工作人员在具体审核中，对于何为“实质性”信息，以及实质性信息是否得以真实、准确、完整的披露，需要在大量专业性、综合性的判断中运用自由裁量权。在完整的注册制下，对上市申请具有实质审核权的交易所，在自由酌量权方面更加运用自如。无论上市准入还是上市地位的维持，美国的交易所拥有充分自主的自由裁量空间。例如《纳斯达克市场交易手册》中有，“纳斯达克市场对首次上市及持续上市申请行使广泛的自由酌量权，以维护市场的质量与公众信任。依据这种广泛的酌量权，纳斯达克市场可以否决首次上市申请或者设定额外的更严格的条件。”

通过详尽的规则压缩自由裁量权的方式，具有抑制权力滥用的作用。但过分强调或过度适用，则难以应对林林总总的客观现实，所以还要防止规则的过度明细化、标准化带来“精确化的模糊”问题。

正如英国行政法专家卡罗尔·哈洛和理查德·罗林斯所说，“裁量对规则体制的运转在逻辑上是完全必要的，实际上是不可消除的：它们无法消除，除非消除规则体制自身。”注册制改革并不是消除自由裁量权，而是更好地限制与自由裁量如影随形的负面效应。

第二节 注册制的推行

一、顺利推行注册制所需的基本条件

证券发行注册制是法律赋予发行人发行证券的权利。企业在申请公开发行股票时，依照法律要求完全公布真实完整有效的财务、业务等资料文件，从而向证券监管机构申请注册的制度。证券监管机构仅仅审查申请人提交的文件形式，并不对申请人作实质审查；监管机构受理申请文件一段时间后，只要没有拒绝注册，申请人就可以发行证券了。注册制支持者相信，只要发行企业的信息披露完全真实且及时，国家法律制度和市场交易机制健全，证券市场会理性地做出最优选择。证券发行注册制广泛运用于发达市场经济体制国家，如美国、加拿大、德国、法国、新加坡等。

组织分析的制度主义者理查德·斯科特认为，制度包括了三大基本的维度或因素：规制性因素、规范性因素、文化—认知性因素①。以下将从这三个维度分析股票发行注册制的实施需要满足的基本条件。

（一）制度的规制性因素包括调节性和制约性的法律、宪法和其他规则，这意味着应有较为健全的法规制度作为保障

注册制依据公开原则，要求发行人在申请注册时，提交完整的发行资料，并对资料真实性、可靠性承担法律责任，监管方的职责在于保证信息公开和禁止信息滥用。可见，注册制以信息披露制度为核心。以美国《1933年证券法》为例，当时美国社会客观环境剧烈变化，既有的法律规则体系无法在实践中维护大多数社会主体的合法权利，法治社会为了保护广大弱势公众投资者的权益，积极寻找一种不属于英美传统法组成部分的新式法律制度。于是《1933

---

① 斯科特．制度与组织——思想观念与物质利益．中国人民大学出版社2010年版。

年证券法》形成了证券发行强制披露制度，这是一种证券活动监管模式上的巨大变革，保障了证券发行注册制的顺利实施①。

（二）从规范性因素来看，需要形成有利于注册制的制度环境

制度环境是一系列用来建立生产、交换与分配的基本政治、社会基础规则，具有评价性、说明性和义务性。具体表现在以下几个方面：首先，认同“买者自负其责”这一规则。注册制要求投资者在进行投资时完全自负盈亏，法律只保证他们能够获得投资分析时所需的信息，而不保证发行者一定盈利，买者需要自己承担这一责任，这就是“买者自负其责”。美国于20世纪初进入了对交易活动法律规则适用占据统治地位的时期。人们笃信个人理性主义，认为“每一个成年人都必须自己照料自己。他不需要用法律上家长式的庇护来保全他自己，当他行动的时候，他被认为意识到了自己行为的风险，他必须承担预期的后果。”从而使交易的当事人之间能够名副其实地获得平等地位下应有的平等待遇。这也意味着投资者对股票质地的评价与判断能力就显得尤为重要。为了降低风险水平，增强盈利能力，投资者就必须不断提高自身的业务水平，具备广博的股票投资知识和丰富的股票投资经验，有能力对不同股票的投资价值和投资风险做出正确的判断。其次，监管部门对于证券发行均衡机制的认同。美国的经济制度一向以高度的市场化、自由化和最低的政府干预而著称。如何管理证券发行市场，同其他经济领域一样，美国证券管理机构在发行过程中发挥监管作用极其注重适度性。联邦和各州监管机构虽然以不同方式在不同程度上介入发行工作的各个环节，但总体上奉行使所有参与者都遵守市场规则的理念。因此，美国的证券发行制度表现为尽可能地限制政府机构的决策功能，让政府机构来充当监护者而不是执行官，注重监管的适度性，将政府监管限定在市场失灵的限度内，有利于市场功能的发挥。

（三）从文化—认知性因素来看，需要在全社会形成对于自由市场以及与之相匹配的法治观念的认同

制度的文化—认知性因素构成了关于社会实在的框架假定，这些假定是由文化塑造的，并未视若当然而接受。正如伯格所指出的，“事实上，任何人类

---

① 陈淮．我国股票发行注册制的制度条件及政策研究．上海财经大学学报，2012年。

制度都是意义的沉淀，或者从另一个角度说，都是意义的结晶化和客观化。”首先，从某种意义上来说，法律条文、法律制度、法律体系等法律的有形构成的成功与否是和法治观念的发达程度成正比的。美国《1933 年证券法》的变革之所以能够成功，是因为他们在完成这些工作中所获得的观察体验以及所秉持的价值观念。在没有太多的经验和方法可以借鉴的情况下，推动变革的人始终没有脱离法治理念的指引，这也是维护人与人之间人格平等、法律权利和社会经济自由发展的根本。没有这种理念，即便有了立法、监管部门和司法部门，也很难实现法治上的平等和保障弱势投资者的利益。其次，无论是投资者还是监管部门，都应该形成正确的对于自由市场理念的理解。一方面，一个自发调节的市场必须把社会制度性地分离为经济和政治两个领域。政治不能无止境地干预经济的自由运转。另一方面，也要看到自由放任绝不是自然产生的，若仅凭事物自然发展，自由市场永远不会形成。自由放任本身也是由国家强制推行的。对典型的功利主义者而言，经济自由主义是一种社会计划，应该用于实现最大多数人的最大幸福。自由放任不是实现某一目的的手段，它是有待实现的目的本身。这就意味着，监管部门对于市场监管的边界在于是否保证并促进了市场的自发调节。

二、A 股市场成熟度逐渐提高，推行条件日臻完善

与经济高度发展、市场制度完善的发达国家相比，我国的市场经济虽然还是有很多不尽如人意的地方，但是我国也已经基本具备了实行注册制的市场条件。具体表现在以下几个方面：

（一）我国的市场经济已经日趋完善，证券市场日趋成熟

中国证券市场从无到有、在诞生后短短的 20 年间，迅速成为无论从总市值、募集资金规模，还是交易活跃度都走到世界前列的全球主要市场，跨越了西方发达国家几百年走过的历程，这应当说是一个奇迹①。这自然得益于中国经济的持续高速增长的坚实基础和大背景。证券市场的发展深化和完善了中国的市场经济体系，同时，它优化了国民经济的资源配置，推动了创业创新和企业成长，从而极大地增进了实体经济的活力和可持续发展。

---

① 华生．中国证券市场进入波澜壮阔大时代．中国证券报，2010。

（二）证券市场的法规制度越来越健全

随着股票发行上市保荐制度的施行，机构投资者力量的日益壮大，新闻媒体监督功能的逐步显现，与《国际财务报告准则》实质趋同的新的企业会计准则体系的正式建立，2005 年新修订的《公司法》、《证券法》及相关配套文件中保护中小股东权益的事前防范制度与惩罚和救济机制等制度的进一步完善，为证券市场的发展营造了良好的法律法规环境。

（三）我国已经意识到了提高投资者的素质的重要性并致力于提高投资者的素质

中国证监会各派出机构应当负责组织实施，并督促、指导辖区内的证券公司积极开展提高投资者素质的工作。譬如，开办股民学校，举办专题讲座，利用网站优势设立投资者教育咨询服务中心等。其教育内容主要应包括普及证券市场基本知识，宣传证券市场的法律法规及各项方针政策，进行风险教育，针对证券市场不同的投资品种进行风险提示，进行正确的投资理念教育，帮助投资者认识自身的权利和义务，提供政策法规咨询和接受投资者投诉。

（四）监管手段法制化

中国证监会成立后，即着手有关法律法规的制定工作，1993 年 4 月 22 日，国务院颁布了《股票发行与交易管理暂行条例》。1994 年 7 月 1 日，正式颁布实施了《中华人民共和国公司法》。1999 年 7 月 1 日，《中华人民共和国证券法》的正式实施，是我国证券发展史上的一个重要里程碑。近年来，中国证监会积极推进证券市场的改革和规范化建设，进一步明确了监管部门的角色定位。中国证监会更新监管理念和改进监管方式，加强了证券、期货的一线监管方式，充分发挥派出机构的作用；强化证券、期货业协会的自律机制，有力地促进了我国证券市场的规范发展。

三、实施注册制改革需要考虑的问题

注册制并非“神丹妙药”，能一并解决中国资本市场的诸多问题。在注册制的实施过程中，要充分考虑到中国资本市场的显示情况和国情差异，有计划有节奏地稳步推进。需要考虑的问题包括：（1）证券交易所本身未实现公司化运作的情况下，能否担当对上市申请客观、独立、市场化的实质审核角色。（2）注册制下，上市公司“大进大出”、“快进快出”的上市理念，某些地区达到甚至超过100%退市率，这样高效的退市机制能否引进尚需谨慎。（3）当前公募、私募基金等投资者尚未发挥理性投资和“股东积极主义”的正常功能，却出现“大散户”、“老鼠仓”、内幕交易，整治和整顿还需费工夫。（4）集团诉讼、做空机制、和解机制等注册制下的配套体系尚不完善，能否适应中国资本市场尚待考察。

第三节　我国注册制改革的出台过程

2013年初开始的中国证监会IPO在审企业财务专项检查就预示着新一届的证监会已经吹响了对于IPO改革的号角。此次专项检查于2013年6月份结束，有超过200家在审企业因此次检查而退出排队大军。这给拟IPO企业敲响了警钟，也透露出IPO改革对于信息合规性、准确性的重视。中国证监会表示，IPO重启将会建立在体制改革的基础上。制度准备将会从以下五个方面开展：（1）修订完善相关制度，细化信息披露的要求，淡化对上市公司盈利能力的判断。（2）开展IPO专项核查工作，并结合工作要求在今后的工作中把检查中取得的经验落实到日常工作中去，规范中介机构和发行人的相关行为。（3）完善定价约束机制，进一步提前预披露时间。（4）根据询价配售的新情况和新特点，继续抑制炒新。（5）打击粉饰业绩等行为，保护投资者的合法权益。

监管层首先推进IPO专项检查工作，强化财务核查的力度。核查重点包括自我交易、利益交换、关联方、利润虚构、体外资金循环、虚假的互联网交易、少计当期成本费用、阶段性降低人工成本粉饰业绩等，以及其他导致公司财务信息披露失真、粉饰业绩或财务造假的情况等方面。

涉及IPO实质要件与程序规定的大量细则出台。与此同时，中国证监会开始着手强化稽查执法监测预警机制建设，进一步加强对上市公司信息披露案件的查处力度。2013年以来，稽查部门与证券交易所已经建立了上市公司信息披露违法违规线索直接报送机制，交易所日常监管中发现的上市公司违法违规行为和风险情况，将直接报送证监会稽查局，并开展相关行动，予以立案查处。

中国证监会在广泛听取市场意见后，于2013年6月7日发布《关于进一步推进新股发行体制改革的意见（征求意见稿）》，向社会各界公开征求意见。6月19日，中国证监会副主席姚刚透露了未来IPO改革的方向是不在调控发行节奏，并总结了取消对调价的具体要求、新股发行价格放开、引入券商自主配售权以及抽查工作底稿等措施。2013年11月15日，十八届三中全会明确提出，将健全多层次资本市场体系，推进股票发行注册制改革，多渠道推动股权融资，发展并规范债券市场，提高直接融资比重。在深入调研、广泛听取意见的基础上，2013年11月30日，中国证监会集中发布了《关于进一步推进新股发行体制改革的意见》（以下简称《意见》）、《上市公司监管指引第3号——上市公司现金分红》、《关于在借壳上市审核中严格执行首次公开发行股票上市标准的通知》等重要文件，开启了自2009年以来，中国官方启动的第四轮IPO改革。

第四节 新股"注册"发行体制下A股市场的总体展望

一、有利于形成新的市场机制，构建股市良性循环，吸引场外增量资金

（一）一二级市场良性互动机制有望真正形成

根据此次的新股改革意见，新股发行正逐步向注册制过渡，审核程序、发行节奏都更加市场化，从而，一级市场和二级市场的良性互动功能终于被打通。新股需求旺盛、股票估值偏高时，新股发行会自动加速，而当二级市场低迷、供大于求时，新股发行将自然减速，形成一个良性的循环。

（二）优先股试点启动，满足企业多元化需求并吸引长期投资资金

首先，《国务院关于开展优先股试点的指导意见》关于优先股的设计相当灵活，可更好地满足企业的多样化需求，包括作为企业新的融资工具、商业银

行补充资本的工具、企业并购重组时的融资工具、优化股权结构的工具。

其次，优先股的发行，可减轻普通股股权融资压力，特别是来自于银行股的融资压力；相对于普通股融资，只要资金的回报率超过利息率，那么对于普通股 EPS 就有正面影响。

第三，优先股有助于引入保险机构和养老机构等长期投资者。优先股投资期限往往较长，股价波动性小，回报稳定，可以吸引保险机构和养老金机构，以及追求长期稳定回报的个人投资者。

第四，中国证监会特别指出了优先股在并购重组中的作用。目前，收购人仅能以现金支付或以本公司普通股换股的方式收购其他公司，前者资金压力大，后者则可能会影响收购人的控制权结构。与普通股不同，优先股可根据并购双方的需求灵活设计，解决企业并购重组的实际困难，支持企业兼并重组活动。A 股众多成长公司也可利用优先股这种新型融资工具将并购、扩张、成长进行到底；对普通股投资者来讲，若公司利用可转换优先股进行收购，由于资产卖方的收益将来自于收购后业绩提升推动股价的上涨，可以加强对普通股投资者的保护。

二、中小投资者合法权益有望得到进一步保护

强化信息披露制度，约束发行人诚信义务，新股配售适当向中小投资人倾斜。海外成熟市场有句名言，“保护中小投资者就是保护华尔街”。但长期以来，中国 A 股市场基于种种历史原因，中小投资者保护机制仍不完善。重融资轻投资的政策导向，使大量中小投资人不仅难以分享到中国经济长期快速增长的巨大红利，甚至亏损累累，苦不堪言。从此次出台的相关文件看，突出强调了对中小投资人的保护，为彻底扭转 A 股市场圈钱市积弊营造出新的政策环境。

（一）以信息披露为中心的监管理念

突出以信息披露为中心的监管理念，努力实现公众的全过程监督新股改革方案要求进一步提前招股说明书预披露时点，加强社会监督。招股说明书预披露后，发行人相关信息及财务数据不得随意更改。审核过程中，发现发行人申请材料中记载的信息自相矛盾或就同一事实前后存在不同表述且有实质性差异的，证监会将中止审核，并在 12 个月内不再受理相关保荐代表人推荐的发行

申请。情节严重的，自确认之日起 36 个月内不再受理该发行人的股票发行申请，并依法追究中介机构及相关当事人责任。

（二）进一步约束发行人及控股股东诚信义务

改革方案中，从加强对相关责任主体的市场约束、提高公司大股东持股意向的透明度，到强化对相关责任主体承诺事项的约束方面，均提出了更加明确的要求。

例如，要求发行人控股股东等应在公开募集及上市文件中公开承诺：所持股票在锁定期满后两年内减持的，其减持价格不低于发行价；公司上市后 6 个月内如连续 20 个交易日收盘价均低于发行价，或者上市后 6 个月期末收盘价低于发行价，股票锁定期限自动延长至少 6 个月；发行人及其控股股东等应在相关文件中提出上市后 3 年内股价低于每股净资产时稳定股价的预案；发行人应披露公开发行前持股 5% 以上股东的持股意向及减持意向，持股 5% 以上股东减持时，须提前 3 个交易日予以公告等。

（三）新股配售适当向中小投资人倾斜

网下报价要求预先剔除申购总量中报价最高的 10%，防止发行价虚高；允许符合条件的个人投资者参与网下定价和网下配售；调整网下网上回拨机制，新股认购踊跃情况下使网上投资者有更多中签机会；部分市值配售，持有一定数量非限售股份的投资者才有机会分享新股上市溢价收益等。

三、将形成新的游戏规则，壳资源炒作遭遇阻力，股价迈入分化时代

（一）开放存量股发行，平衡供求

存量发行启动，增加新股流通比例，有利于改变供求不平衡带来的小盘股溢价格局。第一，在 IPO 时启动存量发行可以增加可流通股数量，缓解单只股票上市时可交易份额偏少的状况。第二，在发行过程中，推动老股东和投资者博弈，若定价偏高，老股东倾向于出让更多的存量股，将对投资者报价形成制约。第三，缓解股票上市后，限售股集中解禁对二级市场产生影响。

（二）借壳上市执行 IPO 标准，“壳资源”价值丧失

借壳上市标准提高，“壳资源”价值锐减，绩差股有望沦为“仙股”。《关

于在借壳上市审核中严格执行首次公开发行股票上市标准的通知》中提高了借壳上市门槛，借壳上市条件与IPO标准等同；不得在创业板借壳上市。我们认为，这条看上去相当短的通知，其重要性不亚于新股发行体制改革，它与新股发行体制市场化改革结合在一起，才能从根本上解决A股市场股价结构的扭曲问题。

第一，新股发行体制改革后，企业IPO可行性、便利性提升，加之借壳上市条件趋严，壳资源的价值将锐减，炒作ST绩差股、投机借壳重组谋利的资金势必向价值投资回归。

第二，借壳上市标准提升，长期经营不善导致其不再符合上市标准的上市公司将难以通过资产重等方式改善重新“包装”、改头换面、业绩倍增，从而不得不退市。如此，才能提升整个市场的风险意识，改变喜好炒作绩差股、垃圾股、低价股的怪象。我们期待主板、创业板、新三板多层次资本市场通道能够进一步打通，形成“优胜劣汰”的全新生态环境。

（三）多机制推动发行定价、发行方式市场化，抑制“炒新”

除了发行节奏更加市场化、存量发行等措施增加供应、改善供求比例之外，引入自主配售机制，加强主承销商的作用，推动发行定价市场化，不再用行业平均市盈率、或者规定市盈率等硬性条件人为压低新股发行市盈率。并且，采取将减持与发行挂钩、剔除报价最高的10%的申购量、提高招股、定价、配售各环节信息的透明度等方式强化对发行人和投资者定价行为的约束。

（四）股价结构迈入分化新时代

在新股体制改革“供给管制”取消降低供求关系带来的小盘股溢价、借壳受阻降低壳资源价值之后，A股将进入股价分化的时代，真正的优质龙头公司才能够被区分出来，给予成长溢价。

四、调整新股配售体系、完善发行定价机制

治理新股上市“三高”问题是本轮改革的初衷之一，其中最为股民关注的，是新股发行价格偏高，上市之后往往走低的问题。新股如何合理定价，直接影响到一级市场与二级市场之间的平衡，关系到融资方与投资方之间的互利。定价的过程表面上是市场多方力量的博弈，实质上则是多重制衡与沟通机

制发挥作用的结果。

综合来看，新股发行价格的确定较为复杂且专业。因此，目前沪深股市的新股定价都通过向较为专业的机构投资者询价的方式来确定。当前询价制度是荷兰式的两步定价，即承销商会按照投标人报出的价格，从高到低排列，直到按照价格排序后的投标数量满足预定发行额为止。获得购买资格的是前几家报价高的机构，最终申购价则以这几家高报价机构中最低的报价为准。如此一来，机构投资者为了能中标，在竞价过程难免有意提高报价，最后的报价往往脱离了公司的真实价格，造成了新股发行定价的虚高，以致公司一上市就让限售股股东有了强烈的兑现动机，也给市场造成了很多泡沫。

中国证监会颁布的《意见》突出了以下六个改革方向，旨在重塑新股发行定价机制：（1）扩大询价对象范围，引入个人投资者。（2）提高向网下投资者配售股份的比例，建立网下向网上回拨机制。（3）要求询价机构审慎定价。询价机构发现存在发行人异常情形的，应进一步核实研判。（4）加强对询价、定价过程的监管。承销商应保留询价、定价过程中的相关资料并存档备查。（5）引入独立第三方对拟上市公司的信息披露进行风险评析，为中小投资者在新股认购时提供参考。（6）敦促证券交易所组织开展中小投资者新股模拟询价活动，促进中小投资者研究、熟悉新股，引导中小投资者理性投资。

新修订的《证券发行与承销管理办法》则取消了行政限价手段，引入主承销商自主配售机制，提高定价和配售的市场化程度，同时提高发行承销全过程的信息披露要求，强化社会监督。

该办法通过提高网下配售比例，调整有效报价投资者家数的限制，更多地发挥证券投资基金、社保基金在稳定新股发行定价方面的作用，加强对定价和配售的市场化约束；在中小投资者的公平竞价权益保护方面，则通过调整回拨机制，改进网上配售方式，更加尊重网上投资者认购意愿；在监管强度方面，通过完善行政处罚、监管措施、自律管理、记入诚信档案制度，构建多层次监管体系，进一步加强监管及事后追责。

伴随 IPO 改革的再次启动，A 股市场环境有望迎来较大的实质性改善。而在监管和制度层面上，更加旗帜鲜明地重视对投资者群体的利益保护，更持续有效地平衡好投融资两端的利益，将使 A 股市场上有机会迎来新一轮巨大的改革红利。

五、注册制新政对A股价格走势的影响分析

（一）短期影响偏中性

股市制度改革对市场整体影响略偏中性短期，IPO重启对整体市场的负面冲击实际影响有限，更多地体现在预期的变化上。中国证监会多项措施护航IPO重启，尤其优先股试点利于稳定权重板块，整体而言有助于缓解二级市场资金压力。同时，十八届三中全会之后，境内外投资人对中国经济和A股市场的认同和信心也在不断提升。不过，成长股行情可能将进一步分化，新股供给集中在估值偏高的中小板、创业板，存量发行、借壳标准提高等政策都对小盘股产生负面影响，有些资金短期可能会提前锁定收益、等待参与新股。

（二）长期影响看好

从长期看，“场外增量资金＋股市存量资金再配置”将凸显优质成长股战略性价值。

第一，改革红利释放将吸引场外增量资金向股市的配置。一方面，经济体制改革超预期将显著改善投资者对于中国经济未来增长的预期，从而提升对于A股的中长期信心，带来国内外增量资金的介入。另一方面，股市体制改革构建更良性的A股生态环境，新股上市吸引场外资金进入，厘清各种圈钱现象，提升A股在大类资产配置中的相对吸引力。

第二，改革另一个重要的意义在于股市将从鱼龙混杂的时代走向股价分化的时代，新市场和新游戏规则将引导股市存量资金向更合理的盈利模式转换。一方面，中国股市一直以来的“炒绩差股、壳资源、博重组”的盈利模式将面临巨大考验，尤其是当股票供给更多时，壳资源的价值将越来越弱。传统的盈利模式失效的同时，必然会逼迫投资者寻找新的盈利范式，引发股市存量资金的再配置。另一方面，真正有价值的好公司、成长股一直是稀缺的，在绩差股、伪成长股被打回原形之后，优质的龙头股会显得更加稀缺。

第四十一章

注册制对各市场主体的影响分析

新股发行体制改革作为基石制度，对资本市场相关法律法规、监管方向、融资形式及各市场参与主体均影响深远。本轮资本市场新政的陆续颁布，标志着A股市场新股发行制度正式向注册制过渡、迈进。以“去审核、去行政干预”为理念，证券监管机构“仅对申请上市文件和信息披露内容的合法合规性进行形式审查，把对发行人盈利能力和投资价值的判断交给市场”的核心思路，被很多金融界专家、学者称为“二次股改”，是市场化配置投融资资源的里程碑式的制度变革。

十八届三中全会后，中共中央下发《中共中央关于全面深化改革若干重大问题的决定》明确指出，完善金融市场体系，推进股票发行注册制改革，多渠道推动股权融资。

回顾现任中国证监会主席肖钢执政思路，是一场围绕“以投资者需求出发、深化中小投资者保护，修改证券法律法规、加强监管执法”的资本市场顶层设计的完善，是一场在当前经济形势和中共中央金融改革决定背景下的革新。

肖钢主席撰文阐述完备的法律法治体系对资本市场的重要性，文中提及“资本市场是一个资金场、信息场和名利场，因而必须是法治市场，要高度依赖健全完备的法律制度体系”。在监管执法方面，首次明确提及，将针对操纵市场、内幕交易、“老鼠仓”等重大违法行为相应制定实体性认定办法。

2013年11月份以来，中国证监会密集发布包括《关于进一步推进新股发行体制改革的意见》、《上市公司监管指引第3号——上市公司现金分红》、《证券发行与承销管理办法（2013修订版）》、《首次公开发行股票时公司股东公开发售股份暂行规定》等一系列新股发行体制相关法规文件。本轮新政的密集发布、相关配套法规的制订、修改进一步揭示了我国资本市场及监管体系正式向注册制全面过渡。肖钢主席认为，实行注册制改革最核心的就是要真正的还权于市场，还权于投资者。股票的发行一定要以信息披露为中心，证监会要以投资者需求为导向，对发行人信息披露的准确性、全面性进行审核。

通过对本轮已发布新政的解读，我们认为，此轮新股发行体制改革的重点包括：强化信息披露及发行人诚信义务、从严执法加大违法成本、开放存量发行并与募资资金额挂钩、市场化的发行定价及配售体系、进一步明确上市公司分红等。

新股发行体制改革牵一发而动全身，对资本市场各参与主体都将产生深远的影响，改变并形成新的逐利趋向，下面我们将从包括发行人、中介机构、投资者等主要参与主体出发，分析本轮新政对其产生的影响。

第一节 发 行 人

发行人是指为筹措资金而发行股票、债券等证券的政府及其机构、金融机构、公司和企业，作为资本市场主要参与主体，以融资方的角色出现，是基础投资标的的提供方。新股发行制度由核准制向注册制过渡将直接影响发行人市场参与形式，其影响包括：IPO 发行申请方面的转变；开放存量股发行并与募集资金挂钩；建立差异化、多元化的投资者回报体系等；改革和完善上市公司退市机制。

一、IPO 发行申请方面的转变

无论是充斥着计划经济色彩的“额度制”，还是初现市场化端倪的“核准制”，到近期推出的向“注册制”过渡，每次新股发行体制的改革均直接导致拟上市公司在 IPO 发行申请的重大变化。

（一）以信息披露、强化事后追责为核心的形式审核

中国证监会《关于进一步推进新股发行体制改革的意见》以下简称《意见》中明确指出，“中国证监会发行监管部门和股票发行审核委员会依法对发

行申请文件和信息披露内容的合法合规性进行审核，不对发行人的盈利能力和投资价值做出判断。发现申请文件和信息披露内容存在违法违规情形的，严格追究相关当事人的责任。”

本次新股发行制度改革，是前期核准制向注册制的过渡，是在核准制的框架内，突出以信息披露为中心的监管理念，力求审核标准更加透明。信息披露制度作为注册制实施的基础前提，能消除信息不对称所带来的欺诈上市行为。在实现各市场参与主体关于拟上市企业的投资价值、合法合规性信息获取在一致性、完整性、及时性均趋同的基础上，证券监管部门功能将得到重新定位，将审核中心从实质性监管转移到合规性审查。另外，进一步加强发行申请过程中的信息披露监管及事后追责、处罚。由市场和投资者自主判断企业价值和风险；前松后紧，以行政处罚和刑事手段相结合的方式加大造价成本的新股发行审核形式在契合“注册制”推行理念的同时，也有利于提高投资者的风险投资意识，提升投资者素质，为注册制的正式实施提供良好的市场环境及合格的投资者群体。

1. 以信息披露为核心的形式审查，将投资价值和风险判断归还市场

随着证监会审核理念的转变，发行人在申请上市过程中不再针对严格的财务要求及标准化的发行条件，对自身经营模式、财务状况、投资项目及未来发展规划等做相应调整。更多的是在各中介机构的尽职调查、财务梳理及上市辅导的协助下，符合公开上市的合规性标准；并在此基础上，根据国内外经济环境、所处行业运行模式及企业自身竞争优势，合法经营并进一步巩固、提升核心竞争力、持续盈利能力及市场投资价值；以投资者的决策需求为导向，突出信息披露重点，强化主要业务及业务模式、外部市场环境、经营业绩、主要风险因素等对投资者投资决策有重大影响的信息披露。

在注重信息披露完整性、准确性的政策导向下，拟上市公司须强化自身行政管理队伍建设，加强相关政策法规及披露标准的学习，建设、完善公司信息披露渠道，实现各层面、各环节相关信息的高度透明；注册制背景下，投资价值及风险判断归还市场对公司股价的影响将自新股发行定价向日常股价波动延伸。发行人除根据准则披露相关信息外，还须向国外发达资本市场学习、借鉴信息的主动披露并完善投资者，特别是机构投资者沟通渠道，不仅要把公司的投资风险“说清楚”，还应该将投资价值“讲到位”。

2. 提前预披露时点，发挥媒体、社会监督作用

公开发行申请文件预披露制度是证券发行的重要环节，是将拟上市公司IPO申请和中介机构在执业过程中勤勉尽责、尽职调查情况通过媒体公开，接受社会监督，方便投资者尽早了解情况、全面有效发挥社会监督作用的手段，是我国证券市场追求公开、公正、公平的重要环节。

《意见》指出，“进一步提前招股说明书预先披露时点，加强社会监督。发行人招股说明书申报稿正式受理后，即在中国证监会网站披露。招股说明书预先披露后，发行人相关信息及财务数据不得随意更改。”

发行人作为信息披露第一责任人，预披露制度对于其而言不仅是来自媒体、社会的监督，更是对造假者的一种心理压力。

结合2013年初在会项目财务核查结果来看，大量拟上市企业因财务问题或被中止审核、或主动撤销上市申请的局面充分表明当前拟上市公司仍存在预先披露不充分、申请材料存重大遗漏、业绩过度包装等深层次问题。

“受理即披露”的预披露政策有利于加强社会公众监督力度，有效消除投资者对拟上市公司投资价值及企业质地的疑虑；预披露后，发行人相关信息及财务数据不得随意更改的规定很大程度保证招股说明书的预披露质量，也为那些抱着侥幸心理，指望在媒体面前隐瞒自身合规性及财务指标上缺陷的发行人敲响了警钟。

3. 强化事后追责，加重违法成本

注册制不等于登记生效制，在放宽企业公开发行标准，改实质审核为形式审核的新股发行体系下，进一步加强对虚假披露、误导性陈述及财务造假等方面的事后追责、处罚，如同“达摩斯之剑”高悬，为广大投资者把好关，以行政处罚和刑事手段相结合的方式加大造假成本。

本次中国证监会颁布的《意见》是在完善事前审核的同时，更加突出事中监管和事后严格执法。对发行人、大股东、中介机构等，一旦发现违法违规线索，及时采取中止审核、立案稽查、移交司法机关等措施，切实维护市场三公及有序投融资。《意见》中包含强化追责、加大处罚的内容主要有：

“审核过程中，发现发行人申请材料中记载的信息自相矛盾、或就同一事实前后存在不同表述且有实质性差异的，中国证监会将中止审核，并在12个月内不再受理相关保荐代表人推荐的发行申请。

发行人、中介机构报送的发行申请文件及相关法律文书涉嫌虚假记载、误导性陈述或重大遗漏的，移交稽查部门查处，被稽查立案的，暂停受理相关中介机构推荐的发行申请；查证属实的，自确认之日起36个月内不再受理该发行人的股票发行申请，并依法追究中介机构及相关当事人责任。”

“中国证监会发行监管部门和股票发行审核委员会依法对发行申请文件和信息披露内容的合法合规性进行审核，发现申请文件和信息披露内容存在违法违规情形的，严格追究相关当事人的责任。”

“发行人招股说明书有虚假记载、误导性陈述或者重大遗漏，致使投资者在证券交易中遭受损失的，将依法赔偿投资者损失。”

“上市公司涉嫌欺诈上市的，立案查处时即采取措施冻结发行人募集资金专用账户。”

“发行人及其董事、监事、高级管理人员未能诚实履行信息披露义务、信息披露严重违规、财务造假，或者保荐机构、会计师事务所、律师事务所等相关中介机构未能勤勉尽责的，依法严惩。”

（二）发行人及控股股东诚信义务

2011年10月19日，国务院常务会议部署制定社会信用体系建设规划，提出全面推进社会信用体系建设。就目前情况来看，我国社会信用体系尚处于起步阶段，诚信相关法律法规体系建设不健全，缺乏足够的司法约束；信用信息系统尚未健全，无法对违约者实行诚信档案记录与公布。而就目前我国资本市场而言，发行人、控股股东及各中介机构的诚信度不高则是导致披露信息造假、财务数据粉饰等诸多违规现象的本因。

本次中国证监会颁布的《意见》首次明确提出了关于发行人、控股股东及董、监、高等相关责任人在公开发行、上市过程中的各项承诺的约束机制，包括加强对相关责任主体的市场约束、提高公司大股东持股意向的透明度及强化对相关责任主体承诺事项的约束等条款。

1. 加强对相关责任主体的市场约束

（1）减持价格及延长锁定期与股票市价挂钩。《意见》对发行人控股股东、持有发行人股票的董事和高管关于锁定期后所持股份最低减持价格及须自动延长锁定期的情形做出公开承诺。

该承诺规定将大小非解禁价格、期限与上市公司股价挂钩，市场化因素的介入激励发行人通过合法经营保持股价稳定；激活董事、高管股权激励对其勤勉尽责及使股东利益最大化的本职目标；另外，还有助于规避上市公司IPO发行前“冲成长”，上市后“业绩变脸”现象。

（2）提出稳定股价预案。《意见》要求发行人及其控股股东、公司董事及高管在公开募集及上市文件中明确上市后3年内公司股价低于每股净资产时稳定公司股价的预案。

该规定是在前款基础上，对发行人上市后股价稳定提出了进一步保障的手段，要求发行人通过回购公司股票，控股股东及董事、高管通过增持公司股票，稳定市场信心。

（3）承诺发行造假依法回购首次公开发行的全部新股。《意见》要求发行人及其控股股东在承诺申请文件无虚假记载、误导性陈述或重大遗漏之外，当发现存在对判断发行人是否符合法律规定的发行条件构成重大、实质影响的发行造假事项时，承诺依法回购首次公开发行的全部新股；造假事项致使投资者在证券交易中遭受损失的，还将依法赔偿投资者损失。

近年来，由于证券监管部门事后稽查、追责力度的不断加大，绿大地、胜景山河等公司抱着侥幸冲关心理的企业纷纷被证监会叫停公开发行，并吞下行政处罚的恶果。本轮《意见》关于严重造假、欺骗发行承诺依法回购全部发行新股的承诺规定则是以拉长发行造假追诉期的方式加大违规成本。

2. 提高公司大股东持股意向的透明度

《意见》要求发行人披露公开发行前持股5%以上股东的持股意向；并明确上述股东减持时须提前3个交易日予以公告。

发行人主要股东的持股意向是其对公司经营现状和中长期发展的直接预期，是影响投资者，特别是散户投资者信心的重要因素。此举是对在发行人经营、财务信息获取渠道相对缺乏、获取时间相对滞后的散户投资者的保护，公司大股东持股意向的高度透明可有效避免“由散户接盘，为大股东买单”的状况。

3. 强化对相关责任主体承诺事项的约束

发行人、控股股东及其董、监、高须在公开募集文件中披露包括申请文件完整、真实；自愿锁定发行前持有股份；避免同业竞争及关联交易；募集资金合规运用；以及其他增强投资者信心、主营业务及募资资金投资项目持续盈利保证措施等。本轮《意见》除延续上述承诺要求外，首次以行政法规的形式提出公开承诺约束机制的披露，并规定由证券交易所加强对相关当事人履约情况的监督及违约行为的行政监管。发行人及相关当事人在公开发行前、上市前频频开具“空头支票”或上市后以各种理由延迟履约或改变承诺现象将得以约束。

二、开放存量股发行并与募集资金挂钩

公开发行新股和存量股份转让相结合的混合发行方式是境外发达资本市场所熟悉的IPO模式，是“轻资产”公司发行上市的主要渠道，是丰富资本市场覆盖各行业的重要手段。

目前，美国资本市场IPO发行方式主要采取两种模式：（1）由发行人向社会公众公开发行可自由转让的新股（增量发行）；（2）由老股东公开转让所持限制性证券（存量发行）。存量发行在美国上市公司IPO案例中被普遍采用。据统计，1980年至2001年间，美国资本市场IPO案例共计4 219项，其中采用存量发行的合计1 830项，占比43%。

我国香港地区，允许发行人在IPO或再融资中均可采取混合发行。1980年至2008年间，香港市场股票IPO发行中包含存量发行的共计175项，占比21.77%。

在我国台湾地区、日本、欧洲等地，存量发行同样已被广泛运用。研究显示，1980年至2008年间，北美、欧洲、亚洲部分国家和地区IPO发行共计18 757项，其中采用混合发行模式的5 730项，占比30.55%。

由此可见，存量发行作为一种成熟且被广泛实践应用的发行方式，其必要性、可行性已得到充分验证。本轮新股发行体制改革开创性的提出开放存量发行并与募投资金挂钩的建议，《意见》指出：“发行人首次公开发行新股时，鼓励持股满3年的原有股东将部分老股向投资者转让，增加新上市公司可流通股票的比例。老股转让后，公司实际控制人不得发生变更。老股转让的具体方案应在公司招股说明书和发行公告中公开披露。”

“发行人应根据募投项目资金需要量合理确定新股发行数量，新股数量不足法定上市条件的，可以通过转让老股增加公开发行股票的数量。新股发行超募的资金，要相应减持老股。”

对于我国资本市场而言，存量股发行的优势包括：

（一）减少募投资金超募问题

A股市场包括高新技术企业在内的爆发期上市公司一直是市场投机资金追

逐的对象，加之近几年“打新、抢筹”投机收益明显，以机构投资者为首的资金纷纷抢夺优质增长公司股份筹码，市盈率、发行价居高不下。自创业板开放发行上市以来，超募现象愈发普遍，在募投项目资金需求量既定的情况下，以存量股发行转让替代股数有限的新股发行，有效解决了发行价过高的问题。

（二）增加流通股比例，缓释大小非解禁压力

相比大小非持股水平，新股流通比例较低。在解禁期间，由于流通量集中放大数倍，且其持股成本优势较二级市场投资者明显，一旦大股东抛售上市公司股份将对二级市场股票价格形成巨大的压力并造成明显波动。存量股发行有利于增加流通股比例，平衡流通、限售股份占比。

（三）解决“轻资产”行业募投项目难

在核准制体制下，拟上市公司募集资金投资项目的可行性及其盈利能力一直是发审会考量是否给予核准发行的重要指标。而以服务业为代表的“轻资产”行业一般现金流充裕、外延式投资扩张需求不强，且资产结构主要为知识产权、人力资本、渠道等无形资产，“募投难”一直是阻碍该类优质企业上市的主要问题。开放存量发行为“轻资产”行业上市开辟了可行的通道，有利于我国第三产业发展，优化整体产业结构。

三、建立差异化、多元化的投资者回报体系

（一）完善上市公司股利分配决策机制

上市公司股利分配政策是资本市场的一项基础性制度，属于上市公司治理范畴。不管从理论还是实践角度来看，股利分配，特别是现金股利分配是成熟资本市场中上市公司给予中长期股东稳定、持续回报的主要方式之一。市场整体分红水平是影响一个资本市场投融资能力、投资价值及投资者持股期限意向的主要因素。

纵观国外发达资本市场，现金分红均被作为投资者回报的重要方式，是股东投资收益的主要来源。在成熟资本市场，现金分配方式的投资者回报已成为发行人、投资者间的共识被作为上市公司吸引投资者的主要市场化指标。在这样的理念驱动下，发达资本市场的监管机构无须对上市公司股利分配政策做专项约束，大多实施上市公司自治性管理，通过管理层完整披露上市公司经营状

况、资金需求，并充分中小股东意见的方式决议年度股利分配政策。

反观我国资本市场，由于近10年来我国经济发展迅速，多数上市公司仍处于重大资本支出频繁的发展阶段；且通过现金分红践行股东收益权利的理念未广泛形成。在经济、体制、金融环境等多方面因素影响下，现金分红形式回报主要集中于少数优质公司，且连续性、稳定性不足，分红回报方式亦较为单一，结构合理性不足。

针对国内上市公司分红回报方式单一、现金分红占比过低的情况，中国证监会紧紧围绕保护中小投资者合法权益的工作重心，在充分尊重公司自治的基础上，结合上市公司规范运作水平，出台《上市公司监管指引第3号——上市公司现金分红》，要求上市公司在章程中明确现金分红政策，健全分红决策程序和机制；督促公司严格执行现金分红政策，规范现金分红行为，强化其现金分红承诺与执行的一致性。

（二）差异化、多元化的投资者回报机制

1. 根据自身情况制定差异化分红政策

中国证监会《上市公司监管指引第3号——上市公司现金分红》要求上市公司规范、完善利润分配的内部决策程序和机制，鼓励上市公司在章程中明确现金分红在利润分配中的优先顺序，要求上市公司在进行分红决策时充分听取独立董事和中小股东的意见和诉求，督促上市公司进一步强化现金分红政策的合理性、稳定性和透明度，形成稳定回报预期。

该指引在充分遵循上市公司自治原则基础上，未对上市公司股利分配，特别是现金分红政策做硬性规定；但亦加大监督检查力度，对未按章程规定分红和有能力但长期不分红的公司实行监管约束，依法采取监管措施。

在差异化分红政策指引方面，中国证监会综合考虑上市公司所处行业特点、发展阶段、经营模式、盈利水平及重大资金支出安排等因素，将上市公司分为四类，并分别提出了现金分红指导性意见，该指引中明确指出：

“（1）公司发展阶段属成熟期且无重大资金支出安排的，进行利润分配时，现金分红在本次利润分配中所占比例最低应达到80%。

（2）公司发展阶段属成熟期且有重大资金支出安排的，进行利润分配时，现金分红在本次利润分配中所占比例最低应达到40%。

（3）公司发展阶段属成长期且有重大资金支出安排的，进行利润分配时，现金分红在本次利润分配中所占比例最低应达到20%”

2. 鼓励上市公司实行多元化的投资者回报政策

该指引指出，鼓励上市公司依法通过发行优先股、回购股份等方式多渠道回报投资者，支持上市公司在其股价低于每股净资产的情况下回购股份。

发行优先股、上市公司回购等多元化回报方式被业内认为是此次指引中一大亮点。相比普通股而言，优先股在利润分红及剩余财产分配的权利方面，优先于普通股；且享受稳定的股息收益率。

优先股的推出有利于缓和流动性压力，是中国新一轮金融创新的最新版本，有利于引导社保和保险长线基金的入市，并且减少银行等权重蓝筹股权融资压力，中长期利好银行，保险等ROE相对稳定的行业，虽然舒缓了资产负债表压力，但改变不了去杠杆的趋势性压力。

优先股制度的确立包含以下意义：

（1）丰富了市场融资工具，丰富了金融、公用事业等行业融资渠道。

（2）化解上市公司少分红和投资者分红需求之间的矛盾。

（3）盘活存量，为社保基金、企业年金、养老金等资金提供更高效投资渠道。

（4）促进产能过剩行业兼并重组。

（三）抓紧制订不同持股期限的股息红利税收政策，倡导长期投资

投资者持股期限较短、投机现象普遍一直是困扰我国资本市场，导致上市公司股价波动较大的重要因素。中国证监会在该指引中指出，“配合财政部、税务总局实施新的上市公司股息红利税收政策，按照投资者持股期限实行差别化税率，从健全政策机制入手，培育长期投资理念。”

另外，中国证监会正在积极推动国资管理部门完善国有控股上市公司业绩考核体系，推动国有控股上市公司提高分红水平；推动社保基金等有持续稳定分红需求的长期投资者积极介入公司治理，促使上市公司不断增强回报意识。

上述应对举措对稳定资本市场意义深远，具体表现为以下几个方面：

1. 有利于长期资本入市

该指引按照不同持股期限的股息红利税收政策直指散户投资者关心的要点，税收方面的优惠是引导长线投资最直接、有效的惠民方式。实际上，造成我国股市低迷的原因不在于投资于股市的资金缺乏，更多的是投资者信心以及

对相关政策的期盼。此次政策调整，旨在发挥税收政策的导向作用，也就是税收制度发挥其支持作用的一个重要表现。在2013年1月1日之前，中国的股息红利税税负不论持有期长短均为10%。若按此执行，据资讯统计，2011年A股分红6 119亿元，占净利润30%，持有一年以上可为投资者节省超过300亿元的红利税。由此可见，股息红利差别化所得税的实施对于长期投资者来说是一个极大的利好，有利于长期资金入市。

2. 对不同投资者群体产生影响不同

就目前股息红利税收政策而言，在流通股股东内部，股息税的征收实际上是不平等的。因为股息税并不向机构投资者征收，而只向以个人身份出现的投资者以及投资基金开征。

由此可见，对于包括大股东、机构投资者而言，差异化税收政策无重大影响；对于长线投资偏好的散户投资者而言，股息红利税收优惠是对其投资策略的极大激励；对于短线投资偏好的散户投资者而言，税负的增加将导致其考虑改变投资策略，延长其持股期限。

3. 对稳定股价指数意义重大

差异化股息税收政策将引导投资资金流入具有稳定现金红利回报、适合长期持有的上市公司中，有助于提升蓝筹股的内在估值。同时，此项政策也向市场昭示了有关部门意在将“引导长线投资”落到实处，以税收优惠代替媒体引导激活国内资本市场长期持股的信心。另外，对长期投资者减征股息税有利于企业资产价值更合理的定价，可以通过鼓励优良企业分红派现来体现企业资产的合理价值。这也在一定程度上保护了投资者利益，坚定他们的投资热情和市场信心。因此，股息红利差别化政策对稳定股指有较大的利好效应。

四、改革和完善上市公司退市制度

上市公司退市制度是继上市前形式审核、事中监管和事后严格执法等之后，对上市公司形成震慑，避免出现“上市首年增长、次年下滑、第三年亏损”的怪象，配合注册制顺利推行的重要配套政策。

在注册制背景下，证券监管部门仅对拟上市公司施行合法合规性及信息披露的形式审核，投资价值及风险由市场自行判断。退市制度的严格执行，是防止资本市场出现绩劣股、问题股，保证资本市场基础投资标的质地的基础手段。退市制度对于资本市场的意义包括：

（一）净化市场环境、抑制绩差股

改革和完善退市制度，有利于净化市场环境、抑制绩差股、“壳资源”炒作，实现公司价值的合理回归，在竞争中优化上市公司结构，从源头上保护中小投资者利益。没有经营的压力就没有前进的动力，上市不是进了保险箱，需要严格的淘汰制度督促管理层认真经营公司，不断开拓进取，在市场中立于不败之地。

（二）树立投资风险自行承担的意识

在退市制度的研究制定过程中，中国证监会在制度设计层面将考虑保护投资者的机制。目前，深圳证券交易所完善创业板退市制度采取了六个方面措施，就体现了这种理念。投资者在投资绩差股时要有清醒的认识，要树立起“买者自负”的意识，培养控制资产整体风险的止损意识。当一家上市公司因为宏观经济因素、行业因素、经营因素等导致退市，在上市公司依法履行了应尽披露义务的前提下，投资者要自行承担投资判断的结果，期盼不理性的投资行为由国家买单是不切实际的。

（三）构建资本市场淘汰机制，提升上市公司整体质量

对于投资者而言，不仅要看到退市制度有助于形成市场“吐故纳新”的动态平衡，有助于上市公司整体质量的不断提高，从而从源头上保护中小投资者利益。同时也要清晰地认识到上市公司的退市风险已经真正到来，投资者要重新审视自己的投资理念，以便在退市制度实施后更加积极主动地防范退市风险。

第二节　中介机构

每一次新股发行体制改革，均引发中介机构，特别是券商的重新洗牌。2004 年施行保荐制，券商行业因上市辅导、保荐能力差异洗牌，IPO 承销业务向优质券商集中，成就第一梯队包揽近九成首次公开发行业务的局面；2009

年创业板的推出则又引发包括中金证券、中信证券等国字头大型券商调整业务格局，组建中小型拟上市公司保荐队伍，对上市资源进行深耕细作，告别“大型首发项目打天下”的时代。本轮新股发行体制改革由核准制向注册制过渡，对资本市场影响深远，更将引发新一轮券商格局转变。本书将以券商作为中介机构代表进行描述。

一、券商行业步入制度改革和创新发展的黄金期

无论是注册制还是核准制，拟上市企业均须中介机构提供专业的上市辅导服务，包括券商、会计师、律师等机构均将受益。纵观采取注册制的国外发达资本市场，注册制并不代表监管层不审理；相反，对拟上市公司包括治理结构、独立性、财务数据在内的规范运营、持续盈利能力更为关注。

在此背景下，中介机构对拟上市公司质量的甄别能力；通过尽职调查保证企业符合资本市场合规性及公开发行上市标准；辅导企业向规范运作、保证投资价值、降低投资风险；通过完善的销售网络吸引投资者认购，顺利完成新股发行的承销能力则尤为重要。

另外，在推进新股注册制，多元化投资渠道、融资方式，发展并规范债券市场，提高直接融资比重的改革背景下，债券市场、场外市场和衍生品市场多管齐下的发展预期，将为券商提供新的盈利方向，并步入制度改革和创新发展的黄金阶段。

二、新股发行体制改革对券商业务开展的综合影响

（一）注册制改革对券商盈利能力的影响

1. 注册制体系下，企业上市需要更专业的上市辅导、保荐

在本轮新股发行体制改革中，证监会表示将仅对发行申请文件和信息披露内容的合法合规性进行审核，不再对发行人的盈利能力和投资价值做出判断；并重申保荐机构应遵守业务规则、规范，进行审慎核查，督导发行人规范运行并对其是否具备持续盈利能力、是否复核法定发行条件做出专业判断。另外，此前证监会多次提及由律师撰写招股说明书等申报文件的方案。

但不管发行申请文件由谁起草，核准发行还是注册发行，券商作为牵头中介机构，尽职调查的职责依旧，且在注册发行体制下尽职调查的真实性、准确性、完整性更加严苛。在注重事后追责，加大行政、刑事处罚力度的新政体系

下，监管部门对上市申请过程中的违规处罚力度更大，出于自身信誉的考量，对券商尽职调查的审慎程度；上市辅导、保荐专业能力及持续盈利能力、是否符合上市要求等方面的判断准确性要求更高。就目前券商运作模式而言，即使“保荐代表人”在IPO发行过程中的推荐作用被弱化，但资深投行从业人员及投行部门的整体执业能力仍必不可少。

2. 券商行业将根据承销能力不同分化保荐业务收益

从表面上看，新股发行实行注册制是对上市流程及难度的简化，上市资源稀缺性较低，投行部门在新股公开发行申请中的“通道作用”在此体系下基本丧失，但无论是哪个市场，企业上市都不能绕过券商。

在新的IPO体制下，投行部门为了股票的顺利承销和自身信誉，并减少被做空及退市风险，将加大对企业的辅导和审核力度，更多的人员、精力投入必将要求更高的发行和承销费率。

参照实行注册制的国外发达资本市场承销费率，以美国为例，其首次公开发行和再融资的券商费率均高于实行核准制的欧洲、亚洲和中国。据统计，IPO费率上，2008年金融危机前美国的承销费率高于中国的3个百分点，在融资费率上，美国的费率维持在3.5%的水平，而中国的费率为1.5%~2%。

另外，大券商的牌照优势将在注册制体系下进一步显现，旗下自营、创投基金规模；合作配售对象资源及自身话语权都将在新的发行定价制度下被放大，A股证券市场保荐、承销费率将进一步分化。

3. 券商创新业务将得以发展

近期，国务院发布《关于开展优先股试点的指导意见》，允许上市公司和非上市公众公司以发行优先股的方式进行融资；证监会《意见》指出，申请首次公开发行股票的在审企业可申请先行发行公司债，鼓励企业以股债结合的方式融资。企业融资方式的拓宽为券商创业业务提供了发展空间。

未来发行人可以选择普通股、公司债或股债结合的方式融资，融资手段更加多样化。融资方式市场化要求投行强化综合金融服务，打造全能投行，将促进投行改变以保荐业务为核心的盈利模式，在股权、债券、并购、战略、创新融资等方面为客户提供全方位的服务。此外，债券、场外和衍生品市场扩容是券商赢利的新方向，券商的制度改革和创新发展将不断推进。

（二）发行定价机制改革对券商新股定价的影响

中国证监会主席肖钢在“《财经》年会2014”开幕式上做主旨演讲时表示：“资本市场的价格形成机制还不完善，甚至可以说，市场价格还是扭曲的，还不是完全由市场来决定的。比如，新股‘三高’的现象仍然比较突出，就是高发行价、高市盈率、高超募资金，投资者在二级市场炒新、炒小、炒差仍然比较普遍。这些扭曲的现象，造成了资源的浪费和错配。”

实际上，审核制背景下的企业询价，由于发审委对企业的持续盈利性有相当高的要求，因此不少机构和散户投资者都认为拟上市公司拥有监管层的背书，“新股发行即上涨”在A股市场属于常态；另外，新股发行价格因首次公开发行相关规定及证监会窗口指导原因，定价方式市场化程度不足。

中国证监会《意见》表示，放宽首次公开发行股票核准文件有效期至12个月，允许发行人和主承销商灵活地根据市场情况自主协商选择发行时机。市场化的新股发行节奏和开放式的发行定价将进一步考量券商定价、承销能力。

1. 券商关于新股发行时机选择的能力

证监会开放自主折机发行后，在原有较短的发行核准文件有效期内，根据窗口指导发行新股的局面将得到改变。如何控制新股发行节奏并通过对市场股价整体走势的预判选择新股发行时机，实现发行人股东利益最大化将成为考量券商承销能力的第一道考题。

2. 券商关于自主配售机制的把握能力

主承销商配售机制是国际成熟证券市场的普遍做法，承销商将对于网下发行的新股，在提供有效报价的投资者中挑选投资信誉良好、定价能力符合市场整体估值的投资者。自主配售机制避免了以往价高者得的市场机制，有助于上市公司吸引长期投资者；公募基金和社保基金等机构持股比例要求则有助于稳定股价。结合港股市场经验，承销商可根据机构投资者类型，尤其是长期价值投资资金、对冲资金以及大机构等不同类型投资者，配置合理的持股结构。

3. 券商关于自主发行的定价能力

改革后的定价方式将促使发行人与主承销商按更市场化的方式确定发行价格。经审核后，新股何时发、怎么发，将由市场自我约束、自主决定，发行价格将更加真实地反映供求关系。

此轮新政下，新股发行定价方式全面放开，引入多样化定价群体促使定价更真实准确反映企业价值。此项规定有利于主承销商引入多样化的定价方式，考验与提升主承销商的定价水平，同时引入定价的多样群体，促使新股发行定价最大幅度接近企业价值。

第三节 投 资 者

中国证监会主席肖钢在第四届“上证法治论坛”上表示“证券法应当以公众投资者利益保护作为基本价值取向，或价值追求”。但是，除了法律手段外，保护投资者利益也需要更为有效的市场化机制作为补充。

中小投资者权益保护是本届证监会执政的重点，是本轮新股发行体制改革奉行的核心之一。中国证监会《意见》指出，着力保护中小投资者的知情权、参与权、监督权、求偿权；调整新股配售机制，更加尊重中小投资者申购意愿；强化了市场约束，提高信息披露质量，促进市场各方归位尽责。

一、提振投资者信心

对于一国资本市场而言，投资者对市场及投资标的未来走势的信心是维系其正常运转和健康发展的基础。本轮以信息披露为核心的新股发行制度改革，采取进一步提前发行申请文件预披露时间；规定发行人相关信息及财务数据预披露后不得随意更改；以发行人为信息披露第一责任人，提供真实、完整、准确的信息披露资料，并明确各相关责任主体在信息披露方面的责任及事后追责机制均着力于保护中小投资者权益，保证新股发行环节中投资者的合法权益不受侵害，对我国资本市场的投资信心具有较强的提振效果。

二、保证投资者知情权

信息权的保护是投资者利益实现的基础，证券市场中交易的各方所获取的各种信息比普通商品市场更加的不对称，在证券发行方面具体表现在：第一，发行人与投资者之间的信息严重不对称。第二，资金雄厚的机构投资者和众多中小投资者之间存在严重的信息不对称。信息不对称现象的存在会导致“逆向选择”和“道德风险”的出现，发行人如果不能真实、准确和完整的披露与证券发行相关的信息，投资者的信息权将受到侵害，使得资源不能优化配置，极大损害证券市场的效率。

三、保障投资者求偿权益

A股投资者，特别是散户投资者，对待国内上市公司通过IPO、再融资募集公众资金态度较为朴实，他们并不反对企业通过资本市场融资，而是方案其无休止的“圈钱”行为，索取得多、回报得少，本次新股发行体制改革正视资本市场“圈钱”现象，并提出较为有效的遏制意见。《意见》对我国资本市场长期稳定发展的影响包括：（1）完善上市公司股利分配决策机制：要求上市公司在章程中明确现金分红政策，健全分红决策程序和机制；在现金分红决策过程中充分听取独立董事及中小股东意愿。（2）鼓励差异化、多元化的投资者回报机制：综合考虑上市公司所处行业特点、发展阶段、经营模式、盈利水平及重大资金支出安排等因素，制定差异化分红政策；鼓励上市公司通过发行优先股、回购股份等方式实现多元化的股东回报政策。（3）通过协同财政、税务部门抓紧制订不同持股期限的股息红利税收政策，倡导长期投资。

四、新股定价方式改革，抑制“三高”问题

在注册制背景下，困扰我国资本市场的高发行价、高市盈率、高超募额的“三高”问题将因新股定价方式改革而得以抑制。

融资与投资的根本关系若未能理清，圈钱市的本质既无法改变，所谓价值投资更无从谈起，我国A股市场发行定价问题因此一直为市场所诟病。在市场化前沿的资本市场，新股发行成功与否及发行价格本应由市场决定，管理者则应通过完善发行制度、提高信息披露透明度、加强合法合规性审核、增大“发行造假”成本等方式扶正发行人上市理念，构建“投资价值自主判断，投资风险自行承担”投资者市场化理念。

从各个角度来看，IPO注册制对于我国资本市场将是一个利好，其影响包括：（1）扩大二级市场盈利空间：新股发行对资本市场的影响并不在于新的投资标的对市场资金产生吸出效应，而在于高价上市导致一级市场过多的吞噬本应属于二级市场投资者的盈利空间。（2）降低发行门槛及成本：新股发行实行注册制无异于降低发行门槛，原先包含在IPO中的溢价和隐形担保成本将被消除。（3）价值判断市场化，为投资者提供选择空间：监管部门不再对企

业投资价值进行实质判断，抑制公司上市过程中的寻租现象，上市公司的好坏由投资者尤其是专业化的投资者决定。新股资源不再稀缺，投资者在投资标的选择空间更大，投资行为更加理性。（4）存量发行，松绑“轻资产”企业上市：存量发行方式的放开，解决了以服务业为主的“轻资产”上市募投难的问题，一些无资产支持、现金流充裕、外延式投资扩张需求不强的企业不再担心无条件上市。

第四十二章

完善市场配套体系，迎接“注册制”时代

第一节 修改、完善资本市场证券法律法规体系

完善证券法治体系，首先应重新审视现行证券法律法规体系，对不合时宜的法律法规条款及时清理，最重要的是完善信息披露制度，保证信息的真实有效，降低信息获取成本，从而保障证券市场的正常运行。其次，完善证券法中的民事责任制度，保障投资者利益。完善、加强证券发行注册披露责任条款，该条款对应着向发起人设置严格责任的原则，即虚假陈述一方应当对其陈述的虚假内容对他人造成的损失或者风险承担法律责任。

《证券法》修改应坚持市场化方向，进一步发挥市场配置资源的作用，限制政府过多的行政干预和市场操纵①。健全多层次资本市场体系，打造升级版的证券法，推进股票发行注册制改革，重构和完善证券法律法规体系。

对《证券法》修改要从四方面着手：（1）方便投资，保护投资者。保护投资者仍然是证券法改革与完善的中心。保护投资者不仅是《证券法》的原则，而且应在修改中进一步制度化。（2）改革现行发行制度，促进证券发行健康发展。多年来，发行制度一直影响着证券市场的健康发展，审批制、核准制都没有改变扭曲的证券市场，股票发行应采取注册制。（3）修改现行《证券法》交易规则，重建证券交易体系。改变现行证券法规定的证券交易只是证券现货买卖，忽视实践中已经出现的证券现货借贷交易。现行《证券法》

① 李东方．证券监管法律制度研究，北京大学出版社 2003 年版。

没有规定证券交易主体适当性，很有必要建立投资主体适当性制度。此外，《证券法》对交易场所的规制应逐步向受监管的交易系统转变。（4）进一步改革监管，突出监管的功能性。修改《证券法》、推进《证券法》改革，就要改革市场监管制度。改革的目标不是在证券法中强化监管，而是突出监管的功能性。

现行《证券法》对证券公开发行的定义为："有下列情形之一的，为公开发行：（一）向不特定对象发行证券的；（二）向特定对象发行证券累计超过二百人的；（三）法律、行政法规规定的其他发行行为。"

根据现行《证券法》的定义，只要证券发行的发行对象累计超过200人，则一律被认定为公开发行。这一规定实质上混淆了"公开发行"和"公众公司"的概念[①]。实践中，由于证券非公开发行必须将发行对象严格限定在累计200人以内，影响了非公开发行这一融资方式的发展，尤其是新三板、中小企业私募债等创新领域的推进。

我国目前相关法律规定，对于虚假信息披露的证券民事赔偿案件，原告可以选择单独诉讼或者共同诉讼方式提起诉讼，不以集体诉讼形式进行诉讼。此举在于限制个案中诉讼参与人的人数，使案情相对简单，赔偿责任和赔偿数额较易确定，然而在客观上产生了放纵虚假信息披露者的后果。因为证券民事侵权纠纷的特点是"小额多数"，众多投资者为避免麻烦，不会远离其居住地，到被告所在地的法院进行单独或共同诉讼，对于投资者较为不利，而虚假信息披露者受到民事判决确定的赔偿额却可能大大低于其违法所得利益。另外，单独诉讼或者共同诉讼通常标的金额小，使得律师事务所缺乏代理诉讼业务的积极性。囿于立法理念和规则设计等多方面的原因，我国证券投资者就证券欺诈行为提起的民事索赔往往无法有效实现。

近年来，我国证券市场迅速发展，在各个方面都取得了显著成就，但不可否认相较成熟资本市场仍有一定差距。考虑我国证券市场的发展现状和实际问题，证监会可以逐步减少对证券公开发行的实质审核，加强事后监督和问责，不断向信息披露为基础的发行体制靠近。

---

① 周培萍．证券公开发行若干问题探讨．湖北函授大学，2010年。

第二节 构建以保护中小投资者利益为核心的证券执法体系

从目前我国证券市场的发展情况看，虚假陈述、不及时披露相关信息、内幕交易、背信弃义、掏空上市公司、操纵交易等，仍然是损害广大中小证券投资者的典型违法违规行为。尽管近年来我国证券市场的法律有了进一步完善，中小投资者利益保护体系正在建立和完善中，但目前我国证券执法体系建设仍然大大落后于证券市场快速发展的需要①。一方面，行政监管机构执法权力不完备，重行政、刑事责任，轻民事责任追究；另一方面，投资者缺乏自我救济手段，尤其是在证券民事赔偿方面仍存在一些法律操作上的难点。具体表现在：法院受理难。按照相关司法解释，必须由中国证监会或者行政主管机关对上市公司违法行为做出公开的行政处罚决定，或者是人民法院做出生效的刑事判决文书，法院才能正式受理立案；证券民事赔偿案的原告人数往往比较多，但是每个案件内容都大体相似，如果集体诉讼会大大减少诉讼成本，但是法院往往不接受集体诉讼，而要求单独诉讼，导致每个原告都不得不准备内容相似的材料，提高了诉讼成本。

保护中小投资者合法权益一直是改革启动以来的普遍期待。如何在保护中小投资者知情权、参与权、监督权、求偿权的同时约束发行人定高价，抑制投资者报高价，遏制股票上市后“炒新”行为，成为本次改革的宗旨。

第三节 推动与注册制相适应的其他配套体系建设

一、完善公司治理市场化约束机制

有效的公司治理机制是支撑上市公司健康发展的必要保障，是提升信息披

---

① 刘春长．注册制改革要建立三大保障体系．中国证券报．2013 年。

露质量、透明度，保护中小投资者权益的内部因素，是注册发行制得以顺利推进的重要前提。

（一）我国上市公司治理水平现状

我国资本市场一股独大现象普遍存在，股权的过度集中导致决策体系无法形成对大股东有效的股权制衡，中小股东合法权益无法得到主张；国有控股的广泛存在，企业所有权、经营权与政府调控角色不清晰导致公司经营目标的偏离。

当前我国公司治理主要依赖于以政府行政手段为主导的治理法规制约和行政监管，市场作用发挥不足；加之机构投资者在公司治理及运营方面参与度及参与能力不足，导致市场化约束机制缺位，无法与监管手段实现内外部协同。

（二）市场化制约机制补位监管转型

中国证监会《意见》中明确加快实现监管转型，强化市场约束，促进市场参与各方归位尽责。行政干预的逐步退出需要市场化的配套机制补位。

从全球范围成功经验来看，健全公司治理市场化约束机制的可行手段主要包括践行股东积极主义，推动机构投资者深入参与公司治理与规范运作；完善上市公司治理评价体系，形成权威性约束。上述手段的积极作用在于充分调动各参与市场主体能动性，协同推动公司治理发展；树立主动、透明的国际形象，提升企业价值。

1. 构建我国机构投资者参与公司治理规范、拓宽沟通渠道

参考英国管理人规范、ICGN 机构股东责任规范，制定中国资产管理人尽责规范，以自律规范的形式倡导机构投资者通过征集代理投票权和提出股东议案等方式积极参与公司治理，在保证公司持续稳定运营的同时实现出资人的最终利益回报。

另外，发起中国公司治理联盟，为机构投资者提供沟通协作的平台，推动资产管理人尽责规范的实施和完善。

2. 建立适应我国资本市场特色的公司治理水平评价体系

以“全面、深入、符合监管要求、契合市场焦点”为理念，由独立第三方从公开、公平、公正的原则出发构建市场化的公司治理评价体系并发布权威性评价报告，通过评级的方式对企业形成约束，实现对中小投资者权益的

保护。

在公司治理评价结果的基础上，结合其他市场化基准指标进行排序，发布相应治理股价指数产品。为投资者提供一个新的关注维度，通过对治理指数及成分股上市公司股价走势的分析，充分验征治理水平对公司盈利能力、投资价值及股价的影响，反向激励上市公司及其管理人员关注企业治理水平的价值。

二、建立信用信息中心，强化信用约束力、重塑投资者信心

信用缺失现象制约了资本市场的健康稳定发展，资本市场信用体系建设是重塑投资者信心的重要举措，是顺利推进注册制改革的有效助力。

市场信用缺失主要体现在：上市公司面临信用危机；中介机构面临信用考验；市场投机者扰乱市场信用；证券分析业缺乏公信力。信用缺失现象对市场造成了极大的消极影响，导致了资本市场资源配置、市场交易、风险定价、结构调整等正常功能得不到有效发挥，不利于金融服务实体经济功能的实现，从而不利于推进我国经济发展方式转变。同时，资本市场信用缺失的现状导致投资者特别是中小投资者合法权益受损，健康的投资理念得不到树立，不利于培育市场投资者特别是机构投资者，进而不利于资本市场走向成熟。

优化、加强对资本市场信用体系建设是铺平注册制改革道路的先决条件。资本市场信用体系的有效组成架构包括完善的征信体系、信用服务体系、信用监管体系、信用保障体系四个部分。资本市场信用体系以资本市场信用法律法规为依据，以完善的信用记录为基础，以发达的信用服务市场为依托，以守信受益、失信惩戒机制为手段，以解决市场信息不对称为目的的一整套保证资本市场有效运作的信用监管和服务机制。

资本市场信用体系的健全可建立信用信息中心，奠定信用数据基础；同时推动增信环节，为资本市场提供有效风险分担，从而加强信用监管和约束力，重塑投资者对资本市场的信心，实现保护投资者的根本宗旨，顺利铺平新股发行制改革的前进道路。

三、机构投资者引导

在注册制下，上市公司股票不再是稀缺资源，发行人将所有信息进行真实、全面披露后，由投资者自主决定是否投资发行人，并给出合理的上市定价。在注册制下，专业的机构投资者对于上市公司的研究、判断和定价能力将

对市场的整体稳定发挥越来越重要的作用。为迎接注册制的到来，中国证券资本市场需要一批投资部门设置完整、内控机制健全、专业人才充足、投资理念科学的专业化机构投资者。因此，我国资本市场迫切需要优化投资市场环境、培育成熟的机构投资者、加大机构投资者比重，引导理性投资。

引导机构投资者是一个长期的系统工程，可以通过建立一个服务于机构投资者的市场化公益性机构来承担引导机构投资者的重任，逐渐建立与注册制相匹配的机构投资者引导服务体系，具体措施可以包括：一是建立机构投资者服务数据库，收集、整理、分析我国资本市场机构投资者的运营情况；二是建立机构投资者风险控制评价体系，促进机构投资者提高风险管理水平；三是设立机构投资者引导基金，帮助机构投资者减少市场风险，引导其加大长期价值投资比重；四是设立中国机构投资者交流平台，优化资本市场机构投资者监管，增强国际竞争力。

此外，本书论述所涉及的加强境外宣传推介以及完善人才队伍建设都将在不同程度上对于推动注册制的建立和运行起到积极的作用。其中，加强中国资本市场的境外宣传推介，既有助于学习国际先进经验，吸引国际成熟的机构投资者，创造稳定的市场环境，又有利于提升我国资本市场在注册制后的国际吸引力与竞争力。而完善资本市场人才队伍建设，将为资本市场的深化改革提供持续的人才支撑。

四、结语

资本市场是一个有机的整体，推动资本市场的发展不可贪一日之功，而要从基础做起。首先要找准症结，完善资本市场的重要组成部分，并以市场化的方式促进其长效运行，再将这些部分有机地整合，才能从根本上促进中国资本市场的健康稳定发展。2013 年底的新股发行体制改革是中国资本市场改革的又一次大胆尝试，是以市场化为主体改革新观念下的大胆变革。本书所论述的内容与新股发行体制改革相配合，将在很大程度上完善新股注册发行的配套体系，为注册制的施行保驾护航。在我国社会全面深化改革的大背景下，资本市场的变革要勇于创新实践，从关键点切入，完善资本市场的基础体系，建成多层次资本市场，推动中国资本市场的健康稳定快速发展。

附录
国内外证券金融机构联系方式

一、中国证券业基金会注册 QFII 的联系方式

	QFII 名称	电话	电邮	地址	网址
1	中银国际英国保诚资产管理有限公司	852 - 2929 - 3030		香港中环花园道 1 号中银大厦 27 楼	http://www. boci - pru. com. hk/chinese/index. aspx
2	弗兰克罗素公司	1 - 206 - 505 - 7877		Russell Investments, 1301 Second Avenue, 18th Floor, Seattle, WA 98101	http://www. russell. com/us/default. aspx
3	金沙江投资管理（香港）有限公司	86 - 10 - 5706 - 9898		北京市朝阳区建国门外大街 1 号，国贸大厦 3 座 5620 室	http://www. gsrventures. cn/index. html
4	安中投资管理咨询（上海）有限公司	86 - 21 - 3813 - 9258	Contact _ sh @ anzhongim. com	上海浦东新区陆家嘴，银城中路 8 号，中融碧玉蓝天大厦 706 室	http://www. anzhongim. com/overview_Chinese. html
5	富达基金（香港）有限公司北京代表处	800 - 2323 - 1122		General Office, FIL Investment Management, Limited, Level 21, Two Pacific Place, 88 Queensway, Admiralty, Hong Kong	https: //www. fidelity. com. hk/investor
6	慧理基金管理（香港）有限公司	852 - 2880 - 9263	vpl @ vp. com. hk	香港中环干诺道中 41 号盈置大厦 9 楼	http://www. valuepartners. com. hk/sc/home. html
7	加拿大鲍尔公司	1 - 800 - 564 - 6253		The Secretary, Power Corporation of Canada, 751 Victoria Square, Montréal, Québec, Canada H2Y 2J3	http://www. powercorporation. com/
8	中国平安资产管理（香港）有限公司	852 - 3762 - 9228	enquiries @ pingan. com. hk	香港中环干诺道中 8 号，遮打大厦 11 楼，1106 - 1110 室	http://asset. pingan. com. hk/cht/

续表

	QFII 名称	电话	电邮	地址	网址
9	美国道富银行有限公司北京分行	86－10－66574501		Winland International Finance Center, 7 Financial Street, Xicheng District, Unit 808－810, Beijing 100033, China	http://www.statestreet.com/
10	英仕曼投资（香港）有限公司	852－2521－2933	salessupportasia@man.com	英仕曼投资（香港）有限公司，香港中环，干诺道中8号，遮打大厦1301室	https://www.man.com/CN/ZH/home
11	东方汇理资产管理香港有限公司	852－2521－4231		9th Floor, One Pacific Place, 88 Queensway HONG KONG	http://www.amundi.com/hkg/?lg=en
12	新加坡安本亚洲资产管理有限公司上海代表处	86－21－51525600	kevin.liu@aberdeen－asset.com	安本亚洲资产管理有限公司，上海代表处，上海市黄浦区太仓路233号，新茂大厦2101室	http://www.aberdeen－asset.cn/
13	西铁德尔有限责任公司	01－312－395－2100	investorrelations@citadelgroup.com	Chicago, 131 South Dearborn Street, Chicago, IL 60603, USA	http://www.citadelgroup.com/
14	领航投资香港有限公司	3409 8333	sales@vanguard.com.hk		https://www.vanguard.com.hk/portal/home.htm
15	瑞银环球资产管理（中国）有限公司	41－44－234－1111		UBS AG, Bahnhofstr. 45, P.O. Box, CH－8098 Zurich	http://www.ubs.com/microsites/advertising/en/home.html
16	慧理集团有限公司	39－02－485－481		Via Vespri Siciliani, 920146 Milano － Italia	http://www.valuepartners.com/en/
17	花旗银行（中国）有限公司	800－830－1880		Citi Tower, No. 33 Hua Yuan Shi Qiao Road, Lu Jia Zui Finance and Trade Zone, Shanghai, 200120	http://www.citibank.com.cn/homepage/cn/cn_homepage.htm
18	高瓴资本管理有限公司				http://www.hillhousecap.com/

续表

	QFII 名称	电话	电邮	地址	网址
19	联博香港有限公司	852－2918－7888			http://www. alliancebernstein. com/INVESTMENTS/ABII/Home. aspx? js =0
20	安大略省教师养老金计划委员会	416－228－5900	inquiry @ otpp. com	3rd floor, 5650 Yonge Street, Toronto, Ontario M2M 4H5	http://www. otpp. com/zh
21	普林斯顿大学投资公司	609－258－4136		22 Chambers Street, Suite 400, Princeton, NJ 08542	http://www. princeton. edu/pub/register/investmentco/
22	华夏基金（香港）有限公司	852－3406－8688	hkservice @ chinaamc. com	37/F, Bank of China Tower, 1 Garden Road, Hong Kong	http://www. chinaamc. com. hk/portal/HKen/index. jsp
23	霸菱资产管理（亚洲）有限公司	44－207－6286000		155 Bishopsgate, London, EC2M 3XY, United Kingdom	http://www. barings. com/hkhk/RetailInvestors/index. htm
24	信安环球投资有限公司	8610－64628820/64628821	Liu. nian@principal. com	415 China World Office 1, No. 1 Jianguomenwai Ave., Chaoyang District, Beijing 100004 China	http://www. principal. com/global/beijing. htm
25	汇丰银行（中国）有限公司	800－830－2880		上海浦东世纪大道 8 号	http://www. hsbc. com. cn/1/2/1/2
26	瑞银环球资产管理（新加坡）有限公司	65－64958000		One Raffles Quay, #50 －01 North Tower, Singapore 048583	http://www. ubs. com/sg/en. html
27	元盛资产管理有限公司				
28	德意志银行（中国）有限公司	86－10－59698888		北京朝阳区建国路 81 号德意志银行大厦28 层，100025	https：//china. db. com/
29	高盛（亚洲）有限责任公司	86－10－6627－3400		北京市西城区金融大街 7 号英蓝国际中心 17 楼，10034	http://www. goldmansachs. com/china/index. html

二、国际共同基金（Mutual Fund）联系方式

	名称	电话	电邮	地址	网址
1	PIMCO Total Return Fund	PIMCO Funds：（+1）888－877－4626 PIMCO ETFs：（+1）888－400－4383	etfs@pimco.com agidfunds@bfdsmidwest.com	PIMCO Funds, P. O. Box 219024, Kansas City, U. S., MO 64121－9024	www.pimco.com
2	SPDR S&P 500 ETF Trust	（+1）212－259－3249	timothy_coyne@ssga.com	State Street Global Advisors, State Street Financial Center, 1 Lincoln Street, Boston, U. S., MA 02111－2900	www.spdrs.com
3	Fidelity Cash Reserves	Headquarters：（+1）800－343－3548 HK Office：（+86）4001－200632	FidelityCorporateAffairs@fmr.com	香港办事处：富达基金（香港）有限公司，香港金钟道88号，太古广场二座21楼	www.fidelity.com
4	Vanguard	（+1）877－662－7447/610－669－1000		Vanguard, P. O. Box 1110, Valley Forge, U. S., PA 19482－1110	www.vanguard.com
9	Fidelity Contra fund	Headquarters：（+1）800－343－3548 HK Office：（+86）4001－200632	FidelityCorporateAffairs@fmr.com	香港办事处：富达基金（香港）有限公司，香港金钟道88号，太古广场二座21楼	www.fidelity.com
10	American Funds Income Fund of America	（+1）800－421－4225/757－670－4900/949－975－5000		Indiana Service Center, American Funds Service Company, P. O. Box 6007, Indianapolis, IN 46206－6007	www.americanfunds.com
11	American Funds Growth Fund of America	（+1）800－421－4225/757－670－4900/949－975－5000		Indiana Service Center, American Funds Service Company, P. O. Box 6007, Indianapolis, IN 46206－6007	www.americanfunds.com
12	American Funds Capital Income Builder	（+1）800－421－4225/757－670－4900/949－975－5000		Indiana Service Center, American Funds Service Company, P. O. Box 6007, Indianapolis, IN 46206－6007	www.americanfunds.com

续表

	名称	电话	电邮	地址	网址
13	JPMorgan Prime Money Market Fund; Capital	(+1) 800-480-4111/ 614-901-5844	funds. website. support@jpmorganfunds. com	J. P. Morgan Funds, PO Box 8528, Boston, MA 02266-8528	www. jpmorganfunds. com
16	American Funds Capital World Growth & Income Fund; A	(+1) 800-421-4225/ 757-670-4900/ 949-975-5000		Indiana Service Center, American Funds Service Company, P. O. Box 6007, Indianapolis, IN 46206-6007	www. americanfunds. com
17	American Funds Investment Company of America; A	(+1) 800-421-4225/ 757-670-4900/ 949-975-5000		Indiana Service Center, American Funds Service Company, P. O. Box 6007, Indianapolis, IN 46206-6007	www. americanfunds. com
19	Franklin Income Fund	(+1) 800-632-2301/ 650-312-2000		Franklin Templeton Investments, P. O. Box 997152, Sacramento, CA 95899-7152	www. franklintempleton. com
20	Dodge & Cox Stock Fund	(+1) 800-621-3979		Dodge & Cox Funds, c/o Boston Financial Data Services, P. O. Box 8422, Boston, MA 02266-8422	www. dodgeandcox. com
21	SPDR Gold Trust	HK Office (+852) -2103-0100	info@exchangetradedgold. com	Hong Kong Representative of the Marketing Agent, State Street Global Advisors Asia Limited, 68/F Two International finance Centre, 8 Finance Street Central, Hong Kong	www. spdrgoldshares. com
23	American Funds Washington Mutual Investors Fund; A	(+1) 800-421-4225/ 757-670-4900/ 949-975-5000		Indiana Service Center, American Funds Service Company, P. O. Box 6007, Indianapolis, IN 46206-6007	www. americanfunds. com

续表

	名称	电话	电邮	地址	网址
24	Dodge & Cox International Stock Fund	(+1) 800-621-3979		Dodge & Cox Funds, c/o Boston Financial Data Services, P. O. Box 8422, Boston, MA 02266-8422	www. dodgeandcox. com
25	BlackRock Liquidity Temp Fund; Institutional	(+1) 800-441-7762	contact. us@ blackrock. com	BlackRock Funds, P. O. Box 9819, Providence, U. S., RI 02940-8019	www. blackrock. com

三、国际养老金（Pension Fund）联系方式

	名称	电话	电邮	地址	网址
1	日本 Government Pension Investment Fund	（+81）3－3502－2486		1－4－1 Kasumigaseki，Chiyoda－ku，Tokyo Japan	http://www.gpif.go.jp/en/
2	挪威 Government Pension Fund of Norway	（+47）24－07－3000		Bankplassen 2，P. O. Box 1179 Sentrum，NO－0107 Oslo，Norway	http://www.nbim.no/en/About－us/Government－Pension－Fund－Global/
3	荷兰 Stichting Pensioenfonds ABP（ABP）	（+31）45－579－91－11		Oude Lindestaat 70，6411 EJHeerlen	http://www.abp.nl/en/contact/
4	韩国 National Pension Service（NPS）	（+82）2－2176－8701		22nd Floor，Kukdong Bldg.，60－1，Chungmuro 3－ga，Jung－gu，Seoul，Korea	http://www.nps.or.kr/jsppage/english/main.jsp
5	加拿大 Caisse de dépôt et placement du Québec（The Caisse，or CDPQ）	（+1）514－788－2942		1981 McGill Collège，Montréal，QC H3A 3A8 加拿大	http://www.lacaisse.com/fr
6	美国 California Public Employees´ Retirement System（CalPERS）	（+1）916－795－3020		Lincoln Plaza West，400 Q Street，Sacramento，CA 95811	http://www.calpers.ca.gov/
7	马来西亚 Employees Provident Fund	（+60）3－89226000		Tingkat Bawah Bangunan KWSP，Jalan Raja Laut，50350 Kuala Lumpur	http://www.kwsp.gov.my/portal/en/web/kwsp/home
8	荷兰 Stichting Pensioenfonds Zorg en Welzijn（PFZW，formerly PGGM）	（+31）30－277－55－77			http://www.pfzw.nl/Particulieren/Paginas/particulieren.aspx
9	加拿大 CPP Investment Board（Canada Pension Plan）	（+1）416－868－4075	contact@cppib.com		http://www.cppib.com/en/home.html
10	加拿大 Ontario Teachers´Pension Plan	（+1）416－228－5900	inquiry@otpp.com	3rd floor，5650 Younge Street，Toronto，Ontario M2M 4H5	http://www.otpp.com/zh

续表

	名称	电话	电邮	地址	网址
11	巴西 Caixa de Previdencia dos Funcionários do Banco do Brasil（PREVI）	（+55）800－729－0505			http://www. previ. com. br/portal/page? _pageid = 57, 1&_dad = portal&_schema = PORTAL
12	爱尔兰 National Pension Reserve Fund（NPRF）	（+353）1－6640800	info@ nprf. ie	Treasury Building, Grand Canal Street, Dublin 2, Ireland	http://www. nprf. ie/home. html

四、国际保险公司（Insurance Company）联系方式

	名称	电话	电邮	地址
1	Japan Post Insurance	（+81）3－3504－4411		1－3－2 Kasumigaseki，Chiyoda－ku，Tokyo 100－8798
2	France AXA	Pairs：（+33）1－40－75－57－00		AXA Group，5 avenue Matignon，75008 Paris，rance
		香港：（+852）2802－2812	香港：customer. services @ axa. com. hk	安盛保险（百慕达）有限公司 香港湾仔告士打道151号安盛中心20字号，（852）2519 1111
3	Germany Allianz	（+1)31－22243300	AGCSCommunication@ agcs. allianz. com	225 W. Washington Street，hicago，IL 60606－3484，USA
4	Metlife	（+1）800－638－5433	Online email：www. metlife. com/contactus	https：//www. metlife. com/findanoffice？zip＝10002&x＝18&y＝7
5	Japan Nippon Life Insurance Company	（+81）3－5533－5133		1－6－6，Marunouchi，Chiyoda－ku，Tokyo 100－8288，Japan
6	American International Group（AIG）	For AIG Property Casualty Brokers：（+1）877－867－3783	Online email：https：//www. aig. com/email－us_ 3171_ 453577. html IR@ aig. com	180 Maiden Lane，New York，NY 10038
		上海：（+86）21－38578000		美亚财产保险有限公司 上海浦东新区世纪大道1589号长泰国际金融大厦5楼，00122
7	Italy Generali	（+39）040－671111	Online email：http：//www. generali. com/Generali－Group/contact－us/form/sezionePop/187448. html？popTitle＝Contact＋us	Assicurazioni Generali S. p. A. piazza Duca degli Abruzzi，2 P. O. Box 538 ,4132 Trieste
8	UK Legal & General	（+44）01737－370370	relations@ group. landg. com.	Shareholder Services，The Registry，34 Beckenham Road，Beckenham Kent，BR3 4TU.
9	UK Aviva	（+44）020－7283－2000	aviva. info@ aviva. com	Aviva plc，t Helen's，1 Undershaf，London，nited Kingdom

续表

	名称	电话	电邮	地址
10	Canada Manulife Financial	(+1) 416 - 926 - 3000	corporate_ communications @ manulife. com	Manulife Financial Corporation, 200 Bloor Street East Toronto, ON, anada M4W 1E5
11	Netherlands Aegon	(+31) 070 - 344 - 8956	Online email: http://www. aegon. com/en/Home/About/Contact - Us/Contact - Form/	Aegonplein 50, 2591 TV, The Hague, The Netherlands
12	Netherlands ING Insurance (ING Verzekeringen N. V.)	(+ 31) 20 - 5639111	Online email: http://ing. us/individuals/contact - us/email - us	Amsterdamse Poort, ijlmerplein 888 1102 MG Amsterdam, The Netherlands
13	UK Prudential	(+1) 800 - 346 - 3778	Online email guide : http://www. prudential. com/view/page/public/13184	Pudential Financial, Inc., 751 Broad Street Newark, NJ 07102
14	US TIAA - CREF	(+1) 800 - 842 - 2252	Online email	TIAA - CREF, PO. Box 1259, Charlotte, NC 28201
15	France CNP Assurances	(+33) 01 - 42 - 18 - 88 - 88	Online email	http://www. cnp. fr/eng/contact_ENG. htm
16	US Berkshire Hathaway	(+1) 888 - 395 - 6349/866 - 638 - 5390	berkshire@ berkshirehathaway. com	Berkshirewear. com 4545 Malsbary Road, Cincinnati, OH 45242
17	Switzerland Zurich Insurance Group	(+41) 044 - 625 - 25 - 25	Online : https: //www. zurich. com/services/contact/generalcontact-form. htm	Zurich Insurance Group Ltd, P. O. Box, 8022 Zurich, Switzerland
18	Japan Dai - Ichi Life Insurance	(+81) 03 - 5213 - 5213		Mizuho Trust & Banking Co., Ltd Stock Transfer Agency Department: 2 - 8 - 4, Izumi, Suginami - ku, Tokyo, Japan 168 - 8507
19	Ping An Insurance	95511	Online email: http://www. pingan. com/homepage/contact/contact. jsp	中国广东省深圳市福田中心区福华三路星河发展中心办公 15 至 18 层

五、国际投行（Investment Banking）联系方式

	名称	电话	电邮	地址	网址
1	JP Morgan Chase	（+1）212 - 270 - 6000	Online email	270 Park Ave, New York, NY 100017	http://www. jpmorganchase. com/corporate/Home/home. htm
2	Bank of America	（+1）980 - 335 - 3561	Online email	100 N Tryon St # 170, Charlotte, NC 28202，美国	https：//www. bankofamerica. com/
3	Goldman Sachs	（+86）10 - 6627 - 3261		BeijingRepresentative Office, Winland International Center, 17th Floor, 7 Finance Street, Xicheng District, Beijing, 100033	http://www. goldmansachs. com/
4	Morgan Stanley	（+1）888 - 454 - 3965	indivfeedback @ ms. com	Morgan Stanley, 1585 Broadway, New York, NY 10036	http://www. morganstanley. com/index. html
5	citi Group	（+86）800 - 830 - 1880		Citi Tower, No. 33 Hua Yuan Shi Qiao Road, Lu Jia Zui Finance and Trade Zone, Shanghai, 200120	http://www. citigroup. com/citi/
6	Credit Suisse	（+86）10 - 6410 - 6866		中国北京市西城区金融大街甲9号金融街中心南楼11层1101B单元	https：//www. credit - suisse. com/global/en/
7	Deutsche Bank	（+86）10 - 5969 - 8888		中国北京市朝阳区建国路81号28层	https：//china. db. com/index. hml
8	Barclays	（+44）020 - 7116 - 9000	Online email	Barclays Bank PLC, 1 Churchill Place, Canary Wharf, London, E14 5HP, UK	http://www. barclays. co. uk/PersonalBanking/P1242557947640
9	UBS	（+41）44 - 234 - 11 - 11 （+86）10 - 5832 - 7000		UBS AG, Bahnhofstr. 45, P. O. Box, CH - 8098 Zurich	http://www. ubs. com
10	Wells Fargo	（+852）23159500		27/F, Edingburgh Tower, 15Queen 'S Road Central, The Landmark, Central, Hong Kong	https：//www. wellsfargo. com

六、国际对冲基金（Hedge Fund）联系方式

	名称	电话	电邮	地址
1	BlackRock	New York:(+1)212-810-5300 Hong Kong:(+852)3903-2688	New York: institutional. enquiries @ blackrock. com HK:clientservice. asiapac@ blackrock. com	Park Avenue Plaza, 55 East 52nd Street, New York, NY 10055 16/F, Cheung Kong Centre, 2 Queen´s Road Central ,Hong Kong
2	Bridgewater Associates	(+1)203-226-3030	web-master@ bwater. com	One Glendinning Place, Westport, CT 06880, New York
3	Brevan Howard	UK: (+44) 020-7022-6200	ir@ brevanhoward. comother enquiries	55 Baker StreetLondon W1U 8EW, UK
4	GLG Partners	UK:(+44) 020-7016-7000 HK:(+852)2521-2933		HK:Man Investments(Hong Kong) Ltd, Suite 1301, Chater House, 8 Connaught Road Central, Hong Kong
5	Man Investments	(+44) 020-7144-1000	ussales@ man. com	Man Group plc, Riverbank House, 2 Swan Lane, London, EC4R 3AD 英仕曼投资（香港）有限公司，香港中环干诺道中 8 号，遮打大厦 1301 室
6	Marshall Wace	(+1) 203-625-3200	mwam@ mwam. com	Marshall Wace North America LP, Harborside, 3 River Road, Greenwich, CT 06807-2717, US
7	Och-Ziff Capital Management	(+1) 212-790-0041	ochziffk1help @ deloitte. com	Och - Ziff Capital Management Group LLC, 9 West 57th Street, 39th Floor, New York, New York 10019, United States ,
8	Paulson & Co.	Portland: (+1) 503-243-6000 New York: (+1) 646-553-3670	PaulsonInvestor. Relations @ paulsonco. com	811 SW Naito Parkway, Suite 200 , Portland, Oregon 97204 , New York, 40 Wall Street 23rd Floor , NY, NY 10005
9	Renaissance Technologies	(+1) 212-821-1502	renfundweb@ rentec. com	800 Third Avenue, New York, 10022

续表

	名称	电话	电邮	地址
10	SAC Capital Advisors	(+1) 203-890-2000		72 Cummings Point Road, Stamford, CT 06902, United States
11	The Children's Investment Fund Management (TCI)	(+44) 020-7440-2357	info@ciff.org	7 Clifford Street, London, W1S 2FT, England

七、主权基金（Sovereign Wealth Fund）联系方式

	名称	电话	电邮	地址	网址
1	Hong Kong Monetary Authority Investment Portfolio	(+852) 2878 -8196	hkma@ hkma. gov hk	55th Floor, Two International Finance Centre, 8 Finance Street, Central, HongKong	http://www. hkma. gov. hk/eng/about - the - hkma/hk-ma/about - hkma. shtml
2	Ghana Petroleum Funds	(+233) 30 - 2666174 - 6	bogsecretary@ bog. gov. gh	One Thorpe Road, P. O. Box GP 2674, Accra, Ghana	
3	Western Australian Future Fund			Locked Bag 11, Cloisters Square WA 6850, Australia	http://www. swfinstitute. org/swfs/western - austral-ian - future - fund/
4	Mongolia Fiscal Sta-bility Fund	(+ 352) 260 -962 - 0	info@ esm. euro-pa. eu	6a, Circuit de la foire, Inter-nate	http://www. efsf. europa. eu/mediacentre/how - to - find - us/index. htm
5	State Capital Invest-ment Corporation	(+ 84) 46 - 278 - 0126	Contact @ scic. vn	Level 23 - 24, Charmvit Tow-er, No 117, Tran Duy Hung Street, Cau Giay Dist Ha noi, Viet nam	http://www. scic. vn/eng-lish/
6	Palestine Investment Fund	(+970) 2 - 297 - 4971	info@ pif, ps		http://www. pif. ps/index. php? lang = en
7	Nigeria Sovereign In-vestment Authority	(+234) 09 - 461 - 0400	webmaster@ nsia. com. ng	The Clan Place, 4th floor, Plot 1386A, Tigris Crescent Maitama, Abuja, Nigeria	http://nsia. com. ng
8	United Arab Emir-ates RAKIA	(+971) 7 - 206 - 8666	info @ rakinvest-mentauthority. com		http://www. rak - ia. com/en
9	US North Dakota Legacy Fund	(+1) 701 - 328 - 9885		1930 Burnt Boat Drive, P. O. Box 7100, Bismarck, ND 58507 - 7100, Unite States	
10	USAlabama Trust Fund	(+ 334) 242 -7500	alatreas @ treasur-y. alabama. gov	600 Dexter Avenue, Room S - 106, Montgomery, Alabama 36104	http://www. treasury. state. al. us/Content/07ATFpage. htm

续表

	名称	电话	电邮	地址	网址
11	Fundo Soberano de Angola		info@ fsdea. ao	Kwamne N' Krumah, 217 -221, Caixa Postal 6869, Luanda, Angola	http://www. fundosoberano. ao/
12	China - Africa Development Fund	(+ 86) 10 -59566800	southafrica - dep @ cadfund. com	F10/F11, Tower C, Chemsunny word Trade Center, No. 28 Fuxingmennei Street, Xicheng District, Beijing	http://www. cadfund. com/en/
13	Sovereign Fund of Brazil	(+966) 11 -401 -6041	pif @ mof. gov. sa	Ministry of Finance Compound, Building 2, King Abdulaziz Road, 6847, Saudi Arabia	www. sabinco. com. bd
14	Saudi Arabia Public Investment Fund	(+ 966) 1 -4774488		Real Estate Development Funds Building, Old Airport Road PO Box 6847 , Riyadh, SAUDI ARABIA	http://www. pic. gov. za/
15	US Permanent Wyoming Mineral Trust Fund	(+ 1) 307 -777 -7408	treasurer@ wyo. gov	Wyoming State Treasurer's Office, 200 West 24th Street, Cheyenne, WY 82002	http://treasurer. state. wy. us/investmentsbank. asp#invest
16	Chile Pension Reserve Fund	(+ 353) 1 -6640800	info@ nprf. ie	Treasury Building, Grand Canal Street, Dublin 2, Ireland	http://www. nprf. ie/Contacts/contactUs. htm
17	Bahrain Mumtalakat Holding Company	(+ 973) 17 -561111	contactus@ bmhc. bh	Addax Tower, 5th, 6th & 7th Floors, Building No. 1006, Road 2813, The Seef District, 428, Kingdom of Bahrain	http://www. bmhc. bh/en/5/contact - us. aspx
18	Oman State General Reserve Fund	(+968) 2474 -5100	info@ sgrf. gov. om	P. O Box 188, Muscat P. C 100, Sultanate of Oman	http://www. sgrf. gov. om/
19	Russian Direct Investment Fund	(+7) 495 -644 -3414	maria. medvedeva@ rdif. ru	Russian Direct Investment Fund, Capital City, South Tower, 7th floor, 8bld. 1 Presnenskaya nab. Moscow, Russia 123317	http://rdif. ru/Eng_Index/

续表

	名称	电话	电邮	地址	网址
20	Timor - Leste Petroleum Fund	(+ 670) 331 - 371 - 2	info (at) bancocentral. tl	BANCO CENTRAL DE , TIMOR - LESTE , Avenida Bispo Medeiros, P. O. BOX 59 - DILI, TIMOR - LESTE	http://www. bancocentral. tl/PF/
21	US Permanent University Fund	(+ 1) 512 - 225 - 1600		401 Congress Avenue, Suite 2800, Austin Texas 78701	http://www. utimco. org/scripts/internet/fundsdetail. asp? fnd = 2
22	Canada Alberta's Heritage Savings Trust Fund [15]	(+ 1) 780 - 427 - 3035	online email	Alberta Treasury Board and Finance, Room 534, Oxbridge Place, 9820 - 106 Street, Edmonton, Alberta, T5K 2J6	http://www. finance. alberta. ca/business/ahstf/
23	New Zealand Superannuation Fund	(+ 64) 9 - 300 - 6980	enquiries @ nzsuperfund. co. nz	Level 12, 21 Queen Street, Auckland 1010, PO Box 106 607, Auckland 1143, New Zealand	http://www. nzsuperfund. co. nz/
24	Ireland National Pensions Reserve Fund	(+ 353) 1 - 6640800	info@ nprf. ie	Treasury Building, Grand Canal Street, Dublin 2, Ireland	http://www. nprf. ie/home. html
25	Kazakhstan National Investment Corporation		http://www. nicuae. ae/en/contact - us/	http://www. nicuae. ae/en/contact - us/	http://www. nicuae. ae/en/

八、国际交易所中国办事处联系方式

交易所	姓名	职务	电话	手机	电邮	传真	地址
东京证券交易所	逯家乡	首席代表	+86 (0) 10 8517 1128	+86 1380 106 8237	lujiaxiang @ tsebjrep. com. cn	+86 (0) 10 8517 1138	北京市朝阳区建国门外大街2号北京银泰中心C座2204－2205，100022
伦敦证券交易所	王倩	首席代表	+86 (0) 10 5833 2201	+86 1391 055 0310	jwang @ londonstockexchange. com	+86 (0) 10 5833 2388	北京市西城区金融街7号英蓝国际金融中心2层208室，100033
新加坡交易所	李	首席代表	86(0) 1066290660	+86 1391 186 0157	lloyd. loh @ sgx. com	+86 (0) 10 6629 0110	北京市西城区武定侯大街6号卓著中心19层05单位，100140
纳斯达克股票市场股份有限公司	郝毓盛	中国区代表	+86(10) 5961 1008－807	+86 1381 082 2462	Chris. Hao@ nasdaqomx. com	+86 (10) 5961 1009	北京建国门外大街1号国贸写字楼1座2601室 100004
纽约证券交易所	杨戈	亚洲区总经理	+86 (0) 10 6505 2188/ +852 2251 1717	+86 1333 101 9701	myang @ nyx. com		北京市建国门外大街1号国贸大厦1座1609室
韩国交易所	郑知宪	代表	+86 (0) 10 6533 1986/87	+86 1352 045 5130	jiheoni @ krx. co. kr	+86 (0) 10 6533 1988	朝阳区建国路79号华贸中心2号写字楼1309室,100025
香港交易及结算有限公司	徐春萌	内地业务发展中心副总监	+86 (0) 10 8519 0297		xuchunmeng @ hkex. com. HK	+86 (0) 10 8518 3288	北京东城区东方广场西二办公楼1002室，100738
香港交易所	黄兴玲	副代表	+86 (0) 10 8518 1618	+86 1390 133 8988	judyhuang@ hkex. com. hk	+86 (0) 10 8518 3288	北京东城区东方广场西二办公楼1002室，邮编：100738
德交所	毋剑虹	首席代表	6502 8338 6502 8301	13910853899			北京朝阳区建国路77号华贸中心3号写字楼7层01－06单元 100025

九、国际金融组织联系方式

机构名称	名称	国别	电话	电邮	网址
Global Financial Markets Association（GFMA）	全球金融市场协会	国际	+1 212 313 1213	dstrongin@ gfma. org	http://gfma. org/
European Fund Asset Management Association（EFAMA）	欧盟基金资产管理联合会	比利时	(32 2) 513 39 69		http://www. efama. org/
European Commission	欧洲议会	欧盟	(32 2) 299 1111		http://ec. europa. eu/internal_market/
Arab Monetary Fund	阿拉伯金融基金会	阿联酋			http://www. amf. org. ae/
Union of Arab Securities Authorities（UASA）	阿拉伯联盟证券监管局	阿联酋	+971 4 2900056	info@ uasa. ae	http://www. uasa. ae
European Securities and Markets Authority	欧洲证券市场监管局	法国	+33 158364321	info@ esma. europa. eu	http://www. esma. europa. eu/
World Federation of Exchanges（WFE）	世界证券交易所联合会	法国	(33 1)58 62 54 00	contact @ world – exchanges. org	http://www. world – exchanges. org
The Organisation for Economic Cooperation and Development（OECD）	经济合作发展组织	法国	(33 1) 4524 8200	webmaster@ oecd. org	http://www. oecd. org/
International Organization of Securities Commissions	国际证券委员会组织	西班牙	+34 91 417 5549	mail@ iosco. org	http://www. iosco. org/
International Securities Services Association	国际证券服务联盟	瑞士	+41 44 239 91 94		http://www. issanet. org/
International Capital Market Association	国际资本市场联合会	瑞士	(41 1) 363 4222	info@ icmagroup. org	http://www. icmagroup. org
ICI Global	国际投资公司联合	英国	+440 203 009 3100		http://www. iciglobal. org
International Swaps and Derivatives Association	国际金融衍生品联合会	美国		cdsquestions@ isda. org	http://www2. isda. org/
International Finance Corporation	国际金融公司	美国	(202) 473 – 3800		http://www. ifc. org

续表

机构名称	名称	国别	电话	电邮	网址
International Bank for Reconstruction and Development	国际重建和发展银行	美国	(1 202) 473 1000		http://www.worldbank.org/
International Monetary Fund	国际货币基金组织	美国	(1 202) 623 6262	userid@imf.org	http://www.imf.org/
Financial Planning Standards Board Ltd.	金融规划标准协会	美国	1-720-407-1909	info@fpsb.org	http://www.fpsb.org
Asian Development Bank	亚洲发展银行	菲律宾	(63 2) 632 4444		http://www.adb.org/

十、各国证券监管机构联系方式

机构名称	国别(地区)	电话	传真	电邮	网址
Albanian Financial Supervisory Authority	阿尔巴尼亚	(355)42 247 148	(355)42 250 686	amf@ amf. gov. al	http://www. amf. gov. al/
Commission d'Organisation et de Surveillance des Opérations de Bourse	阿尔及利亚	(213 2) 159 1015	(213 2) 159 1019	cosob@ cosob. org	http://www. cosob. org/
Alberta Securities Commission	加拿大阿尔伯塔省	(1 403)297 6454	(1 403)297 4486		http://www. alberta-securities. com/
Comisión Nacional de Valores	阿根廷	(5411)4345 2882 -97	(54 11)4329 4784	cnvadm @ cnv. gov. ar	http://www. cnv. gov. ar/
Central Bank of Armenia	亚美尼亚	(3741)0583 841	(3741)0565 496	mcba@ cba. am	http://www. cba. am/
Australian Securities and Investments Commission	澳大利亚	(61 2)9911 2000	(61 2)9911 2414	steven. bardy@ asic. gov. au	http://www. asic. gov. au/
Financial Market Authority	奥地利	(43 1)24959 - 0	(43 1)249 59 5499	fma@ fma. gv. at	http://www. fma. gv. at/
Securities Commission of The Bahamas	巴哈马	(1 242)397 -4100	(1 242)356 7530	info@ scb. gov. bs	http://www. scb. gov. bs/
Central Bank of Bahrain	巴林	(973)17 547777	(973)17 530399	cms@ cbb. gov. bh	http://www. cbb. gov. bh/
Securities and Exchange Commissi	孟加拉国	(8802)956 8101 -2	(880 2)956 3721	secbd@ bdmail. net	http://www. secbd. org/
Financial Services Commission	巴巴多斯	(246)421 2142	(246)421 2146	info@ fsc. gov. bb	http://www. fsc. gov. bb/
Financial Services and Markets Authority	比利时	(32 2)220 5301	(32 2)220 5322		http://www. fsma. be/
Bermuda Monetary Authority	百慕大	(1 441)295 5278	(1 441)292 7471	enquiries@ bma. bm	http://www. bma. bm/
Autoridad de Supervisión del Sistema Financiero	玻利维亚	(591 2)243 1919	(591 2)243 0028	asfi@ asfi. gob. bo	http://www. asfi. gob. bo

续表

机构名称	国别(地区)	电话	传真	电邮	网址
Securities Commission of the Federation of Comissãode Valores Mobitiários Bosnia and Herzegovina	波黑共和国	(387 33)203 844	(387 33)211 655	info @ komvp. gov. ba	http://www. komvp. gov. ba/
Comissão de Valores Mobiliãrios	巴西	(55)21 3554 8465	(55)21 3554 8292	intl@ cvm. gov. br	http://www. cvm. gov. br/
British Virgin Islands Financial Services Commission	英属维京群岛	(1 284)494 1324 / 4190	(1 284)494 9399	commissioner@ bvifsc. vg	http://www. bvifsc. vg/
British Columbia Securities Commission	加拿大英属哥伦比亚省	(1 604)899 6500	(1 604)899 6506	Inquiries @ bcsc. bc. ca	http://www. bcsc. bc. ca
Autoriti Monetari Brunei Darussalam	文莱	(673 2)384 626	(673 2)383 787	info @ ambd. gov. bn	http://www. ambd. gov. bn
Financial Supervision Commission	保加利亚	(359 2)940 4999	(359 2)829 4324	bg_fsc@ fsc. bg	http://www. fsc. bg/
Cayman Islands Monetary Authority	开曼群岛	(1 345)949 7089	(1 345)946 4230	c. scotland@ cimoney. com. ky	http://www. cimoney. com. ky
Superintendencia de Valores y Seguros	智利	(562)2617 4510	(562)2617 4401	correo @ sugeval. fi. cr	http://www. sugeval. fi. cr/
Superintendencia Financiera de Colombia	哥伦比亚	(57 1)594 0200	(57 1)353 6304	yicano @ superfinanciera. gov. co	http://www. superfinanciera. gov. co
Superintendencia General de Valores	哥斯达黎加	(506)243 4700	(506)243 4646	correo @ sugeval. fi. cr	http://www. sugeval. fi. cr/
Croatian Financial Services Supervisory Agency	克罗地亚	(385 1)6173 200	(385 1)481 14 06	goran. bakula@ hanfa. hr	http://www. hanfa. hr/
Cyprus Securities and Exchange Commission	塞浦路斯	(357)2250 6600	(357)2250 6700	info @ cysec. gov. cy	http://www. cysec. gov. cy/
Czech National Bank	捷克	(420)224 411 111	(420)224 412 404	Marie. Stankova @ cnb. cz	http://www. sec. cz/

续表

机构名称	国别(地区)	电话	传真	电邮	网址
Finanstilsynet (Denmark Financial Supervisory Authority)	丹麦	(45)3355 8282	(45)3355 8200	finanstilsynet@ftnet.dk	http://www.ftnet.dk/
Superintendencia de Valores de la República Dominicana	多米尼加共和国	(1 809)221 4433	(1 809)686 1854	info@siv.gov.do	http://www.siv.gov.do/
Dubai Financial Services Authority	迪拜	(971 4)362 1500	(971 4)362 0801	info@dfsa.ae	http://www.dfsa.ae
Superintendencia de Compañías	厄瓜多尔	(593 4)2325 380		supercias@supercias.gob.ec	http://www.supercias.gob.ec
Egyptian Financial Supervisory Authority	埃及	(20 2)3534 5300	(20 2)3534 5307	oir@efsa.gov.eg	http://www.efsa.gov.eg/
Superintendencia del Sistema Financiero	塞尔瓦多	(503)2281 8900	(503)2221 3404	info@ssf.gob.sv	http://www.ssf.gob.sv/
Financial Supervision Authority (Finantsinspektioon)	爱沙尼亚	(372)6680 500	(372)6680 501	info@fi.ee	http://www.fi.ee/
European Securities and Markets Authority (ESMA)	欧盟	(33 1)58 36 43 21	(33 1)58 36 43 30	info.esma@esma.europa.eu	http://www.esma.europa.eu/
Financial Supervision Authority	芬兰	(358 10)831 51	(358 10)831 5328	fiva@fiva.fi	http://www.finanssivalvonta.fi/
Autorité des marchés financiers	法国	(33 1)5345 6000	(33 1)5345 6100	rel-int@amf-france.org	http://www.amf-france.org/
Bundesanstalt für Finanzdienstleistungsaufsicht	德国	(49)228 4108 - 0 (Switchboard)	(49)228 4108 123 (Frankfurt)	poststelle@bafin.de	http://www.bafin.de/
Securities and Exchange Commission	加纳	(233 302)768970	(233 302)768984	info@secghana.org	http://www.secghana.org/
Financial Services Commission	直布罗陀	(350)200 40283	(350)200 40282	info@fsc.gi	http://www.fsc.gi/

续表

机构名称	国别(地区)	电话	传真	电邮	网址
Hellenic Republic Capital Market Commission	希腊	(30 210)337 7215	(30 210)337 7210		http://www.hcmc.gr/
Guernsey Financial Services Commission	根西岛	(44 1481)712 706	(44 1481)712 010	info@gfsc.gg	http://www.gfsc.gg/
Comisión Nacional de Bancos y Seguros (National Banks and Securities Commission)	洪都拉斯	(504)290-4500	504)221 6898	vmorales@cnbs.gov.hn	http://www.cnbs.gov.hn/
Securities and Futures Commission	中国香港	(852)2231 1222		ceo@sfc.hk	http://www.sfc.hk
Hungarian Financial Supervisory Authority	匈牙利	(36 1)4899 100	(36 1)4899 102	pszaf@pszaf.hu	http://www.pszaf.hu/
Fjármálaeftirlitið – Financial Supervisory Authority	冰岛	(354)520 3700	(354)520 3727	int@fme.is	http://www.fme.is/
Securities and Exchange Board of India	印度	(91 22)2644 9000	(91 22)2644 9025	oia@sebi.gov.in	http://www.sebi.gov.in/
Indonesia Financial Services Authority(OJK)	印尼	(62 21)83704963	(62 21)83704963		www.ojk.go.id
Central Bank of Ireland	爱尔兰	+353 1 224 4000	(353 1)671 6561	markets@financialregulator.ie/	http://www.financialregulator.ie/
Financial Supervision Commission	马恩岛	(44 1624)689 300	(44 1624)689 399	fsc@gov.im	http://www.fsc.gov.im/
Israel Securities Authority	以色列	(972 2)655 6555	(972 2)651 3646	international@isa.gov.il	http://www.isa.gov.il/
Commissione Nazionale per le Società e la Borsa	意大利	(39 06)8477 1	(39 06)8477 763	segr.uri@consob.it	http://www.consob.it/
Financial Services Commission	牙买加	(1 876)906 3010 - 2	(1 876)906 3018	inquiry@fscjamaica.org	http://www.fscjamaica.org/

续表

机构名称	国别(地区)	电话	传真	电邮	网址
Financial Services Agency	日本	(81 3)3506 6161	(81 3)3506 6113	intl - se@ fsa. go. jp	http://www. fsa. go. jp/
Securities and Exchange Surveillance Commission	日本	(81 3)3581 7868	(81 3)5251 2151	ken - tanaka@ fsa. go. jp	http://www. fsa. go. jp/sesc/english/
Jersey Financial Services Commission	泽西岛	(44 1534)822 000	(44 1534)822 002	info@ jerseyfsc. org	http://www. jerseyfsc. org/
Jordan Securities Commission	约旦	(962 6)5607 171	(962 6)5686 830	info@ jsc. gov. jo	http://www. jsc. gov. jo/
National Bank of Kazakhstan	卡萨克斯坦	(7 727)2704 591	(7 727)2704 703	hq @ nationalbank. kz	http://www. nationalbank. kz/
Capital Markets Authority	肯尼亚	(254 2)226 4900	(254 2)222 8254	ceoffice@ cma. or. ke	http://www. cma. or. ke/
Financial Services Commission/Financial Supervisory Service	韩国	(82 2)3771 5191	(82 2)3771 5190	fssintl@ fss. or. kr	http://www. fsc. go. kr/eng; http://www. english. fss. or. kr(FSS)
State Agency for Financial Surveillance and Accounting	吉尔吉斯斯坦	(996 312)624 470	(996 312)662 653	fsa@ fsa. kg	www. fsa. kg
Financial and Capital Market Commission	拉脱维亚共和国	(371)6 7774800	(371)6 7225755	fktk@ fktk. lv	http://www. fktk. lv/en/
Financial Market Authority	列支敦士登公国	(423)236 73 73	(423)236 73 74	info @ fma - li. li	http://www. fma - li. li/
Central Bank of the Republic of Lithuania	立陶宛	(370 5)2680 501	(370 5)262 8124, 212 1501	info@ lb. lt	http://www. lb. lt/
Commission de surveillance du secteur financier	卢森堡	(352)2625 1 - 1	(352)2625 1601	direction@ cssf. lu	http://www. cssf. lu/
Securities and Exchange Commission of the Republic of Macedonia	马其顿	(389 2)3244 670	(389 2)3244 671	khv@ sec. gov. mk	http://www. sec. gov. mk/
Reserve Bank of Malawi	马拉维	(265)1820299	(265)1830628	emlelemba@ rbm. mw	http://www. rbm. mw/

续表

机构名称	国别(地区)	电话	传真	电邮	网址
Securities Commission	马来西亚	(60 3)6204 8000	(60 3)6201 1818	cau@seccom.com.my	http://www.sc.com.my/
Capital Market Development Authority	马尔代夫	(960)333 6621	(960)333 6624	mail@cmda.gov.mv	http://www.cmda.gov.mv/
Malta Financial Services Authority	马耳他	(356)2144 1155	(356)2144 9308	su@mfsa.com.mt	http://www.mfsa.com.mt/
Financial Services Commission	毛里求斯	(230)403 7000	(230)467 7172	fscmauritius@intnet.mu	http://www.fscmauritius.org
Comisión Nacional Bancaria y de Valores	墨西哥	(52 55)1454 6020	(52 55)1454 6821	info@cnbv.gob.mx	http://www.cnbv.gob.mx/
Financial Regulatory Commission	蒙古	(976 11)262 811	(976 11)329 084	info@frc.mn	http://www.frc.mn/
Securities Commission of the Republic of Montenegro	黑山	(382 20)442 800	(382 20)442 810	scmn@t-com.me	http://www.scmn.me/
Conseil déontologique des valeurs mobilières	摩洛哥	(212 5)37688900/01/02	(212 5)3768 8946		http://www.cdvm.gov.ma/
The Netherlands Authority for the Financial Markets	荷兰	(31 20)797 2000	(31 20)797 3800	int.affairs@afm.nl	http://www.afm.nl/
Financial Markets Authority	新西兰	(64 4)472 9830	(64 4)472 8076	fma@fma.govt.nz	http://www.fma.govt.nz
Securities and Exchange Commission	尼日利亚	(234 9)234 6272 - 3	(234 9)234 6276	sec@sec.gov.ng	http://www.sec.gov.ng
Finanstilsynet (The Financial Supervisory Authority of Norway)	挪威	(47 22)969 800	(47 22)630 226	post@finanstilsynet.no	http://www.finanstilsynet.no/
Capital Market Authority	阿曼	(968)2482 3200	(968)2481 6266	info@cma.gov.om	http://www.cma.gov.om
Ontario Securities Commission	加拿大安大略省	(1 416)597 0681	(1 416)593 8241	inquiries@osc.gov.on.ca	http://www.osc.gov.on.ca/

续表

机构名称	国别(地区)	电话	传真	电邮	网址
Securities and Exchange Commission	巴基斯坦	(92 51)920 7091 - 94	(92 51)920 5692	enquiries@ secp. gov. pk	http://www. secp. gov. pk/
Superintendenci a del Mercado de Valores	巴拿马	(507)501 1700	(507)501 1709	info @ supervalores. gob. pa	http://www. supervalores. gob. pa/
Securities Commission	巴布亚新几内亚	(675)321 7310	(675)321 7560	securities. commission @ ipa. gov. pg	http://www. ipa. gov. pg/
Superintendenci a del Mercado de Valores	秘鲁	(51 1)610 6314	(51 1)638 0354	cendoc @ smv. gob. pe	http://www. smv. gob. pe/
Securities and Exchange Commission	菲律宾	(63 2)727 4393	(63 2)721 2939		http://www. sec. gov. ph/
Polish Financial Supervision Authority	波兰	+48 22 26 25 000	+48 22 26 25 111	knf@ knf. gov. pl	http://www. knf. gov. pl/
Comissão do Mercado de Valores Mobiliários	葡萄牙	(351 21)317 7000	(351 21)353 7077/8	cmvm @ cmvm. pt	http://www. cmvm. pt
Qatar Financial Markets Authority	卡塔尔	+974 4428 9999	+974 4428 9947	iosco @ qfma. org. qa	http://www. qfma. org. qa/
Autorité des marchés financiers	加拿大魁北克省	(1 514)395 0337 (Montréal	(1 418)647 9963	information @ lautorite. qc. ca	http://www. lautorite. qc. ca/
Romanian National Securities Commission	罗马尼亚	(40 21)326 6775	(40 21)326 6848	cnvm@ cnvmr. ro	http://www. cnvmr. ro/
Federal Financial Markets Service of Russia	俄罗斯	(7 495)935 8790	(7 495)935 8791	dpankin@ ffms. ru	http://www. ffms. ru
Capital Market Authority	沙特阿拉伯	(966 1)279 7788	(966 1)279 7300	Chairman-Office @ cma. org. sa	http://www. cma. org. sa/
Securities Commission	塞尔维亚	(381 11)311 7336	(381 11)213 7924	office@ sec. gov. rs	http://www. sec. gov. rs
Monetary Authority of Singapore	新加坡	(65)6225 5577	(65)6225 1350	ioscosg @ mas. gov. sg	http://www. mas. gov. sg/
The National Bank of Slovakia	斯洛伐克	(421 2)5787 3344	(421 2)5787 1100	webmaster@ nbs. sk	

续表

机构名称	国别(地区)	电话	传真	电邮	网址
Securities Market Agency/Agencija Za Trg Vrednostnih Papirjev	斯洛文尼亚	(386 1)280 0400	(386 1)280 0430	WebMaster@a-tvp.si	http://www.a-tvp.si/
Financial Services Board	南非	(27 12)428 8000	(27 12)347 0221	info@fsb.co.za	http://www.fsb.co.za/
Comisión Nacional del Mercado de Valores	西班牙	(34 91)585 1500	(34 91)319 3373	international@cnmv.es	http://www.cnmv.es/
Securities and Exchange Commission	斯里兰卡	(94 11)2439 144-8	(94 11)2439 149	mail@sec.gov.lk	http://www.sec.gov.lk/
Republic of Srpska Securities Commission	波黑	(387 51)218 362	(387 51)218 361	kontakt@secrs.gov.ba	http://www.secrs.gov.ba/
Finansinspektionen	瑞典	(46 8)787 8000	(46 8)241 335	finansinspektionen@fi.se	http://www.fi.se/
Swiss Financial Market Supervisory Authority	瑞士	(41 31)327 91 00	(41 31)327 91 01	info@finma.ch	http://www.finma.ch/
Syrian Commission on Financial Markets and Securities	叙利亚	+963 11 3310949	+963 11 3310722	info@scfms.sy	http://www.scfms.sy/
Financial Supervisory Commission	中国台湾	(886 2)8968 0890	(886 2)8969 1162	international@fsc.gov.tw	http://www.fsc.gov.tw/
Capital Markets and Securities Authority	坦桑尼亚	(255 51)113 903	(255 51)113 846	amatoyo@cmsa-tz.org	http://www.cmsa-tz.org/
Securities and Exchange Commission	泰国	(66 2)263 6499	(66 2)256 7711	sgoffice@sec.or.th	http://www.sec.or.th/; http://www.secthailand.org/
Trinidad and Tobago Securities and Exchange Commission	特立尼达和多巴哥	(868)624 2991	(868)624 2995	ttsec@ttsec.org.tt	http://www.ttsec.org.tt/
Conseil du marché financier	突尼斯	(216)71 844 500	(216)71 841 809	cmf@cmf.org.tn	http://www.cmf.org.tn/
Capital Markets Board	土耳其	(90 312)292 9090	(90 312)292 9000	international@spk.gov.tr	http://www.cmb.gov.tr/

续表

机构名称	国别(地区)	电话	传真	电邮	网址
Capital Markets Authority	乌干达	(256 41)342 788	(256 41)342 803	info@ cmauganda. co. ug	http://www. cmauganda. co. ug
National Securities and Stock Market Commission	乌克兰	(380 44)227 0615	(380 44)227 0615	foreign @ stock-market. gov. ua	http://www. ssmsc. gov. ua
Securities and Commodities Authority	阿联酋	(+971 2)6277888	(+971 2)6274600	ceo – office @ sca. ae	http://www. sca. ae
Financial Conduct Authority	英国	(44 20)7066 1000	(44 20)7066 1099		http://www. fca. org. uk
Securities and Exchange Commission	美国	(1202)551 6690	(1 202)772 –9280	oia@ sec. gov	http://www. sec. gov/
Banco Central del Uruguay	乌拉圭	(598 2)1967	(598 2)1967	info @ bcu. gub. uy	http://www. bcu. gub. uy/
Center for Coordination and Control over Functioning of Securities Market	乌兹别克斯坦	(998 71)236 06 35	(998 71)232 07 31	info@ csm. gov. uz	http://www. csm. gov. uz
Comisión Nacional de Valores	委内瑞拉	(58 212)761 9328	(58 212)762 2796	administracion @ cnv. gov. ve	http://www. cnv. gov. ve/
State Securities Commission	越南	(84 4)934 0775	(84 4)934 0740	vubang @ ssc. gov. vn	http://www. ssc. gov. vn/
Conseil régional de l'épargne publique et des marchés financiers	西非货币联盟	(228)223 25 38 (Lomé)	(228)223 26 68 (Lomé)	sg@ crepmf. org	http://www. crepmf. org/
Securities and Exchange Commission	赞比亚	(260 1)227 012	(260 1)225 443	sec@ zamnet. zm	http://www. sec. gov. zm/

致谢

2013 年 2 月，中证资信发展有限责任公司（简称中证发展）成立。根据中国证监会党委的决策部署，公司按承担资本市场诚信平台建设、推动公司治理、发展机构投资者、对外宣传推介、资本市场人才队伍建设、推动市场创新等职能，积极开展相关工作。为进一步夯实职能定位基础，中证发展成立课题组对前述职能展开研究与探索，深入挖掘，大量走访调研，在充分论证的基础上进行了大胆的创新，形成了一系列的调研成果。在此基础上，几易其稿，最终形成此书（上下册）呈现在读者面前。

在调研中，课题组通过深入学习中国证监会主席肖钢关于资本市场监管与发展的一系列精辟观点，认真领会肖钢主席的改革精神，如饮醍醐，获益良多，得以使研究成果紧扣资本市场监管与发展脉搏。

课题组在调研和成果编撰过程中得到了中国证监会及系统内相关单位的大力支持，特别是中国证监会主席肖钢，中国证监会前任主席郭树清，中国证监会副主席姚刚，中国证监会主席助理吴利军对本课题调研工作给予了很多指导与推动。正是由于他们对资本市场监管与发展的敏锐洞察力及强烈责任感，才使课题调研和成果编撰工作得以顺利开展。课题组在调研和成果论证中，还得到了中国证监会法律部黄炜主任，基金部王林主任，国际部童道驰主任、汤晓东副主任的无私指导，上海证券交易所研究中心主任胡汝银也对课题研究提出了很多宝贵意见。此外，中国证监会许强、雷宇开、邱昱芳、裴胜春，以及中国上市公司协会李大勇等在课题调研和成果编撰工作中有诸多参与和支持。借此成果面世之时，一并向各位领导和同仁表示衷心感谢。

在课题调研过程中，资本市场各方人士提供了很多富有建设性的思路和建议。感谢中国人民银行征信中心、全国社保基金会、民政部国家民间组织管理局、社科院公司治理研究中心、中国人寿、中信证券、华夏基金、鼎晖投资、国投瑞银基金、大智慧、国际公司治理组织、伦敦金融城北京办事处、MSCI、IFC、ISS等国内外相关机构的鼎力协助。

中国财政经济出版社尤其是胡懿女士、耿伟先生等为本书的出版做了大量细致的工作，在此表示深切谢意！

最后，感谢中证发展全体同仁的辛勤付出。

囿于时间和其他条件的限制，本书难免存在欠缺与不足，诚请有识之士不吝指正。

作　者

2014年4月20日